Le Livre de Poche Jeunesse

De William
À : Rebecca
26 septembre 2008

Héroïne d'un jour

MEG CABOT

Héroïne d'un jour

Samantha

TOME 1

Traduit de l'anglais (États-Unis)
par Josette Chicheportiche

Je remercie du fond du cœur Beth Ader, Jennifer Brown, Barbara Cabot, Matt Cabot, Josh Horwitz, Michele Jaffe, Laura Langlie, Abby McAden, Ericka Markman, Ron Markman, David Walton et Benjamin Egnatz.
Je remercie également Tanya, Julia et Charlotte Horwitz qui ont été à l'origine de cette histoire.

L'édition originale de cet ouvrage
a paru en langue anglaise (États-Unis)
HarperCollins, New York,
sous le titre :
All american girl

Aux vrais héros du 11 septembre 2001

Les dix raisons pour lesquelles je ne supporte pas ma sœur Lucy :

10. Je récupère toutes ses vieilles fringues, même ses vieux soutiens-gorge.

9. Si je refuse de les mettre, et surtout de mettre ses vieux soutiens-gorge, j'ai droit à un sermon sur le gaspillage et l'environnement. Je m'en fiche, je refuse quand même de les mettre. Lorsque j'ai dit à ma mère que de toute façon je ne voyais pas pourquoi je porterais un soutien-gorge vu que je n'ai pas grand-chose à soutenir, Lucy m'a fait remarquer que si je n'en portais pas maintenant, le jour où j'en aurais besoin, mes seins tomberont comme ceux des femmes de cette tribu qu'on a vues l'autre jour dans un reportage sur Discovery Channel.

8. C'est l'une des autres raisons pour lesquelles je ne supporte pas ma sœur. Elle me fait toujours ce genre de remarque. Vous savez quoi ? C'est à ces femmes qu'on devrait envoyer les soutiens-gorge de Lucy.

7. Ses conversations au téléphone se résument à : « Je te crois pas... Qu'est-ce qu'il a dit ?... Et toi, t'as répondu quoi ?... Non... C'est dingue... Pas possible... Qui a dit ça ?... Eh bien, c'est faux... Je ne sais pas... Je ne peux pas le sentir... D'accord, je vais essayer. Oh, oh, faut que je te laisse. On m'appelle sur l'autre ligne. »

6. Elle fait partie des pompom girls. Oui, vous avez bien lu. Des *pompom girls*. Comme si ça n'était pas déjà assez qu'elle passe son temps à agiter des pompons devant une bande de crétins qui courent sur un terrain de foot, il faut en plus qu'elle le fasse tous les soirs. Et vu que nos parents sont pour les repas-pris-en-famille, qu'est-ce qu'on fait à votre avis tous les soirs à cinq heures et demie ? On mange. Qui a faim à cette heure-là ? je vous le demande.

5. Tous mes profs me disent : « Je ne comprends pas, Samantha, quand j'avais ta sœur, il y a deux ans, je n'avais jamais besoin de lui rappeler : a) de sauter une ligne b) d'écrire la première lettre des

substantifs allemands en capitale c) de ne pas oublier son maillot de bain d) d'ôter ses écouteurs pendant les réunions d'information e) de cesser de dessiner sur son jean. »

4. Elle a un petit ami. Et pas n'importe lequel. Un, ce n'est pas un sportif, ce qui ne s'est jamais vu dans la hiérarchie sociale de notre lycée : une pompom girl avec un type qui ne pratique aucun sport. Et deux, Jack est un rebelle, comme moi, sauf que lui, il porte une veste qui vient d'un vrai surplus de l'armée, des Doc Martens, le jean et tout le reste. Y compris les boucles d'oreilles.

Bon d'accord, Jack n'est pas ce qu'on appelle une « lumière », mais il a beaucoup de talent et c'est un très grand artiste. Ses tableaux, qui dépeignent une jeunesse américaine délinquante, sont systématiquement exposés sur les murs de la cafétéria. Et personne ne s'amuse à dessiner des graffitis dessus, comme ce serait le cas avec les miens.

Et pour couronner le tout, papa et maman le détestent sous prétexte qu'il ne met pas à profit ses capacités intellectuelles et s'est fait renvoyer du lycée pendant trois jours pour avoir osé contester l'autorité du principal. Ils n'aiment pas non plus qu'il les appelle Carol et Richard. Ils préféreraient qu'il s'en tienne à M. et Mme Madison.

C'est dégoûtant que Lucy sorte avec un garçon non

seulement cool mais que nos parents n'apprécient pas. Toute ma vie, j'ai prié pour que ça m'arrive. Enfin, presque toute ma vie. Cela dit, je n'ai jamais rencontré de garçon jusqu'à présent qui aurait pu faire l'affaire.

3. Bien qu'elle sorte avec un artiste rebelle et non un sportif, Lucy est l'une des filles qui a le plus la cote au lycée. La preuve : tous les samedis soir, elle est invitée à une fête, parfois à plusieurs même. Du coup, elle me dit souvent : « Hé, Sam, pourquoi n'iriez-vous pas à ma place, Catherine et toi ? Vous seriez mes émissaires ! » Ben voyons. C'est clair qu'on se ferait jeter comme de vulgaires gamines dès notre arrivée.

2. Elle s'entend bien avec maman et papa – sauf en ce qui concerne Jack – et cela depuis toujours. Elle s'entend même bien avec notre petite sœur, Rebecca, qui fréquente une école spéciale pour enfants surdoués, et qui a le don de me taper sur les nerfs.

Mais la raison essentielle pour laquelle je ne supporte pas ma sœur, c'est :

1. Qu'elle m'a caftée aux parents au sujet de mes portraits de stars.

1

Elle dit qu'elle ne l'a pas fait exprès. Qu'elle les a vus dans ma chambre et qu'elle les a trouvés tellement beaux qu'elle n'a pas pu s'empêcher de les montrer à maman.

Évidemment, ça ne lui a pas traversé l'esprit qu'elle n'avait pas le droit d'entrer dans ma chambre. Quand je l'ai accusée de violer mon droit à la vie privée, droit reconnu par la constitution américaine, elle m'a regardée et a fait : « Hein ? », même si la constitution américaine est à son programme d'histoire, cette année.

Il paraît qu'elle est entrée dans ma chambre parce qu'elle cherchait son recourbe-cils.

À d'autres, oui ! Elle sait bien que jamais je ne lui emprunterais quoi que ce soit. Et surtout pas quelque chose qui risque de toucher d'aussi près ses yeux globuleux.

Bref, au lieu de son recourbe-cils, que je n'avais évidemment pas, Lucy a découvert ma pile de portraits de la semaine dernière et l'a montrée à maman pendant le dîner.

— Je comprends mieux maintenant pourquoi tu n'as pas eu la moyenne en allemand, Sam, a observé ma mère en découvrant les dessins dans mon classeur d'allemand.

— Est-ce censé être l'acteur qui joue dans *Le Chemin de la liberté* ? a demandé mon père. Et qui as-tu représenté à ses côtés ? Serait-ce... *Catherine* ?

— C'est nul, l'allemand. C'est une langue idiote, ai-je déclaré avec le sentiment qu'ils n'avaient rien compris.

— C'est absolument faux, est intervenue Rebecca. Les Allemands sont issus de groupes ethniques qui vivaient du temps des Romains. Leur langue est très belle et a été créée il y a plusieurs milliers d'années.

— Et alors ? Est-ce que tu sais qu'ils écrivent tous les substantifs avec la première lettre en capitale ? À quoi ça leur sert ?

— Hum, hum, a fait ma mère en considérant la première page de mon classeur. Qu'avons-nous ici ?

— Sam, pourquoi dessines-tu ton amie Catherine sur le dos d'un cheval avec ce type qui joue dans *Le Chemin de la liberté* ? a demandé mon père.

— Je crois que la réponse est ici, Richard, a dit ma mère.

Là-dessus, elle lui a tendu mon classeur.

Pour ma propre défense, je rappelle que nous vivons pour le meilleur ou pour le pire dans une société capitaliste. Aussi, n'ai-je fait qu'appliquer mes droits en proposant au public – essentiellement la population féminine du lycée John Adams – un produit pour lequel je sentais qu'il y avait une forte demande. On aurait pu penser que mon père, en tant qu'économiste auprès de la Banque mondiale, l'aurait compris.

Mais à mesure qu'il lisait à voix haute la première page de mon classeur d'allemand, j'ai senti qu'il n'avait pas compris. Mais alors pas du tout.

— Toi et Josh Hartnett, lisait-il donc, quinze dollars. Toi et Josh Hartnett sur une île déserte, vingt dollars. Toi et Justin Timberlake, dix dollars. Toi et Justin Timberlake sous une cascade, quinze dollars. Toi et Keanu Reeves, quinze dollars. Toi et...

Il a levé les yeux et a dit :

— Pourquoi Keanu Reaves et Josh Hartnett ont plus que Justin Timberlake ?

— Parce que Justin Timberlake a moins de cheveux.

— Oh, je vois, a-t-il répondu en revenant à la liste. Toi et Keanu Reeves en train de faire du rafting en eau vive, vingt dollars. Toi et James Van Der Beek, quinze dollars. Toi et James Van Der Beek en train de faire du deltaplane, vingt...

Ma mère l'a arrêté à ce moment-là.

— De toute évidence, a-t-elle commencé, avec la voix qu'elle prend lorsqu'elle s'adresse à la cour – ma mère est avocate, spécialisée dans les questions d'environnement. S'il y a bien une chose que tout le monde évite à la maison, c'est qu'elle prenne cette voix-là –, Samantha a des problèmes de concentration en allemand. La raison pour laquelle elle rencontre ces problèmes pourrait, me semble-t-il, s'expliquer par l'absence d'exutoire à son énergie créatrice. À mon avis, si un tel exutoire lui était offert, ses notes en allemand s'amélioreraient aussitôt.

Et c'est comme ça que le lendemain, ma mère m'a annoncé sitôt rentrée du travail, que tous les mardis et jeudis, de trois heures et demie à cinq heures et demie, je suivrais un cours de dessin à l'atelier de Susan Boone.

Apparemment, cela ne l'a pas effleurée que je puisse très bien dessiner toute seule, dans ma chambre, par exemple. Elle ne se rend pas compte non plus que ces cours risquent de détruire ma spontanéité et mon style. Comment pourrais-je rester fidèle à ma propre vision des choses, comme Van Gogh, si quelqu'un se penche par-dessus mon épaule et m'explique ce que je dois faire ?

— Merci, ai-je lancé à Lucy quand je l'ai trouvée quelques heures plus tard dans la salle de bains qu'on partage, debout devant le miroir en train de séparer ses cils à l'aide d'une épingle de sûreté – même si notre nounou, Theresa, lui a raconté que sa cousine Rosa s'était crevé un œil comme ça.

Lucy m'a regardée par-dessus l'épingle de sûreté.

— De quoi ?

Ça m'a sidérée qu'elle ne voie pas de quoi je parle.

— Tu m'as caftée aux parents au sujet de mes dessins !

— Oh, ça, a-t-elle constaté en revenant à ses cils. Ne me dis pas que tu m'en veux. Moi qui pensais t'être utile.

— *Utile* ? ai-je répété. Je suis dans le pétrin à cause de toi ! Maintenant, je vais devoir assister deux fois par semaine à un cours de dessin quand... quand j'aurais pu regarder la télé !

Lucy a ouvert de grands yeux étonnés.

— Tu n'as rien compris. Tu es ma sœur et je ne peux pas te laisser être la risée de tout le bahut. Tu n'es inscrite à aucune activité extra-scolaire, tu t'habilles en noir tout le temps, tu m'interdis de te coiffer. Il fallait bien que je fasse quelque chose. Grâce à ces cours, tu deviendras peut-être célèbre ! Comme Georgia O'Keeffe.

— Sais-tu quels tableaux ont rendu Georgia O'Keeffe célèbre, Lucy ?

Ma sœur a fait non de la tête.

— Pour ses tableaux représentant des vagins. Voilà pourquoi Georgia O'Keeffe est célèbre.

Ou, comme Rebecca n'a pas manqué de nous le faire remarquer alors qu'elle passait devant la porte de la salle de bains, le nez dans le dernier épisode de *Star Trek*, sa saga préférée :

— En fait, les images abstraites de vagins de Georgia O'Keeffe sont des représentations sensuelles de fleurs dont le contenu symbolique est hautement sexuel.

J'ai dit à Lucy de demander à Jack si elle ne me croyait pas. Mais Lucy m'a répondu qu'elle ne parlait pas de ça avec Jack.

— Tu veux dire de vagins ? ai-je demandé.

— Non, d'art, m'a répliqué ma sœur.

Je ne comprends pas. Elle sort avec un artiste et ils ne parlent pas d'art ? Vous savez quoi ? Si un jour je sors avec un garçon, on parlera de *tout*. Même d'art. Et de vagins.

2

Catherine est restée en arrêt quand je lui ai annoncé que j'allais prendre des cours de dessin.

— Mais tu sais déjà dessiner !

Je ne pouvais, évidemment, qu'être d'accord. Mais ça fait du bien de se dire qu'on n'est pas seul à penser que suivre un cours de dessin deux fois par semaine est une perte de temps.

— Ça ne m'étonne pas de Lucy, a continué Catherine.

On était dans le Bishop's Garden, où on promenait Manet. Le Bishop's Garden se trouve dans l'enceinte de la National Cathedral. C'est là que sont célébrées les funérailles de toutes les personnes illustres qui meurent à Washington, D.C. C'est à cinq minutes de Cleveland Park, où on habite. Ce qui est pratique, parce que Manet adore venir ici pour courir après les écureuils et surprendre les couples d'amoureux qui s'embrassent sur les bancs ou à l'abri du kiosque.

Mais au fait, qui allait sortir Manet quand je serais à l'atelier de Susan Boone ? Ce n'était pas la peine de compter sur Theresa. Elle le déteste, même s'il a arrêté de mordiller les fils électriques. Elle dit qu'elle a assez de travail comme ça avec nous et qu'il est hors de question qu'elle s'occupe de mon chien de berger de quarante kilos.

— Je n'en reviens pas que Lucy ait fait ça ! s'est exclamée Catherine. Qu'est-ce que je suis contente de ne pas avoir de sœur !

Catherine est la cadette, comme moi – ce qui explique peut-être pourquoi on s'entend si bien. Sauf qu'elle a deux frères, un grand et un petit. Mais ni l'un ni l'autre ne sont aussi beaux et intelligents qu'elle.

— Cela dit, si ça n'avait pas été Lucy, ça aurait été Kris Parks, a-t-elle ajouté alors qu'on s'engageait le long de l'étroit chemin qui serpente à travers le jardin. Kris t'en veut de les avoir fait payer, elle et ses copines, et pas les autres.

Ce qui, si vous voulez mon avis, est le point le plus positif de toute l'histoire. D'avoir fait payer Kris Parks et sa bande. Toutes les autres filles ont eu droit à leur portrait gratuitement.

La première fois que j'ai dessiné le portrait de Catherine aux côtés de Heath Ledger, son acteur préféré du moment, ça a fait le tour du lycée tellement vite que je me suis retrouvée avec une liste de filles me suppliant de les représenter avec la star de leur choix.

Au début, je ne pensais pas me faire payer. J'étais trop contente d'offrir mes dessins à mes amies.

Et puis, ce sont les filles non anglophones du lycée qui sont venues me voir. Je ne pouvais décemment pas leur demander de l'argent. Si vous veniez d'emménager quelque part – soit parce que vous avez échappé à un régime totalitaire ou, comme c'est le cas de la plupart d'entre elles, parce que votre père est ambassadeur ou diplomate –, vous ne supporteriez pas de devoir payer pour votre portrait aux côtés d'une star. Je sais ce que c'est de vivre dans un pays dont on ne parle pas la langue : c'est horrible. Grâce à mon père, qui est à la tête de la division Afrique du Nord de la Banque mondiale, j'en ai fait l'expérience. On a passé un an au Maroc quand j'avais huit ans. Eh bien, j'aurais adoré que quelqu'un, là-bas, m'offre gracieusement un dessin de Justin Timberlake au lieu de me dévisager comme si j'étais une espèce de monstre sous prétexte que je ne savais pas dire : « Veuillez m'excuser » en marocain quand j'avais besoin d'aller aux toilettes.

Ensuite, ça a été le tour des filles des classes spécialisées. Je ne pouvais pas non plus les faire payer, car je sais aussi ce que c'est d'être dans une classe spécialisée. À notre retour du Maroc, j'avais décidé de me débarrasser de mon zozotement. Mais je devais me faire « aider professionnellement ». Résultat, pendant que mes camarades étaient en musique, j'allais chez une orthophoniste pour apprendre à placer ma langue.

Comme si ce n'était pas déjà assez pénible, il fallait en plus que Kris Parks – ma meilleure amie jusqu'à notre départ pour le Maroc, mais qui, à mon retour, disait : « Samantha *qui* ? » – se moque systématiquement de moi quand je reprenais ma place en cours.

On aurait dit qu'elle ne se souvenait pas d'être venue tous les soirs chez moi pour jouer à la Barbie. Non, d'un seul coup, elle ne pensait plus qu'à « traîner » avec les garçons dans l'espoir qu'ils l'embrassent. Le fait que je préfère mourir plutôt que laisser un garçon poser ses lèvres sur les miennes – en particulier Rodd Muckinfuss, qui était le tombeur de notre classe, cette année-là – m'a aussitôt valu le surnom de « bébé » (mon zozotement devait sans doute y participer, si vous voulez mon avis), et Kris m'a laissé tomber comme une vieille chaussette.

Du coup, son attitude m'a super-motivée à apprendre à parler correctement. Et le jour où mon zozotement a été supprimé, je suis allée la voir et je l'ai traitée de sainte-nitouche et de frimeuse débile.

On ne s'est plus jamais adressé la parole depuis.

Bref, partant du principe que les élèves des classes spécialisées n'ont franchement pas besoin qu'on les embête, j'ai décidé que pour eux aussi, mes dessins seraient gratuits.

Le problème, c'est que Kris Parks n'a pas apprécié. Non que je ne fasse pas payer les non-anglophones et les élèves des classes spécialisées, mais que je les fasse payer, elle et ses copines.

Qu'est-ce qu'elle croyait ? Que j'allais demander de l'argent à Catherine, ma meilleure amie depuis que je suis rentrée du Maroc. Catherine et moi, on fait bloc contre Kris Parks. Quelle peste, celle-là ! À croire que son plaisir, dans la vie, c'est de nous envoyer des piques. Tous les jours, il faut qu'elle se moque de la façon de s'habiller de Catherine. Comme la mère de Catherine est super-catho, elle oblige sa fille à porter des jupes qui lui arrivent en dessous du genou.

Alors lui offrir un portait d'elle avec Orlando Bloom ? Elle rêve !

Des gens comme Kris Parks – qui n'a jamais fréquenté de classe spécialisée et encore moins une école où personne ne parle sa langue – ne savent pas ce que ça veut dire être gentil avec quelqu'un qui n'est pas blond, qui ne fait pas du 36 et qui ne s'habille pas à la dernière mode.

Bref, quelqu'un qui n'est pas comme Kris Parks.

On parlait de tout ça, Catherine et moi, en rentrant du Bishop's Garden – de Kris Parks, je veux dire, et de son intolérance – lorsqu'une voiture s'est arrêtée à notre hauteur et que j'ai reconnu mon père derrière le volant.

— Salut, les filles ! a lancé ma mère en se penchant

par-dessus mon père. J'imagine qu'aucune de vous deux ne veut nous accompagner à un match de Lucy.

— Maman, laisse tomber. Ça ne les intéresse pas, est intervenue Lucy depuis l'arrière de la voiture où elle était assise en tenue de pompom girl. Et si, par hasard elles venaient, regarde Sam. J'aurais honte qu'on me voie avec elle.

— Lucy ! a lâché mon père sur un ton menaçant.

Je me suis retenue de lui dire que ce n'était pas nécessaire qu'il se fâche : j'ai l'habitude des remarques désobligeantes de ma sœur à propos de mon allure.

Avoir de l'allure, c'est bien joli pour des filles comme Lucy, dont la première préoccupation dans la vie, c'est de ne pas rater les soldes chez Club Monaco. Pour Lucy, par exemple, le fait que le super-marché du coin se mette à vendre des vêtements signés Paul Mitchell a été la cause d'une jubilation comme on n'en a pas vu depuis la chute du mur de Berlin.

Personnellement, je m'intéresse plus à des sujets qui concernent le monde en général, comme le fait que trois millions d'enfants se couchent tous les soirs le ventre vide, et que les cours d'arts plastiques sont systématiquement ceux que l'on supprime chaque fois que le conseil d'administration scolaire doit combler un déficit.

Ce qui explique pourquoi, au début de l'année, j'ai teint mes vêtements en noir pour montrer que :

a) je portais le deuil de notre génération pour qui, apparemment, il n'y a rien de plus important que ce qui va se passer dans le prochain épisode de *Friends*, et

b) la mode s'adressait à des poseuses comme ma sœur.

Je me souviens que ma mère a failli avoir une attaque le jour où je les ai teints. Elle aurait pu au moins se dire que l'une de ses filles pensait à autre chose qu'à se faire les ongles. Mais non !

Pour en revenir à cette histoire de match, ma mère, à l'inverse de Lucy, n'était visiblement pas prête à renoncer aussi vite. Elle a eu un large sourire radieux, alors que la journée était loin d'être radieuse – il bruinait et il faisait un froid de canard, bref, le genre de journée de novembre où personne (en tout cas pas moi, qui n'ai pas du tout l'esprit de groupe) n'a envie de s'asseoir sur des gradins et regarder des garçons courir après un ballon pendant que des filles en jupe et sweat-shirt roses les acclament –, et s'est tournée vers Lucy en disant :

— On ne sait jamais. Elles pourraient changer d'avis.

Puis elle a ajouté, à notre intention, à Catherine et à moi :

— Qu'en pensez-vous ? Après le match, papa a promis de nous emmener à Chinatown manger des dim su. Mais je suis sûre qu'on pourra te trouver un hamburger, Sam, a-t-elle précisé en me regardant.

— Je suis désolée, madame Madison. Je ne peux pas, a répondu Catherine.

En fait, elle ne semblait pas désolée du tout mais ravie d'avoir une excuse pour ne pas venir. Catherine déteste être avec des gens de son âge, car elle a toujours droit à des réflexions sur sa garde-robe, du genre : « Hé, la fermière ! Où c'est-y que t'as rangé la charrue ? »

— Je dois rentrer. On est dimanche, et c'est jour...

— De repos, je sais, l'a coupée ma mère, effectivement au courant des pratiques du père de Catherine.

Diplomate à l'ambassade du Honduras ici, à Washington, D.C., il tient à ce que le dimanche soit un jour de repos et oblige ses trois enfants à rester à la maison. Catherine n'avait été autorisée à sortir que pour rapporter le DVD de *The Patriot* (film qu'elle a vu dix-sept fois) au Video Club. Le détour par la National Cathedral n'était évidemment pas prévu, mais Catherine estimait que dans la mesure où on se trouvait à proximité d'une église, ses parents ne se fâcheraient pas s'ils apprenaient son écart.

— Richard, Carol. N'insistez pas, a déclaré Rebecca en levant les yeux de son ordinateur portable assez longtemps pour nous signifier à tous qu'elle commençait à se lasser de la situation.

— Papa, et non Richard, a corrigé ma mère. Et c'est maman, et non Carol.

— Désolée, a répondu Rebecca. Mais est-ce qu'on pourrait y aller ? J'ai une autonomie de deux heures seulement et je dois rendre un texte de trois pages pour demain.

Rebecca qui, à l'âge de onze ans devrait être en sixième, est inscrite à Horizon, une école pour surdoués où elle suit des cours de première année de fac. Il n'y a que des mutants avec elle. La preuve, le fils de notre actuel président, qui est lui-même un mutant – je parle du fils, quoique tout bien réfléchi, le père aussi doit être un peu mutant sur les bords –, y va aussi. À Horizon, les élèves ne sont pas notés. Ils reçoivent un rapport à chaque fin de trimestre. Sur le dernier rapport de Rebecca, il était écrit : *Bien que Rebecca suive les cours de première année d'université, elle doit rattraper ses pairs du point de vue de la maturité émotionnelle et faire des efforts de sociabilité.*

Parce que si, intellectuellement, Rebecca pourrait avoir quelque chose comme quarante ans, elle se comporte comme une petite fille de six ans et demi. C'est une chance qu'elle n'aille pas dans une école pour enfants normalement intelligents, comme Lucy et moi : les Kris Parks de onze ans n'en feraient qu'une bouchée.

Ma mère a poussé un soupir. Elle a toujours eu la cote au lycée. Comme Lucy. Elle a même reçu le prix de camaraderie. Du coup, elle ne comprend pas où elle s'est trompée avec moi. Je suis sûre qu'elle pense que c'est à cause de papa. Parce que, comme moi, il a passé ses années de lycée à rêver d'être ailleurs.

— Très bien, a lâché ma mère. Puisque tu préfères rester à la maison, reste à la maison, Sam. Mais...

— N'ouvre à personne, ai-je fini à sa place.

À quoi pensait donc ma mère ? À part la Dame au Pain, personne ne sonne jamais chez nous. La Dame au Pain est l'épouse d'un diplomate français qui vit dans notre rue. On ne connaît pas son nom. On l'appelle juste la Dame au Pain, parce que toutes les trois semaines environ, elle perd le sens des réalités – à mon avis, elle a le mal du pays – et se met à cuire une centaine de pains français qu'elle vend ensuite cinquante cents dans le quartier. Je suis accro à ses baguettes. En fait, c'est pratiquement la seule chose que je mange, avec les hamburgers ; je déteste la plupart des fruits et des légumes, et une bonne partie des autres aliments, comme le poisson et tout ce qui contient de l'ail.

La seule autre personne qui sonne à notre porte, à part la Dame au Pain, c'est Jack. Mais on n'a pas le droit de lui ouvrir quand nos parents ou Theresa ne sont pas là. Tout ça, parce qu'un jour, Jack a tiré avec une carabine à air comprimé sur la vitre de la voiture de son père pour protester contre le test des médicaments sur des animaux. Mes parents ont refusé d'admettre que Jack avait été obligé d'employer ce moyen afin que son père comprenne qu'on torturait des bêtes. Ils semblaient penser qu'il avait agi ainsi juste pour s'amuser, ce qui est naturellement faux. Jack ne fait jamais rien « juste pour s'amuser ». Il cherche à rendre le monde meilleur.

Moi, je pense que, si maman et papa ne veulent pas que Jack vienne à la maison en leur absence, c'est parce qu'ils ont peur que Lucy et lui aillent trop loin. Ce qui est tout à fait compréhensible de leur part, mais pourquoi ne le disent-ils pas tout simplement au lieu de se cacher derrière cette histoire de carabine à air comprimé ?

— On y va, oui ou non ! s'est écriée Lucy. Je vais finir par être en retard pour le match.

— Et pas de portraits de stars tant que tu n'as pas fini ton allemand ! m'a prévenue ma mère tandis que mon père démarrait.

— Je croyais que tu n'avais plus le droit de faire de portraits de stars, a dit Catherine après leur départ.

Manet, qui avait repéré un écureuil de l'autre côté de la rue, a tiré sur sa laisse.

— J'ai toujours le droit, ai-je expliqué en haussant la voix pour me faire entendre par-dessus les aboiements de Manet, mais je n'ai plus le droit de me faire payer.

— Oh, a fait Catherine.

Puis elle a ajouté, d'un ton suppliant :

— Dans ce cas, tu ne veux pas me dessiner Heath,

s'il te plaît ? C'est la dernière fois que je te le demande. Promis.

— Bon, d'accord, ai-je répondu avec un soupir, comme si c'était un pensum pour moi.

Ce qui est faux, bien sûr. Parce que quand on aime faire quelque chose, ce n'est jamais une corvée, même si on n'est pas payé.

C'est du moins ce que je pensais, du dessin en tout cas... jusqu'à ce que je rencontre Susan Boone.

Les dix raisons pour lesquelles j'adorerais être Gwen Stefani, la chanteuse de No Doubt, le meilleur groupe de ska au monde :

10. Gwen peut se teindre les cheveux de la couleur qu'elle veut, même rose bonbon comme lors de sa dernière tournée. Ses parents ne lui diront rien, parce qu'ils l'apprécient en tant qu'artiste et ont compris que cela faisait partie de son impulsion créatrice.

9. Si Gwen choisit de s'habiller en noir, les gens n'y verront que la manifestation de son génie, et ne lui feront aucune réflexion désobligeante, comme c'est le cas pour moi.

8. Gwen a son propre appartement, du coup, ses frères et sœurs ne s'introduisent jamais chez elle sans y avoir été invités et ne fouillent jamais dans

ses affaires pour aller ensuite raconter à leurs parents ce qu'ils ont trouvé.

7. Gwen écrit des chansons sur ses anciens petits copains et les chantent devant tout le monde. Vu que je n'ai jamais eu de petit ami, comment je pourrais écrire une chanson sur l'un d'eux ?

6. Elle ne paie pas ses CD. On les lui offre.

5. Si elle n'a pas la moyenne en allemand, sa mère ne l'oblige pas à suivre des cours d'écriture deux fois par semaine.

4. Des dizaines de sites Internet lui sont consacrés. Si vous inscrivez *Samantha Madison* dans n'importe quel moteur de recherche, vous n'obtiendrez rien sur moi.

3. Toutes les personnes qui n'ont pas été sympa avec Gwen pendant sa scolarité doivent probablement le regretter et lui lécher les bottes aujourd'hui. Sauf qu'elle peut leur répondre « T'es qui déjà, toi ? », comme Kris Parks à mon retour du Maroc.

2. Elle peut sortir avec tous les garçons qu'elle veut. Bon, d'accord, peut-être pas TOUS, mais je suis sûre qu'elle n'aurait aucun problème pour sortir

avec le garçon que *j'aime*. Qui est malheureusement le petit ami de ma sœur.

Mais la raison essentielle pour laquelle j'aimerais
être Gwen Stefani, c'est :

1. Qu'elle n'est pas obligée de suivre les cours de
dessin de Susan Boone.

3

Finalement, c'est Theresa qui m'a conduite chez Susan Boone, le lendemain.

Cela dit, Theresa a l'habitude de servir de chauffeur. Elle travaille pour nous depuis notre retour du Maroc et s'occupe de tout ce que mes parents n'ont pas le temps de faire : nous conduire, faire le ménage, la lessive, les courses et préparer les repas.

Mais attention, ce n'est pas pour autant qu'on ne participe pas. Par exemple, je m'occupe de Manet et de tout ce qui le concerne, puisque je suis la seule de la famille à avoir réclamé un chien. Rebecca met le couvert, je débarrasse et Lucy vide le lave-vaisselle.

Notre organisation marche relativement bien, quand Theresa supervise. L'une de ses tâches consiste à faire régner la discipline chez nous puisque maman et papa sont – d'après le rapport d'Horizon – incapables « de fixer des limites » à leurs enfants.

Sur le chemin pour l'atelier de Susan Boone, Theresa, elle, n'avait aucun problème pour m'en fixer. Des limites. Elle me soupçonnait de vouloir me sauver dès qu'elle m'aurait déposée.

— Si tu crois, Samantha Madison, que je ne vais pas t'accompagner jusqu'à cet atelier de dessin, m'a-t-elle prévenue, tu te fais un film.

C'est l'une de ses expressions préférées. C'est moi qui la lui ai apprise. J'ai dû travailler dur pour l'acclimater à notre culture. Quand Theresa est entrée au service de notre famille, elle arrivait de son Équateur natal et ne savait rien des États-Unis.

Maintenant elle est au courant de ce qui est branché ou pas. Si vous voulez mon avis, MTV pourrait l'engager comme consultante.

Sinon, elle m'appelle Samantha Madison quand elle est en colère contre moi.

— Je sais très bien ce que tu penses, Samantha Madison, a-t-elle continué en se mettant au point mort.

Un cortège de voitures accompagnant le président bloquait Connecticut Avenue. C'est un des problèmes de la vie à Washington, D.C. On ne peut aller nulle part sans croiser un cortège présidentiel.

— Tu penses que dès que j'aurai le dos tourné, tu pourras filer dans le premier Virgin du quartier et que je n'y verrai que du feu, a repris Theresa.

J'ai lâché un soupir comme si cette idée ne m'avait jamais traversé l'esprit, bien que ce soit exactement mon intention. J'estime même que c'était mon devoir de le faire. Si je ne cherchais pas à m'opposer à l'autorité, comment pourrais-je conserver mon intégrité en tant qu'artiste ?

— Mais non, Theresa, ai-je protesté.

— Épargne-moi tes « Mais non, Theresa » ! Je te connais. Tu t'habilles en noir tout le temps et tu écoutes ta musique punk...

— Ska, ai-je corrigé.

— Si tu veux.

La dernière voiture du cortège présidentiel étant passée, on a pu repartir.

— Tu sais quoi ? Je te soupçonne même de vouloir teindre en noir tes magnifiques cheveux roux.

J'ai baissé les yeux. Est-ce que Theresa avait vu la boîte de teinture, dans l'armoire à pharmacie de la salle de bains ? Car malgré ce qu'elle en pensait, les cheveux roux, ce n'est pas magnifique du tout. Sauf quand ils tirent vers le blond, comme ceux de Lucy. D'ailleurs, dans son cas, on ne dit pas roux, mais blond vénitien, en hommage au Titien, un grand peintre ayant vécu à Venise. Mais des cheveux comme les miens, de la couleur et de l'aspect du cuivre qu'on trouve dans les fils électriques, non, franchement, ce n'est pas beau.

— Et à cinq heures et demie, quand je viendrai te

chercher, je te retrouverai non pas dans la rue mais à l'atelier !

Theresa, c'est vraiment une mère à cent pour cent. Elle a eu quatre enfants, qui sont tous adultes aujourd'hui, et elle a trois petits-enfants, même si elle n'a qu'un an de plus que maman. C'est parce que son fils aîné, Tito, est, un imbécile. Dixit Theresa.

Et c'est à cause de l'imbécillité de Tito qu'on ne peut pas mener Theresa en bateau. Elle a déjà tout vu.

Lorsqu'on est enfin arrivées à l'atelier de Susan Boone, juste en face de l'église de scientologie, Theresa m'a observée d'un air méfiant. Non pas à cause de l'église de scientologie, mais à cause du magasin de disques, au rez-de-chaussée de l'immeuble de Susan Boone. Comme si ça pouvait m'intéresser !

Cela dit, Static, l'un des rares magasins de disques que je ne connaissais pas, avait l'air assez tentant – presque aussi tentant que le Capitol Cookies, la pâtisserie à côté. En passant devant, j'ai entendu les accords de *Only Happens When It Rains*[1], des Garbage. C'est l'une de mes chansons préférées. Si on y réfléchit bien, elle résume mon attitude face à la vie puisque le seul moment où mes parents me laissent dessiner dans ma chambre, c'est quand il pleut. Sinon, j'ai droit à des : « Tu devrais sortir t'aérer un

---

1. Ça n'arrive que quand il pleut. *(N.d.T.)*

peu » ou des « Pourquoi ne vas-tu pas faire un tour à vélo, comme tous les enfants ! »

Susan Boone avait dû faire insonoriser sa cage d'escalier car une fois escaladés les deux étages qui menaient chez elle, on n'entendait plus les Garbage, mais du classique, et un autre bruit que je ne parvenais pas tout à fait à identifier. Je reconnaissais en revanche l'odeur : c'était la même que dans la salle d'arts plastiques, au lycée. L'odeur de peinture et d'essence de térébenthine.

Ce n'est qu'en ouvrant la porte de l'atelier que j'ai compris d'où venait l'autre bruit.

— Bonjour Joe ! Bonjour Joe ! Bonjour Joe ! criait un énorme perroquet perché sur le toit d'une cage en bambou.

— Joseph ! Tiens-toi bien ! a lancé une petite femme avec de longs cheveux blancs en surgissant de derrière un chevalet.

— Tiens-toi bien ! Tiens-toi bien ! Tiens-toi bien ! a répété l'oiseau en sautillant sur le toit de sa cage.

Theresa s'est affaissée sur un banc taché de peinture.

— Jesu Cristo, a-t-elle murmuré.

Si elle était déjà essoufflée à cause des deux étages, la vue de l'oiseau le lui a carrément coupé. Le souffle, je veux dire.

— Je suis désolée, s'est excusée la femme aux longs cheveux blancs. Ne faites pas attention à Joseph. Il lui faut un peu de temps pour s'habituer aux personnes qu'il ne connaît pas.

Elle m'a jeté un coup d'œil et a ajouté :

— Tu dois être Samantha, n'est-ce pas ? Enchantée. Moi, c'est Susan.

Quand on était encore au collège, Catherine et moi, on a eu une période *fantasy*. On ne lisait que ça : Tolkien, Terry Brooks, Susan Cooper, Lloyd Alexander. Eh bien, Susan Boone me faisait penser à la reine des elfes (il y a toujours une reine des elfes dans les livres de *fantasy*). Elle était plus petite que moi et portait un étrange vêtement en lin dans les tons bleus et vert pâle.

Mais c'est surtout ses longs cheveux blancs – ils lui arrivaient à la taille ! – et ses yeux bleus, si vifs comparés à son visage dénué de tout maquillage, qui m'ont évoqué cette image. Et les commissures de ses lèvres ; elles remontaient légèrement, comme chez les elfes, même quand elle n'avait apparemment aucune raison de sourire.

Je lui ai serré la main, dont la peau était rêche et toute sèche.

— Je préfère qu'on m'appelle Sam, ai-je déclaré, surprise par sa poigne.

Elle n'aurait aucun problème à tenir Manet en laisse.

— Très bien, Sam, a-t-elle dit. Puis elle m'a lâchée et s'est tournée vers Theresa :

— Vous devez être madame Madison. Ravie de faire votre connaissance.

Theresa, qui avait depuis retrouvé ses esprits, s'est levée et a serré la main de Susan Boone en lui expliquant qu'elle n'était pas du tout ma mère, mais la nounou, et qu'elle viendrait me chercher à cinq heures et demie.

Puis elle est partie, et Susan Boone m'a conduite jusqu'à un banc relié à une planche à dessin sur laquelle reposait un carnet de croquis.

— Tout le monde m'écoute, a-t-elle lancé en me faisant asseoir sur le banc. Je vous présente Sam. Voici...

Et, tels des lutins sortant de derrière d'immenses champignons vénéneux, les élèves de Susan Boone ont levé la tête de leur feuille et m'ont regardée :

— Lynn, Gertie, John, Jeffrey et David, a énuméré Susan en m'indiquant chaque fois du bout de l'index qui était qui.

Apparemment, ils semblaient tous très occupés par leur dessin, car leurs têtes ont presque aussitôt disparu. Je n'ai eu droit qu'à un vague coup d'œil de Lynn, une femme très maigre d'une trentaine d'années ; puis de Gertie, une femme entre deux âges plutôt ronde ; de John, également entre deux âges et appareillé ; de Jeffrey, un jeune Afro-Américain, et enfin de David, qui portait un tee-shirt Save Ferris.

Ouf ! Je pourrais au moins parler avec quelqu'un. Je suis fan de Save Ferris.

Mais après avoir observé David de plus près, j'ai compris qu'il n'y avait aucune chance pour que *lui* m'adresse la parole. J'avais l'impression de l'avoir déjà vu. À tous les coups, il devait être au lycée où, il ne faut pas l'oublier, tout le monde m'évite depuis que j'ai suggéré que l'argent récolté avant Noël par la vente de papier cadeau soit donné aux classes d'arts plastiques.

Lucy, Kris Parks et leur bande ont proposé, elles, d'aller au parc d'attractions Six Flags Great Adventure.

Qui a gagné, selon vous ?

Et que je m'habille en noir, parce que je porte le deuil de ma génération, n'a pas exactement fait remonter ma cote de popularité.

David semblait avoir l'âge de Lucy. Il était plutôt grand – du moins, c'est l'impression qu'il me donnait, assis sur son banc –, avec des cheveux noirs frisés, des yeux d'un vert étonnant, de grandes mains et de grands pieds. En fait, il était assez mignon – mais pas aussi mignon que Jack –, ce qui signifiait que, s'il était au lycée, il devait traîner avec les sportifs. Tous les garçons mignons du lycée traînent avec les sportifs. Sauf Jack, bien sûr.

Du coup, quand il m'a fait un clin d'œil au moment où je m'asseyais et qu'il a murmuré : « Super, tes Doc », j'ai perdu mes moyens. Pensant qu'il se moquait de moi – comme ne manquent jamais de le faire la plupart des garçons qui traînent avec les sportifs, au lycée –, j'ai baissé les yeux et j'ai vu qu'il portait lui aussi des Doc Martens.

Sauf que, contrairement à moi, il n'avait pas tourné les siennes en dérision en les customisant avec des marguerites (peintes au Tipp-Ex et au surligneur jaune, un jour d'ennui, en cours d'allemand).

Alors que j'étais occupée à rougir comme une pivoine parce que mon voisin que je trouvais mignon venait de m'adresser la parole, Susan Boone m'a dit :

— Nous travaillons la nature morte aujourd'hui.

Puis elle m'a tendu un crayon à la mine bien taillée, et m'a indiqué plusieurs fruits posés sur une table, au milieu de la pièce, en ajoutant :

— Dessine ce que tu vois.

Et sur ces paroles, elle s'est éloignée.

On ne peut pas dire qu'elle cherchait à étouffer mon individualité ou mes talents d'artiste. Comme quoi, on peut se tromper, ce qui n'était pas pour me déplaire.

Tout en m'efforçant d'oublier mon voisin et son commentaire sur mes Doc – il avait dû me dire ça histoire d'être sympa avec la nouvelle –, j'ai regardé les fruits et j'ai commencé à dessiner.

« O.K., me suis-je dit. Ça ne se passe pas trop mal. » C'était même assez cool d'être ici. Susan Boone m'intriguait avec ses cheveux et son sourire de reine des elfes, et mon voisin trouvait mes Doc super. Même le morceau de musique classique qu'on entendait en sourdine ne me donnait pas la nausée. Au

contraire. Normalement, je n'écoute jamais de classique, sauf quand il y en a dans les films. Quant à
l'odeur de l'essence de térébenthine, elle me faisait
penser à un verre de cidre brut, un jour d'automne.

« Qui sait si je ne vais pas aimer venir, après tout,
ai-je songé tout en dessinant. Ça pourrait être même
drôle. C'est vrai, quoi ? Il y a des façons bien pires
de passer quatre heures par semaine. »

Des poires. Du raisin. Une pomme. Une grenade.
J'ai dessiné tout ça sans vraiment réfléchir à ce que
je faisais. Je me demandais ce que Theresa nous pré-
parerait à dîner. Je me demandais pourquoi je n'avais
pas choisi espagnol en deuxième langue plutôt
qu'allemand. Si j'avais pris espagnol, j'aurais pu me
faire aider par deux hispanophones, Theresa et
Catherine. Je ne connais personne qui parle allemand.
Mais pourquoi ai-je choisi une langue aussi nulle ?
Encore une fois, à cause de Lucy ! Elle m'avait dit
que c'était facile. Facile ! Ha ! Pour elle, peut-être.
Mais qu'est-ce qui n'est pas facile pour Lucy ? Lucy
a tout : des cheveux blond vénitien, le plus parfait
des petits amis, la chambre avec les deux fenêtres et
le plus grand placard...

J'étais tellement occupée à dessiner et à réfléchir à
tout ce qu'il y avait de mieux dans la vie de Lucy
comparée à la mienne que je n'ai pas remarqué que
Joe, le perroquet, avait quitté son perchoir et volait
au-dessus de ma tête jusqu'à ce qu'il fonce droit sur
moi et m'arrache une touffe de cheveux.

Je ne plaisante pas ! Un oiseau venait de m'arracher une touffe de cheveux !

J'ai poussé un hurlement, et Joe, surpris, a battu des ailes et éparpillé des plumes un peu partout.

— Joseph ! a crié Susan Boone quand elle a vu ce qui s'était passé. Lâche les cheveux de Sam !

Joe a aussitôt obéi et ouvert le bec. Trois ou quatre mèches couleur cuivre sont tombées à terre.

— Joli oiseau, joli oiseau ! a lancé Joe en penchant la tête dans ma direction.

Susan les a ramassées et me les a tendues, comme si je pouvais les recoller.

— Je suis absolument désolée, Sam, a-t-elle dit. Joe a toujours été attiré par tout ce qui brille.

— Il n'est pas méchant, est intervenue Gertie, inquiète que je puisse me faire de fausses idées sur l'oiseau de Susan Boone.

— Méchant oiseau, méchant oiseau, a répété Joe.

Je me suis rassise, ma touffe de cheveux dans la main. Pendant ce temps, Joe était retourné sur le toit de sa cage et ne me quittait pas du regard. Pour être plus précise, ce sont mes cheveux qu'il fixait. On aurait dit que ça le démangeait de m'arracher une autre touffe. Du moins, c'est l'impression qu'il me donnait. Est-ce que les oiseaux pensent et ressentent des choses ? Les chiens, oui. Mais les chiens sont intelligents. Tandis que les oiseaux sont stupides.

Mais pas aussi stupides que les humains, me suis-je

rendu compte plus tard. Du moins qu'une certaine représentante de la race humaine.

À cinq heures et quart, Susan Boone a frappé dans ses mains en disant :

— Terminé. Sur le rebord de la fenêtre.

Tout le monde s'est levé, à part moi, pour aller déposer son carnet à croquis sur le rebord de la fenêtre, feuille tournée vers la salle. Les voyant faire, je me suis empressée de les imiter.

Mon dessin était de loin le plus réussi, ce qui m'embêtait. Franchement. Dès mon premier jour au cours de Susan Boone, je dessinais déjà mieux que tout le monde ! Même mieux que les adultes. Le dessin de John représentait tout sauf une nature morte, celui de Gertie était couvert de barbouillages et de pâtés, celui de Lynn évoquait un dessin d'enfant de maternelle, quant à Jeffrey, il avait dessiné quelque chose qu'il était difficile d'associer à un fruit. À un ovni peut-être, mais pas à un fruit.

Seul celui de David me paraissait relativement correct. Mais il n'avait pas eu le temps de finir. Ce qui n'était pas mon cas, car en plus des fruits posés sur la table, j'avais rajouté un ananas et quelques bananes, histoire d'équilibrer l'ensemble.

Tout en écoutant Susan Boone commenter la première nature morte, j'ai croisé les doigts pour qu'elle n'en fasse pas trop sur la qualité de mon dessin comparé à ceux des autres. Ça m'ennuyait qu'ils se sentent mal à cause de moi.

Mais Susan Boone se montrait assez diplomate. Mon père aurait pu l'embaucher, tellement elle avait de tact (les économistes sont bons quand il faut manier les chiffres, mais dès qu'il s'agit de relations humaines, ils sont, comme Rebecca, très mauvais). Bref, Susan Boone s'est étendue à n'en plus finir sur l'utilisation dramatique du trait de Lynn et le joli sens du placement de Gertie. Puis elle a félicité John pour ses progrès. Vu que tous les autres semblaient d'accord, j'en ai conclu que John avait dû commencer bien bas. David, lui, a eu droit à une « excellente juxtaposition » et Jeffrey, à une « intéressante finesse dans les détails ».

Lorsqu'elle est enfin arrivée à mon dessin, j'ai failli sortir de la pièce. C'était quand même le plus beau de tous. Je ne voudrais pas me vanter, mais mes dessins sont toujours les plus beaux. Après tout, dessiner, c'est ce que je fais de mieux.

Et j'espérais sincèrement que Susan Boone n'allait pas trop insister là-dessus. Les autres devaient déjà se sentir suffisamment gênés comme ça.

En fait, je n'aurais pas dû m'inquiéter pour eux. Parce que lorsque Susan Boone est arrivée devant mon dessin, elle n'a pas prononcé le moindre compliment. Elle l'a regardé, s'est rapprochée pour mieux l'observer sans doute, puis a fait un pas en arrière avant de déclarer :

— Eh bien, Sam, je vois que tu as dessiné ce que tu savais dessiner.

J'ai trouvé son commentaire curieux. En même temps, depuis mon arrivée dans l'atelier, tout me paraissait curieux. Sympa – à part le coup de l'oiseau qui me vole une mèche de cheveux –, mais curieux.

— Euh..., oui, ai-je répondu.

— Sauf que je ne vous ai pas demandé de dessiner ce que vous saviez dessiner, mais ce que vous voyiez.

J'ai regardé mon dessin puis les fruits sur la table, et j'ai dit :

— C'est ce que j'ai fait. J'ai dessiné ce que je voyais.

— Tu crois ? a fait Susan, avec l'un de ses petits sourires de reine des elfes. Tu vois un ananas sur la table ?

Je n'ai pas eu besoin de jeter un coup d'œil à la table pour savoir qu'il n'y en avait pas.

— Non, mais...

— Non, m'a coupée Susan Boone. Et cette poire n'est pas là, non plus, a-t-elle ajouté en désignant une de mes poires.

— Il y a des poires sur la table, me suis-je exclamée, sur la défensive. Il y en a même quatre !

— C'est exact. Il y a bien quatre poires sur la table. Mais aucune ne ressemble à celle que tu as dessinée. Cette poire provient de ton imagination. Elle est parfaite, mais ce n'est pas une des poires que tu as vues.

Je n'avais pas la moindre idée de ce qu'elle racontait, mais apparemment, pour Gertie, Lynn, John, Jeffrey et David, c'était limpide. Ils acquiesçaient tous d'un air entendu.

— Tu comprends, Sam ? a repris Susan Boone en décrochant mon dessin pour l'approcher de la table. Tu nous as dessiné une très belle grappe de raisins, mais ce n'est pas non plus celle qui se trouve là. Les raisins sur la table ne sont pas parfaitement oblongs et ne sont pas de la même taille. Les tiens sont l'idée que tu te fais des raisins, mais ils ne sont pas ce que tu as devant toi.

J'ai cligné des yeux plusieurs fois. Je ne saisissais pas. Mais alors, pas du tout. Je comprenais plus ou moins ce qu'elle disait, mais je ne voyais pas où était le problème. Mes raisins étaient mille fois plus beaux que ceux des autres. Ça ne lui suffisait pas ?

Le pire, c'est que les autres, justement, me regardaient d'un air compatissant. J'ai senti que mes joues s'empourpraient. C'est comme ça, avec les roux. On rougit, genre quatre-vingt-dix-sept pour cent du temps. Et on ne peut rien y faire.

— Dessine ce que tu *vois*, Sam, a déclaré Susan Boone assez brusquement. Pas ce que tu sais.

À ce moment-là, Theresa, tout essoufflée d'avoir grimpé les deux étages à pied, est arrivée, et Joe s'est mis à crier : « Bonjour Joe ! Bonjour Joe ! »

Le cours était terminé. J'ai cru défaillir tellement j'étais contente de pouvoir m'échapper.

— À jeudi, Sam ! m'a lancé Susan Boone gaiement. J'ai hoché la tête tout en enfilant mon manteau et j'ai pensé : « C'est ça, oui. Tu peux courir pour que je revienne jeudi. »

Sauf que je ne savais pas que c'est exactement ce qui allait se produire. Enfin, d'une certaine façon.

4

Lorsque j'ai rapporté à Jack les paroles de Susan Boone, il a éclaté de rire.

Oui, il a éclaté de rire ! Comme si c'était drôle.

Je dois dire que ça m'a un peu blessée, même si c'était drôle. Enfin, plus ou moins.

— Sam, a-t-il commencé en agitant la tête de sorte que l'anneau qu'il portait à l'oreille a capté la lumière, tu ne peux pas laisser le système avoir raison de toi. Tu dois te battre.

C'est facile pour Jack de dire ça. Il mesure un mètre quatre-vingts et pèse au moins quatre-vingts kilos. L'entraîneur du club de foot du lycée n'arrête pas de lui demander de rejoindre l'équipe depuis que le meilleur arrière est parti pour Dubaï.

Mais Jack refuse d'être associé au rêve de l'entraîneur, à savoir être à la tête de la meilleure équipe de foot de la région. Jack ne croit pas aux sports d'équipe, non pas, comme moi, parce qu'à cause d'eux, les classes d'arts plastiques ne reçoivent presque pas de subventions de l'administration. Non, Jack est convaincu que le sport, comme la loterie, ne sert qu'à leurrer les prolétaires en leur faisant espérer qu'un jour, ils s'élèveront au-dessus de leurs pairs qui boivent de la bière et conduisent des pick-up.

C'est très facile pour un garçon comme Jack de se battre contre le système.

Moi, en revanche, je ne fais qu'un mètre soixante et je ne sais pas combien je pèse, car ma mère a retiré la balance de la salle de bains après avoir vu une émission à la télé sur la fréquence de l'anorexie chez les adolescentes aujourd'hui. Par ailleurs, je n'ai jamais réussi à monter à la corde en E.P.S., vu que, comme mon père, je n'ai aucune force dans les bras.

Lorsque je lui ai raconté tout ça, Jack a recommencé à rire, ce que je trouvais assez grossier de sa part. Il est quand même censé être mon âme sœur ! Même s'il ne le sait pas encore.

— Voyons, Sam, je ne parlais pas de lutter *physiquement* contre le système. Tu dois être plus subtile.

Assis à la table de la cuisine, il faisait un sort à une boîte de biscuits que Theresa avait sortie pour le goûter. Normalement, ce n'est pas au menu. Ma mère tient à ce qu'on ne prenne que des pommes, des barres de céréales et un verre de lait. Mais Theresa, à l'inverse de mes parents, se fiche pas mal des mauvaises notes de Jack ou de ses déclarations politiques à coups de carabine à air comprimé. Aussi, quand il vient à la maison, c'est un peu la fête. Parfois, elle lui concocte même des petits plats. Un jour, elle lui a préparé des caramels. Je vous le dis, que Theresa fasse des caramels pour le petit ami de Lucy prouve qu'il n'y a pas de justice en ce bas monde.

— Susan Boone étouffe mon imagination créatrice, ai-je déclaré d'un air outré. Elle veut me transformer en une espèce de clone...

— Mais bien sûr ! m'a coupée Jack. Tous les profs font la même chose. Tu essaies d'être inventive, tu rajoutes un ananas à ton dessin et paf ! le poing de la conformité te tombe dessus !

Quand Jack s'énerve, il mange la bouche ouverte. Du coup, la table était jonchée de morceaux de biscuits. Il y en a même qui ont atterri sur la couverture du magazine que lisait Lucy. Elle l'a posé, a baissé les yeux sur la table puis les a relevés en disant :

— Hé, Jack, parle, ne crache pas.

Vous comprenez maintenant ? Vous comprenez qu'elle n'en a rien à faire du génie de Jack.

J'ai mordu dans un biscuit. La table de la cuisine, où on prend seulement le petit déjeuner et le goûter, se trouve dans une espèce de verrière, construite sur le jardin. On habite une ancienne maison de style victorien, comme la plupart des maisons de Cleveland Park ; toutes sont peintes de couleurs vives. La nôtre, par exemple, est turquoise, jaune et blanc.

Mes parents ont fait ajouter la verrière l'année dernière. Le plafond, les murs et la table sont en verre. Résultat, comme la nuit était tombée, où que je regarde, je voyais mon reflet. Et je n'aimais pas trop l'image qu'il me renvoyait. C'est-à-dire celle :

D'une fille de taille moyenne à la peau blanche parsemée de taches de rousseur et dont la tête était surmontée d'une masse de cheveux roux frisés.

Mais j'aimais encore moins ce que je voyais de part et d'autre de mon reflet :

Une fille aux traits délicats sans aucune tache de rousseur, dans un uniforme de pompom girl bordeaux et blanc, et avec des cheveux blond vénitien à peine bouclés retenus par une barrette.

Et

Un garçon magnifique à large carrure, avec des yeux bleu vif et de longs cheveux noirs, dans un jean déchiré et une veste de surplus de l'armée, mangeant des biscuits comme s'il n'y avait pas de lendemains.

Et il y avait moi, entre les deux. Au milieu. Où est ma place, d'ailleurs. J'ai vu un documentaire un jour sur la chaîne Santé, qui traitait de l'ordre de naissance dans les familles. Vous savez ce qu'ils disaient ?

Aîné (c.-à.-d. Lucy) : Enfants travailleurs. Obtiennent toujours ce qu'ils veulent. À l'âge adulte, finissent généralement à la tête d'une importante entreprise, dictateur d'un petit pays, top model, et tutti quanti.

Benjamin (c.-à.-d. Rebecca) : Enfants qui restent bébés. Obtiennent toujours ce qu'ils veulent. À l'âge adulte, découvrent souvent des remèdes, par exemple contre le cancer, animent leur propre show télévisé, et si une soucoupe volante vient à se poser, sont présents et accueillent les extraterrestres par un « Salut ! Bienvenue sur Terre ».

Cadet (c.-à.-d. moi) : Enfants perdus dans la mêlée. N'obtiennent jamais ce qu'ils veulent. À l'âge adulte, fuguent et vivent pendant des semaines des restes de hamburgers dénichés au fond des poubelles derrière le McDonald du coin avant que quelqu'un ne s'aperçoive de leur disparition.

Telle est l'histoire de ma vie.
Quoique, tout bien réfléchi, que je sois gauchère indique que j'ai eu probablement, à un moment donné, un jumeau. Du moins, d'après l'article que j'ai lu chez le dentiste. Selon une théorie, la plupart des gauchers ont au début de leur existence un jumeau.

Une grossesse sur dix démarre par des jumeaux. Et un enfant sur dix est gaucher.

Faites le calcul.

Pendant quelque temps, j'ai pensé que ma mère m'avait caché la mort de mon jumeau pour ne pas me faire de peine. Et puis, j'ai vu sur Internet que dans soixante-dix pour cent des grossesses qui démarrent par des jumeaux, un des bébés disparaît. Comme ça. Pouf ! Ça s'appelle le syndrome du jumeau qui disparaît. Généralement, les mères ne savent même pas qu'elles portaient deux bébés parce qu'elles le perdent au tout début de leur grossesse.

Attention, je ne suis pas en train de dire que tout ça est super-important. Parce que même si mon jumeau avait survécu, je serais toujours l'enfant du milieu. J'aurais juste eu quelqu'un avec qui partager ce fardeau. Et qui m'aurait peut-être aussi dissuadée de faire allemand.

— Bien, ai-je déclaré en cessant d'observer mon reflet. Qu'est-ce que je suis censée faire ? Personne ne m'a jamais dit à l'école de ne pas ajouter de détails à mes dessins. En arts plastiques, j'ai le droit de rajouter ce que je veux.

— L'école, a fait Jack avec une espèce de grognement. L'école, oui, c'est ça.

Jack a une dent contre M. Esposito, le proviseur du lycée, depuis qu'il a exposé certains de ses tableaux dans la galerie marchande. Bien qu'il ne se soit jamais donné la peine d'aller les voir, M. Esposito n'a pas apprécié que Jack les présente au nom du lycée, parce qu'ils donnaient une fausse image de son établissement. Les toiles représentaient des ados coiffés d'une casquette de base-ball traînant sur le parking d'un 7-Eleven.

Les impressionnistes non plus n'étaient pas appréciés à leur époque, ai-je souvent rappelé à Jack quand il déprime à cause de cette histoire.

Quoi qu'il en soit, ils ne peuvent pas se sentir, M. Esposito et Jack. Je suis même sûre que si les parents de Jack ne faisaient pas partie des principaux membres donateurs de la caisse des anciens élèves, Jack aurait été renvoyé depuis longtemps.

— Il faut que tu trouves un moyen de lutter contre cette Susan Boone avant qu'elle t'ôte de l'esprit toute pensée créatrice, a repris Jack. Tu dois dessiner ce qui est dans ton cœur, Sam. Sinon, quel intérêt y aurait-il à dessiner ?

— Je croyais qu'on était censé dessiner ce qu'on connaissait, est intervenue Lucy d'une voix lasse tout en feuilletant son magazine.

— C'est *écrire* ce qu'on connaît, et dessiner ce qu'on voit. Tout le monde sait ça, a corrigé Rebecca.

— Tu as entendu ? a fait Jack en se tournant vers moi d'un air triomphant. C'est tellement insidieux que c'est entré dans la conscience d'une petite fille de onze ans.

Rebecca l'a foudroyé du regard. Rebecca a toujours

été d'accord avec nos parents en ce qui concernait Jack.

— Hé ! s'est-elle écriée. Je ne suis pas petite !

Mais Jack l'a ignorée.

— Où serait Picasso s'il avait dessiné ce qu'il voyait ? s'est-il emporté. Où serait Pollock ? Mirò ? Tu dois rester fidèle à tes croyances, Sam. Écoute ton cœur, et si ton cœur te dit d'ajouter un ananas, ajoute un ananas. Ne laisse pas le système te dicter tes actes. Ne laisse pas les autres décider comment tu dois dessiner et ce que tu dois dessiner.

Je ne sais pas pourquoi, mais Jack dit toujours ce qu'il faut dire au bon moment. *Toujours.*

— Tu vas arrêter, alors ? a voulu savoir Catherine, plus tard ce soir-là, quand elle m'a appelée pour discuter du devoir de S.V.T.

La prof nous avait demandé de regarder un documentaire sur la dysmorphophobie, sur la Chaîne de l'Éducation. La dysmorphophobie est une maladie qui touche des gens qui, comme Michael Jackson, pensent qu'ils sont physiquement monstrueux quand, en réalité, ils ne le sont pas du tout. Par exemple, dans le documentaire, ils montraient un homme qui détestait son nez. Eh bien, il se l'était entaillé avec un couteau, puis avait retiré l'os du cartilage et mis à la place un os de poulet.

Ce qui prouve que, si on considère que quelque

chose ne va pas dans sa vie, on peut trouver pire, bien pire.

— Je ne sais pas, ai-je répondu à la question de Catherine. J'aimerais bien. De toute façon, ils sont tous nuls dans ce cours.

— Et le garçon dont tu m'as parlé ? Il n'est pas mignon ?

J'ai repensé à David, à son tee-shirt Save Ferris, à ses grandes mains et à ses grands pieds, à son commentaire sur mes Doc. Et au fait qu'il avait assisté à mon humiliation par Susan Boone.

— Si, il est mignon, mais pas autant que Jack.

Catherine a poussé un soupir.

— Ça m'étonnerait que ta mère accepte que tu n'y ailles plus, surtout si elle t'y a inscrite pour te punir de ta mauvaise moyenne en allemand. Tu ne crois pas ?

— En fait, ces cours sont censés me servir de leçon.

— Donc, tu ne peux pas arrêter. Qu'est-ce que tu vas faire, alors ?

— Je trouverai bien quelque chose.

En fait, j'avais déjà trouvé.

Les dix meilleures raisons pour lesquelles Jack ferait mieux de sortir avec moi plutôt qu'avec ma sœur :

10. Mon amour et ma connaissance de l'art. Lucy n'y connaît rien. Elle en est restée à ce qu'on nous avait demandé de faire avec des cure-pipes l'été où on est parties en colo toutes les deux.

9. Ayant l'âme d'une artiste, je suis mieux équipée qu'elle pour comprendre et gérer les sautes d'humeur de Jack. Lucy, elle, se contente de lui demander s'il n'a pas un peu fini.

8. Je n'exigerais jamais, comme Lucy, d'aller systématiquement voir tous les films commerciaux traitant de l'adolescence. Une âme sensible comme celle de Jack a besoin d'être nourrie par des films de réalisateurs indépendants, et pourquoi pas des films étrangers en version sous-titrée.

7. Idem pour les livres complètement débiles que Lucy fait lire à Jack. *Les hommes viennent de Mars, les femmes de Vénus*, ce n'est pas une lecture appropriée pour un garçon comme Jack. *La Vierge et le gitan* de D.H. Lawrence, voilà qui stimulerait bien plus son esprit déjà brillant. D'accord, je n'ai pas lu *La Vierge et le gitan*. Mais j'ai l'impression que ce serait le genre d'ouvrage que Jack et moi, on adorerait. Par exemple, on pourrait le lire à tour de rôle, allongés sur une couverture au parc, comme tous les artistes dans les films. Dès que j'ai fini de relire *Fight Club*, je me mets à *La Vierge et le gitan*, histoire de vérifier qu'il s'agit bien d'un livre intellectuel.

6. Pour l'anniversaire de Jack, je ne lui offrirais pas un caleçon avec Tweety Bird dessus, comme Lucy l'année dernière. Je trouverais quelque chose de plus personnel et de plus romantique, comme des pinceaux en poils de martre ou bien un exemplaire relié cuir de *Roméo et Juliette* ou alors un bracelet de Gwen Stefani, enfin un truc dans le genre.

5. Si Jack arrivait en retard à un rendez-vous, je ne crierais pas, comme Lucy le fait systématiquement. Je comprendrais que les artistes n'ont pas la même notion du temps que tout le monde.

4. Je n'obligerais jamais Jack à m'accompagner à la galerie marchande, si je devais y aller, bien entendu (chose que je ne fais jamais). À la place, je lui proposerais de visiter un musée. Et je ne parle pas du musée de l'espace et de l'aéronautique, ou de l'Institution Smithsonian où on peut voir les escarpins que portait Dorothée dans *Le Magicien d'Oz*. Non, je lui proposerais de visiter un vrai musée, qui expose de vraies œuvres d'art, comme le Hirschorn. On apporterait nos carnets de croquis et on s'assiérait sur un banc, dos à dos, pour dessiner nos tableaux préférés. Les touristes s'approcheraient et proposeraient de nous acheter nos esquisses, mais nous, on refuserait pour conserver nos dessins, symboles de notre immense amour.

3. Si on se mariait, Jack et moi, je n'exigerais pas une grande cérémonie à l'église avec une réception après au country club, comme Lucy le ferait à tous les coups. Jack et moi, on se marierait pieds nus dans les bois, près de Walden Pond, où tant d'âmes d'artistes sont allées chercher l'inspiration.

Et pour notre lune de miel, au lieu d'aller aux Bermudes, on irait à Paris et on prendrait une chambre sous les toits.

2. Quand il viendrait me rendre visite, je ne lirais pas mon journal pendant qu'il mange des biscuits, assis à la table de notre cuisine. J'aurais avec lui des conversations animées, chaleureuses et intellectuelles sur l'art et la littérature.

Mais la principale raison pour laquelle Jack ferait mieux de sortir avec moi qu'avec Lucy, c'est :

1. Que je lui apporterais tout le soutien dont il a besoin, puisque je sais ce que c'est d'être torturé par le poids de son propre génie.

5

Heureusement, il pleuvait le jeudi quand Theresa m'a
conduite à mon cours de dessin. Ce qui signifiait que
ses chances de trouver une place pour se garer, puis
d'attraper sur la banquette arrière un parapluie, de
sortir de la voiture et enfin de m'accompagner jusqu'à
la porte de l'atelier étaient quasi nulles.

Du coup, elle s'est arrêtée en plein milieu de
Connecticut Avenue – provoquant un concert de
klaxons – et m'a dit :

— Si tu n'es pas là à cinq heures et demie pile,
gare à toi ! Tu as compris ? Gare à toi !

— O.K.

— Et je parle sérieusement, Samantha Madison.
Cinq heures et demie tapantes. Et si je suis obligée
de me garer en double file pour venir te chercher,
c'est toi qui paieras l'amende !

— O.K., ai-je répété en sortant sous une pluie bat-
tante. À tout à l'heure !

J'ai refermé la portière et j'ai couru jusqu'à
l'immeuble de Susan Boone. Sauf que, une fois dans
le hall, je n'ai pas grimpé l'étroit escalier. N'oublions
pas que je devais lutter contre le système.

Et puis, j'avais gardé un très mauvais souvenir du
dernier cours. Est-ce que je pouvais décemment me
présenter devant Susan Boone, l'air de rien ?

La réponse était évidemment non. Non, je n'irais
pas m'exposer à une seconde humiliation.

À la place, j'ai attendu quelques minutes, toute
dégoulinante de pluie, en m'efforçant de ne pas
culpabiliser. Si d'un côté, en boycottant le cours de
Susan Boone, je choisissais le camp de l'opposition
– après tout, n'étais-je pas une rebelle ? –, de l'autre,
je gaspillais l'argent durement gagné par mes parents.
Ils payaient en effet une fortune pour ces leçons de
dessin. En fait, Susan Boone était très connue.
Connue pour quoi, on se le demande, mais toujours
est-il que ses cours valaient les yeux de la tête.

Cela dit, des trois enfants Madison, je suis celle qui
coûte le moins cher. Je parle très sérieusement. Nos
parents dépensent des mille et des cents pour Lucy.
Tous les mois, il lui faut de nouveaux habits, de nouveaux pompons, un nouvel appareil d'orthodontie,
de nouvelles séances chez le dermato, bref, n'importe
quoi pour maintenir son rang.

Quant à Rebecca, les seuls frais de scolarité à Horizon doivent égaler le produit national brut d'un petit pays sous-développé.

À combien je reviens par mois à mes parents ? Rien. Rien du tout, à part les frais d'inscription au lycée, évidemment. Je suis censée porter les vieux soutiens-gorge de ma sœur, non ? Et je n'ai même pas eu besoin de renouveler ma garde-robe : j'ai teint tous mes vêtements en noir.

Finalement, je suis plutôt une bonne affaire. Je ne mange même pas beaucoup, puisque je n'aime quasiment rien à part les hamburgers, les baguettes de la Dame au Pain et les desserts.

Pourquoi culpabiliser, dans ce cas ? C'était ridicule.

Mais alors que j'attendais dans le hall, l'odeur de l'essence de térébenthine m'a transportée, et en entendant la douce mélodie qui s'échappait de l'atelier, entrecoupée des cris de Joe, j'ai eu un pincement au cœur. J'éprouvais soudain l'étrange envie de monter l'escalier, de m'asseoir et de dessiner.

Et puis, je me suis rappelé comment Susan Boone m'avait humiliée. Devant ce David, en plus ! Certes, il n'était pas aussi mignon que Jack, mais c'était un garçon ! Un garçon qui aimait Save Ferris ! Et qui appréciait la façon dont j'avais customisé mes Doc !

Conclusion : je ne monterai pas. J'étais une rebelle. Je m'opposais au système.

J'ai encore attendu un peu en croisant les doigts pour qu'aucun élève de Susan Boone ne surgisse et

me dise : « Oh, salut, Sam ! Tu ne montes pas ? »
– comme s'ils allaient se rappeler mon nom. Puis j'ai
ouvert prudemment la porte et j'ai regardé dehors.

Theresa était partie. Je ne risquais plus rien. Je
pouvais sortir.

Je suis d'abord allée chez Capitol Cookies. Impossible de l'éviter. La boutique avait l'air si accueillante,
surtout sous cette pluie, et il me restait un dollar
soixante-huit cents, le prix d'un brownie. Quand le
marchand me l'a tendu, il était encore tout chaud. Je
l'ai glissé dans la poche de ma parka. On n'a pas le
droit de manger chez Static.

Ils ne passaient pas Garbage, ce jour-là, mais les
Donnas. Ce n'est pas du ska, mais c'est tout à fait
acceptable. Je me suis dirigée vers le coin du magasin
où se trouvent les écouteurs, et pendant une demi-
heure j'ai passé en boucle le CD de Less Than Jake.
Je ne pouvais pas me l'offrir, ma mère refuse que je
dépense mon argent de poche en CD.

Tout en écoutant Less Than Jake, je picorais des
morceaux de brownie en me convainquant que je ne
faisais rien de mal. En luttant ainsi contre le système,
je veux dire. Regardez Catherine : pendant des
années, ses parents l'ont obligée à aller au catéchisme.
Comme elle n'a, comme moi, que deux ans de différence avec ses frères, aucun des trois enfants Salazar
n'est dans la même classe. Résultat, Catherine a appris
cette année seulement que Marco et Javier attendaient
le départ de leur mère pour se rendre, non pas au

catéchisme, mais au Beltway Billards, qui proposait toutes sortes de jeux d'arcade. Elle l'a découvert un jour où, libérée plus tôt de son cours, elle est allée attendre ses frères devant la porte de leur salle. Dont ils ne sont jamais ressortis.

Bref, pendant des années, Catherine est restée sagement assise à écouter quelqu'un lui expliquer comment résister à la tentation pendant que ses frères amélioraient leur score à Super Mario.

Que faisait Catherine maintenant ? Elle disait au revoir à sa mère après qu'elle l'avait déposée en voiture devant l'église et, comme Marco et Javier, elle attendait qu'elle ait passé le coin de la rue pour se rendre au Beltway Billards, où elle travaillait sa géométrie à la lueur de Delta Force.

Est-ce qu'elle culpabilisait ? Non. Pourquoi ? Parce que, m'expliquait-elle, si le Seigneur était vraiment miséricordieux, comme on le lui avait appris au catéchisme, il comprendrait qu'elle a besoin de s'améliorer dans cette matière, sinon sa note ne serait pas suffisante pour être acceptée dans l'université de son choix.

Pourquoi, dans ce cas, devrais-je culpabiliser d'avoir séché mon cours de dessin ? Après tout, il ne s'agissait que de dessin. Catherine, elle, c'était Dieu qu'elle séchait.

Et puis, je suis sûre que si mes parents l'apprenaient, ils se diraient que je n'ai agi de la sorte que pour préserver mon intégrité en tant qu'artiste. Oui, c'est ça qu'ils se diraient. Enfin, peut-être. Un jour où ils seraient de bonne humeur, parce qu'aucun pesticide n'a été découvert dans les réserves d'eau d'une ville du Middle West ou qu'il n'y a pas eu trop de spéculations dans l'économie de l'Afrique du Nord.

Si les vendeurs de chez Static trouvaient bizarre qu'une fille de quinze ans, aux cheveux roux et vêtue de noir des pieds à la tête, passe près de deux heures à écouter des CD sans en acheter, ils n'en ont rien dit. En même temps, le type à la caisse, avec une coiffure punk dont j'ai toujours rêvé mais que je n'ai jamais eu le courage de me faire, avait l'air trop occupé à flirter avec un autre vendeur, un garçon au pantalon à carreaux et au tee-shirt Le Tigre, pour s'intéresser à moi.

Les autres clients non plus ne me prêtaient pas attention. La plupart avaient une tête d'étudiant qui préfèrent être là qu'à la fac. Certains étaient peut-être même encore au lycée. Le seul à être plus âgé – il devait avoir une trentaine d'années – portait un treillis et un sac marin. Il est resté pendant un moment à côté de moi à écouter Billy Joel. Il n'arrêtait pas de se repasser *Uptown Girl*. Personnellement, je ne comprenais pas qu'un magasin comme Static vende des disques de Billy Joel. Mon père est fan – il le met tout le temps quand il conduit, ce qui finit par être agaçant au bout d'un moment –, mais il écoute quand même autre chose que *Uptown Girl*.

J'ai fini mon cookie à la moitié du second album

des Spivalves. Comme il ne me restait plus que des miettes, j'ai pensé retourner chez Capitol Cookies pour m'en racheter un et je me suis rappelé que je n'avais plus d'argent. En plus, il était presque cinq heures et demie. Theresa n'allait pas tarder.

J'ai remonté ma capuche et je suis sortie. Il pleuvait moins, mais je me suis dit qu'avec ma capuche, aucun élève de Susan Boone ne me reconnaîtrait et ne me dirait : « Sam ? Mais où étais-tu ? »

Dans l'hypothèse où je leur aurais manqué, évidemment.

La nuit était tombée. Toutes les voitures roulaient phares allumés. Il y avait beaucoup de circulation ; c'était la sortie des bureaux et les gens se dépêchaient de rentrer chez eux.

Je suis allée attendre Theresa au bord du trottoir, en face de l'église de scientologie. Tandis que je surveillais les voitures, j'ai eu brusquement pitié de moi. J'étais là, à quinze ans, sans petit ami, incomprise, rejetée de tous, à guetter ma nounou sous la pluie après avoir séché mon cours de dessin parce que je ne supportais pas la critique. Que se passerait-il si, une fois adulte, je me lançais dans le business des portraits de stars, et que ça ne marche pas comme prévu ? Est-ce que je renoncerais ? Est-ce que j'irais me cacher chez Static. Autant y aller tout de suite et leur demander une place de vendeuse, ça simplifierait les choses. Cela dit, ce n'était peut-être pas une si mauvaise idée. Je suis sûre que les vendeurs avaient des réductions sur les CD.

Alors que je me reprochais de ne pas avoir plus de cran, le fan de Billy Joel est sorti de chez Static puis est venu se poster à côté de moi. Même si le feu était passé au rouge, il ne semblait pas avoir l'intention de traverser. Je l'ai observé du coin de l'œil. Il tripatouillait quelque chose sous son poncho de pluie, dont les motifs évoquaient les tenues de camouflage des militaires. Est-ce que c'était un voleur à l'étalage ? Les vendeurs de Static avaient créé ce qu'ils appelaient le Mur de la Honte, sur lequel ils affichaient des Polaroïd de gens qui avaient essayé de voler des disques. Avec sa drôle d'allure, ce type aurait pu figurer en tête de liste des candidats au Mur de la Honte.

Je me faisais cette réflexion quand des gyrophares ont brusquement scintillé dans la nuit et sous la pluie.

« Oh, oh, ai-je aussitôt pensé. M. Uptown Girl va se faire arrêter. »

Raté ! Il ne s'agissait pas de la police. C'était un cortège présidentiel. Une voiture noire, équipée de feux clignotants sur le toit, roulait en tête. Venait ensuite une seconde voiture noire. La limousine du président suivait, et plusieurs véhicules, munis eux aussi de gyrophares, fermaient le convoi.

Au lieu d'être tout excitée à l'idée de voir le président – même si on ne le voit pas vraiment à cause des vitres teintées de sa limousine –, j'ai lâché un soupir.

— Flûte ! ai-je maugréé.

Theresa devait sans doute être bloquée derrière le convoi. Non seulement elle allait être d'une humeur de chien, mais David ne manquerait pas de m'apercevoir en sortant de chez Susan Boone. À tous les coups, il penserait que je suis vraiment trop bizarre et ne m'adresserait plus jamais la parole. Non que ça m'embêtait, mais c'était gentil de sa part d'avoir remarqué mes Doc. Il était pratiquement le seul.

Quand on vit à Washington, D.C., voir le président passer en voiture, ce n'est pas si exceptionnel.

Sauf qu'aujourd'hui, un événement exceptionnel s'est produit.

Le premier véhicule du convoi s'est arrêté pile à ma hauteur, puis le chauffeur a coupé le contact. Oui, il a coupé le contact.

La seconde voiture l'a imité, puis la limousine, etc. La circulation tout le long de Connecticut Avenue était totalement paralysée. Des types munis d'oreillettes ont alors bondi des véhicules et se sont précipités vers la limousine.

À mon grand étonnement, le président des États-Unis en personne en est sorti et s'est dirigé vers Capitol Cookies, une armée d'agents des services de sécurité autour de lui avec des parapluies et des talkies-walkies à la main !

Je ne plaisante pas. Le président des États-Unis d'Amérique venait d'entrer le plus naturellement du monde chez Capitol Cookies, comme s'il se rendait là tous les jours.

Je ne savais pas que notre président aimait les cookies de chez Capitol Cookies. Bon, d'accord, ils sont bons, mais ce ne sont pas non plus les meilleurs.

Ne pensez-vous pas que si vous étiez le président des États-Unis, vous pourriez obtenir du patron de Capitol Cookies de vous faire livrer votre ration quotidienne de cookies afin de ne pas être obligé de sortir de votre limousine sous la pluie ? Moi, si je tenais une pâtisserie et que je découvre que le premier homme du pays aime mes gâteaux, je ferais en sorte qu'il n'en manque jamais.

D'un autre côté, le patron de Capitol Cookies devait sans doute préférer qu'on voie le président entrer chez lui. C'était la meilleure publicité dont il pouvait rêver, bien meilleure qu'en faire livrer à la Maison Blanche.

Tout à coup, alors que les feux clignotants de la voiture garée à ma hauteur flashaient devant moi, j'ai vu M. Uptown Girl rejeter son poncho en arrière.

Et j'ai vu que ce qu'il cachait en dessous n'avait rien à voir avec des CD. C'était un énorme revolver, qu'il a pointé en direction de la porte de Capitol Cookies... d'où sortait le président, ses cookies à la main.

Je ne suis pas ce qu'on appelle quelqu'un de courageux. Au lycée, je prends la défense des élèves dont on se moque seulement parce que mon séjour au

Maroc m'a fait comprendre ce que c'est d'être la risée de tous.

Mais ça ne veut pas dire pour autant que je suis du genre à m'exposer au danger sans penser à ma propre sécurité d'abord. La dernière fois que je me suis mise dans une situation difficile, c'est quand je me suis battue avec Lucy pour récupérer la télécommande.

Et, de toute évidence, je déteste la confrontation. D'accord, je m'étais opposée au nom de la pensée créatrice en boycottant le cours de Susan Boone. Mais en vérité, c'est surtout parce que j'avais trop honte d'y retourner après mon humiliation de la dernière fois.

Mais bon. Ce que j'ai fait quand j'ai vu le revolver ne me ressemble tellement pas qu'on aurait dit que quelqu'un d'autre s'était emparé de mon corps. Tout ce que je sais, c'est qu'à un moment je regardais l'arme que M. Uptown Girl pointait vers le président...

... et que l'instant d'après, je lui sautais dessus.

6

Vous savez quoi ? Si vous vous jetez sur un soi-disant assassin et qu'il ne s'y attende pas, vous pouvez lui faire rater sa cible. Résultat, la balle que M. Uptown Girl destinait au président s'est perdue dans la stratosphère et n'a blessé personne.

Autre chose arrive aussi quand vous sautez sur le dos d'un homme armé. Comme il est surpris, il perd l'équilibre, tombe en arrière et vous fait tomber à votre tour. Vous êtes sonnée, votre parka remonte, l'eau de pluie traverse votre pantalon et vous êtes trempée.

Sans parler du fait que le type a atterri sur votre bras droit et qu'au même moment, vous avez entendu un craquement. Vous avez super-mal et vous vous dites : « Est-ce que c'est ce que je pense ? »

Mais vous n'avez pas trop le temps d'y réfléchir

car vous êtes trop occupée à empêcher le gars de tirer une deuxième fois, ce que vous faites en hurlant :

— Il est armé ! Il est armé !

Même si, tout le monde sait alors déjà que le gars est armé, puisque le premier coup de feu n'est pas passé inaperçu, ça marche quand même et, en l'espace de quelques secondes, une vingtaine d'agents des services de sécurité vous encerclent et braquent leurs armes sur vous en criant : « Pas un geste ! »

Je ne me le suis pas fait dire deux fois, vous pouvez me croire.

Après avoir relevé M. Uptown Girl – il était temps, il pesait assez lourd –, c'est moi qu'on a relevée. Quelqu'un a tiré sur mon bras, le même bras sur lequel avait atterri M. Uptown Girl, et j'ai poussé un hurlement de douleur. Sauf que personne ne m'a entendue. Autour de moi, les agents des services de sécurité parlaient dans leurs talkies-walkies et disaient des choses comme : « Aigle sécurisé. Je répète, aigle sécurisé. »

Juste après, j'ai entendu des sirènes. Les clients des restaurants et des magasins voisins étaient tous sortis sur le trottoir pour voir ce qui se passait.

Et tout à coup, des voitures de police et des ambulances ont surgi de nulle part et ont pilé à quelques mètres de nous.

J'avais l'impression de jouer dans un film avec Bruce Willis.

Puis, l'un des agents des services de sécurité s'est

mis à fouiller dans mon sac à dos tandis qu'un autre me palpait les chevilles – comme si je pouvais avoir fixé à mes jambes un couteau ou une arme quelconque –, et qu'un troisième retournait les poches de ma parka sans m'avoir demandé la permission (bien fait pour lui, il s'est retrouvé avec plein de miettes de cookies dans les mains).

Celui qui me palpait les chevilles s'est levé et m'a tiré par le bras.

— Aïe ! ai-je crié à nouveau, mais plus fort.

— Elle n'est pas armée, a déclaré celui qui s'occupait de mon sac à dos.

— Évidemment que je ne suis pas armée ! ai-je vociféré. Je ne suis qu'en seconde !

Ce qui était totalement absurde puisqu'il existe des élèves de seconde qui sont armés. Sauf qu'ils ne vont pas dans mon lycée. En vérité, je n'arrivais plus très bien à penser correctement. Je pleurais trop pour ça. Mais après tout, vous ne pleureriez pas, vous, si :

a) vous étiez trempé

b) vous aviez vraisemblablement le bras cassé – ce qui ne craignait pas trop pour moi vu que c'était le bras droit et que je suis gauchère. Conclusion, je pourrais continuer à dessiner, et j'avais une bonne excuse pour ne pas participer au tournoi de volley-ball, organisé par le prof de gym la semaine prochaine –, mais j'avais quand même super-mal.

c) des gens vous hurlaient dessus sans que vous

compreniez un mot dans la mesure où M. Uptown
Girl avait tiré si près de vos oreilles qu'il vous avait
sans doute provoqué une surdité à vie.

d) vous vous retrouviez avec une vingtaine de
revolvers braqués sur vous. Même un seul, en fait,
suffit.

e) avec ce qui venait de se passer, vos parents
n'allaient pas manquer de découvrir que vous aviez
séché votre cours de dessin ?

Si vous voulez mon avis, n'importe laquelle de ces
raisons était suffisante pour faire craquer qui que ce
soit. Alors quand on a les *cinq* réunies, imaginez un
peu.

Un quatrième agent s'est approché. Il s'est penché
pour me parler, jusqu'à ce que son visage soit à la
hauteur du mien. Je ne sais pas pourquoi, mais j'ai
trouvé ça assez attentionné de sa part. Du coup, il
m'a paru moins effrayant que les autres.

— Tu vas devoir nous suivre, jeune fille, m'a-t-il
dit. On a des questions à te poser sur ton ami.

C'est alors que j'ai compris : ils pensaient que
M. Uptown Girl et moi, on était complices ! Ils pensaient qu'on avait cherché à tuer le président tous les
deux !

— Ce n'est pas mon ami ! me suis-je exclamée.

Je ne pleurais presque plus à ce moment-là. Je
braillais et je m'en fichais. Il pleuvait, j'étais trempée,
mon bras me faisait atrocement mal, mes oreilles

bourdonnaient et les services de sécurité me prenaient pour une espèce de terroriste internationale.

Alors, oui, je braillais.

— Je ne le connais pas ! C'est la première fois que je le vois ! ai-je hurlé entre deux sanglots. Il a sorti son revolver, et quand j'ai compris qu'il allait tuer le président, j'ai sauté sur lui, il est tombé sur mon bras, j'ai super-mal et je voudrais rentrer chez moi !

C'était très gênant. Je pleurais comme un bébé. Pire qu'un bébé. Je pleurais comme Lucy le jour où l'orthodontiste lui a annoncé qu'elle devrait garder ses bagues pendant six mois encore.

Il s'est alors passé un truc très étonnant. Le type des services de sécurité m'a prise par les épaules. Il a dit quelque chose à ses collègues puis m'a conduite vers une ambulance où attendaient des hommes en blouse blanche. Ils ont ouvert la porte arrière et on est montés, l'agent et moi.

Il faisait bon à l'intérieur. Je me suis assise sur une petite banquette, à l'abri du froid et de la pluie. On entendait à peine le bruit des sirènes. Les infirmiers m'ont donné une couverture et m'ont dit de retirer ma parka. Tout le monde se montrait d'un seul coup tellement prévenant avec moi que j'ai arrêté de pleurer.

Allez, me suis-je dit, ce n'est pas si terrible que ça. Tout va bien se passer maintenant.

Enfin, sauf que mes parents allaient découvrir que j'avais séché. Ça, ça n'allait pas bien se passer du tout.

Mais qui sait, peut-être ne l'apprendraient-ils jamais ? Peut-être que l'agent des services de sécurité me laisserait partir une fois qu'il aurait compris que je n'appartenais à aucun groupe terroriste. Theresa était probablement encore bloquée dans les embouteillages. Lorsqu'elle arriverait enfin, tout le monde se serait déjà dispersé, je monterais dans la voiture, et quand elle me demanderait : « Qu'est-ce que vous avez fait, aujourd'hui ? », je lui répondrais : « Pas grand-chose. » Ce qui ne serait même pas un mensonge.

L'un des infirmiers m'a demandé où j'étais blessée. Même si j'avais un peu honte de me comporter comme un bébé à cause de mon bras, étant donné la gravité de la situation – il s'agissait quand même d'un attentat contre le président –, j'ai montré mon poignet. Quand j'ai vu qu'il avait doublé de volume, ça m'a rassurée. Au moins, je n'avais pas pleuré pour rien.

Tandis que l'infirmier m'examinait, j'ai jeté un coup d'œil au type des services de sécurité. Il remplissait une feuille sur laquelle j'ai reconnu mon nom (il l'avait eu grâce à ma carte de lycée qui se trouvait dans mon sac à dos). Je ne voulais pas le déranger, mais comme j'avais absolument besoin de savoir combien de temps tout cela allait durer, j'ai dit :

— Euh..., s'il vous plaît...

— Oui, ma puce, a-t-il fait en levant les yeux de la feuille.

Personne ne m'appelle « ma puce », pas même ma mère. Elle a arrêté au Maroc, quand elle m'a surprise en train de jeter toutes les cartes de crédit de mon père dans la cuvette des W.-C. Je voulais me venger parce qu'il nous obligeait à vivre dans un pays étranger dont je ne parlais pas la langue.

Bref, le « ma puce » m'a complètement déstabilisée, et je n'ai pas osé lui demander combien de temps j'allais devoir encore rester là. Ça n'aurait pas été très gentil de ma part. Après tout, il ne faisait que son travail. Du coup, j'ai réfléchi un quart de seconde, et j'ai dit :

— Le président va bien ?

L'agent des services de sécurité m'a souri et a répondu :

— Oui, il va bien. Et grâce à toi.

— Oh, ai-je fait. Super. Dans ce cas, vous croyez que je pourrai partir bientôt ?

Les infirmiers se sont regardés d'un air amusé.

— Pas avec un bras comme ça, a déclaré l'un d'eux. Tu as le poignet cassé. Il faut te faire une radio pour voir si la fracture n'est pas trop vilaine, mais je suis prêt à parier que ça va se terminer par un plâtre que tes fans vont pouvoir signer.

Mes fans ? De quoi parlait-il ?

Et je ne pouvais pas être plâtrée ! Si on me plâtrait le bras, mes parents me demanderaient comment je m'étais cassé le poignet, et je serai obligée de leur dire la vérité !

À moins que... À moins que je mente et que je raconte que j'ai glissé. Oui, que j'avais glissé en descendant l'escalier de Susan Boone. Et s'ils lui posaient la question ?

Dans quel pétrin m'étais-je mise ?

— Je ne peux pas aller juste chez mon médecin demain ? ai-je suggéré, désespérée. J'ai beaucoup moins mal, vous savez.

Les infirmiers et l'agent m'ont observée comme si je délirais. D'accord, mon poignet était tellement enflé qu'il avait la taille de ma cuisse. Mais il ne me faisait pas si mal que cela. C'est-à-dire tant que je ne le bougeais pas.

— C'est juste parce que ma nounou doit venir me chercher, ai-je expliqué sans conviction. Si vous m'emmenez à l'hôpital et qu'elle ne me voie pas, elle va paniquer.

— Pourquoi ne me donnes-tu pas un numéro où je puisse joindre tes parents ? Parce que pour pouvoir te soigner correctement, il va falloir qu'on les contacte.

Quoi ? Ils sauront la vérité alors !

Mais est-ce que j'avais vraiment le choix ? Non.

— Écoutez, ai-je commencé. Peut-être que vous n'êtes pas obligé de tout leur raconter. Bien sûr, vous allez leur raconter ce qui est arrivé, mais vous pourriez peut-être passer sur le fait que j'ai séché mon cours de dessin et que je suis allée chez Static. Vous allez le faire, n'est-ce pas ? Ne pas leur dire que j'ai séché ? Sinon, j'aurais encore plus de problèmes que je n'en ai actuellement.

L'agent des services de sécurité a cligné plusieurs fois des yeux. Il ne comprenait visiblement rien à ce que je venais de lui dire. Un cours de dessin ? Static ?

Il a dû juger plus prudent de ne pas relever – il pensait peut-être qu'en tombant, je m'étais heurté la tête –, car il s'est contenté de répondre :

— On verra, on verra...

C'était mieux que rien. Du coup, je lui ai donné les numéros de téléphone de mes parents, j'ai fermé les yeux et j'ai appuyé ma tête contre la paroi de l'ambulance.

Oui, ça aurait pu être pire.

Par exemple, j'aurais pu me retrouver avec un os de poulet à la place du nez.

Les dix preuves selon lesquelles empêcher une balle d'atteindre la tête du président des États-Unis d'Amérique change votre vie :

10. L'ambulance où vous vous trouvez pour gagner l'hôpital est escortée par la police. Et quand je parle d'hôpital, je parle du George Washington, là où le président Reagan a été conduit quand il s'est fait tirer dessus.

9. Au lieu de vous arrêter, comme tout le monde, à la case « tri par les infirmières » qui, en fonction de votre état, vous remettent directement entre les mains d'un médecin ou vous font patienter dans la salle des urgences, vous êtes aussitôt admis et passez en chaise roulante devant les petits malfrats en sang, les futures mères en train d'accoucher et les gens avec un crayon dans l'œil, etc.

8. Où que vous vous rendiez dans l'enceinte du George Washington Hospital, des hommes en costume noir munis de talkies-walkies vous suivent.

7. Quand on vous donne une blouse d'hôpital et que vous refusez de l'enfiler parce que le dos est ouvert, on vous en donne une deuxième, que vous pouvez porter ouverte devant afin d'être complètement couverte. Et vous êtes la seule patiente de tout l'hôpital à bénéficier de ce traitement.

6. Vous avez une chambre pour vous toute seule, avec deux policiers armés qui gardent la porte, même si vous ne vous êtes cassé que le poignet.

5. Quand le médecin vient vous examiner, il s'exclame : « C'est donc toi qui as sauvé le président ! »

4. Si vous répondez, mortifiée : « Je ne l'ai pas vraiment sauvé », il rétorque : « Ce n'est pas ce qu'on m'a dit. Tu es une héroïne nationale ! »

3. Quand il vous annonce que votre poignet est cassé à deux endroits et que vous allez devoir porter un plâtre pendant six semaines, il ne vous

offre pas une sucette en guise de consolation, mais vous demande un autographe.

2. Pendant que vous attendez qu'on vous plâtre, vous allumez votre poste de télévision privé et vous découvrez que toutes les chaînes diffusent un bulletin d'information spécial. On vous explique alors qu'un attentat a été commis contre le président, mais qu'il a été déjoué grâce à l'acte héroïque d'un seul individu. Et vous reconnaissez alors la photo qui figure sur votre carte de lycée.

Celle où vous fermez les yeux et où vous êtes coiffée n'importe comment. Bref, celle que vous n'avez osé montrer à personne tellement vous aviez peur qu'on se moque de vous.

Mais la raison essentielle qui vous fait dire que votre vie ne sera plus jamais la même, c'est :

1. Que vous hurlez si fort en voyant cette horrible photo de vous qui s'affiche sur la télévision nationale qu'une trentaine d'agents des services de sécurité surgissent dans votre chambre, revolver au poing, et vous demandent si tout va bien.

7

À mon avis, je n'avais pas vraiment mesuré la portée de mon acte, même à ce moment-là.

Bien sûr, je savais que je m'étais jetée sur M. Uptown Girl pour l'empêcher de tirer dans la direction qu'il visait.

Mais je n'avais pas vraiment compris que j'avais sauvé la vie du président des États-Unis d'Amérique.

Je ne l'ai compris que lorsque mes parents sont arrivés à l'hôpital.

— Samantha ! a crié ma mère en se précipitant vers moi et en heurtant mon poignet pour lequel, je me permets de le préciser, personne ne m'avait proposé un cachet d'aspirine. On pourrait penser que la fille qui a sauvé la vie du président mériterait un calmant. Eh bien, non !

— Oh, mon Dieu ! a repris ma mère. On était tellement inquiets !

— Salut, maman, ai-je fait d'une toute petite voix – de la voix qu'on prend quand on est sur le point de défaillir.

Comme j'ignorais si mes parents étaient ou non au courant pour Susan Boone, dans le doute, je m'étais dit que s'ils pensaient que je souffrais atrocement, ils passeraient peut-être l'éponge.

Apparemment, ils ne savaient rien.

— Samantha, Samantha, a répété ma mère en s'asseyant au bord du lit tout en écartant mes cheveux. Comment te sens-tu ? Tu es sûre de n'être blessée qu'au bras ? Tu n'as pas mal ailleurs ?

— Non, ai-je répondu. C'est juste le bras. Ça va, je te promets.

Mais toujours de la même petite voix. Au cas où.

Je n'aurais pas dû me faire autant de soucis. Ils ne se préoccupaient pas du tout de Susan Boone. Tout ce qui leur importait, c'était que j'aille bien. Mon père a même réussi à plaisanter. Enfin, un peu.

— Si tu voulais qu'on s'intéresse à toi, Sam, il suffisait de le dire. Tu n'étais pas obligée de te jeter sur la trajectoire d'une balle.

Ha ! ha ! ha !

Après nous avoir accordé cinq minutes pour nos retrouvailles, les types de la sécurité ont frappé à la porte. Ils avaient des tas de questions à me poser, mais comme j'étais mineure, ils ne pouvaient le faire sans la présence de mes parents.

Voici un exemple des questions qu'ils m'ont posées :

Services de sécurité : Connais-tu l'homme qui était armé ?

Moi : Non, je ne le connais pas.

Services de sécurité : Est-ce qu'il t'a parlé ?

Moi : Non. Il ne m'a rien dit.

Services de sécurité : Rien du tout ? Tu es sûre qu'il ne t'a pas parlé quand il a tiré ?

Moi : Que voulez-vous qu'il me dise ?

Services de sécurité : Quelque chose comme : « Ça, c'est pour Margie. »

Moi : C'est qui, Margie ?

Services de sécurité : C'était juste un exemple. Il n'y a pas de Margie.

Moi : En tout cas, il ne m'a pas parlé.

Services de sécurité : As-tu remarqué quelque chose de bizarre chez lui ? Quelque chose qui aurait attiré ton attention, ou quelque chose de différent par rapport aux autres personnes présentes dans la rue, à ce moment-là.

Moi : Oui. Il avait une arme.

Services de sécurité : Et autre chose qu'une arme ?

Moi : Eh bien, il semblait être fan de *Uptown Girl*.

Et ainsi de suite. Pendant des heures. Des heures, j'ai bien dit. J'ai dû décrire ce qui s'était passé entre M. Uptown Girl et moi cinq cents fois au moins. À la fin, j'avais la voix rauque tellement j'étais épuisée.

— Écoutez, messieurs, est intervenu mon père. Je comprends que vous essayiez de découvrir le fin fond de cette affaire, mais notre fille a subi un traumatisme et a besoin de se reposer.

Les services de sécurité ont tout de suite acquiescé. Ils m'ont remerciée et sont partis... mais deux agents sont restés dans le couloir, près de la porte. C'est mon père qui me l'a raconté, quand il est revenu avec un hamburger, à la place du plateau-repas : l'hôpital proposait à dîner ce soir-là une espèce de ragoût avec des petits pois et des carottes.

Franchement, ils pourraient faire un effort. Déjà qu'on se sent mal quand on est hospitalisé, comment voulez-vous qu'on aille mieux si on vous sert ce genre de nourriture ?

En attendant, ça ne me plaisait pas trop de passer la nuit là, alors que je n'avais que le poignet cassé. Les types de la sécurité ont dû insister pour que je reste. Ils disaient que c'était plus prudent.

— Je ne vois pas pourquoi, ai-je rétorqué. Vous avez bien arrêté le gars, non ?

Ils m'ont répondu que M. Uptown Girl (sauf qu'ils ne l'appelaient pas comme ça) invoquait son droit à ne parler qu'en présence de son avocat et qu'il pouvait tout à fait appartenir à une organisation terroriste qui allait chercher à se venger de moi pour avoir saboté leur projet d'assassinat.

En entendant ça, ma mère a paniqué et a appelé Theresa pour lui demander de verrouiller toutes les portes. Les deux agents l'ont aussitôt rassurée : des policiers étaient déjà sur place pour veiller à notre protection. J'ai découvert plus tard que leur mission consistait également à empêcher les hordes de journalistes de se presser sur notre perron. Ce qui contrariait ma sœur Lucy.

— C'est la poisse ! s'est-elle exclamée quand je l'ai eue au bout du fil, un peu avant minuit. Tout ce que je voulais, c'était donner aux reporters de MSNBC une photo de toi où tu es un peu plus à ton avantage, vu qu'ils n'arrêtent pas de diffuser la photo de ta carte de lycée. J'avais l'intention de leur passer la photo que grand-mère a prise à Noël – tu sais, celle où tu portes cette robe de chez Esprit, qui était super-mignonne avant que tu ne la teignes en noir. Bref, quand j'ai ouvert la porte et que je suis sortie sur le perron avec la photo à la main, j'ai été éblouie par les flashs des appareils photo. Les journalistes m'ont demandé si j'étais ta sœur et quel effet ça faisait d'être de la même famille qu'une héroïne nationale. Je m'apprêtais à leur répondre que c'était génial, mais deux types en costume noir m'ont poussée à l'inté-rieur, soi-disant pour me protéger. Tu parles ! Montrer cette photo de toi où tu es si horrible, c'est peut-être pour me protéger aussi ? Franchement, les gens vont penser que je suis apparentée à un monstre – ce à quoi tu ressembles sur cette photo, Sam, sans vouloir te vexer. Et crois-moi, ça ne fera de bien à personne.

C'était bon de savoir que même si pas mal de choses allaient changer dans ma vie, une au moins demeurerait identique : ma sœur Lucy.

Bref, j'ai passé la nuit à l'hôpital.

Je me suis tournée et retournée toute la nuit, inca-pable de trouver une position confortable. Normale-ment, je dors sur le côté, sauf que le côté sur lequel je dors, c'est celui où j'avais le plâtre. Et je n'arrivais pas à dormir sur mon plâtre, parce qu'il était dur et lourd, et que mon bras m'élançait lorsque j'appuyais dessus. Sans parler du fait que Manet me manquait. On pourrait trouver étrange que mon chien me man-que étant donné qu'il est super-poilu et qu'il ne sent pas très bon. Mais c'est la pure vérité.

Au moment où je commençais enfin à m'assoupir, ma mère – elle semblait n'avoir eu aucun problème à dormir dans le lit de camp, à côté de moi – s'est levée et a tiré les rideaux pour laisser entrer la lumière du soleil.

— Bonjour, ma belle endormie ! a-t-elle lancé.

Pour quelqu'un qui n'a pas réussi à fermer l'œil de la nuit et qui en plus a mal au bras, ce genre de remarque peut être irritant. Mais avant que je le lui fasse observer, elle s'est écriée en regardant par la fenêtre : « Mon Dieu ! »

J'ai aussitôt bondi de mon lit. Qu'est-ce qui avait bien pu provoquer une telle exclamation de sa part ? C'est alors que j'ai vu trois cents personnes environ debout sur le trottoir en face de l'hôpital, les yeux levés vers la fenêtre de ma chambre. Dès que je suis apparue, une immense clameur est montée. Elles se sont mises à agiter la main ou une banderole en criant...

Mon nom.

Oui, elles criaient mon nom.

On s'est regardées, ma mère et moi, bouche bée, puis on a regardé de nouveau dans la rue. Il y avait des camionnettes portant les logos des chaînes de télévision avec d'énormes antennes satellites sur le toit, des journalistes, un micro à la main, et des policiers un peu partout qui tentaient de contenir la foule venue manifestement dans l'espoir d'apercevoir la fille qui avait sauvé la vie du président.

Pour m'apercevoir, ils m'ont aperçue. Là-dessus, il n'y a pas de doute. Même si j'étais au troisième étage de l'hôpital. Peut-être est-ce à cause de mes deux blouses ou de ma touffe de cheveux ? Quoi qu'il en soit, ils m'ont vue.

— Tu devrais peut-être les saluer, a suggéré ma mère.

Comme ça me semblait être la seule chose à peu près raisonnable à faire, j'ai levé mon bras valide et j'ai agité la main.

De nouveaux cris et applaudissements ont retenti. J'ai recommencé, histoire de m'assurer que c'était bien pour moi. Je ne rêvais pas : ces gens m'applaudissaient. Moi. Samantha Madison, élève de seconde et grande spécialiste de portraits de stars.

Incroyable ! J'avais l'impression d'être... Elvis.

C'est après que j'ai salué la foule une seconde fois qu'on a frappé à la porte de la chambre.

— Ah, formidable, vous êtes réveillées, a dit une infirmière en entrant. C'est bien ce qu'on pensait quand on a entendu tous ces cris dehors, a-t-elle ajouté avec un sourire. Il y a quelques petits paquets qui sont arrivés pour vous. J'espère que ça ne vous dérange pas qu'on vous les apporte maintenant.

Et sans attendre une réponse de notre part, elle a ouvert la porte en grand. De jeunes élèves infirmières sont entrées les unes après les autres, un bouquet de fleurs à la main, jusqu'à ce que toutes les surfaces planes de ma chambre, y compris le sol, soient couvertes de roses, de marguerites, de tournesols, d'orchidées, d'œillets et de tas de fleurs que je ne connaissais pas.

Et il n'y avait pas que des fleurs ! Il y avait aussi des bouquets de ballons, une dizaine au moins, rouges, bleus, blancs, roses, en forme de cœur avec écrits dessus : *Merci ! Prompt rétablissement.* Puis, ce sont des ours en peluche qu'on m'a apportés, une vingtaine, de toutes les tailles et de toutes les formes, avec des nœuds papillons et des messages qui disaient : *Tu es la meilleure !*

Je ne plaisante pas. Tandis qu'ils s'entassaient devant moi, j'ai pensé qu'il devait y avoir une erreur. Qui pouvait m'envoyer un ours avec inscrit dessus : *Tu es la meilleure !* Même pour rire ?

Mais les cadeaux continuaient d'affluer. Les infirmières trouvaient ça apparemment très drôle. Les deux gars de la sécurité, aussi, vu leur large sourire.

Seule ma mère semblait aussi abasourdie que moi. Elle n'arrêtait pas d'aller d'un bouquet à un autre et de déchirer l'enveloppe avant de lire à voix haute le message qu'elle contenait :

Merci pour votre acte de bravoure, cordialement. Le ministre de la Justice.

L'Amérique a besoin de gens comme vous. Le maire du district de Columbia.

Pour un ange sur Terre, avec tous nos remerciements. Les habitants de Cleveland, Ohio.

Félicitations pour une telle démonstration de courage. Le Premier ministre du Canada.

Vous êtes un exemple pour nous tous... Le dalaï lama.

Le dalaï lama pensait que *j'étais* un exemple ? Il devait se tromper. Ou ne pas savoir la quantité de bœuf que j'avais mangée depuis ma naissance.

— Il y en a d'autres en bas, a déclaré l'une des jeunes infirmières.

Ma mère a levé les yeux de la carte qu'elle lisait. Elle m'avait été envoyée par l'empereur du Japon.

— D'autres..., a-t-elle répété.

— On n'a pas fini de les passer aux rayons X, nous a informés l'un des agents des services de sécurité.

— Aux rayons X ? Mais pourquoi ?

L'agent des services de sécurité a haussé les épaules.

— Au cas où il y aurait des rasoirs ou du poison.

— On n'est jamais trop prudents, a ajouté son collègue. Avec tous ces cinglés qui traînent.

À ce moment-là, ma mère semblait sur le point de défaillir. Adieu sa bonne mine !

— Ah, s'est-elle contentée de murmurer.

Mon père est arrivé juste après, avec Lucy, Rebecca et Theresa.

— Tu imagines dans quel état j'étais quand le policier m'a dit que je ne pouvais pas avancer parce que des coups de feu avaient été tirés ! s'est exclamée Theresa. J'ai pensé que tu étais morte !

Et sur ces paroles, elle m'a donné une tape sur la

tête, histoire de me faire payer un peu de la frayeur que je lui avais causée.

Rebecca, elle, s'est montrée plus philosophe.

— Sam ne fait pas partie des gens qui risquent le plus de mourir de violence armée. Ce sont les hommes entre quinze et trente-quatre ans qui y sont le plus exposés. C'est pour ça que je ne me suis pas trop inquiétée.

Quant à Lucy, elle m'a fait signe de la suivre dans la salle de bains où elle a immédiatement fermé la porte à clé. Elle avait un besoin urgent de me voir... seule.

— Mauvaise nouvelle, a-t-elle annoncé, sur le même ton que lorsqu'elle s'adresse à son équipe de pompom girls. J'ai entendu le directeur de l'hôpital demander à papa quand tu serais prête pour la conférence de presse.

— La conférence de presse ? ai-je répété en m'affaissant sur le rebord de la baignoire, persuadée que j'allais m'évanouir. Tu me fais marcher ?

— Pas du tout, a répondu Lucy. Tu es une héroïne nationale. Tout le monde s'attend à ce que tu donnes une conférence de presse. Mais ne t'inquiète pas. Ta grande sœur Lucy s'occupe de tout.

Là-dessus, elle a renversé son sac de sport dans le lavabo. Vu le bruit, j'en ai conclu qu'elle avait emporté tous ses produits de beauté.

— Commençons par le commencement : tes cheveux, a-t-elle repris.

Avant de poursuivre, je tiens à préciser que je me suis laissé faire uniquement parce que je me sentais encore faible à cause de ma nuit blanche, de mon plâtre et de tout le reste. J'étais trop fatiguée pour me battre contre Lucy. Mais j'ai quand même crié une fois, sauf que les types de la sécurité n'ont pas surgi dans la salle de bains. Le bruit de la douche a dû couvrir ma voix.

Cela dit, il aurait fallu un commando spécial pour arrêter Lucy. N'oublions pas qu'elle attendait ce moment depuis le jour où je suis entrée dans la puberté. Cette fois, elle me tenait et j'étais totalement impuissante face à elle. Non seulement elle avait apporté toutes sortes de tenues mais aussi un attirail de soins qu'elle avait l'intention d'utiliser sur moi, coincée dans la cabine de douche, avec mon bras plâtré en l'air telle la branche d'un arbre.

— C'est du awapuhi, m'a-t-elle expliqué en versant un liquide vaguement fruité sur mes cheveux. De l'extrait de gingembre hawaiien. Shampouine-toi avec. Et ça, c'est un gommage pour le corps. À l'abricot.

— Lucy ! ai-je hurlé, de l'awapuhi me coulant dans les yeux. Qu'est-ce que tu cherches à faire ?

— Te sauver, a répondu Lucy. Tu devrais me remercier au lieu de crier.

— Te remercier ? Pour quoi ? Pour perdre la vue à cause de ton extrait de gingembre hawaiien ?

— Non. Pour essayer de te transformer en un être

humain. As-tu idée de ce que je ressens quand mes amis passent à la maison et me demandent : « C'est vraiment ta sœur ? Qu'est-ce qui lui est arrivé ? Elle fait partie d'une secte ou quoi ? »

Lorsque j'ai ouvert la bouche pour protester et dire que c'était totalement injuste, Lucy en a profité pour appuyer sur le bouton de son flacon d'Aquafresh. Et tandis que je m'étouffais à moitié, elle a poursuivi :

— Utilise aussi ce conditionneur. Les palefreniers s'en servent pour lisser le pelage des chevaux avant une course.

— Je ne suis pas un cheval !

— Je sais, mais tu as vraiment besoin de ce soin, Sam. Dis-toi que c'est une intervention... une intervention d'urgence pour t'embellir.

Et, sans me demander mon avis, elle m'a aspergée avec son produit.

— Rince bien et recommence, s'il te plaît, a-t-elle ajouté.

Quand elle a enfin terminé, ma peau était nettoyée, gommée, exfoliée et mes cheveux brushés.

Je dois admettre que le résultat m'a surprise. Son commentaire sur la nécessité d'une intervention d'urgence m'avait vexée. Mais sous sa surveillance attentive – et son sèche-cheveux portatif – mes cheveux n'évoquaient plus le cuivre, et au lieu de se dresser sur le haut de mon crâne, ils retombaient en légères boucles sur mes épaules. Quant à mes taches de rousseur, si elles n'avaient pas tout à fait disparu, Lucy s'était débrouillée pour les atténuer.

J'ai accepté l'extrait de gingembre hawaiien, le gommage à l'abricot et le conditionneur pour chevaux. J'ai même supporté le mascara, le fond de teint et le brillant à lèvres. Mais j'ai mis le holà quand Lucy a sorti de son sac de sport un chemisier bleu clair et une jupe assortie.

— Jamais, ai-je dit, aussi catégoriquement que possible pour quelqu'un vêtu d'une seule serviette de toilette. Je veux bien que tu me maquilles mais il est hors de question que je m'habille comme toi.

— Tu n'as pas le choix, Sam, a rétorqué Lucy. Tous tes vêtements sont noirs. Tu ne peux pas te présenter devant l'Amérique vêtue de noir. Les gens vont penser que tu vénères Satan. Pour une fois dans ta vie, tu vas donc t'habiller comme quelqu'un de normal et tu vas trouver ça agréable.

Sur ce, elle m'a bondi dessus. J'aimerais juste faire remarquer qu'elle bénéficiait d'un net avantage sur moi car :

a) elle mesure cinq centimètres et pèse cinq kilos de plus que moi

b) elle n'était pas gênée par un bras dans le plâtre

c) elle n'avait pas à se soucier de perdre la serviette de toilette qui la couvrait

d) elle a derrière elle des années de lecture assidue

de magazines féminins, lecture qui lui confère style, certitude et force naturelle.

C'est pour toutes ces raisons-là que j'ai renoncé à lutter. Et puis, peut-être aussi parce que Lucy n'avait pris aucune de mes affaires. Celles que je portais la veille étaient encore entre les mains des services de sécurité qui les analysaient après avoir trouvé dessus des traces de poudre à canon provenant du revolver de M. Uptown Girl.

Résultat, lorsque Lucy m'a annoncé qu'elle avait terminé, je portais ses vêtements, son maquillage et ses soins capillaires. Je n'avais plus rien de moi. Plus rien du tout.

Mais ça allait. Franchement, ça allait. Sans doute parce que je n'étais pas vraiment moi-même, à cause de ma nuit blanche, de la foule dans la rue, des fleurs et des ours en peluche, et aussi de l'awapuhi et du conditionneur pour chevaux.

En fait, quand je suis sortie de la salle de bains, je ne savais plus très bien où j'en étais. Pire, je ne pensais pas que les choses puissent être plus bizarres.

Et c'est à ce moment-là que ma mère, qui se trémoussait nerveusement au milieu des fleurs et des ballons, a dit :

— Euh... Samantha, il y a quelqu'un qui voudrait te voir.

J'ai tourné la tête et je me suis retrouvée face au président des États-Unis.

8

Même si j'ai vécu à Washington, D.C., toute ma vie – à l'exception de l'année passée au Maroc –, je n'ai quasiment jamais vu le président des États-Unis en chair et en os.

Oh, bien sûr, je l'ai aperçu plein de fois dans des cortèges, et je l'ai vu à la télé. Et devant chez Capitol Cookies, aussi. Mais jamais d'aussi près.

Du coup, de le voir, là, dans ma chambre d'hôpital, avec mes parents, Lucy, Rebecca, Theresa, les deux gars des services de sécurité, les fleurs, les ballons et tout le reste... ça m'a fait un choc.

Sans compter que sa femme l'accompagnait, la première dame des États-Unis. Elle, je ne l'avais jamais vue. En vrai, je veux dire. Je l'avais vue à la télé, en couverture de magazines, mais jamais comme ça, devant moi.

Eh bien, je peux vous assurer que de près, le président et sa femme paraissent plus grands qu'à la télé. Je sais, ma réflexion est idiote, inutile de me le préciser. Ils avaient l'air aussi... plus vieux, et plus réels. Par exemple, je voyais leurs rides.

— Ainsi, c'est vous qui m'avez sauvé la vie.

Voilà ce que m'a dit le président des États-Unis d'Amérique. C'étaient les premiers mots qu'il m'adressait, de cette voix grave que je suis obligée d'écouter quand je regarde les *Simpsons* et que mes parents me demandent de changer de chaîne pour mettre les infos.

Et qu'est-ce que j'ai répondu ? Qu'est-ce que j'ai dit au président des États-Unis d'Amérique quand ça a été mon tour de parler ?

J'ai dit : « Euh... »

Derrière moi, j'ai entendu Lucy pousser un soupir de satisfaction. À tous les coups parce qu'elle avait réussi ma transformation à temps. Quelques minutes plus tôt, j'aurais encore eu ma tête des matins après une mauvaise nuit.

Apparemment, ça ne la gênait pas que je passe pour une idiote. Tout ce qui l'intéressait, c'est que je n'aie pas l'air d'en être une.

— J'aimerais savoir, a repris le président, s'il me serait possible de serrer la main de la fille la plus courageuse au monde.

Et sans me demander mon avis, il m'a tendu sa main.

Je l'ai regardée fixement. Non pas parce qu'elle était différente de la main de n'importe qui d'autre. Car elle ne l'était pas. Enfin, si, d'une certaine manière, puisqu'elle appartenait au président des États-Unis. Mais ce n'est pas pour ça que je la regardais. Je la regardais parce que je pensais à ce qu'il venait de dire : que j'étais la fille la plus courageuse au monde.

Curieusement, même si les messages que ma mère m'avait lus disaient tous plus ou moins la même chose, c'était la première fois que j'y réfléchissais vraiment. Au fait d'avoir été courageuse.

Sauf que ce n'était pas vrai du tout. Je n'avais pas été courageuse. On est courageux quand on doit faire quelque chose qu'on sait être juste mais qu'on a peur de faire, parce qu'on peut se blesser, par exemple. Mais on le fait quand même.

Tandis que ce que j'avais fait – me jeter sur M. Uptown Girl –, ce n'était pas courageux du tout, parce que je n'avais pas réfléchi aux conséquences. Je l'avais fait. J'avais vu le revolver, j'avais vu le président, j'avais bondi. Un point c'est tout.

Je n'étais pas la fille la plus courageuse au monde. J'étais juste une fille qui avait eu la malchance de se trouver à côté d'un type dont l'intention était d'assassiner le président. Nuance. N'importe qui aurait fait la même chose que moi.

Je ne sais pas combien de temps je serais restée à fixer la main du président si Lucy ne m'avait pas piquée dans le dos. En plus, elle m'a fait mal avec ses ongles qu'elle taille en pointe tous les soirs.

Mais je n'ai rien laissé voir. J'ai juste dit : « Oui, merci », et j'ai tendu la main à mon tour pour serrer celle du président.

Sauf que, évidemment, la main que j'ai tendue, c'était ma main droite, celle qui est plâtrée. Tout le monde a éclaté de rire, comme si c'était hilarant, et le président m'a serré la main gauche.

Puis sa femme a tenu à me féliciter à son tour, tout en me disant qu'elle espérait que ma famille et moi, on viendrait dîner un soir à la Maison Blanche, « quand toute cette histoire sera réglée ».

Dîner ? À la Maison Blanche ?

Heureusement, ma mère a pris le relais à ce moment-là. Elle a répondu que nous serions enchantés de venir dîner.

Puis la première dame des États-Unis s'est retournée et a remarqué quelqu'un qui se tenait dans l'encadrement de la porte. Son visage s'est aussitôt éclairé.

— Oh, voilà David ! s'est-elle exclamée. Puis-je vous présenter notre fils, David ?

Et David est entré.

Le fils du président des États-Unis.

Qui était aussi le David de mon cours de dessin.

Le David du tee-shirt Save Ferris. Et du « Super, tes Doc ».

Maintenant, je savais pourquoi sa tête me disait quelque chose.

9

Comment aurais-je pu le savoir, que c'était le fils du président des États-Unis ?

Il ne ressemblait en rien à l'espèce de dégénéré qu'on voit d'habitude aux infos, à côté de ses parents pendant les campagnes présidentielles. Ce garçon-là ne portait pas de tee-shirt Save Ferris et encore moins des Doc. Il ne donnait pas l'impression de s'intéresser à l'art. Toujours vêtu d'un pull shetland et d'un pantalon de flanelle, il semblait passionné par ce que son père racontait, en général le genre de sujet qui m'ennuie très vite et me fait changer de chaîne... bien que je reconnaisse qu'en tant que citoyenne de ce pays et membre de cette planète, je devrais m'impliquer davantage politiquement.

De toute façon, dès que son père a été élu et qu'il a dû être scolarisé à Washington, chaque fois qu'on voyait David à la télé, il portait l'uniforme débile des élèves d'Horizon : pantalon kaki (jupe pour les filles), chemise blanche, veste bleu marine, cravate rouge.

Et même si David avait plus d'allure dans son uniforme que la majorité des élèves d'Horizon, avec ses cheveux noirs bouclés et ses yeux verts, il n'en restait pas moins un... un dégénéré, quoi. Comment voulez-vous que ce type soit un jour en couverture de *Teen People,* comme Justin Timberlake ? C'est impossible, sauf s'il se mettait au surf, et qu'il en fasse torse nu dans la baie de Chesapeake.

Bien qu'il se tienne là, debout devant moi, je n'arrivais toujours pas à croire que c'était le même garçon qui, il y a quelques jours à peine, m'avait dit qu'il aimait bien mes Doc.

En même temps, j'y arrivais quand même un peu. Car il ressemblait plus alors au garçon au tee-shirt Save Ferris qui aimait bien mes Doc qu'au fils du président des États-Unis saluant le public juste avant de monter dans un avion, ou regardant son père depuis le bord d'une estrade dans une ville du Kentucky.

J'aurais été bien en peine de dire qui de nous deux était le plus étonné. David paraissait assez surpris, mais à mon avis, ce n'est pas parce qu'on s'était déjà rencontrés.

Non, David me regardait fixement parce qu'il ne me reconnaissait pas. N'oublions pas que la dernière fois, j'étais en noir des pieds à la tête, j'avais mes Doc, et je n'étais ni maquillée ni coiffée. Rien à voir avec la jupe et les mocassins de ma sœur. Sans parler de mes cheveux lisses et de mes lèvres brillantes et désirables... du moins, c'est ce que promettait le tube de gloss avec lequel Lucy m'avait barbouillé la bouche.

Pas étonnant que David me dévisage ainsi : je ressemblais comme deux gouttes d'eau à Lucy !

— Euh..., a-t-il fait, ce que je ne lui reproche absolument pas. Salut.

Je lui ai répondu de manière tout aussi intelligente :

— Euh... Oui, salut.

La mère de David nous a observés à tour de rôle puis elle a dit, d'une drôle de voix :

— Vous vous connaissez ?

— Oui, a répondu David.

Il souriait à ce moment-là. Et il avait un joli sourire. Pas aussi joli que celui de Jack, bien sûr, mais joli quand même.

— Samantha est dans mon cours de dessin chez Susan Boone, a-t-il expliqué.

C'est à ce moment-là que ça a fait tilt dans ma tête. *Samantha est dans mon cours de dessin chez Susan Boone.*

David pouvait faire une gaffe en révélant à mes parents que j'avais séché le cours de dessin.

Et alors ! La belle affaire ! J'avais sauvé la vie du président des États-Unis d'Amérique ! N'était-ce pas une excuse suffisante ?

Oui, sans doute. En tout cas, auprès de mes parents. Ils n'étaient pas si stricts que ça.

En revanche, elle n'aurait aucun effet sur Theresa, à qui j'avais juré de ne jamais sécher. Même si elle appréciait beaucoup le président, dès qu'elle apprendrait que je lui avais désobéi, ma vie deviendrait un enfer. Terminé les beignets au chocolat après l'école. Je n'aurais plus le droit qu'à des barres de céréales et à une pomme de temps en temps, peut-être. Theresa était capable de pardonner beaucoup de choses – les mauvaises notes, les retards, les devoirs pas faits, les traces de boue sur le sol de la cuisine qu'elle venait de nettoyer –, mais le mensonge ?

Non. Même pour une bonne cause, comme préserver mon intégrité en tant qu'artiste.

Ce qui explique pourquoi j'ai alors adressé un regard suppliant à David dans l'espoir qu'il comprendrait. Je ne vois pas comment il aurait pu, cela dit. Même s'il ne portait pas son uniforme d'Horizon, avec sa chemise boutonnée jusqu'au col et son pantalon au pli droit, il avait l'air d'un garçon qui ne s'opposait jamais à ses parents, et encore moins à sa gouvernante.

Mais bon, si j'avais une chance, juste une chance d'obtenir de lui, comme de l'agent des services de sécurité, qu'il ne mentionne pas mon absence au cours de la veille...

— Vous avez inscrit Samantha chez Susan Boone ? a demandé la première dame des États-Unis à ma

mère. Susan est merveilleuse, vous ne trouvez pas ?
David l'adore !

Elle a tendu la main et l'a posée sur l'épaule de
son fils, en un geste étonnamment tendre pour une
femme mariée à l'homme le plus important du pays.

— Comme je suis heureuse que David ait quitté le
cours plus tard que d'habitude hier soir, a-t-elle continué. Qui sait ce qui serait arrivé s'il était sorti au
moment où...

Elle n'a pas fini sa phrase. J'imagine qu'elle voulait
dire : qui sait ce qui serait arrivé si David était sorti
au moment où M. Uptown Girl a tiré. En fait, il ne
serait rien arrivé du tout. Puisque j'étais là. Et que je
lui ai fait rater son coup.

« Je t'en prie, David, ai-je pensé très fort. Ne dis
pas que je n'étais pas là hier soir. Pour une fois dans
ta vie de fils de politicien qui boutonne sa chemise
jusqu'au col, essaie de t'ouvrir l'esprit et de recevoir
ma supplique. Je sais que tu le peux. Tu aimes Save
Ferris. Moi aussi. Peut-être pouvons-nous dans ce cas
essayer de communiquer l'un avec l'autre. Ne dis rien,
David. Ne dis rien. Ne dis rien. »

— Je vois très bien de quoi vous voulez parler, a
déclaré ma mère en tendant la main pour la poser sur
mon épaule comme la première dame des États-Unis
avec son fils. Je préfère ne pas imaginer ce qui aurait
pu arriver si les services de sécurité ne l'avaient pas
désarmé aussi vite.

— Oui, a fait la femme du président. Ils sont extraordinaires, non ?

Par miracle, la conversation s'est alors doucement éloignée de Susan Boone. J'ai quand même eu le temps d'apprendre que John — le type d'un certain âge qui ne sait pas dessiner et que je pensais être malentendant — n'était autre que le garde du corps de David.

Si je n'en revenais toujours pas que David soit le fils du président, je ne pouvais pas m'empêcher de me demander ce qu'il avait dû ressentir, lui, en découvrant que la fille qui avait sauvé la vie de son père, c'était moi.

En fait, une fois le choc initial passé, il ne semblait pas si surpris. Il avait même l'air de trouver la situation amusante. Il essayait de ne pas sourire mais n'y parvenait pas très bien. À tous les coups, il devait penser à mon ananas. À ce souvenir, mes joues se sont empourprées.

Mon Dieu ! Ce stupide ananas. Je m'étais dit que rien ne m'interdisait d'en dessiner un si j'en éprouvais l'envie, puisqu'il venait du cœur, comme me l'avait expliqué Jack.

Dans ce cas, pourquoi me sentais-je aussi gênée ?

Finalement, après une vingtaine de minutes de bavardages, le président, sa femme et David ont pris congé.

Dès que la porte s'est refermée, ma mère a poussé

un soupir en s'effondrant sur mon lit, qu'elle avait refait pendant que j'étais sous la douche.

— C'était complètement surréaliste, non ? a-t-elle dit.

De tous, c'était Theresa, la plus sous le choc.

— Je n'arrive pas à croire que j'ai rencontré le président des États-Unis, ne cessait-elle de répéter.

Même Rebecca a admis avoir trouvé l'entretien intéressant.

— Mais je regrette de ne pas avoir eu l'occasion de lui parler de Area 51, a-t-elle pesté. J'aimerais vraiment savoir pourquoi le gouvernement tient à nous cacher la vérité sur les visites que les extraterrestres font à notre planète.

Lucy, elle, s'est montrée beaucoup plus terre à terre.

— On va dîner à la Maison Blanche ! s'est-elle exclamée. Je pourrai dire à Jack de venir ?

— NON ! ont hurlé mes parents en même temps.

— O.K., a fait Lucy. Pas de problème. Finalement, ça sera plus drôle d'y aller sans lui. Je pourrai flirter avec David. Il est plutôt mignon.

Vous voyez ? Vous voyez comme ma sœur ne mérite pas de sortir avec un garçon comme Jack ? J'ai serré les poings et j'ai dit sur un ton indigné :

— Hé, ho ? Tu n'as pas déjà un petit ami ?

Lucy m'a dévisagée d'un air étonné.

— Et alors ? Ce n'est pas une raison pour que je

ne regarde pas les autres garçons ! Est-ce que tu as vu les yeux verts de David. Et ses fesses...

— Ça suffit, l'a coupée mon père. Il est hors de question que l'on parle des fesses de qui que ce soit en ma présence. Et hors de ma présence aussi, d'ailleurs.

— Et c'est valable pour moi aussi, a ajouté ma mère.

J'étais tout à fait d'accord. Il était hors de question que Lucy regarde les fesses d'un autre garçon alors qu'elle pouvait regarder celles de Jack à loisir ! Mais Lucy ne semblait pas se rendre compte de sa légèreté et de son manque de loyauté envers Jack. Elle a haussé les épaules et a répondu :

— D'accord... d'accord..., avant de se diriger vers la fenêtre.

— Écarte-toi tout de suite ! avons-nous aussitôt crié, ma mère et moi.

Trop tard. Des acclamations enthousiastes sont montées de la foule, toujours massée dans la rue. Bien que surprise dans un premier temps, Lucy s'est vite ressaisie et s'est mise à agiter la main comme si elle était le pape ou la reine d'Angleterre.

— Bonjour ! disait-elle, même si personne ne pouvait l'entendre. Bonjour, vous tous !

Au même moment, la porte de la chambre s'est ouverte et une femme affublée d'un chemisier à dentelles – j'ai su plus tard qu'elle s'appelait Mme Rose,

et qu'elle était l'administratrice en chef de l'hôpital –
s'est dirigée vers Lucy

— Mademoiselle Madison ? a-t-elle dit. Êtes-vous
prête pour la conférence de presse ?

— Ce n'est pas moi, c'est elle, a répondu ma sœur
en pointant le bout d'un de ses doigts vernis dans ma
direction.

Mme Rose m'a regardée.

— Oh. Très bien. Êtes-vous prête ? Les journalistes veulent juste vous poser quelques questions. Ça
ne prendra pas longtemps. Vous serez ensuite libre
de rentrer chez vous.

J'ai jeté un coup d'œil à mes parents. Ils me sou-
riaient d'un air encourageant. J'ai jeté un coup d'œil
à Theresa. Elle me souriait aussi, du même air encourageant. Je me suis tournée vers Lucy. Qui, elle, a dit :

— Ça va aller, mais surtout, ne tripote pas tes
cheveux. J'ai réussi à te coiffer à peu près correctement. Ne va pas tout me gâcher.

Je me suis tournée vers Mme Rose.

— O.K., ai-je déclaré. Je suis prête. Du moins,
j'espère.

Les dix choses qu'il ne faut pas faire quand on donne une conférence de presse :

10. Lorsque le journaliste du *New York Times* vous demande si vous avez eu peur quand Larry Wayne Rogers (c'est le nom de M. Uptown Girl) a sorti son revolver de dessous son poncho de pluie, ne répondez pas : « Non au contraire, j'ai été soulagée, parce que j'ai pensé qu'il allait sortir autre chose. »

9. Ce n'est pas parce qu'il y a une bouteille d'eau et un verre devant vous que vous devez boire. Surtout si, au moment où vous portez le verre à vos lèvres, il glisse à cause du gloss, et vous fait renverser de l'eau partout.

8. Lorsque le journaliste du *Indianapolis Star* vous demande si vous saviez que Larry Wayne Rogers a cherché à tuer le président pour impressionner

la célébrité dont il est obsédé depuis des années – l'ex-femme de Billy Joel, le mannequin Christie Brinkley, pour qui Billy a justement écrit *Uptown Girl* –, ne vous exclamez pas : « Quel loser ! » mais exprimez à la place votre inquiétude au sujet de la maladie mentale qui pose de graves problèmes.

7. Si un correspondant de *CNN* vous demande si vous avez un petit ami, il est préférable de répondre : « Pas pour l'instant », au lieu de vous étrangler, comme je l'ai fait.

6. Fixer la tête de Barbara Walters en vous demandant si ce sont ses vrais cheveux ou une perruque.

5. Lorsque Matt Lauer se lève pour vous poser une question, il vaut mieux ne pas hurler dans le micro : « Hé ! mais je vous reconnais ! Ma mère vous adore ! »

4. Si une mèche de vos cheveux vient à se coller sur vos lèvres enduites de gloss, écartez-la discrètement de la main au lieu de souffler dessus comme si vous éteigniez vingt bougies sur un gâteau d'anniversaire.

3. Lorsqu'un journaliste du *Los Angeles Times* vous demande si c'est vrai que vous venez de rencontrer

le président et sa famille, et qu'il veuille ensuite savoir quel effet ça vous a fait, ne répondez pas : « Euh..., normal. » Essayez de développer.

2. En règle générale, quand on a sauvé la vie du président d'un pays, la plupart des gens ont envie d'en entendre parler. Ils s'en fichent de savoir à quoi ressemble votre chien.

Mais surtout, quand on donne une conférence de presse, il faut :

1. Ne pas oublier de mettre des lunettes de soleil. Sinon, à cause des flashs des photographes, tout ce que vous serez capable de voir devant vous, c'est une grosse tache rouge. Du coup, quand vous descendrez de l'estrade, vous trébucherez parce que vous ne verrez pas où vous mettez les pieds, et vous atterrirez sur les genoux de la présentatrice télé, Candace Wu.

10

Voilà ce qui arrive quand on empêche un fou d'assassiner le président des États-Unis : du jour au lendemain, tout le monde – j'ai bien dit tout le monde – veut devenir votre ami.

Je ne plaisante pas.

Et je ne parle pas des personnes qui m'ont envoyé des messages de prompt rétablissement avec les ballons et les ours en peluche (on les a tous laissés à l'hôpital). Lorsque je suis rentrée à la maison, il y avait cent soixante-sept messages sur notre répondeur, dont vingt seulement de personnes que je connaissais, comme Grand-père et Catherine, par exemple. Les autres provenaient de journalistes ou de gens comme Kris Parks, qui semblait brusquement avoir oublié que la veille encore, elle se moquait de moi.

— Salut Sam, disait-elle d'une voix chantante. C'est moi, Kris ! Je t'appelle pour savoir si tu veux venir samedi soir. J'organise une fête. Mes parents ne seront pas là. On va s'éclater ! Mais sans toi, ce ne sera pas drôle.

Je n'en revenais pas. Elle aurait pu être un peu plus subtile, au moins. Elle ne m'avait pas invitée chez elle depuis le primaire, et elle faisait comme si on était toujours amies !

Apparemment, Lucy ne partageait pas mon point de vue.

— Cool ! s'est-elle exclamée. Une fête chez Kris. J'irai avec Jack !

Ce à quoi mes parents ont répondu : « Certainement pas », avant d'ajouter qu'il était hors de question que nous allions à des soirées où il n'y avait pas au moins un parent présent. Surtout en compagnie de Jack, qui s'était fait remarquer en prenant un bain de minuit dans la piscine de Chevy Chase Country Club, l'an dernier à Noël. (Je suis sûre que mes parents préféreraient que Lucy sorte non pas avec un rebelle, comme Jack, mais avec un garçon qui ne remet jamais en question l'autorité et accepte humblement ce qu'on lui accorde au compte-gouttes, comme la majorité des gens de notre génération.)

Quand j'ai vu Lucy s'approcher de la fenêtre et saluer les reporters qui attendaient dehors, j'en ai conclu que, finalement, elle n'était pas trop perturbée de ne pas aller à la fête de Kris Parks avec Jack.

Pour en revenir aux messages, ce n'est pas celui de Kris Parks qui m'a le plus déconcertée. Ni ceux des journalistes qui me demandaient une interview ou m'annonçaient que plusieurs émissions de télé désiraient faire un portrait de moi.

Comme si un sujet d'une heure sur moi pouvait intéresser qui que ce soit. Jusqu'à présent, ma vie n'avait été qu'une suite d'humiliations. S'ils voulaient analyser en profondeur mon ancien problème de zézaiement et la façon dont je m'en était sortie en me retenant de ne pas traiter Kris Parks de tous les noms, eh bien, je leur souhaitais du courage !

Sinon, il y avait aussi des messages provenant de diverses sociétés. Par exemple Coca-Cola me proposait de les représenter dans des publicités. Comme si j'allais me mettre devant une caméra et dire : « Buvez du Coca comme moi. Vous pourrez alors vous jeter sur un malade mental, fan de Christie Brinkley, et vous retrouver avec le poignet cassé. »

Mais ce message-là non plus n'était pas celui que je redoutais le plus.

Celui que j'avais espéré ne pas entendre, c'est le cent-soixante-quatrième. Qui disait, d'une voix que je ne connaissais que trop bien : « Samantha ? Bonjour, c'est Susan Boone. Des cours de dessin. Est-ce que tu pourrais me rappeler ? J'aimerais que l'on parle de deux ou trois petites choses. »

Quand je l'ai entendu, j'ai paniqué.

Je l'ai rappelée en cachette – pour que personne

ne m'entende m'excuser platement. Mais avant, j'ai dû attendre que mon père contacte la compagnie de téléphone pour faire changer notre numéro et nous mettre sur liste rouge. C'était plus prudent, vu que sur les cent soixante-sept messages, certains manifestaient un peu trop d'intérêt, si vous voyez ce que je veux dire. Apparemment, ma photo ne les avait pas dissuadés.

En plus de changer de numéro de téléphone, les services de sécurité nous ont conseillé de faire installer une alarme. Toujours postés devant la maison, ils empêchaient les badauds d'approcher tandis que des agents de la circulation détournaient les voitures de notre rue où il y avait brusquement quatre à cinq fois plus de véhicules que d'habitude. Les gens s'étaient débrouillés pour découvrir notre adresse et roulaient tout doucement dans l'espoir de m'apercevoir. Ne me demandez pas pourquoi. Je ne fais jamais rien de très intéressant. La plupart du temps, je suis dans ma chambre où je dessine des portraits de moi avec Jack. Mais j'imagine qu'ils voulaient voir à quoi ressemblait la vie d'une héroïne de la nation.

Parce que c'est ce que je suis maintenant, que je le veuille ou non. Une héroïne.

Ce qui est, finalement, une autre façon d'appeler quelqu'un qui se trouvait au mauvais endroit au pire moment.

Bref, quand mon père en a eu fini avec la compagnie de téléphone, j'ai appelé Susan Boone – mais pas avant d'avoir consulté Catherine.

— *À dîner ?*

C'est tout ce que Catherine a réussi à dire.

— Tu te prends une balle à la place du président des États-Unis, et on ne t'offre qu'une invitation à dîner ?

— Je n'ai pas pris de balle, lui ai-je rappelé, et c'est un dîner à la Maison Blanche. Mais pourrais-tu revenir au sujet dont je viens de te parler ? Qu'est-ce que je dois dire à Susan Boone ?

— N'importe qui peut aller dîner à la Maison Blanche s'il y met le prix, a continué Catherine, d'un air dégoûté. Je pensais que tu aurais eu plus qu'un dîner. Il aurait pu au moins te remettre une médaille.

— Il le fera peut-être à l'occasion de ce dîner. Qui sait ? Mais parlons plutôt de Susan Boone. Qu'est-ce...

— Samantha, m'a coupée Catherine sur un ton impatient que je ne lui avais jamais entendu. On ne remet pas de médaille à l'occasion d'un dîner. Il faut une cérémonie spéciale pour ça. Et tu as sauvé la vie du président. Elle s'en fiche, ta prof de dessin, que tu aies séché son cours.

— Je ne sais pas, Catherine. Pour Susan Boone, l'art, c'est sérieux. Elle a peut-être appelé pour m'annoncer qu'elle me renvoyait ?

— Et alors ? Je croyais que c'était ça que tu

voulais ? Être renvoyée. Tu m'as bien dit que tu détestais ses cours, non ?

J'ai pris le temps de réfléchir. Est-ce que j'avais vraiment détesté son cours ? Pas quand je dessinais, en tout cas. Ni quand David m'avait dit qu'il aimait bien mes Doc. Ça, c'était plutôt cool.

Mais le reste – quand Susan Boone avait cherché à détruire mon impulsion créatrice et à m'empêcher de dessiner ce que mon cœur me dictait, m'humiliant devant toute la classe, y compris, maintenant que je le savais, le fils du président des États-Unis, ça, je n'avais pas trop aimé.

Du coup, j'en suis arrivée à la conclusion qu'être renvoyée du cours de Susan Boone n'était pas une si mauvaise chose que cela.

— Catherine, excuse-moi, ai-je dit tout à coup. Il faut que je te laisse. Je t'expliquerai plus tard.

Et sur ces paroles, j'ai raccroché et j'ai aussitôt composé le numéro de Susan Boone, pressée d'en terminer une fois pour toutes avec cette histoire.

— Euh..., bon... bonjour, ai-je bafouillé dans le combiné. C'est Samantha Madison.

— Oh, bonjour, a répondu Susan Boone.

J'ai reconnu derrière elle le croassement familier de Joe. Donc, Joe ne vivait pas à l'atelier, mais faisait l'aller et retour quotidiennement avec sa maîtresse. Ce n'est pas une vie pour un affreux oiseau voleur de cheveux !

— Merci de me rappeler, Samantha, a-t-elle continué.

J'ai pris une profonde inspiration et d'un seul coup, je me suis lancée :

— Écoutez, je suis désolée pour l'autre jour. Je ne sais pas si vous êtes au courant, mais...

Susan Boone a éclaté de rire. J'avoue que je m'attendais à tout sauf à ça.

— Samantha, a-t-elle déclaré une fois qu'elle s'est ressaisie. Il n'y a pas un être vivant au sud du pôle Nord qui ne soit pas au courant de ce qui t'est arrivée hier.

— Oh ! ai-je fait.

Puis je me suis dépêchée de lui servir le mensonge que j'avais préparé. Je sais, Jack aurait dit la vérité, qu'il n'appréciait pas du tout sa tentative de nier son intégrité d'artiste. Mais comme je ne suis pas Jack, j'ai juste marmonné :

— Je ne suis pas venue à votre cours à cause de la pluie. Il pleuvait tellement fort que j'étais trempée, et je n'ai pas osé monter. Du coup, je suis allée chez Static en attendant que mes vêtements sèchent, et après, je ne sais pas ce qui s'est passé. J'imagine que je n'ai pas fait attention à l'heure, et...

— Ce n'est pas grave, Samantha, m'a coupée Susan Boone.

D'accord, je l'admets, ce n'était pas terrible comme mensonge, mais j'avais fait de mon mieux.

— Parlons plutôt de ton bras, a repris Susan Boone.

— De mon bras ? ai-je répété en baissant les yeux sur mon plâtre.

Je commençais tellement à m'y habituer que je l'avais complètement oublié.

— Oui. Est-ce celui avec lequel tu dessines ?

— Euh... non.

— Parfait. Dans ce cas, je te vois, jeudi.

J'ai eu alors une pensée légèrement mesquine. Je me suis dit que Susan Boone, comme Pepsi ou Coca-Cola, ne voulait de moi dans son atelier que pour la publicité que je pouvais lui apporter.

Et alors ? Pourquoi pas ? On ne peut pas dire qu'elle s'était répandue en éloges sur mes talents la seule fois où j'avais assisté à l'un de ses cours.

— Écoutez, madame Boone, ai-je commencé en me demandant comment j'allais pouvoir lui dire ce que j'avais à lui dire – sur la façon dont elle m'avait humiliée, et où on en serait si quelqu'un avait fait la même chose à Picasso – sans la blesser. Car mis à part le fait qu'elle n'ait pas aimé mon ananas, elle était plutôt sympathique.

— Susan, a-t-elle déclaré.

— Pardon ?

— Appelle-moi Susan.

— Bon, d'accord, Susan. Voilà. Je ne pense pas avoir le temps de prendre des leçons de dessin pour l'instant.

Pourquoi ne pas essayer cette excuse, s'il y avait une chance qu'elle marche ? Par ailleurs, c'était tout à fait plausible qu'avec tous ces journalistes devant la maison, ces badauds dans la rue et ces malades qui laissaient des messages sur notre répondeur, mes parents oublient mes cours de dessin. Étant donné les circonstances, qu'est-ce qu'on en avait à faire de ma mauvaise moyenne en allemand...

— Sam, a repris Susan Boone. Tu es très douée, mais pour dessiner correctement, tu dois cesser de *penser* et te mettre à *voir*. Et la seule façon d'y parvenir, c'est de te donner le temps d'apprendre à voir.

Apprendre à voir ? Hé, ho ? Est-ce que Susan Boone pensait que je m'étais blessée à l'œil et non au bras ?

Jack avait raison : elle essayait de me pousser à dessiner avec mes yeux et non avec mon cœur !

Mais avant même que je réponde : « Non, merci, madame Boone, ça ne m'intéresse pas de devenir l'un de vos automates », elle a déclaré :

— J'espère te voir au cours de jeudi, sinon, je serai malheureusement dans l'obligation de prévenir tes parents de ton absence hier.

Ouah ! Ça, c'était vache. Surtout de la part de la reine des elfes.

— D'accord, ai-je répondu, résignée.

On ne peut pas dire que je m'étais battue long-temps contre le système.

— Parfait, a déclaré Susan Boone.

Et sur cette dernière parole, elle a raccroché. Juste avant, j'ai entendu Joe lancer : « Joli oiseau, joli oiseau ! »

Elle m'avait eue. Mais le pire, c'est qu'elle savait. *Elle savait !* Qui aurait pu croire que la reine des elfes pratiquait la divination aussi ?

Résultat, j'allais devoir retourner à son cours et me retrouver avec toutes ces personnes pour qui mon absence mardi n'était sans doute pas passée inaperçue et ne constituait pas un mystère non plus. *Mais oui, bien sûr, elle n'est pas venue parce qu'elle n'a pas supporté que Susan critique son dessin.*

J'étais assise, la tête entre les mains, quand Lucy est entrée dans ma chambre. Sans frapper, comme à son habitude.

— Bien, a-t-elle juste dit.

J'aurais dû me douter qu'elle ne s'arrêterait pas là. Elle tenait un classeur et un stylo à la main. Et portait sa tenue de cadre supérieur : mini-jupe verte, chemisier blanc et veste.

— Je t'ai organisé un déjeuner, demain avec mes copines, suivi d'un après-midi shopping à Georgetown, a-t-elle annoncé tout en consultant son classeur. Dans la soirée, nous assisterons, Jack, toi et moi, à l'avant-première du dernier film d'Adam Sandler. C'est important qu'on te voie au cinéma, puis ensuite on ira manger une pizza chez Luigi. Dimanche, on a un brunch et ensuite tu viendras avec nous au match. Dimanche soir, on dîne chez le président. Impossible de déplacer, j'ai déjà essayé. Mais au cas où il nous reste un peu de temps après, on pourra retourner chez Luigi, histoire de voir quelques copains. Lundi – attention, c'est important, Sam, écoute-moi bien –, lundi, on travaillera ton nouveau look. Tu devras te lever une heure minimum avant ton heure habituelle. Terminé l'époque où tu restais au lit jusqu'au dernier moment, enfilais la première fringue qui te tombait sous la main puis te traînais au bahut comme si tu allais au bagne en pensant que tout le monde se fiche pas mal de ton allure. Tu vas devoir faire des efforts, Sam. Par ailleurs, n'oublie pas qu'il faut compter au moins une demi-heure le matin pour te coiffer.

Je l'ai dévisagée en clignant des yeux et j'ai dit, très, très lentement parce que j'avais l'impression que ma langue pesait brusquement une tonne :

— De... quoi... parles... tu ?

— De ta nouvelle vie mondaine, a répondu Lucy en s'allongeant sur mon lit, où on était déjà installés, Manet et moi. Dorénavant, je m'occuperai de toutes tes apparitions publiques. Tu n'auras même pas à t'en soucier. Je ne dis pas que ce sera simple, non plus. Tu n'as pas beaucoup d'atouts, Sam. Et le fait que tu traînes avec Catherine n'arrange rien. Elle est sympa, d'accord, mais question look, ce n'est pas ça. À mon avis, tu n'as pas trop intérêt à la fréquenter. À présent, je voudrais te poser une question : as-tu teint tous tes vêtements en noir ? Tu es sûre qu'il ne te reste rien ?

— Lucy, ai-je déclaré, refusant de croire à ce qui m'arrivait. Sors de ma chambre.

Lucy a lissé ses cheveux avant de me répondre.

— Voyons, Sam, ne fais pas l'enfant. Des occasions comme celle-ci ne se présentent pas souvent. Tu dois la saisir. C'est...

— LUCY ! ai-je hurlé avant de lui envoyer une chaussure à la figure. SORS D'ICI TOUT DE SUITE !

Lucy a baissé la tête juste à temps.

— Je cherchais juste à rendre service, tu sais, a-t-elle déclaré, vexée. La prochaine fois, adresse-toi ailleurs !

À mon grand soulagement, elle a rejoint sa chambre, m'abandonnant à ma solitude.

Les dix choses que Gwen Stefani n'accepterait jamais de faire :

10. Gwen Stefani ne laisserait jamais sa sœur choisir ses vêtements pour elle. Gwen a inventé son propre style. Elle aime bien les chemises qu'on trouve dans les fripes et leur donne un look sport et cool en les attachant comme les robes dos nus. Elle ne porterait jamais les trois pantalons bleu marine, gris et ocre que sa sœur a payés trois cent soixante-cinq dollars chez Banana Republic.

9. Si la sœur de Gwen lui demandait de laisser tomber sa meilleure amie à cause de ses tenues, Gwen lui rirait au nez, au lieu de lui lancer une chaussure à la figure.

8. Si Gwen Stefani voulait éviter la horde de journalistes rassemblés devant chez elle pour pouvoir sortir tranquillement son chien, il est peu proba-

ble qu'elle se sauve par la porte de derrière, la capuche de son sweat sur la tête, des lunettes de soleil sur le nez et le pantalon en toile de son père, les jambes remontées jusqu'aux genoux. Non, Gwen passerait par la porte de devant, fendrait fièrement la foule des journalistes et mettrait à profit l'intérêt qu'ils lui portent pour promouvoir son dernier disque.

7. Ça m'étonnerait que Gwen Stefani pique un fard si l'homme qu'elle aime secrètement – en fait, le petit copain de sa sœur – lui disait qu'elle est jolie avec le pantalon en toile de son père.

6. De toute façon, Gwen Stefani est bien trop intègre pour tomber amoureuse du petit copain de sa sœur.

5. Si Gwen Stefani avait sauvé la vie du président des États-Unis, elle ne se cacherait probablement pas chez elle de peur de se trouver nez à nez avec tous ces gens venus la féliciter et lui dire qu'elle est super-courageuse.

Mais son disque ne dépasserait pas la cinquième place au Total Request Live, parce que l'Amérique profonde ne comprend rien au ska.

4. Si Kris Parks appelait Gwen Stefani et lui disait :
« Salut, Gwen. Tu peux venir alors, à ma fête,
samedi prochain ? », Gwen aurait une réplique
pleine d'esprit. Elle ne lui dirait pas : « Comment
tu as mon nouveau numéro ? », puisque ça ne
peut être que Lucy qui le lui a donné, comme
elle l'a donné à pratiquement tout le monde au
bahut de peur de rater une fête.

3. Si quelqu'un cherchait à casser l'impulsion créatrice de Gwen, elle ne se laisserait pas faire, même
si elle devait s'exposer à un infâme chantage.

2. Gwen Stefani ne passerait jamais son dimanche
après-midi à écrire une lettre au petit ami de sa
sœur dans laquelle elle lui expliquerait pourquoi
il ferait mieux de sortir avec elle qu'avec sa sœur,
pour la déchirer ensuite et la jeter dans les toilettes. Elle ferait ses devoirs d'allemand.

*Mais ce que Gwen Stefani ne ferait certainement
pas, c'est :*

1. Porter le tailleur bleu marine que sa mère lui a
acheté chez Ann Taylor pour aller dîner à la Maison Blanche.

11

Je suis allée plein de fois à la Maison Blanche. Quand on vit à Washington, D.C., on la visite au moins une fois par an avec l'école, puis on écrit une petite rédaction, du genre *Ma visite à la Maison Blanche*. Vous voyez ce que je veux dire.

J'ai donc vu toutes les salles qui font partie de la visite : le Salon vermeil, la bibliothèque, le Salon chinois, la Salle des cartes, le Salon est, le Salon vert, le Salon bleu, le Salon rouge, etc.

Mais dimanche soir, c'était la première fois que j'y allais, non pas en touriste, mais en invitée.

J'avoue que ça me faisait bizarre. En fait, ça faisait bizarre à toute la famille, sauf peut-être à Rebecca. Mais comme Rebecca venait de recevoir le dernier tome de *Star Trek* qu'elle avait commandé sur Amazon.com, ça ne m'étonnait pas trop.

De toute façon, je soupçonne Rebecca d'être un robot et donc de n'éprouver aucune émotion humaine.

Ce qui n'était pas le cas de nous autres. La panique nous gagnait à vue d'œil. Par exemple, je savais que ma mère était super-nerveuse, parce qu'elle portait son tailleur et son collier de perles – sa tenue quand elle plaide à la cour –, et qu'elle avait confisqué le téléphone portable et le Palm de mon père de peur qu'il s'en serve pendant le dîner. Theresa – qui, en tant que membre très important de notre famille nous accompagnait – s'était mise, elle, sur son trente et un, ce qui impliquait des chaussures violettes à talons aiguilles ornées d'une boucle étincelante sur le devant. Pour une fois, elle ne nous criait pas dessus et n'a rien dit quand Manet est entré dégoulinant de pluie dans le salon où elle venait de passer l'aspirateur. Quant à Lucy, elle avait passé deux heures de plus que d'habitude à se préparer. À sa sortie de la salle de bains, on aurait dit l'invitée surprise de *V.I.P.* et non quelqu'un qui s'apprête à aller dîner chez des gens qui, si on y réfléchit bien, habitaient à deux pas de chez nous.

— N'oublie pas, Sam, ne cache pas la nourriture que tu n'aimes pas sous ton assiette, a commencé Lucy alors que notre père tentait tant bien que mal de sortir la voiture du garage – ce qui, avec la horde de reporters qui se sont précipités pour nous prendre en photo, relevait quasiment de l'exploit.

— C'est bon, Lucy ! me suis-je écriée, énervée qu'elle me rappelle à l'ordre. Je sais me tenir à table ! Je ne suis plus un bébé !

Cela dit, je reconnais qu'à la maison, quand il y a quelque chose que je n'aime pas, je le glisse discrètement sous la table où Manet se fait un plaisir de le manger à ma place. Comme les carottes, les aubergines, les petits pois, le foie de volaille, et j'en passe. La première famille des États-Unis n'a pas de chien, mais un chat. Les chats sont adorables, intelligents, tout ce qu'on veut, mais ils ne sont d'aucune aide pour les gens difficiles sur la nourriture comme moi. Si on nous sert du chou-fleur, ça m'étonnerait que le premier chat des États-Unis m'en débarrasse.

Bref, la question était la suivante : que faire s'il y avait des brocolis (au secours !) ou pire, un plat avec des tomates ou du poisson ? Impossible de les cacher sous mon assiette ! Dès qu'on m'en débarrasserait, on découvrirait toute la nourriture en dessous ! C'était encore plus gênant que d'avoir dessiné un ananas qui n'existait pas.

Lorsqu'on s'est engagés dans Pennsylvania Avenue, de nouveau, ça m'a fait bizarre. Normalement, le terre-plein devant la Maison Blanche est fermé aux voitures. La seule façon de s'approcher de la grille qui entoure la maison du président, c'est à pied.

Mais comme on était des invités d'exception, on a été autorisés à rouler jusqu'à la barrière qui bloque la route. Là, des policiers ont vérifié la plaque minéralogique de la voiture et la carte d'identité de mon père. Une fois ces formalités accomplies, ils ont levé la barrière et on a pu continuer à avancer.

Arrivée devant la Maison Blanche, j'ai vite vu qu'on n'était pas les seuls. Loin de là, même.

Il y avait des policiers partout, à cheval, à vélo ou à pied. Tout en continuant de discuter entre eux, ils ont suivi notre voiture du regard avec curiosité. Il y avait aussi des types qui vendaient des tee-shirts du F.B.I. et des casquettes, d'autres avec la silhouette en carton du président à côté de laquelle on pouvait poser pour une photo. Sinon, des tas de touristes traînaient encore là, bien que la nuit soit presque tombée, et se photographiaient à tour de rôle devant l'immense grille en fer forgé de la Maison Blanche. Non loin d'eux, des manifestants arpentaient les pelouses. Certains devaient être là depuis un moment, à en juger par leurs abris et leurs tentes. Sur leurs banderoles, on pouvait lire : *À bas les armes nucléaires* ou *Vivre avec la bombe atomique, c'est mourir à cause de la bombe atomique.* Personnellement, je trouvais que pour des manifestants, ils n'avaient pas l'air très impressionnant. Mais bon, il faisait froid et il bruinait. Qui a envie de manifester sous la pluie ?

Et enfin, regroupés dans un emplacement spécialement prévu pour eux, sur le côté de la pelouse, il y avait les journalistes. Des quantités de journalistes – presque autant que devant chez nous –, équipés d'énormes projecteurs et de micros fixés au bout de longues perches. Dès qu'ils ont vu qu'on se garait devant la porte, ils se sont précipités vers la voiture en criant :

— La voilà ! C'est elle ! C'est elle !

Les reporters n'ont pas été les seuls à nous prendre en photo. Quand ils ont compris ce qui se passait, tous les touristes amassés devant la grille ont commencé à nous mitrailler avec leurs petits appareils. On aurait dit qu'on venait d'arriver en limousine à la soirée des Oscars, sauf que notre voiture est une Volvo Break.

Deux types en uniforme sont aussitôt sortis d'une petite guérite, derrière la grille. L'un d'eux s'est avancé pour bloquer le passage aux journalistes tandis que l'autre ouvrait la porte et nous faisait signe d'avancer.

— Lucy, a dit brusquement ma mère en se tournant vers nous à ce moment-là. J'aimerais beaucoup que tu ne passes pas tout le repas à parler de mode. Quant à toi, Rebecca, je sais que tu as des questions à poser au président sur cette affaire d'ovni à Roswell, mais je te prierais de les garder pour toi. Et enfin, Samantha, je ne te demanderais qu'une chose : s'il te plaît, ne chipote pas à table. S'il y a quelque chose que tu n'aimes pas, laisse-le sur ton assiette. Ne passe pas une demi-heure à le tripoter avec ta fourchette.

Je ne voyais franchement pas pourquoi elle me disait ça. Quand on tripote un aliment du bout de sa fourchette, les gens pensent qu'on en a mangé une partie, au moins.

Mais bon.

On a continué à rouler encore un peu jusqu'à l'entrée de la Maison Blanche.

Quand on regarde la Maison Blanche, depuis Pennsylvania Avenue, c'est-à-dire de l'autre côté de la grille, elle ne paraît pas très grande. C'est parce que la Rotonde, la partie ronde de la maison avec des piliers tout autour, se trouve à l'arrière. L'avant, qui donne sur l'allée, n'est pas du tout impressionnant. En fait, chaque fois que j'ai vu la Maison Blanche depuis Pennsylvania Avenue, je me suis toujours demandé comment une si petite maison pouvait contenir autant de pièces.

C'est seulement quand on voit l'arrière, qu'on comprend mieux.

À peine mon père s'est-il garé qu'un homme en uniforme s'est approché de la voiture et a ouvert la portière de ma mère.

On est tous ensuite sortis à notre tour. Debout sur le perron, la première dame des États-Unis nous attendait.

— Bonsoir ! a-t-elle lancé.

Le président se tenait derrière elle. Il s'est avancé vers mon père et lui a tendu la main.

— Bonsoir, Richard. Comment allez-vous ? a-t-il dit.

— Très bien, monsieur le président.

Le président et sa femme nous ont alors invités à entrer aussi simplement que si on venait pour un barbecue. Sauf que pour un barbecue, on ne porte pas un tailleur bleu marine.

Malgré leur accueil chaleureux, j'avoue que je n'en menais pas large. Pas seulement à cause de mon plâtre ou du produit pour chevaux que Lucy m'avait obligée à utiliser pour lisser mes cheveux ou même parce que j'étais prête à parier qu'il y aurait du chou-fleur dans mon assiette.

Non, je n'en menais pas large tout simplement parce que, aussi sympathiques que soient le président et sa femme, on se trouvait quand même *à la Maison Blanche*.

Et pas dans la partie qu'on visite habituellement, mais dans celle privée qu'on ne voit jamais, sauf à la télé.

Personnellement, j'avais un peu l'impression d'être dans un *bed and breakfast*. Bon, d'accord, j'exagère un peu : le président et sa famille ne vivaient là que depuis une petite année, ce qui explique peut-être pourquoi ils n'avaient pas eu le temps de mieux s'installer.

Et puis, ce n'était pas leur *vraie* maison.

Une fois dans le salon, la première dame des États-Unis nous a invités à nous asseoir et nous a proposé à boire. Je venais de prendre place quand David est entré.

Il avait exactement la même allure que le premier

147

jour chez Susan Boone ! Sauf qu'il portait un tee-shirt Reel Big Fish à la place du Save Ferris. À croire que l'autre David, celui aux pantalons avec un pli et au pull shetland, n'existait pas.

— David ! s'est exclamée sa mère d'un air consterné. Je pensais t'avoir demandé de te changer.

— Mais je me *suis* changé, maman ! a-t-il répondu avec un sourire, tout en attrapant quelques noix de cajou sur la table basse.

Voyant qu'il ne prenait que des noix de cajou et délaissait les noix du Brésil, je n'ai pu qu'approuver son choix. Les noix du Brésil, c'est vraiment très mauvais.

Puis, l'heure de dîner est arrivée. On nous a installés dans une salle à manger officielle. J'ai tout de suite su que Lucy était ravie : sa tenue, dans les tons bleu roi, allait beaucoup mieux avec le décor de cette pièce qu'avec celui du salon privé. Theresa, elle, était super-excitée à cause de la vaisselle – des assiettes en porcelaine, avec une bordure dorée tout autour.

J'étais probablement la seule à ne pas être contente. Il faut dire que, dès qu'on s'est assis et qu'on nous a servi le premier plat, la panique m'a gagnée : c'était une salade avec des tomates cerise. Heureusement, il n'y avait rien à redire à la sauce. Du coup, j'ai mangé la salade autour des tomates en priant pour que personne ne le remarque.

Pas de veine pour moi, j'occupais la place d'honneur, juste à côté du président.

— Savez-vous que ces tomates sont importées du Guatemala ? m'a-t-il fait remarquer après avoir observé mon petit manège. Si vous ne les mangez pas, cela pourrait provoquer un incident diplomatique.

Ça ne m'a pas fait rire du tout, même si je savais qu'il plaisantait. Mais comme je ne voulais pas qu'il pense que je n'appréciais pas son invitation, j'ai attendu qu'il détourne la tête et, discrètement j'ai fait disparaître les tomates dans le creux de ma serviette, posée sur mes genoux.

À ma grande surprise, ça a marché. Et ça a marché si bien que pour le plat suivant, une soupe épaisse de palourdes, j'ai mangé la soupe et j'ai envoyé, ni vu ni connu, les palourdes dans ma serviette.

Résultat, à la fin du repas, avant qu'on nous serve le dessert, j'avais au moins un demi-kilo de nourriture sur les genoux, dont un morceau de flétan, des petits pois, des carottes, des oignons nouveaux et du gratin de pommes de terre.

Comme pendant une grande partie du dîner, les adultes ont parlé avec animation de la situation économique en Afrique du Nord, j'ai pu tout cacher sans que personne ne s'en aperçoive. Le seul problème que j'ai rencontré, c'est une tomate découpée en forme de rose qui décorait le gratin et que la femme du président a déposée sur mon assiette avec ces mots :

— Une rose pour notre rose à tous.

J'étais coincée. Tout le monde me regardait. Je l'ai

donc engloutie en une bouchée puis j'ai bu la moitié de mon Ice Tea – la boisson pour les moins de vingt ans. Lorsque j'ai reposé mon verre, Rebecca, qui n'avait cessé de m'observer depuis que la première dame des États-Unis avait posé la tomate sur mon assiette, a fait quelque chose de très surprenant : elle a levé les mains et a feint de m'applaudir. Quand Rebecca est comme ça, aussi adorable, je me dis qu'elle n'est peut-être pas un robot, après tout.

C'est à peu près à ce moment-là que je me suis aperçue que... ma serviette dégoulinait ! Ma jupe n'était pas encore tachée mais ce n'était qu'une question de minutes !

Je me suis excusée, prétextant que je devais me rendre aux toilettes, et je me suis levée en emportant ma serviette, serrée dans ma main, comme si j'avais oublié sa présence.

Où que vous alliez, à l'intérieur de la Maison Blanche, vous croisez des agents chargés de la protection du président, des hommes ou des femmes, de la plus grande prévenance. Du coup, lorsque je suis sortie de la salle à manger, j'ai demandé à une femme où se trouvaient les toilettes les plus proches, et elle m'a accompagnée. Une fois à l'intérieur de la cabine, j'ai vidé le contenu de ma serviette dans les toilettes et j'ai tiré la chasse d'eau. J'avoue que j'ai eu un peu honte. Toute cette nourriture gâchée alors qu'il y a tant de gens sur Terre qui meurent de faim.

Mais qu'est-ce que je pouvais faire d'autre ? Cela aurait été mal élevé de tout laisser dans mon assiette.

J'ai réglé le problème de la serviette en la laissant tout simplement dans la corbeille de la salle de bains. Puis je me suis lavé les mains et je les ai séchées avec plusieurs essuie-mains que j'ai jetés, par-dessus ma serviette. La personne chargée de vider la corbeille penserait que je n'avais pas fait attention.

Bref, j'étais assez contente de moi. La seule chose qui m'ennuyait, c'est que j'avais super-faim.

Alors que je reprenais le chemin de la salle à manger, je suis tombée sur David. Apparemment, il se dirigeait vers la même salle de bains.

— Oh, a-t-il fait en me voyant. Ça va ?

— Ça va, ai-je répondu avant de m'écarter de son passage.

Après tout, c'était le fils du président des États-Unis. Mais je n'ai pas été assez rapide. David m'a regardée avec un petit sourire en coin et a ajouté :

— Tu n'as tout de même pas jeté aussi la serviette dans les toilettes ?

12

J'étais démasquée !

J'ai senti que je rougissais des pieds à la racine de mes cheveux conditionnés au produit pour chevaux. Pourtant, j'ai essayé. J'ai essayé de faire comme si je ne voyais pas du tout de quoi il parlait.

— La serviette ? ai-je dit en songeant qu'avec mes cheveux roux et mes joues rouges, je devais évoquer un saladier de fraises. Quelle serviette ?

— Celle qui t'a permis de cacher la moitié de ton repas, a répondu David, d'un air amusé et les yeux plus verts que jamais. J'espère que tu ne t'en es pas débarrassée dans les toilettes. La tuyauterie de cette maison est très vieille. Ça pourrait provoquer une méga-inondation.

Une inondation ? Ce serait bien ma veine !

— Je ne l'ai pas jetée dans les toilettes, ai-je murmuré en surveillant du coin de l'œil la femme des services de sécurité, qui se tenait à quelques pas de nous. Je l'ai mise dans la corbeille. C'est juste la nourriture que j'ai jetée.

Je venais à peine de finir ma phrase que j'ai été prise de panique.

— Mais c'est vrai qu'il y en avait beaucoup, ai-je ajouté. Tu crois vraiment que ça pourrait boucher les canalisations ?

— Je ne sais pas, a fait David, très sérieusement. La part de gratin était assez énorme.

Quelque chose dans son expression – peut-être le fait qu'il hausse juste l'un de ses sourcils et pas l'autre, comme Manet quand il dresse une seule oreille pour me faire comprendre qu'il est prêt à jouer – m'a fait penser qu'il se moquait peut-être de moi.

Si c'était le cas, je ne trouvais pas ça drôle du tout. C'est vrai, quoi ! Il m'avait fichu la trouille avec son histoire d'inondation.

— Ce n'est pas très sympa de dire ça, ai-je grommelé entre mes dents pour que la femme des services de sécurité ne m'entende pas.

Je n'ai même pas pensé que je m'adressais au fils du président des États-Unis à ce moment-là. J'étais trop en colère. On raconte que les roux s'emportent facilement. Si vous êtes roux et que vous vous mettiez en rogne, vous pouvez être sûr que quelqu'un va lancer : « Oh, oh ! Attention, rouquin en vue. Ils ont le sang chaud. » Ce qui a le don de m'énerver encore plus.

O.K., j'avais jeté dans les toilettes la majeure partie du dîner. Mais peut-être était-ce pour ça que j'étais en colère... parce que David m'avait surprise en train de gâcher de la nourriture. Alors, oui, j'étais en colère, et j'étais gênée aussi.

Mais j'étais encore plus en colère que gênée. Aussi, je lui ai tourné le dos et je me suis dirigée vers la salle à manger.

— Sam, attends, m'a appelée David en me rattrapant. Reconnais que c'était drôle. Je t'ai bien eue en tout cas. Tu as vraiment cru que les canalisations allaient exploser.

— Pas du tout, ai-je répliqué, même si c'était exactement ce que j'avais redouté.

Sans parler des gros titres dans la presse : *La fille qui a sauvé le président provoque des dégâts terribles dans la plomberie de la Maison Blanche en se débarrassant de son repas dans les toilettes.*

— Si, tu y as cru, a insisté David. Mais j'aurais dû me douter que tu n'as pas le sens de l'humour.

J'ai pilé net et je lui ai fait face. Il était assez grand – plus grand que Jack –, du coup, j'ai dû lever le menton pour regarder droit dans ses yeux verts que Lucy admirait tant.

— Que veux-tu dire par : je n'ai pas d'humour ? Comment sais-tu d'abord que je n'en ai pas ? Tu ne me connais presque pas !

— Je sais que tu es une artiste sensible, a répondu David, avec le même petit sourire que lorsqu'il avait assuré à sa mère s'être changé pour le dîner.

— Eh bien, tu te trompes, ai-je rétorqué.

Pourquoi est-ce que je me donnais la peine de nier ? Était-ce parce que le ton sur lequel il l'avait dit me faisait penser que ça pouvait être une critique ?

Sinon, bien sûr qu'il n'y a rien à redire au fait d'être sensible quand on est artiste.

— Ah bon ? a fait David. Comment expliques-tu alors que tu ne sois pas revenue au cours de Susan Boone après l'incident de l'ananas ?

Ce sont ses paroles, mot pour mot : *l'incident de l'ananas*.

J'ai senti que je rougissais de plus belle. Comment osait-il parler de ça ? Bonjour, la sensibilité !

— Attention, je ne dis pas que tu n'as pas de talent, a-t-il continué. Mais tu es quelqu'un d'exalté. Et difficile en ce qui concerne la nourriture, a-t-il ajouté en jetant un coup d'œil à la salle à manger. Tu n'as pas faim ?

Je l'ai dévisagé comme s'il débloquait. Non, en fait, j'étais sûre qu'il débloquait. En dépit de ses goûts en musique et en chaussures, le fils du président des États-Unis avait vraiment une case en moins.

Cela dit, il avait quand même admis que j'avais du talent, donc il ne devait pas être si marteau que ça.

Avant que j'aie une chance de lui assurer que je n'avais pas faim du tout, mon ventre a parlé à ma place. Il a laissé échappé le plus gênant des bruits, signifiant qu'il n'avait eu en tout et pour tout qu'un peu de salade verte et une tomate, et que c'était inacceptable.

À l'inverse d'une personne normale, David n'a pas fait mine de ne pas avoir entendu. Non, il a dit :

— Je m'en doutais. Écoute, j'étais sur le point d'aller me chercher de la vraie nourriture. Tu veux venir avec moi ?

À présent, ça ne faisait plus l'ombre d'un doute : le fils du président ne tournait vraiment pas rond. Non pas parce qu'il s'était levé de table en plein milieu du repas pour aller se chercher de la vraie nourriture, mais parce qu'il me proposait de l'accompagner. Moi. La fille qu'il venait de surprendre en flagrant délit de gaspillage.

— Je... je..., ai-je bafouillé, confuse. On... on ne peut pas partir comme ça. En plein repas. À la Maison Blanche.

Il a haussé les épaules.

— Pourquoi pas ?

J'ai pris le temps de la réflexion. Et j'ai trouvé des tas de raisons. Un, ce n'était pas très poli, et deux... eh bien, ça ne se faisait pas, un point c'est tout.

Lorsque je lui ai dit tout ça, il a de nouveau haussé les épaules.

— Tu as faim, non ? Alors suis-moi.

J'avoue que je ne savais pas trop quoi faire. D'un côté, ce dîner avait été organisé pour moi, et en tant

157

qu'invitée d'honneur, je ne pouvais décemment pas manger puis filer, surtout avec un garçon qui risquait de perdre la boule à tout moment. Mais d'un autre côté, je mourais de faim.

J'ai jeté un coup d'œil à la femme des services de sécurité, histoire d'essayer de deviner à quoi elle pensait. Elle m'a souri puis a eu une drôle d'expression, comme si elle fermait sa bouche à double tour et se débarrassait ensuite de la clé. En d'autres termes, elle ne semblait pas penser que c'était aussi grave que ça. Le fait, par ailleurs, que ce soit une adulte, suffisamment responsable pour être armée, a suffi à me convaincre que je pouvais accepter la proposition de David.

Je me suis retournée. David était déjà à la moitié du couloir.

Il n'a pas paru très surpris de me voir surgir à son côté, et comme s'il poursuivait une conversation que nous aurions eue dans un univers parallèle, il m'a demandé :

— Qu'est-il arrivé à tes chaussures ?

— Mes chaussures ? ai-je répété.

— Celles que tu portais la première fois que je t'ai vue. Avec les marguerites.

Celles qu'il avait aimées...

— Ma mère a refusé que je les mette. Elle trouvait que ce n'était pas convenable pour venir dîner à la Maison Blanche. Cela dit, aucun de mes vêtements ne convenait. Du coup, je suis habillée de neuf de la tête aux pieds... D'où ce tailleur.

— Tu imagines ce que ça peut être pour moi ? Je dîne à la Maison Blanche tous les soirs.

— Oui, mais on ne t'oblige pas à t'habiller.

— Sauf pour les dîners officiels. Mais je ne peux pas non plus porter ce que je veux le reste du temps.

— Tu étais pourtant habillé normalement au cours de Susan Boone.

— De temps en temps, mes parents ferment les yeux, a-t-il répondu avec l'un de ces fameux petits sourires.

Ils avaient quelque chose de mystérieux. La plupart du temps, on aurait dit que David souriait à une plaisanterie qu'il se faisait à lui-même. Chaque fois, ça m'énervait d'en être exclue. De la plaisanterie, je veux dire. Quand Jack pense à quelque chose de drôle, il le sort immédiatement. Parfois, deux ou trois fois de suite, au cas où on n'aurait pas entendu.

David, lui, semblait parfaitement content de garder ses mots d'esprit pour lui-même. Ce qui était assez agaçant, finalement. Comment savoir si ce n'était pas de moi dont il riait ?

Il a appuyé sur un bouton et un ascenseur est apparu. D'accord, je n'aurais sans doute pas dû être surprise de voir un ascenseur à la Maison Blanche, mais je l'étais. Peut-être parce que l'espace d'un instant, j'avais oublié où je me trouvais.

Bref, on y est entrés et David nous a fait descendre au sous-sol.

— Alors, pourquoi as-tu séché ? m'a-t-il demandé.

Je l'ai regardé. De quoi parlait-il ?

— Séché quoi ?

— Eh bien, le cours de dessin. Après l'incident de l'ananas.

— Je pensais que tu le savais, ai-je répondu avec difficulté. Parce que je suis une artiste sensible, non ?

La porte de l'ascenseur s'est brusquement ouverte et David s'est écarté pour me laisser passer.

— C'est vrai, a-t-il dit. Mais j'aimerais entendre ta version.

Ben voyons ! Il était hors de question que je lui fasse ce plaisir. Il se moquerait immédiatement de moi. Ce qui reviendrait à se moquer de Jack. Et ça, je ne le supporterais pas. Aussi, j'ai répondu avec une certaine assurance :

— Je ne crois pas que Susan Boone et moi avons le même point de vue sur l'art.

David a haussé un sourcil et m'a observée d'un air curieux. Sauf que cette fois, il ne donnait pas l'impression de se moquer.

— Ah bon ? a-t-il fait. Tu es sûre ? Le point de vue de Susan Boone est pourtant intéressant. Et puis, elle est plutôt cool, non ?

C'est ça, oui. Suffisamment cool pour me forcer par le chantage à revenir à son cours.

Mais j'ai gardé cette réflexion pour moi. Cela aurait

été politiquement mal vu d'argumenter avec quelqu'un qui s'apprêtait à me procurer de la nourriture.

J'ai donc continué à le suivre le long d'un autre couloir. Celui-ci paraissait bien sobre comparé aux autres. Aucun tapis ou aucune gravure ne le décorait. Arrivé devant une porte, David l'a ouverte : elle donnait sur la cuisine.

— Salut Carl ! a-t-il lancé à un type en veste et toque blanches occupé à mélanger des œufs en neige et du chocolat. Tu as quelque chose de bon à nous offrir ?

Carl a levé les yeux et m'a jeté un coup d'œil.

— Samantha Madison ! s'est-il écrié. La fille qui a sauvé le monde ! Comment allez-vous ?

Des tas de personnes s'activaient autour de lui.

Tout le monde s'est immobilisé en entendant mon nom et, à tour de rôle, chacun est venu me remercier d'avoir empêché que leur patron ne se prenne une balle dans la tête.

David s'est dirigé vers l'immense réfrigérateur et a ouvert la porte en grand.

— Il ne te reste pas des hamburgers de ce midi ? a-t-il demandé.

Mon visage s'est illuminé au mot de hamburger. Apparemment, Carl l'a remarqué car il a dit :

— Vous voulez un hamburger ? Cette jeune fille veut un hamburger. Samantha Madison, je vais vous préparer le meilleur hamburger que vous ayez jamais mangé de votre vie. Asseyez-vous là et ne bougez pas. Vous allez tomber à la renverse.

J'ai pris place sur le banc que m'a indiqué Carl et David s'est assis à côté de moi.

Ça me faisait bizarre d'être dans la cuisine de la Maison Blanche, et ça me faisait encore plus bizarre d'y être en compagnie du fils du président. Cela dit, être en compagnie de n'importe quel garçon me fait bizarre puisque je n'ai pas trop la cote avec eux. Autant regarder la vérité en face : je ne suis pas Lucy. Je ne reçois pas de coups de fil de garçons toutes les cinq minutes.

Mais que ce soit *ce* garçon, et *cet* endroit, rendait le moment vraiment très bizarre. Je n'arrivais pas à comprendre pourquoi David était si... eh bien, si gentil. O.K., se moquer de moi sous prétexte que j'avais peut-être bouché les toilettes de la Maison Blanche n'était pas particulièrement gentil, mais me proposer un hamburger alors que je mourais de faim, ça, c'était cool.

En fait, David devait sans doute agir de la sorte avec moi parce que j'avais sauvé la vie de son père. Je ne voyais pas d'autres raisons à son comportement. Il m'était reconnaissant. Ce qui se comprenait.

En même temps, je ne pouvais pas m'empêcher de penser qu'il se donnait quand même beaucoup de mal. Mais pourquoi ?

Quand Carl a déposé deux assiettes devant nous en nous souhaitant un bon appétit – deux assiettes

162

avec chacune un énorme hamburger et une montagne de frites – et que David les a prises et m'a dit de le suivre, la question m'a paru encore plus pertinente.

J'ai attrapé en vitesse les deux sodas que Carl me tendait et j'ai suivi une fois de plus David le long du couloir jusqu'à l'ascenseur.

— Où on va ? ai-je demandé.

— Tu verras.

Normalement, ce n'est pas le genre de réponse qui me satisfait. Mais je n'ai rien dit parce que je n'en revenais pas que ce garçon soit si attentionné et gentil avec moi. Le seul à me témoigner un peu de gentillesse ces derniers temps, c'était Jack.

Mais Jack est obligé d'être gentil avec moi, vu que c'est le petit ami de ma sœur. Et puis, Jack est, me semble-t-il, secrètement amoureux de moi. Il est peut-être même possible qu'il reste avec Lucy parce qu'il ne sait pas que je l'aime moi aussi. Si j'avais le courage de lui avouer, tout serait peut-être différent.

Mais David ? David n'était pas obligé d'être gentil avec moi. Pourquoi alors se comportait-il ainsi ? Ça ne pouvait pas être parce qu'il m'appréciait. En tant que fille, je veux dire. Il y avait Lucy juste à l'étage au-dessus. Quel garçon sain d'esprit me préférerait à Lucy ? C'est comme préférer Skipper à Barbie.

Lorsqu'on est sortis de l'ascenseur, au lieu de prendre la direction de la salle à manger, où nous attendaient nos familles, David est parti de l'autre côté, jusqu'à une porte tout au bout du couloir. Derrière, se trouvait un salon d'apparat dont les hautes fenêtres donnaient sur les pelouses de la Maison Blanche avec tout au bout, illuminé dans le ciel étoilé, le Washington Monument.

— Qu'est-ce que tu en penses ? m'a-t-il demandé en posant nos assiettes sur une table devant l'une des fenêtres.

Je suis restée sans voix tellement j'étais sous le choc – et sur mes gardes aussi qu'un garçon si mignon, quoique bizarre, éprouve l'envie de manger avec moi, *moi, Samantha Madison*.

— Pas mal, ai-je fini par trouver la force de dire.

On s'est installés dans la lumière des éclairages de la Rotonde. Cela aurait presque pu être romantique si un agent des services de sécurité n'avait pas surveillé l'entrée de la salle, de l'autre côté de la porte. Et si, bien sûr, David s'était intéressé à moi, ce qui n'était pas le cas vu que pour lui, je n'étais qu'une fille vaguement gothique qui avait sauvé la vie de son père et aimait dessiner des ananas, qu'il y en ait ou pas.

De toute façon, même s'il s'intéressait à moi, romantiquement parlant s'entend, ça ne pouvait pas être réciproque puisque j'aimais d'un amour éternel le petit ami de ma sœur.

À vrai dire, je me fichais pas mal que David soit sympa avec moi parce que je lui faisais pitié ou je ne sais quoi : j'avais trop faim.

Dès la première bouchée, j'ai compris que Carl ne

mentait pas. C'était le meilleur hamburger que j'avais jamais mangé de ma vie. D'ailleurs, il m'a fallu moins de deux minutes pour l'engouffrer.

David m'a regardée avec une expression d'étonnement au visage – quand j'aime vraiment quelque chose, c'est vrai que j'ai plutôt tendance à dévorer.

— Ça va mieux ?

Vu que j'avais la bouche pleine, je me suis contentée de lever le pouce en signe d'acquiescement.

— Tu n'as pas trop mal ? a ajouté David en me montrant mon poignet.

J'ai avalé d'un coup l'énorme morceau de viande que j'avais dans la bouche. Parfois, je me demande si je ne ferais pas mieux d'être végétarienne. Sérieux. Après tout, un artiste n'est-il pas censé être plus conscient de la souffrance des autres, y compris de la race bovine ? Le problème, c'est que j'aime trop les hamburgers. Jamais je ne pourrais y renoncer.

— Non, je n'ai pas mal, et oui, ça va mieux, ai-je fini par dire.

— Comment se fait-il que personne n'ait signé ton plâtre ?

J'ai contemplé l'étendue de plâtre blanc autour de mon bras.

— Je le garde comme ça pour le cours d'allemand, lui ai-je confié.

David a tout de suite compris. Il était le seul, avec Jack, évidemment. Seuls les vrais artistes connaissent la valeur d'une toile blanche.

— Oui, bien sûr, a-t-il dit. Ce sera super. Que comptes-tu dessiner ? Un motif hawaiien, avec des ananas, sans doute.

— Je pensais plutôt à un thème patriotique, ai-je rétorqué d'un ton cassant.

— Oui, bien sûr. C'est ce qu'il y a de plus approprié puisque tu t'appelles Madison.

— Quel rapport ?

— Eh bien..., James Madison, a répondu David en haussant à nouveau l'un de ses sourcils. Le quatrième président des États-Unis. C'est un parent à toi, non ?

— Oh ? ai-je fait en me sentant bête. Lui ? Oui, je vois. Mais non, je ne pense pas.

— Tu en es sûre ? Parce que sa femme Dolley et toi avez beaucoup de points communs.

— *Dolley Madison* et moi ? ai-je répété en éclatant de rire. C'est-à-dire ?

— Elle a sauvé un président, elle aussi.

— Elle a pratiqué sur lui la manœuvre de Heimlich un jour où il s'est étouffé à table ?

— Non. Elle a sauvé un portrait de George Washington d'un incendie qui a ravagé la Maison Blanche lors de l'attaque des Anglais pendant la guerre de 1812.

Les Anglais avaient mis le feu à la Maison Blanche ? Quand ?

De toute évidence, pendant une guerre dont on ne nous avait jamais parlé au lycée. Normal, au lycée on ne fait pas histoire avant la première.

— Ouah ! Mais c'est génial ! me suis-je exclamée, en toute sincérité.

Jamais les profs d'histoire ne nous racontent que des épouses de président risquent leur vie pour sauver un tableau.

— Tu es vraiment sûre de ne pas être de la même famille qu'elle ? a insisté David.

— Oui, malheureusement.

Comme j'aurais aimé être apparentée à quelqu'un qui avait mis sa vie en péril pour sauver une œuvre d'art du feu ! Mais après tout, qui sait si nous n'avions pas un rapport avec Dolley Madison ? Ma mère dit tout le temps que mon tempérament artiste me vient du côté de mon père vu qu'il n'y a pas un seul artiste de son côté à elle. Les Madison ont manifestement été de tout temps des grands amoureux de l'art.

Mais ce caractère avait dû sauter quelques générations puisque j'étais la seule de la famille à savoir dessiner.

David s'est brusquement levé et s'est avancé vers la fenêtre.

— Viens voir, m'a-t-il dit en écartant le rideau.

Je l'ai rejoint et j'ai vu qu'il me montrait l'appui de la fenêtre. Il était peint en blanc, comme les autres moulures de la fenêtre. Mais en me penchant plus près, j'ai remarqué trois noms, gravés dans le bois : Amy... Chelsea... David.

— C'est quoi ? Le mémorial des enfants de président.

— On peut appeler ça comme ça, a répondu David.

Il a alors sorti un couteau suisse de la poche de son jean et a commencé à creuser le bois avec la pointe de sa lame. Je n'aurais probablement rien dit si je n'avais pas vu que la première lettre était un S.

— Hé ! Qu'est-ce que tu fais ? me suis-je écriée, légèrement inquiète.

D'accord, je suis une rebelle et tout ça, mais le vandalisme qui ne défend pas une bonne cause, ça s'appelle du... du vandalisme.

— Voyons, tu es celle qui le mérite le plus, a déclaré David. Non seulement tu as peut-être un lien de parenté avec l'un des présidents des États-Unis, mais en plus tu as sauvé la vie de l'un d'eux.

J'ai jeté un coup d'œil par-dessus mon épaule en direction de la porte, derrière laquelle se tenait l'agent des services de sécurité. Soyons clair. David était peut-être le fils du président, mais ce qu'il faisait en ce moment était une atteinte à la propriété de l'État. Et pas n'importe quelle propriété. La Maison Blanche. Je suis sûre qu'on peut être envoyé en prison pour avoir détérioré la Maison Blanche.

— David, ai-je commencé à voix basse pour que personne ne m'entende. Ce n'est pas nécessaire.

Mais il était tellement concentré sur son travail – il gravait à présent la lettre A –, qu'il ne m'a pas répondu.

— Franchement, ai-je insisté. Si tu voulais me

remercier d'avoir sauvé la vie de ton père, le hamburger suffisait.

Trop tard. Il attaquait le M.

— À mon avis, ce n'est pas parce que ton père est le président des États-Unis que tu n'auras pas d'ennuis pour ça.

— Je ne pense pas que ça aille si loin, tu sais, m'a enfin répondu David. Je suis encore mineur.

Il s'est alors penché sur son œuvre et m'a demandé :

— Qu'est-ce que tu en penses ?

Je me suis approchée et j'ai vu mon nom, Sam, à côté de celui d'Amy Carter, de Chelsea Clinton et de David.

— Je pense que tu es fou, ai-je déclaré, très sérieusement.

— Ah bon ? a-t-il fait en rangeant son couteau suisse. Je dois dire que ça me vexe un peu, venant de la part d'une fille qui dessine des ananas quand elle n'en voit pas, qui se débarrasse d'une part de gratin dans les toilettes et qui se jette sur des inconnus armés.

J'ai écarquillé les yeux, totalement interloquée. Puis j'ai éclaté de rire. Je ne pouvais pas m'en empêcher. Parce que c'était assez drôle, après tout.

David s'est mis à rire à son tour, et on était là tous les deux, nous esclaffant à n'en plus finir, quand la porte s'est brusquement ouverte sur l'agent des services de sécurité.

— David ! a-t-il appelé. Votre père vous cherche.

On a couru jusqu'à la salle à manger car on ne fait pas attendre le président des États-Unis.

À notre arrivée, en un coup d'œil, j'ai vu que le président n'était pas le seul à nous attendre. Tous les regards étaient tournés vers nous, et quand on est entrés, à ma grande surprise, le président, sa femme et ma famille entière se sont mis à applaudir.

Au début, je n'ai pas compris pourquoi. Est-ce qu'ils applaudissaient parce que David et moi avions enfin réussi à retrouver notre chemin (en même temps, comment auraient-ils pu être au courant de notre escapade jusque dans les cuisines ? Était-ce par la personne qui avait apporté le dessert ?)

J'ai bientôt compris qu'ils applaudissaient pour une tout autre raison. Et c'est en retournant m'asseoir à ma place, quand ma mère s'est levée et m'a serrée dans ses bras, que j'ai découvert l'explication.

— Ma chérie, comme je suis fière de toi ! s'est-elle exclamée. Le président vient de te nommer ambassadrice de l'organisation des Nations unies pour la jeunesse.

Tout à coup, mon succulent hamburger a pesé sur mon estomac.

13

— Où étiez-vous ? m'a demandé pour la centième
fois Lucy.

— Nulle part. Fiche-moi la paix.

— Oh, pardon ! Je m'intéresse, c'est tout. On n'a
plus le droit de s'intéresser à ce que font les autres ?
Tu n'es pas obligée de le prendre sur ce ton. À moins,
bien sûr, que tu n'aies fait quelque chose de défendu.

Ce qui était le cas. Mais pas ce qu'imaginait Lucy,
puisque je m'étais contentée de manger un hamburger avec le fils du président des États-Unis – et que
je l'avais laissé graver mon nom dans l'appui d'une
fenêtre de la Maison Blanche.

— C'est juste que vous aviez une drôle de tête tous
les deux, a continué Lucy tout en examinant sa bouche dans le miroir de son poudrier.

Elle venait de passer une demi-heure à se maquiller

sous prétexte que je retournais ce matin au lycée pour la première fois depuis « mon acte d'héroïsme », et qu'on risquait de nous prendre en photo.

Ce qui s'est effectivement passé, et dès qu'on est sorties de la maison avec Theresa pour rejoindre la voiture (les services de sécurité nous avaient conseillé de ne pas aller au lycée en bus, mais d'attendre quelques semaines. Lucy avait trouvé leur idée excellente).

Ce qu'elle ne trouvait pas excellent en revanche, c'est qu'il n'y ait rien entre David et moi.

— Vous aviez l'air de très bien vous entendre, a-t-elle déclaré tout en fermant son poudrier. Tu n'es pas d'accord, Theresa ?

Theresa, qui n'est pas une championne du volant et que la présence des reporters devant la maison avait passablement agacée, surtout ceux qui s'étaient jetés sur le capot de la voiture pour me prendre en photo, s'est contentée de lâcher une bordée d'injures en espagnol.

— Oui, je dirais même, comme larrons en foire, a ajouté Lucy.

— N'importe quoi, ai-je marmonné. On s'est juste rencontrés au moment où je sortais de la salle de bains.

— J'ai détecté un frisson, a fait observer Rebecca, depuis l'avant de la voiture où elle était assise.

— Un quoi ? ai-je demandé.

— Un frisson, a répété Rebecca. Un léger frémissement causé par une intense émotion. C'est ce que j'ai détecté chez toi hier soir quand David est arrivé et que vous vous êtes regardés.

J'en suis restée bouche bée. Ce n'était évidemment pas possible puisque j'aimais Jack.

— Il n'y a eu aucun frisson, ai-je rétorqué. D'où sors-tu cette idée ?

— D'un des romans d'amour de Lucy, a répondu Rebecca en souriant. J'en ai lu plusieurs dans l'espoir de mieux comprendre les relations entre les gens. Je peux t'assurer que vous avez frémi, David et toi.

J'ai eu beau leur certifier que non, Lucy et Rebecca m'ont soutenu le contraire : elles avaient bel et bien senti qu'un frisson nous parcourait David et moi. Ce qui est totalement absurde car même si c'était le cas, ça m'étonnerait que ce soit détectable à l'œil nu.

De toute façon, que David soit mignon ou pas, la question ne se posait pas puisque je suis à cent pour cent amoureuse de Jack. D'accord, lui ne l'était peut-être pas, mais un jour, il le serait. Un jour, il ouvrirait les yeux, et ce jour-là, il me verrait.

Et puis, David ne m'aimait pas, c'est clair. Il s'était montré gentil à cause de son père. Un point c'est tout. Si mes sœurs l'avaient entendu se moquer de moi pour cette histoire d'ananas, elles laisseraient tomber leur « frisson ».

Mais bon. Apparemment, tout le monde avait décidé de faire de ma vie un enfer : Lucy et Rebecca, les journalistes entassés sur notre pelouse, les patrons de certaines marques de sodas, qui s'étaient mis à livrer des échantillons de leurs boissons par camion entier, ma famille et même le président des États-Unis.

— En quoi ça consiste d'être l'ambassadrice des Nations unies pour la jeunesse ? m'a demandé Catherine.

On faisait la queue au réfectoire, là où j'ai fait la queue tous les jours de ma vie à l'exception des trois années qui ont suivi ma naissance, des vacances scolaires et de l'année au Maroc.

Mais contrairement à d'habitude, aujourd'hui, toutes les personnes autour de moi me regardaient et parlaient à voix basse. Il y a même eu une élève du collège qui s'est approchée et m'a demandé timidement si elle pouvait toucher mon plâtre.

Je vous l'ai dit : il n'y a rien de tel qu'être une héroïne nationale.

Pourtant, je vous jure que j'ai essayé de minimiser l'importance de l'affaire. Sérieux. Par exemple, je ne me suis pas levée aux aurores pour appliquer le conditionneur de Lucy sur mes cheveux. Je n'ai pas mis mes nouveaux habits de chez Banana Republic, mais je me suis habillée comme avant, en noir des pieds à la tête, et j'ai laissé mes cheveux faire ce qu'ils voulaient, c'est-à-dire n'importe quoi.

Eh bien, malgré tout, on me traitait différemment. Même les profs, qui sortaient des plaisanteries comme : « Pour ceux d'entre vous qui n'ont pas dîné à la Maison Blanche hier soir, avez-vous vu l'excellent documentaire sur le Yémen qui est passé à la télé ? » ou « Ouvrez vos livres page 265, c'est-à-dire ceux d'entre vous qui ne se sont pas cassé le poignet en sauvant la vie du président. »

Et au réfectoire, pareil. Dès que je suis entrée, Mme Krebbetts m'a fait un clin d'œil et a dit : « Viens ici, ma jolie », avant de me donner une nouvelle part de gâteau.

Jamais dans toute l'histoire du lycée, Mme Krebbetts n'a donné une part supplémentaire de gâteau. Tout le monde a peur d'elle, et pour une bonne raison : si elle vous prend en grippe, vous pouvez faire une croix sur les desserts pendant un an.

Dire qu'aujourd'hui, elle m'en offrait une deuxième part ! Le monde tel que je l'avais connu s'effondrait.

— Tu dois certainement avoir des obligations, a continué Catherine après s'être remise du coup de la part de gâteau et m'avoir suivie à la table qu'on partage d'habitude avec d'autres filles qui, comme elle et moi, n'ont pas la cote au lycée.

Trop anticonformistes pour appartenir aux comités des délégués de classe et pas assez athlétiques pour être des sportives, la plupart d'entre nous jouaient d'un instrument de musique ou faisaient du théâtre. J'étais la seule artiste. On essayait juste d'en finir le plus rapidement possible avec le lycée pour aller à l'université où, espérions-nous, les choses iraient mieux.

— De quoi on s'occupe quand on est ambassadrice des Nations unies pour la jeunesse ? Il doit y avoir une commission chargée des problèmes de la jeunesse, tu ne crois pas ? a insisté Catherine.

— Je n'en sais rien, Catherine, ai-je répondu en m'asseyant. Le président m'a juste dit que je représenterais les États-Unis. J'imagine qu'il doit y avoir des représentants des autres pays, sinon, à quoi ça servirait ? Quelqu'un veut du gâteau ?

Personne ne m'a répondu. J'ai levé les yeux et j'ai compris pourquoi. Lucy et Jack venaient de poser leurs plateaux sur la table.

— Salut, tout le monde ! a lancé Lucy sur un ton enjoué, comme si elle mangeait tous les jours à la table des filles que tout le monde évite au lycée. Quoi de neuf ?

— Comment ça se fait que tu as eu une deuxième part de gâteau ? s'est exclamé Jack.

Le problème, c'est que Lucy et Jack n'ont pas été les seuls à s'asseoir à notre table. À ma grande surprise, j'ai vu arriver la moitié de l'équipe de foot et plusieurs pompoms girls. Catherine semblait plus que troublée par cette invasion. On aurait dit qu'une bande de cygnes avaient brusquement pris possession de la mare aux canards.

— Qu'est-ce que tu fabriques ici ? ai-je demandé à voix basse à Lucy.

Lucy a haussé les épaules et a bu une gorgée de son Coca light.

— Puisque tu ne voulais pas te joindre à nous, c'est nous qui sommes venus à toi.

— Hé, Sam ! Approche, je vais signer ton plâtre ! a lancé Jack en sortant un stylo de la poche de son manteau.

— Je peux, moi aussi ? a demandé Debbie Kinley.

J'ai aussitôt écarté mon bras.

— Euh... non merci.

— O.K., c'est bon, a fait Jack, déçu. Je voulais juste te dessiner un jeune rebelle.

Ce qui aurait été cool, mais si j'avais laissé faire Jack, les autres auraient aussi voulu dessiner quelque chose, et la blancheur de mon plâtre aurait été vite gâchée. D'un autre côté, si je n'avais autorisé que Jack à dessiner, tout le monde aurait alors deviné que je l'aimais secrètement.

— Merci, c'est sympa, mais j'ai moi-même des projets pour mon plâtre, ai-je répondu.

J'ai eu un peu honte de mentir à Jack. Après tout, il était mon âme sœur.

En même temps, s'il pouvait se dépêcher de s'en rendre compte et de quitter Lucy et sa bande d'abrutis, ça m'arrangerait. Pour l'instant, ces derniers n'avaient rien trouvé de mieux à faire que se lancer des frites et essayer de les attraper avec la bouche. C'était dégoûtant. Et assez pénible aussi vu qu'ils n'arrêtaient pas de gesticuler. Résultat, chaque fois que je soulevais ma fourchette de ma main valide, je manquais de la faire tomber.

— Vous ne voulez pas vous arrêter ! me suis-je écriée quand une frite s'est retrouvée dans la compote de Catherine.

Tout en parcourant un article de magazine qui expliquait comment muscler ses cuisses, Lucy a dit d'une voix lasse :

— Depuis qu'elle a eu une médaille, elle se croit tout permis.

Ce qui était totalement faux. Mais qu'est-ce qu'elle croyait ? Que j'allais accepter leur jeu stupide ?

Catherine m'a dévisagée, bouche bée.

— Tu as une médaille aussi ? a-t-elle fini par articuler au bout de quelques secondes. Tu es l'ambassadrice des Nations unies pour la jeunesse et tu as eu une médaille ?

Eh oui, malheureusement. La médaille de bravoure, plus exactement. La cérémonie aurait lieu en décembre.

Alors que je m'apprêtais à lui expliquer tout cela, j'ai vu ma seconde part de gâteau disparaître brusquement et passer devant les joueurs de foot à la vitesse d'un frisbee.

— EST-CE QUE JE PEUX AVOIR MON GÂTEAU ? ai-je hurlé, parce que je voulais l'offrir à Jack.

N'étant évidemment pas au courant de mes intentions, Lucy a levé les yeux de son magazine et a déclaré :

— Hé, calme-toi, Sam ! Ce n'est qu'une part de gâteau. Tu n'as pas besoin de calories en plus, tu sais.

C'est le genre de remarque que Lucy aime bien me faire. J'allais lui répondre quand une voix que je connaissais a lancé, juste derrière moi :

— Salut, Samantha !

Je me suis retournée : c'était Kris Parks.

— Voici une invitation pour ma fête, a-t-elle dit en minaudant. J'espère que tu pourras venir. C'est vrai qu'on ne n'est pas toujours très bien entendues ces dernières années, mais j'aimerais beaucoup qu'on enterre la hache de guerre et qu'on redevienne amies. Je t'ai toujours admirée, Sam, parce que tu restes fidèle à tes convictions. Je voulais que tu saches aussi que je ne t'en veux pas de m'avoir fait payer pour les portraits.

Je l'ai regardée fixement, avec l'impression d'être dans un rêve. Sérieux.

De tout ce qui m'était arrivé récemment – les livraisons de sodas, les ours en peluche porteurs de messages de remerciements, le dîner à la Maison Blanche –, ce qui me décontenançait le plus, c'est que Kris Parks s'incline ainsi devant moi. Je suis sûre que Cendrillon a ressenti la même chose quand ses sœurs se sont mises à la flatter bassement, une fois que le prince lui a enfilé le soulier de vair.

Mais, comme Cendrillon, je n'ai pas eu le courage

d'envoyer Kris Parks au diable. J'aurais dû, pourtant. Je sais que j'aurais dû.

À quoi bon, finalement ? Ce n'est pas parce que je serais désagréable à mon tour qu'elle cesserait de me lancer des piques. La méchanceté était tout ce qu'elle connaissait.

— Je ne sais pas encore si je pourrai venir, ai-je répondu en glissant l'invitation dans mon sac à dos, au lieu de n'écouter que mon instinct et de la jeter à la poubelle. Je vais voir.

Lucy a tout gâché, évidemment.

— Ne t'inquiète pas, Kris, a-t-elle dit tout en continuant de lire son article. Sam viendra.

— C'est vrai ? s'est aussitôt exclamée Kris. Génial !

— En fait, suis-je intervenue en adressant un regard à Lucy qu'elle n'a malheureusement pas vu puisqu'elle venait de commencer un nouvel article expliquant comment repousser les petites peaux des ongles, je n'en suis pas si certaine, Lucy.

— Mais si, tu iras, a insisté Lucy. On ira même tous ensemble, David, Jack, toi et moi.

— *David* ? ai-je répété. Qu'est-ce que c'est que ces histoires...

— C'est tellement mignon ! a lâché Kris avec un soupir. Je veux dire, ce qu'il y a entre le fils du président et toi. Quand Lucy m'en a parlé, j'ai cru que j'allais tomber dans les pommes.

— Quand Lucy t'a parlé de quoi ? ai-je demandé.

— Eh bien, que vous sortiez ensemble, tous les deux, a répondu Kris, surprise par ma réaction.

J'aurais pu tuer ma sœur, à ce moment-là. Je vous le jure. Si vous aviez vu ce qui s'est passé quand Kris a dit ça, vous me croiriez sur parole. Catherine, qui suivait la scène tout en rongeant un os de poulet, l'a brusquement fait tomber sur ses genoux. Les pompoms girls, elles, se sont tues en même temps et m'ont regardée comme si j'étais un nouveau vernis à ongles ou quelque chose dans le genre. Même Jack, qui avait récupéré entre-temps ma part de gâteau, a posé sa cuillère sur la table et a dit :

— Tu peux pas faire ça...

— Jack a absolument raison, je ne peux pas faire ça, ai-je aussitôt renchéri. Je ne sors *pas* avec lui. Vous avez entendu ? Je ne sors *pas* avec le fils du président.

Mais Kris babillait encore :

— Ne t'inquiète pas, Sam. Je suis une tombe, je ne dirai rien à personne. Mais tu crois que les journalistes vont venir ? Je veux dire, à ma fête ? S'il y en a un qui veut m'interviewer, pas de problème. Ils peuvent même me prendre en photo.

Et pendant tout ce temps, Lucy a continué de feuilleter son magazine. Je n'en revenais pas.

— Hé ! s'est exclamée Lucy en comprenant enfin à l'expression de mon visage que j'étais folle de rage. Je n'y suis pour rien, moi ! C'est toi qui as été parcourue de frissons en le voyant, pas moi.

— Je n'aime pas David ! ai-je grommelé entre mes dents. C'est clair ?

— O.K., a fait Lucy. C'est juste que tu donnais l'impression d'en pincer... Aïe !

Après tout, si quelqu'un méritait d'être pincé, c'était ma sœur.

Dix moyens de savoir que vous êtes brusquement passé du côté de ceux avec qui il faut désormais compter :

10. Vous êtes invités à l'une des célèbres fêtes de Kris Parks.

9. En E.P.S., le prof vous choisit comme capitaine d'équipe pour la première fois de l'année et, quand c'est à votre tour de désigner les joueurs qui se battront à vos côtés, les meilleurs vous supplient de les choisir.

8. Plusieurs filles du collège s'habillent tout à coup en noir.

7. Les Red Steppers du lycée – qui dansent pendant la mi-temps – vous demandent si vous connaissez un morceau de musique qui pourrait accompagner leur prochaine chorégraphie.

Et quand vous suggérez « Pink Elephant » des Cherry Poppin' Daddies, elles vous prennent au sérieux.

6. En allemand, lorsque vous avouez que vous n'avez pas fini votre exercice, quelqu'un vous tend le sien.

5. Vous remarquez qu'un paquet de filles, qui se coiffaient jusqu'à présent comme votre sœur, arrangent leurs cheveux de façon à ce qu'ils évoquent l'espèce de champignon atomique qui se dresse au-dessus de votre tête.

4. Dans les couloirs du lycée, tous les élèves vous saluent au lieu de détourner le regard, comme auparavant.

3. Votre nom est écrit sur la couverture des livres et des cahiers des garçons du collège, avec des cœurs tout autour.

2. Mme Krebbetts vous offre une part de gâteau supplémentaire.

Mais ce qui vous fait dire que vous êtes brusquement passée du côté de ceux avec qui il faut désormais compter, c'est que :

1. À la réunion d'information, quand le conseiller d'éducation demande comment dépenser le budget alloué aux classes de seconde et que vous suggérez d'acheter de nouveaux pinceaux et du matériel pour les classes d'arts plastiques, votre proposition est appuyée, soumise au vote de l'assemblée générale... et l'emporte sur toutes les autres.

14

En deux heures, le bruit a couru dans tout le lycée que j'amenais le fils du président des États-Unis à la fête de Kris Parks samedi soir.

Curieusement, les gens semblaient s'intéresser davantage à cette nouvelle qu'au fait que j'aie empêché une balle d'atteindre la tête du président ou que j'aie été nommée ambassadrice. Si j'étais soulagée de ne plus être constamment félicitée pour mon acte de bravoure, je n'appréciais pas du tout de les entendre plaisanter sur ce qui avait pu se passer ou non entre le fils du président et moi.

— Tu te trompes complètement, m'a fait remarquer Lucy quand je lui en ai parlé le soir, dans la cuisine. Que vous formiez un couple, David et toi – ET NE ME PINCE PAS À NOUVEAU – ne peut que te servir, Sam. Tu es la nouvelle coqueluche du lycée. Si tu pouvais juste renoncer à t'habiller en noir, tu serais élue reine du bal de fin d'année.

— Je ne veux pas être élue reine du bal, ai-je répliqué, je veux juste que ma vie redevienne normale.

— À mon avis, c'est pas pour demain, est intervenu Jack.

Histoire d'appuyer sa remarque, il s'est tourné vers le jardin où des reporters pointaient leurs appareils par-dessus la clôture dans l'espoir de nous prendre en photo à travers la verrière.

— Jesu Cristo ! s'est exclamée Theresa avant de décrocher le téléphone pour appeler la police.

J'ai pris mon menton entre mes mains et j'ai poussé un soupir.

— Ce que je ne comprends pas, ai-je dit, c'est pourquoi tu as éprouvé le besoin d'en parler à tout le monde. Il ne s'est rien passé, Lucy, rien passé du tout, ai-je insisté pour que Jack entende bien et qu'il sache que, s'il changeait d'avis au sujet de ma sœur, j'étais libre.

— Comment veux-tu que je sache ce qui s'est passé ? s'est défendue Lucy. Tu refuses de me dire où vous êtes allés et ce que vous avez fait.

Je n'arrivais pas à croire qu'elle aborde ce sujet en présence de Jack. En même temps, elle n'était pas censée être au courant de mes sentiments pour son petit ami.

— Parce que ça ne te regarde pas ! me suis-je

écriée. Toi non plus, tu ne me racontes pas tout ce que tu fais avec Jack !

— Ha ! s'est exclamée Lucy en pointant son index vers moi, un sourire triomphant aux lèvres. Je le savais ! Je savais que vous sortiez ensemble !

— C'est faux !

— Tu l'as dit !

— Non, je ne l'ai pas dit !

— Si, tu viens de le reconnaître. Tu as dit : « Toi non plus, tu ne me racontes pas tout ce que tu fais avec Jack », ce qui signifie que vous faites exactement ce que nous faisons.

— Pas du tout ! Ça ne veut pas du tout dire ça...

Ma brillante argumentation a malheureusement été interrompue par Theresa qui, après en avoir fini avec la police, est allée chercher un paquet qu'un coursier venait d'apporter.

— C'est pour toi, a-t-elle dit en le déposant devant moi. De la Maison Blanche.

— Je suis sûre que ça vient de David, a déclaré Lucy. Je te l'avais dit que vous sortiez ensemble.

— Ça ne vient pas de David, l'ai-je corrigée en déchirant le papier d'emballage. Et on ne sort pas ensemble.

Il s'agissait en fait d'un dossier contenant toutes sortes d'informations sur mon nouveau rôle d'ambassadrice.

Voyant cela, Lucy est retournée à son magazine, manifestement déçue. Jack, lui, a dû trouver cela très palpitant car il s'est mis à feuilleter les documents les uns après les autres.

— Écoutez ça ! s'est-il exclamé au bout d'un moment. Ils vont organiser une exposition internationale. *De ma fenêtre*, c'est son nom, présentera des œuvres d'adolescents du monde entier dépeignant dans les matériaux de leur choix ce qu'ils voient tous les jours de leur fenêtre, a-t-il lu à voix haute.

Rebecca, qui pianotait sur son ordinateur portable à l'autre bout de la table, a relevé la tête et demandé :

— Et les adolescents qui n'ont pas de fenêtre ? Comme les adolescents extraterrestres qui sont retenus contre leur gré dans la zone militaire d'Area 51 ? Ça m'étonnerait qu'ils participent à cette exposition. Vous ne trouvez pas que c'est injuste ?

Comme d'habitude, personne ne l'a écoutée.

— Je crois que je vais m'inscrire ! s'est écrié Jack de plus en plus excité. Pourquoi tu ne participerais pas toi aussi, Sam. Ils exposent le tableau du vainqueur de chaque pays pendant tout le mois de mai au siège des Nations unies à New York. Ça représente une super-expo. Dès que tu es exposé à New York, c'est bon, ta carrière est faite.

J'ai fini de lire la lettre accompagnant la brochure de l'exposition avant de lui répondre :

— Je ne peux pas. Je fais partie du jury.

— Du jury ? a répété Jack. Mais c'est génial ! Parce que tu choisiras mon tableau et alors... À moi, New York !

Rebecca a levé à nouveau les yeux et a fixé Jack d'un air incrédule.

— Sam n'a pas le droit de faire ça, a-t-elle déclaré. Ce serait de la triche.

— Sauf si mon tableau est le meilleur, a rétorqué Jack.

— Et si ce n'est pas le cas ? a demandé Lucy.

Quelle teigne, celle-là ! On ne peut pas dire qu'elle soutenait l'amour de sa vie.

— Il le sera, a affirmé Jack avec assurance.

Et il avait raison : son tableau serait le meilleur. Les tableaux de Jack sont toujours les plus beaux. En tout cas, ils ont toujours été pris dans toutes les expositions où il s'était inscrit. C'est pourquoi, malgré ses mauvais résultats scolaires, j'étais sûre qu'à l'automne prochain Jack serait accepté à l'école de design de Rhode Island ou à Parsons ou même encore à Yale.

Catherine m'a appelée, dans la soirée, pendant que je faisais mon allemand.

— Alors, tu vas à la fête de Kris Parks ? m'a-t-elle demandé.

— Certainement pas.

— Pourquoi ?

— Parce que cette fille est odieuse. Tu es bien placée pour le savoir, non ?

Catherine n'a pas répondu tout de suite, puis elle a dit, au bout de quelques minutes :

— C'est vrai, mais j'ai toujours rêvé d'aller à une fête chez elle.

191

Quoi ? Je n'en revenais tellement pas que j'ai écarté le combiné de mon oreille pendant quelques secondes.

— Comment peux-tu dire une chose pareille après ce qu'elle t'a fait subir ?

— Je sais, a répondu Catherine d'une petite voix honteuse. Mais toutes les personnes qui sont allées à une fête chez Kris Parks racontent qu'elles ne se sont jamais autant éclatées. Elle m'a donné une invitation, à moi aussi, et j'envisageais d'y aller. Du moins, si tu y vas, toi.

— Je n'irai pas.

Catherine a marqué une pause avant de déclarer :

— Eh bien, j'ai quand même très envie d'y aller.

Je suis restée sans voix. Si Catherine m'avait annoncé qu'elle envisageait de se raser la tête et de rejoindre Hare Krishna, je n'aurais pas été plus surprise.

— Tu veux aller à la fête de Kris Parks ? ai-je hurlé si fort que Manet, qui dormait sur mon lit, la tête sur mes genoux, s'est réveillé brusquement et a dressé ses oreilles, sur le qui-vive. Catherine, est-ce que tu t'es par hasard de nouveau servie de ces marqueurs parfumés aux arômes de fruit. Je t'ai dit qu'ils...

— Sam, je suis sérieuse, m'a-t-elle coupée. On ne fait jamais des trucs d'ados normaux.

— C'est absolument faux. On a vu *La Mouette* le mois dernier.

— Sauf qu'on était les seules dans le public à ne pas avoir un frère ou une sœur sur scène. Tu ne comprends pas que pour une fois dans ma vie, j'ai envie de voir comment c'est d'être comme les autres. De faire partie d'une bande. Tu ne t'es jamais demandé comment c'était ?

— Je te rappelle, Catherine, que je vis avec une fille comme Kris Parks. Eh bien, je peux t'assurer que ce n'est pas drôle.

— J'ai peur qu'une autre occasion ne se présente pas.

— Catherine, Kris Parks est odieuse avec toi depuis que tu la connais, et tu voudrais aller chez elle ? Je suis désolée, mais...

— Sam, m'a interrompue à nouveau Catherine, toujours de sa toute petite voix. J'ai rencontré un garçon.

J'ai failli lâcher le combiné.

— Tu as quoi ?

— J'ai rencontré un garçon, a répété Catherine à toute vitesse, comme si elle n'oserait plus jamais le dire si elle ne le disait pas d'une traite. Tu ne le connais pas, il n'est pas au lycée. Il s'appelle Paul. Sa famille fréquente la même église que nous. Il est tout le temps fourré aux jeux d'arcade. Il est super-gentil et a le meilleur score de nous tous à *Death Storm*.

J'étais tellement sous le choc que je n'ai rien trouvé à répondre que :

— Mais... et Heath ?

— Sam, je dois regarder la vérité en face, a déclaré Catherine avec un courage que je ne lui soupçonnais pas. Même si on se revoit, ça m'étonnerait qu'il sorte avec une fille qui est encore au lycée. En plus, il vit une partie de l'année en Australie. Quand veux-tu que j'aille en Australie ? Mes parents ne me laissent même pas aller à la galerie marchande toute seule.

— Et tu crois qu'ils vont te laisser sortir avec ce... Paul ?

— Eh bien..., a commencé Catherine. Paul ne m'a pas exactement proposé de sortir. Je crois qu'il est timide. C'est pour ça que je pensais l'inviter à la fête de Kris, tu comprends ?

Non, je ne comprenais pas du tout.

— Pourquoi ne lui proposes-tu pas d'aller au cinéma ou de prendre un pot ? Pourquoi dois-tu l'emmener chez Kris Parks ?

— Parce que Paul ne sait pas que je ne fais partie d'aucune bande. Il pense que je suis cool.

Je ne savais pas comment le lui dire, mais j'ai pensé qu'il fallait que je le fasse. N'est-ce pas à ça que servent les meilleures amies ? Je me suis lancée :

— Catherine, il comprendra tout de suite que tu n'appartiens à aucune bande dès que tu te trouveras devant Kris Parks et qu'elle t'enverra une vacherie devant lui.

— Elle ne le fera pas, a affirmé Catherine.

— Elle ne le fera pas ? ai-je répété. Sais-tu quelque chose sur Kris Parks que je ne sais pas ? S'est-elle convertie à une religion ou à une secte qui lui enseigne d'être charitable envers les autres ?

— Elle ne me dira rien de méchant si tu es là, Sam. Et que tu amènes David.

J'ai éclaté de rire. C'était plus fort que moi.

— David ? me suis-je écriée. Catherine, je ne vais pas à la fête de Kris Parks, et même si j'y allais, je n'amènerais *jamais* David. Je ne l'apprécie même pas. Tu le sais bien. Tu sais qui j'apprécie.

Je me suis retenue au dernier moment de prononcer le nom de Jack à voix haute au cas où Lucy aurait décroché l'autre téléphone, comme elle le fait régulièrement pour me dire qu'elle a un coup de fil urgent à passer.

De toute façon, il était inutile que je prononce son nom. Catherine savait de qui je parlais.

— Je sais, Sam, a-t-elle repris, de nouveau d'une toute petite voix. C'est juste que... si on réfléchit bien, c'est un peu comme avec Heath. C'est-à-dire Jack. Il ne vit pas en Australie, mais...

... mes chances de sortir avec lui sont quasi nulles. Catherine n'a pas eu besoin de me le dire. Je savais qu'elle le pensait.

Sauf qu'elle se trompait. Jack serait à moi un jour. Il fallait juste que je me montre patiente. Alors, il se rendrait compte que je suis – et que j'ai toujours été – la fille idéale pour lui.

Ce n'était qu'une question de temps.

Les dix signes qui prouvent que c'est moi et non Lucy que Jack aime et qu'il ne s'en est pas encore rendu compte :

10. Chaque fois qu'il me voit, il me demande si j'ai lu le dernier numéro d'*Art in America*. Il ne pose jamais la question à Lucy car il sait qu'elle ne lit que des magazines de mode.

9. Il m'a gravé le CD du chant des baleines – ce qu'aime écouter Jack quand il peint. D'accord, on les entend surtout crier, mais le fait qu'il s'est donné cette peine prouve son désir de créer un lien émotionnel avec moi.

8. Il a payé pour moi le jour où on est allés manger un cheese-burger dans la galerie marchande et que j'avais oublié mon porte-monnaie.

7. Il m'a laissé manger toutes les oranges de sa boîte de fruits confits quand on est allés voir *Harry Potter* (Jack est contre la commercialisation des personnages de livres d'enfant ; il a accepté de voir le film uniquement parce qu'il n'y avait plus de place pour Jackie Chan).

6. Il m'a dit un jour qu'il aimait bien le pantalon que je portais.

5. Il se plaint que Lucy passe trop de temps à se maquiller et m'a avoué qu'il préférait les filles naturelles. C'est-à-dire moi. Bon d'accord, je mets un peu de mascara. Et du gloss, aussi. Mais à part ça, je ne me maquille jamais.

4. Lorsque je lui ai parlé de ma théorie selon laquelle les gauchers avaient un jumeau au moment de leur conception, il a compris ce que je voulais dire. Lui-même est gaucher et s'est toujours senti seul au monde.

3. Quand le club de théâtre a demandé des volontaires pour peindre les décors de *Hello Dolly !*, on s'est proposés, Jack et moi, et on a peint le même lampadaire en contre-plaqué (Jack a fait le fond, moi les rehauts). Si c'est pas de l'amour, je ne sais pas ce que c'est.

2. Jack est Balance. Je suis Verseau. C'est connu que les Balances et les Verseaux s'entendent bien. Lucy, qui est Poisson, devrait sortir avec un Taureau ou un Capricorne.

Mais la preuve n° 1 que Jack m'aime et ne le sait pas encore, c'est que :

1. *Fight Club* est son livre préféré. Juste après *Catch-22* et *Zen and the Art of Motorcycle Maintenance.*

15

Le mardi suivant, quand on est arrivées, Theresa et moi, à la hauteur de l'église de scientologie, on ne distinguait ni Capitol Cookies ni même Static, tellement les journalistes venus dans l'espoir de m'interviewer étaient nombreux.

Ne me demandez pas comment ils ont su l'heure de mon cours. Je suppose qu'ils ont cherché quand David venait, puisqu'ils savaient qu'on suivait le même cours de dessin (c'était dans les journaux, quand il a fallu expliquer pourquoi je me trouvais en même temps que Larry Wayne Rogers et le président devant chez Capitol Cookies).

Mais bon, passons. Je me fichais un peu de savoir comment ils avaient fait. De toute façon, depuis mon fameux « acte de bravoure », où que je sois, il y a des journalistes. Devant chez nous. Devant le lycée.

Devant les jardins de la cathédrale quand j'ai commis l'erreur d'y aller avec Manet. Devant chez Potomac Video, où ils nous ont pratiquement tendu une embuscade, à Rebecca et à moi, le soir où on a rapporté son film préféré, *Rencontre du troisième type*.

Je comprends qu'ils aient un article à écrire et à rendre à une heure bien précise, mais je ne vois vraiment pas pourquoi je devrais en être le sujet. Après tout, ce n'est pas parce que j'ai sauvé la vie du président que je suis intéressante.

— Excusez-moi ! a hurlé Theresa en se garant en double file (il était peu probable que la voiture soit amenée à la fourrière avec la dizaine de journalistes qui l'encerclaient). Puis, me protégeant avec son imperméable léopard et se servant de ses bras et de son sac comme de machettes, elle nous a frayé un passage à travers la foule jusqu'à la porte de l'atelier de Susan Boone.

— Samantha ! a crié un reporter. Que pensez-vous du fait que Larry Wayne Rogers ait été jugé inapte à se présenter devant la cour pour cause de maladie mentale ?

— Samantha ! a crié un autre. À quel parti politique appartiennent vos parents ?

— Samantha ! L'Amérique veut savoir : Coca ou Pepsi ? a crié encore un autre.

— Jesus Cristo ! a hurlé Theresa à quelqu'un qui avait osé tirer sur son sac pour nous maintenir à portée de son micro. Lâchez mon sac tout de suite ! C'est un Vuitton, au cas où vous ne l'auriez pas remarqué !

Cinq minutes après, on entrait dans le hall de l'immeuble de Susan Boone... David et John étaient là, apparemment arrivés quelques secondes avant nous.

Theresa pestait encore contre le journaliste qui avait agrippé son sac pendant une bonne minute. John, le garde du corps de David, a essayé de la calmer. Puis il a appelé la police en renfort : un policier escorterait Theresa à sa voiture et les journalistes seraient retenus derrière des barricades quand nous ressortirions de l'immeuble.

J'ai jeté un coup d'œil à David. Il affichait le même petit sourire mystérieux que je lui connaissais. Il portait un tee-shirt Blink 182 sous une veste en daim, ce qui prouvait que ses goûts musicaux n'étaient pas, comme je craignais que les miens le soient, trop restrictifs. La couleur noire de son tee-shirt mettait en valeur le vert de ses yeux. À moins que ce ne soit l'éclairage de la cage d'escalier.

— Salut, m'a-t-il dit, son fameux sourire aux lèvres.

Je ne sais pas pourquoi, mais quelque chose dans ce sourire a brusquement fait faire un bond à mon cœur.

« Non, c'est impossible, ai-je aussitôt pensé. Mon cœur ne peut pas faire de bond en présence de David puisque c'est Jack que j'aime. »

Pourquoi, dans ce cas, ai-je pensé à ce que Rebecca m'avait dit à propos de ce frisson ? Que se passait-il ? Parlait-on de frisson quand, après qu'un garçon vous sourit, votre cœur fait un bond ?

Tout ce que je pouvais dire pour l'instant, c'est que j'étais bien contente que David ne fréquente pas le lycée et ne soit donc pas au courant des bruits qui couraient sur notre compte. Déjà que c'était pénible de frissonner devant lui, alors qu'il sache en plus ce que tout le monde au bahut savait, non merci !

À l'idée que je puisse frémir pour un autre garçon que Jack m'a mise de très mauvaise humeur. À moins que ce ne soit la présence des reporters. Quoi qu'il en soit, au lieu de lui dire bonjour à mon tour, j'ai lâché :

— Ça ne te dérange pas d'être sans cesse harcelé par la presse ? C'est hyper-angoissant, et toi, tu souris.

— Tu trouves que les journalistes sont angoissants ?

Il ne souriait plus à ce moment-là. Il riait aux éclats.

— Toi, la fille qui s'est jetée sur un homme armé ? a-t-il ajouté.

J'ai cligné des yeux. Quand il riait, David était encore plus mignon que lorsqu'il souriait.

J'ai vite réprimé ce genre de pensée et j'ai rétorqué, sur un ton très sérieux :

— Ce n'était pas angoissant du tout. Je l'ai fait parce qu'il fallait le faire. Tu aurais agi de la même façon à ma place.

— Je ne sais pas, a répondu David, songeur.

Sur ces entrefaites, l'escorte de Theresa est arrivée. John a attendu son départ et nous a accompagnés jusqu'à l'atelier de Susan Boone.

Mis à part un œuf qui trônait sur la table à la place des fruits, rien n'avait changé comparé à la dernière – et unique – fois où j'étais venue. Est-ce que Susan Boone avait oublié de manger cet œuf à midi ou Joseph ne s'appelait-il pas Joseph mais en fait Joséphine ?

— Alors, tu nous fais quoi, aujourd'hui ? m'a demandé David en s'asseyant sur le banc. Des ananas ou un fruit plus de saison ? Que penses-tu d'une orange ?

— Tu pourrais arrêter, s'il te plaît, avec cette histoire d'ananas, ai-je rétorqué, mais pas trop fort pour que les autres ne m'entendent pas.

Comment avais-je pu frissonner devant un garçon qui passait son temps à se moquer de moi ?

— Désolé, a dit David, bien qu'il ne paraisse pas du tout désolé. La preuve, il continuait de sourire. J'ai oublié que tu étais une artiste sensible.

— Ce n'est pas parce que je refuse que ma spontanéité créatrice soit piétinée par quelque despote de l'art que je suis sensible.

David a haussé ses deux sourcils en même temps.

— De quoi tu parles ? m'a-t-il demandé.

— De Susan Boone, ai-je répondu en lançant un

regard mauvais à la reine des elfes. Et de son discours sur le dessine-ce-que-tu-vois. C'est bidon.

— Bidon ? a répété David.

Il ne souriait plus du tout. Il avait l'air déconcerté.

— Comment ça, bidon ? a-t-il repris.

— Où en serait l'art si Picasso avait dessiné ce qu'il avait vu ? ai-je murmuré.

David a cligné des yeux plusieurs fois.

— Picasso n'a fait que dessiner ce qu'il voyait, a-t-il déclaré. Pendant des années. Ce n'est qu'après avoir maîtrisé l'art du dessin avec une extrême précision qu'il a entrepris son travail d'expérimentation sur les lignes et l'espace.

— Quoi ?

Je n'avais rien compris.

— C'est pourtant simple, a repris David. Avant de vouloir changer les règles, il faut les connaître. C'est ce que Susan essaie de nous apprendre : dessiner ce qu'on voit avant de passer au cubisme ou à l'ananasisme ou à n'importe quel « isme » de son choix.

C'était à mon tour de cligner des yeux. Première nouvelle ! Jack ne m'avait jamais dit qu'il fallait connaître les règles avant de les enfreindre. Et Jack s'y connaissait pour les enfreindre. Ne cherchait-il pas continuellement à le faire en montrant aux gens – son père, les membres du country club, le proviseur du lycée – qu'ils se trompaient ?

Mais je n'ai pas eu le temps de répondre. Susan

Boone venait de s'avancer vers le milieu de la salle et de frapper dans ses mains.

— Bonjour, tout le monde ! a-t-elle lancé. J'imagine que vous êtes tous au courant de ce qui s'est passé à deux pas d'ici la semaine dernière après le cours...

Gertie, Lynn et les autres ont ri doucement, et Susan Boone a poursuivi :

— Cet incident nous a valu à tous une vive émotion... plus vive peut-être pour certains, a-t-elle ajouté en me souriant. Mais grâce à Dieu, nous sommes tous présents aujourd'hui, et en bonne santé... Aussi, allons-nous pouvoir nous mettre au travail. Vous voyez cet œuf ? a-t-elle dit en indiquant l'œuf sur la table. Je voudrais que vous le peigniez. Ceux qui ne sont pas habitués à la peinture peuvent utiliser des crayons de couleur ou des craies.

J'ai regardé l'œuf – il était posé sur de la soie blanche –, puis j'ai examiné les crayons de couleur, posés à côté de moi. Il n'y avait pas de crayon blanc.

J'ai levé la main en poussant un soupir.

Dire que cette femme m'avait pratiquement menacée de chantage pour m'obliger à revenir à son cours, et qu'elle n'était même pas fichue de me fournir un crayon blanc ! Elle voulait que je dessine ce que je voyais, oui ou non ?

— Oui, Sam, a dit Susan Boone en s'approchant de moi.

— Je n'ai pas de crayon blanc.

— Je sais, a-t-elle répondu.

Et sur ces paroles, elle m'a souri et s'est éloignée.

À côté de moi, David semblait tout entier à son dessin, qu'il avait commencé dès la fin des explications de Susan Boone.

— Comment voulez-vous que je dessine un œuf blanc sur un tissu blanc si je n'ai pas de crayon blanc ?

Je ne tenais pas particulièrement à passer pour celle qui râle tout le temps, mais franchement, ce que Susan Boone cherchait à obtenir m'échappait. Étais-je censée travailler l'espace négatif, ne m'occuper que des ombres et laisser le reste de la feuille en blanc ?

Susan Boone a observé l'œuf pendant un moment, puis elle a dit la chose la plus surprenante que j'aie eu l'occasion d'entendre ces derniers temps. Pourtant j'en ai entendu des vertes et des pas mûres, dont les révélations de ma meilleure amie Catherine qui rêve de faire partie de la bande de Kris Parks.

— Je ne vois pas de blanc, a-t-elle déclaré très calmement.

Je l'ai dévisagée. Elle avait perdu la tête ou quoi ? Cet œuf et le tissu sur lequel il reposait étaient... aussi blancs que ses cheveux !

— Euh... pardon ? ai-je fait.

Susan Boone s'est penchée de façon à regarder l'œuf à la même hauteur d'yeux que moi.

— Rappelle-toi ce que je t'ai dit, Sam. Dessine ce que tu vois, pas ce que tu sais. Tu sais qu'il y a un œuf blanc sur un tissu blanc en face de toi. Mais vois-tu vraiment du blanc ? Ou vois-tu le reflet rose provenant du soleil à travers la fenêtre ? Ou le bleu et le pourpre des ombres sous l'œuf. Ou encore le jaune de la lumière qui vient du dessus et se reflète sur le sommet de l'œuf ? Et le vert pâle là où la soie est en contact avec la table ? Voilà les couleurs que je vois. Mais il n'y a pas de blanc. En tout cas, moi, je ne vois pas de blanc.

À aucun moment de son discours, je n'ai eu l'impression qu'elle cherchait à piétiner mon imagination créatrice et mon style. Tu dois connaître les règles avant de les enfreindre, m'avait dit David. Susan Boone essayait de m'apprendre à voir.

Aussi, ai-je regardé. Je me suis concentrée pour regarder. Jamais je n'avais regardé de cette manière.

Et j'ai vu.

Ça paraît idiot, je sais. Mais tout à coup, j'ai vu. J'ai vu une ombre pourpre sous l'œuf. J'ai vu le reflet rose qui provenait du soleil à travers la fenêtre. J'ai même vu la lumière jaune qui formait une minuscule lune sur le sommet de l'œuf. Je me suis alors empressée de prendre le premier crayon à ma portée et j'ai commencé à dessiner.

Quand on dessine, c'est comme si le monde autour de soi cessait d'exister. On est seul avec la page et le crayon. Quand on dessine, on perd conscience du temps ou de ce qui se passe autour de soi. Et quand on est content de ce qu'on dessine, on peut commencer à une heure de l'après-midi et ne pas lever les yeux avant cinq heures. On n'a même aucune idée du temps qui s'écoule. Quand on dessine, on est dans son monde à soi, dans sa propre création.

Ce qui explique pourquoi, quand on est super-concentré et que quelque chose d'extérieur nous sort brusquement de notre monde, c'est pire que d'être dérangé par sa sœur, par exemple, venue emprunter une paire de ciseaux ou n'importe quoi d'autre alors qu'on apprend sa leçon de géométrie. Quand on dessine et que quelqu'un nous impose sa présence, le meurtre de cet être pourrait à mon avis être excusable.

Et quand l'être en question est un énorme perroquet, c'est encore plus excusable.

— Couac ! a crié Joe à mon oreille tout en m'arrachant une touffe de cheveux avant de s'envoler dans un battement d'ailes.

J'ai hurlé.

Je n'ai pas pu retenir mon cri. J'étais tellement plongée dans ce que je faisais que je ne l'avais pas entendu s'approcher. Bref, je ne hurlais pas tant parce que j'avais mal – quoiqu'un peu – mais parce que je ne m'y attendais pas du tout.

— Joseph ! a crié Susan Boone en frappant dans ses mains. Vilain oiseau !

Joe est rentré en vitesse dans sa cage, en sécurité, et a lâché ma touffe de cheveux avec un triomphant :

— Bel oiseau ! Bel oiseau !

— Oh, non, tu n'es pas un bel oiseau ! l'a corrigé Susan Boone, comme s'il pouvait la comprendre. Tu es un vilain, un très vilain oiseau ! Samantha, je suis désolée, a-t-elle ajouté en se tournant vers moi. Il ne t'a pas blessée ?

Tout en tâtant mon crâne, j'ai remarqué le changement de lumière. Elle ne tirait plus vers le rosé. Le soleil s'était couché. Il était plus de cinq heures. Pourtant, on aurait dit que deux minutes à peine s'étaient écoulées depuis que j'avais commencé mon dessin.

— J'ai oublié de fermer sa cage, s'est excusée Susan Boone. Il faut que je pense à le faire quand tu es là. Je ne comprends pas pourquoi il est autant obsédé par tes cheveux. Ils sont brillants, certes, mais...

À ce moment-là, j'ai senti que le banc à côté du mien était secoué de tremblements. Je me suis tournée. David se tordait de rire.

— Excuse-moi ! Je suis désolé ! Mais si tu avais vu ta tête quand Joe s'est posé sur toi...

J'ai le sens de l'humour comme n'importe qui, mais là, je dois dire que je ne trouvais pas que la situation prêtait particulièrement à rire. Ça fait mal quand on vous arrache les cheveux. D'accord, moins que se casser le poignet, mais tout de même !

— Allez, reconnais-le ! a insisté David. C'était drôle !

Bien sûr, il avait raison. *C'était* drôle.

Mais avant que j'aie le temps de l'admettre, Susan

Boone s'est approchée et a examiné mon dessin. Du coup, je l'ai observé à mon tour. Évidemment, je l'avais regardé pendant que je dessinais, mais c'était la première fois que je prenais du recul et que je le considérais vraiment.

Ce que j'ai vu m'a alors estomaquée. Car je voyais un œuf blanc, posé sur de la soie blanche, qui ressemblait comme deux gouttes d'eau à l'œuf devant moi.

Et pourtant, je n'avais pas utilisé le moindre crayon blanc.

— C'est parfait, a dit Susan Boone d'une voix pleine de satisfaction. Tu as compris, Sam. Je savais que tu comprendrais.

Elle m'a tapoté la tête d'un air distrait, là où son oiseau m'avait arraché des cheveux.

Mais ça ne m'a pas fait mal. Ça ne m'a pas fait mal du tout. Parce que je savais que Susan Boone disait vrai : j'avais compris.

J'avais enfin appris à voir.

Les dix tâches dont doit s'acquitter l'ambassadrice des Nations unies pour la jeunesse, à savoir moi, Samantha Madison :

10. M'asseoir dans le bureau du porte-parole de la Maison Blanche et l'écouter s'extasier devant l'indice de popularité du président, qui a explosé à la suite de la tentative d'assassinat ratée contre lui.

9. Écouter également le porte-parole maugréer contre la ville qui se plaint de la présence en surnombre de policiers devant notre maison.

8. Faire des photocopies du règlement de l'exposition *De ma fenêtre* pour tous mes amis artistes qui, en vérité, ne s'élèvent qu'à une seule personne : Jack Ryder, le petit ami de Lucy et mon âme sœur.

7. Envoyer des photos de moi, avec un autographe, à tous les gamins qui m'écrivent. J'avoue que ça me dépasse que des enfants veuillent accrocher une photo de moi dans leur chambre.

6. Lire le courrier de mes fans (après qu'il a été passé aux rayons X et qu'on a vérifié qu'il ne contenait aucune lame de rasoir ou aucun explosif). Une grande partie de la population semble éprouver le besoin de m'écrire pour me dire à quel point ils me trouvent courageuse. Certains m'envoient même de l'argent. Malheureusement, cet argent est immédiatement versé sur un compte épargne pour payer mes études à l'université. Je ne peux même pas m'acheter de CD.

Je reçois aussi pas mal de lettres de pervers, mais je n'ai pas le droit de les lire. Le porte-parole de la Maison Blanche les garde dans un classeur spécial.

5. Bien que les Nations unies se trouvent à New York, personne jusqu'à présent n'a proposé de m'y accompagner. À New York, je veux dire. Apparemment, se rendre au siège des Nations unies ne fait pas vraiment partie des tâches dont doit s'acquitter l'ambassadrice pour la jeunesse.

4. Faire rebondir une Wham-O Superball contre le mur du bureau du porte-parole, histoire de passer le temps quand je suis coincée ici – ce qui va m'arriver tous les mercredis après-midi –, ne représente pas, techniquement parlant, une des tâches de l'ambassadrice des Nations unies pour la jeunesse, mais vise uniquement à agacer le porte-parole. Il m'a confisqué la balle rebondissante en me disant qu'il me la rendrait quand je n'occuperais plus le poste. Il ne sait pas qu'on peut acheter des Wham-O Superball à tous les coins de rue, et pour moins d'un dollar.

3. Il est fortement déconseillé aux ambassadrices des Nations unies pour la jeunesse d'errer dans les couloirs de la Maison Blanche, même si elles connaissent les lieux car, si leur intention au départ était d'aller voir le portrait de Dolley Madison accroché dans le Salon vermeil, elles risqueraient de tomber sur une conférence pour la paix dans le monde.

2. Il est également fortement déconseillé aux ambassadrices des Nations unies pour la jeunesse de s'habiller en noir car, d'après le porte-parole, cela pourrait donner aux gens la fausse impression que leur ambassadrice pratique la sorcellerie.

Mais la tâche n° 1 dont doit s'acquitter l'ambassadrice des Nations unies pour la jeunesse, c'est :

1. S'asseoir. Se taire. Et laisser le porte-parole de la Maison Blanche faire son travail.

16

— Il a dit oui !

Ce sont avec ces mots que Catherine m'a accueillie le jeudi matin quand je l'ai retrouvée au lycée. Je venais de jouer des coudes pour échapper à la centaine de reporters postés sur le chemin du bahut.

— Qui a dit oui ? lui ai-je demandé alors qu'on se dirigeait vers mon casier.

— Paul ! s'est-elle exclamée.

Voyant que je ne me rappelais pas de qui elle parlait, elle a paru blessée et a ajouté :

— Paul, dont je t'ai parlé l'autre jour. Peu importe. Ce qui compte, c'est qu'il a dit oui.

— Bravo, Catherine ! Tu es sur la bonne voie.

Sauf que je ne le pensais pas. Enfin, je le pensais et je ne le pensais pas. Ce n'était pas très gentil de ma part, j'imagine, et je ne l'aurais jamais dit tout haut, mais ça me faisait quand même bizarre que Catherine ait rendez-vous avec le garçon de ses rêves. Après tout, appeler un garçon et lui demander s'il voulait bien l'accompagner à une soirée avec elle était bien plus courageux qu'empêcher une tentative d'assassinat sur le président. Moi, je n'avais risqué que ma vie... et si je l'avais perdue, cela n'aurait pas été si grave puisque je serais morte et je ne le saurais même pas.

Tandis que Catherine avait risqué bien plus : elle avait risqué sa fierté.

Il est clair que je n'aurais jamais le courage de demander au garçon de mes rêves de sortir avec moi. D'abord, parce qu'il sort déjà avec ma sœur. Et puis... s'il disait non ?

— Ça t'ennuie si je dis à mes parents que je dors chez toi ? m'a demandé Catherine. Ils aiment bien Paul, mais... ils pensent que quinze ans, c'est un peu jeune pour aller à une fête avec un garçon.

— Pas de problème. Et si tu veux emprunter une robe ou un haut, viens en avance. On demandera conseil à Lucy. Elle adore ça.

Le visage de Catherine rayonnait. Je ne l'avais jamais vue aussi heureuse. Même si j'étais un peu jalouse, je ne pouvais pas m'empêcher d'être contente pour elle.

— C'est vrai, Sam ? a-t-elle demandé. Ce serait génial !

— Alors, qu'avez-vous décidé de faire ? Je veux dire, Paul et toi ?

Catherine m'a dévisagée comme si je venais de prononcer une énormité.

— On va à la fête de Kris. Pourquoi penses-tu que je l'ai invité ?

Je composais à ce moment-là le code de mon casier. Mais lorsque Catherine m'a annoncé qu'elle allait à la fête de Kris Parks, les nombres – 15, l'âge que j'ai ; 21, l'âge que j'aimerais avoir ; et 8, l'âge que je ne voudrais plus jamais avoir – me sont sortis de l'esprit.

— Vous allez à la fête de Kris ? ai-je répété. Tu l'emmènes à la fête de Kris ?

— Eh bien, oui, a répondu Catherine. On y va tous. Toi, moi, Paul et David.

— Quoi ?

Ce n'est pas le code de mon casier que j'ai alors oublié. C'est le numéro de la salle de cours où je devais aller, ce que j'avais pris pour le petit déjeuner, bref, tout ce que vous voulez, tellement sa réponse m'a abasourdie.

— Catherine, tu es sûre que tu n'as pas de fièvre ? Je ne t'ai jamais dit que j'irais à la fête de Kris Parks. En fait, je me souviens même très bien de t'avoir déclaré que je n'irais pas.

Le joli visage de Catherine qui, un instant plus tôt, rayonnait, s'est assombri sous le coup de la déception et – je ne pense pas me tromper – de la peine. O... de la peine.

— Mais Sam ! s'est-elle écriée. Tu dois venir ! Je ne peux aller à la fête de Kris Parks sans toi ! Tu sais très bien qu'elle m'a invitée uniquement parce qu'elle pense que tu viendras...

— C'est vrai, et Kris m'a invitée uniquement parce qu'elle pense que je viendrai accompagnée par une meute de journalistes et qu'on pourra voir sa face de rat à la télé. Sans parler, évidemment, de la présence de David.

Comment Catherine avait-elle pu se laisser prendre au piège ? Catherine, ma meilleure amie depuis le primaire.

— Sam, je ne peux pas y aller sans toi, a-t-elle répété, au bord des larmes. Si j'y vais sans toi, à tous les coups, tout le monde me demandera ce que je fais là.

— Tu aurais dû y songer avant d'inviter ton champion au *Death Squad*, ai-je rétorqué en ouvrant la porte de mon casier – j'avais enfin réussi à me rappeler le code.

— *Death Storm*, a corrigé Catherine. Je ne lui aurais rien demandé du tout si j'avais su que tu n'irais pas.

— Je te l'ai dit que je n'irais pas. Tu ne te rappelles pas ? De toute façon, mes parents ne sont pas d'accord. Même Lucy n'a pas le droit d'y aller.

— Mais elle ira quand même, a maugréé Catherine. Tu le sais très bien. Elle leur dira qu'elle va ailleurs, c'est tout.

— Ce n'est pas une raison. Par ailleurs, je n'ai pas intérêt à leur désobéir. Ils n'ont toujours pas digéré ma mauvaise moyenne en allemand. Ne crois pas qu'ils aient cessé de me surveiller...

— Sam, réfléchis, m'a interrompue Catherine, d'une voix tremblante. Grâce à ce que tu as fait, sauver la vie du président, tout peut changer pour nous.

Elle a regardé autour d'elle pour s'assurer que personne ne l'entendait puis elle s'est approchée tout près de moi et m'a confié :

— On peut ne plus être des exclues. On peut être acceptées par les amis de Lucy. Tu n'as pas envie de ça, Sam ? Tu n'as pas envie d'être comme elle ?

Je l'ai observée comme si elle déraillait complètement.

— Catherine, je sais ce que c'est qu'être Lucy, ai-je répondu. C'est danser sous la pluie à un match de foot, lire des magazines de mode et se séparer les cils avec une épingle de sûreté.

Ayant récupéré les cahiers dont j'avais besoin et accroché mon manteau, j'ai claqué la porte de mon casier en ajoutant :

— Je suis désolée, mais j'ai mieux à faire.

Catherine m'a regardée et j'ai vu que, si ses yeux noirs brillaient autant, c'est parce qu'ils étaient emplis de larmes.

— Oui, je comprends, a-t-elle dit. Mais que fais-tu de moi, Sam ? Kris Parks ne s'est jamais donné la peine de découvrir quelle fille se trouvait derrière les vêtements ridicules que je porte. Cette fête est pour moi l'occasion de leur montrer à tous qui je suis vraiment, c'est ma seule chance d'être écoutée. Tout ce que je te demande, c'est de me laisser la prendre.

La cloche a sonné mais je n'ai pas bougé. J'en étais incapable.

— Catherine, ai-je répondu, plus choquée par ses paroles que par les larmes qui les accompagnaient. Est-ce que tu... est-ce que tu te soucies autant de ce qu'ils pensent ?

Catherine s'est essuyé les yeux avec les manches en dentelles de son chemisier.

— Oui, a-t-elle avoué. Oui, Sam. Je ne suis pas comme toi. Je ne suis pas courageuse. Je me soucie énormément de ce que pensent les gens de moi. Je ne te demande pas grand-chose, juste de me laisser profiter de cette occasion de...

— Très bien.

Catherine a cligné des yeux plusieurs fois.

— Très bien... quoi ? a-t-elle dit.

Que pouvais-je faire d'autre ? Catherine était ma meilleure amie.

— Très bien, j'irai. Si c'est si important que ça pour toi, j'irai à la fête de Kris Parks.

L'ombre d'un sourire a éclairé son visage.

— C'est vrai ? Tu parles sérieusement ?

— Oui. Je parle sérieusement.

222

Catherine s'est jetée à mon cou et m'a serrée très fort contre elle.

— Tu ne le regretteras pas, m'a-t-elle assuré. Je suis sûre que tu vas t'amuser comme jamais !

Sur ces paroles, elle est partie en courant. Elle avait S.V.T. et était en retard.

J'aurais dû courir moi aussi, puisque j'étais également en retard à mon cours d'allemand. Mais je suis restée immobile. Pétrifiée. Dans quel pétrin m'étais-je fourrée ?

Je me posais toujours la question quelques heures plus tard en entrant chez Susan Boone jusqu'à ce que je voie sur mon banc un casque de l'armée décorée de marguerites blanches.

— Ça te plaît ? m'a demandé David.

Il souriait et, pour la seconde fois en l'espace de deux jours, son sourire a fait bondir mon cœur dans ma poitrine. S'agissait-il encore du « frisson » dont parlait Rebecca ?

Ou de la crêpe au fromage que j'avais mangée à midi ?

— J'ai pensé que c'était exactement ce qu'il fallait à une fille comme toi, a-t-il continué. Dans la mesure où tu ne cesses d'être attaquée par des oiseaux ou des hommes armés.

Ça ne pouvait pas être des brûlures d'estomac. Que mon cœur fasse des bonds pile au moment où David me souriait n'était pas une coïncidence. Il se passait autre chose. Quelque chose que je n'aimais pas du tout.

Essayant d'ignorer les battements de mon cœur, j'ai enfilé le casque. Il était trop grand, mais ça allait, vu ma touffe de cheveux.

— Merci, ai-je dit, touchée qu'il se soit donné autant de mal.

C'était presque aussi cool que d'avoir mon nom gravé sur le rebord d'une des fenêtres de la Maison Blanche.

— C'est parfait, ai-je ajouté.

Ça l'était, effectivement. Et quand Joe s'est posé sur mon épaule, m'obligeant à arrêter de dessiner le rosbif que Susan Boone nous avait apporté, je n'ai rien dit, parce qu'il ne m'a pas fait mal. Il est resté là, sans bouger, tapotant de temps en temps le casque avec son bec en poussant des petits cris étonnés.

Tout le monde a ri, y compris David.

Plus je l'observais, plus je me disais que c'était le genre de garçon à ne pas se laisser embêter. Le genre de garçon capable de supporter des centaines de Kris Parks.

Ce qui explique sans doute pourquoi je me suis penchée vers lui juste avant qu'on dépose nos dessins sur le rebord de la fenêtre, et que je lui ai demandé tout doucement, si doucement que j'ai eu peur qu'il ne m'entende pas par-dessus les battements de mon cœur :

— Au fait, David, ça te dirait de m'accompagner à une fête samedi soir ?

Il a paru surpris, et l'espace d'une seconde, j'ai pensé qu'il allait refuser.

Mais il ne l'a pas fait. Il m'a souri et a répondu :

— Oui, bien sûr, pourquoi pas ?

Les dix raisons qui m'ont poussée à proposer à David de m'accompagner à la fête de Kris Parks samedi soir :

10. Un accès de folie dû au fait que j'ai trop respiré d'essence de térébenthine.

9. Par solidarité avec Catherine, qui semble être atteinte du syndrome de Stockholm dans la mesure où elle veut se lier avec une bande de gens qui n'ont cessé de l'humilier pendant des années – et est prête à essuyer la colère de ses parents en leur mentant pour aller avec un garçon qu'elle connaît à peine à une fête donnée par la chef de cette même bande.

8. Ses yeux.

7. Sa gentillesse, le soir où on est allés dîner à la Maison Blanche, et où il m'a permis de manger

le meilleur hamburger de ma vie. Ah oui, et quand il a aussi gravé mon nom sur le rebord de la fenêtre.

6. Son allure ce soir-là, avec ses cheveux un peu ébouriffés, ses longs cils et ses grandes mains.

5. Le fait qu'il sache dessiner. Pas aussi bien que Jack, c'est vrai, mais presque aussi bien que moi. Peut-être même mieux que moi, mais dans un autre style. En plus, on voit qu'il aime vraiment dessiner et qu'il éprouve exactement ce qu'on éprouve, Jack et moi. La plupart des gens – comme ma sœur Lucy, par exemple – ne peuvent pas comprendre.

4. Le casque avec les marguerites.

3. Parce qu'il n'a pas le droit de se déplacer sans un garde du corps. Ce qui veut dire qu'il y aura au moins un adulte à la fête de Kris Parks et donc que mes parents nous laisseront y aller.

2. Tout le monde pense déjà qu'on sort ensemble.

Mais la principale raison pour laquelle je lui ai demandé de m'accompagner à la fête de Kris, c'est :

1. Pour rendre Jack jaloux. Qui sait si, en me voyant avec un autre garçon, il ne va pas se rendre compte qu'il risque de me perdre, s'il ne se dépêche pas. Ce qui pourrait lui ouvrir enfin les yeux sur ses vrais sentiments à mon égard.

Du moins, j'espère.

17

J'ai regretté le soir même d'avoir proposé à David de m'accompagner à la fête de Kris Parks.

J'ai regretté à cause de la réaction que la nouvelle a provoquée autour de moi.

Réaction n° 1 : Lucy

— Mais c'est génial ! Vous formez un couple tellement adorable, avec David qui est si grand et toi si petite, sans parler de votre façon de vous coiffer, les cheveux qui rebiquent dans tous les sens. En plus, vous aimez le même genre de musique, non ? J'ai hâte d'y être ! Mais au fait, comment vas-tu t'habiller ? À mon avis, tu devrais mettre ma mini-jupe en cuir noir avec mon pull en cachemire vert, tu sais celui avec un col en V, plus des bas résille et mes cuissardes noires. Tu ne peux pas mettre tes Doc avec une mini-jupe, ça fait des gros mollets. Je ne dis pas que tu as de gros mollets, mais les mollets ne sont jamais à leur avantage avec des Doc et une mini-jupe. Finalement, les bas résille, c'est peut-être un peu trop pour une fille de quinze ans. Garde tes collants. On peut aller t'acheter une paire de collants à rayures, si tu veux. C'est à la mode et ça fera super. Tu veux que je t'organise un après-midi shopping, samedi avant la fête ?

Réaction n° 2 : Rebecca

— Ah, je vois que la graine du frisson que j'ai plantée a germé et a donné un bourgeon prêt à fleurir.

Réaction n° 3 : Catherine

— Oh, Sam, c'est extraordinaire ! Comme ça, Paul aura quelqu'un à qui parler lors de la soirée, parce qu'il ne connaîtra personne, comme David, d'ailleurs. Peut-être que David et lui pourront rester ensemble pendant qu'on fera connaissance avec les autres invités de Kris ? Il paraît que c'est important de se mélanger quand on va à une fête. Et puis, si on se mélange, on sera peut-être invitées à d'autres soirées.

Qui sait, à des fêtes de terminales même ? Cela dit, je n'y crois pas trop. Mais si ça marchait, je veux dire, être invitées par des terminales, ça signifierait qu'on aurait autant la cote que Kris Parks.

Réaction n° 4 : Theresa

— *Tu* lui as demandé ? Combien de fois, Samantha Madison, m'as-tu entendue dire à ta sœur de ne pas courir après les garçons. Ça finit toujours mal ! Regarde ce qui est arrivé à ma cousine Rosa. Que je ne te surprenne pas en train de l'appeler. C'est à *lui* de t'appeler. Et pas de *MSN* non plus. Il vaut mieux que tu gardes tes distances et un certain mystère. Si Rosa avait suivi mes conseils, elle n'en serait pas là aujourd'hui. Où a lieu cette fête, de toute façon ? Et les parents de cette fille, ils seront là ? Il y aura de l'alcool ? Je te préviens, Samantha Madison, si j'apprends que ta sœur ou toi, vous êtes allées à une fête où on servait de l'alcool, je vous obligerai à nettoyer les toilettes tous les jours jusqu'à votre entrée à l'université.

Réaction n° 5 : Jack

— Le fils du président ? C'est pas un indic ?

Réaction n° 6 : Mes parents
(j'ai gardé le meilleur pour la fin)

— Oh, Sam, c'est merveilleux ! David est un garçon si délicieux ! Nous ne pouvions pas rêver mieux !
Si seulement ta sœur se montrait aussi raisonnable
que toi dans le choix de ses petits amis. À quelle
heure passe-t-il te chercher ? Il faut que nous véri-
fiions qu'il y a bien une pellicule dans l'appareil
photo. Juste quelques photos, c'est tout. Il faut bien
immortaliser l'événement. Notre bébé qui sort avec
un garçon aussi adorable. Et si bien élevé. Sais-tu qu'il
va à Horizon, ce qui signifie qu'il a un Q.I. exceptionnel. Il ira loin. Qui sait s'il ne marchera pas sur
les traces de son père ? Quel garçon délicieux. Ah,
pourquoi Lucy ne s'est-elle pas trouvé un garçon aussi
charmant à la place de cet odieux Jack ?

Quelle humiliation ! C'est bien de moi, ça, choisir
pour mon premier rendez-vous un garçon qui plaît à
mes parents ! Non seulement David n'est pas tatoué
(du moins, autant que je le sache) et ne conduit pas
de Harley Davidson (à nouveau, ce n'est que pure
supposition de ma part, mais ça m'étonnerait quand

même), mais il est LE FILS DU PRÉSIDENT DES ÉTATS-UNIS.

Vous connaissez quelque chose de plus nul ? Je sais qu'on ne choisit pas ses parents, mais tout de même ! Au lieu de la mère célibataire qui vit d'aides sociales ou du père criminel, moi, les parents du garçon avec qui j'ai rendez-vous sont toujours mariés et forment le couple le plus influent du pays.

Franchement, il n'y a pas de justice.

Du coup, j'ai essayé de noircir le tableau en disant à mes parents que David venait me chercher avec SA voiture (ce qui est faux, évidemment ; c'est John qui conduira puisque dans le district de Columbia, il faut avoir dix-huit ans pour passer le permis et David n'en a que dix-sept). Puis je leur ai annoncé que David m'avait proposé de dîner en TÊTE À TÊTE avant de nous rendre à la fête (encore une fois, ce n'est pas tout à fait vrai ; David ne se déplace pas sans garde du corps).

Mais ni mon père ni ma mère n'a tiqué. Sous prétexte que David est le fils du président, ils lui font confiance ! Jamais ils ne laisseraient Lucy aller à une fête seule avec Jack, sans des heures d'affrontement. Et s'ils ont capitulé aussi vite, c'est parce qu'ils savaient que je serais là... ainsi que David et son garde du corps. Mais tout de même ! Moi ! Sa petite sœur ! Celle qu'ils considèrent comme sérieuse. Malgré toutes mes tentatives pour les convaincre du contraire – m'habiller tous les jours en noir, vendre mes portraits de stars –, ils persistent à penser que je suis, de leurs deux filles, celle sur qui ils peuvent compter !

Et laissez-moi vous dire qu'avoir sauvé le président puis être nommée ambassadrice des Nations unies pour la jeunesse n'a pas arrangé mes affaires.

Et si je cessais de travailler en allemand, histoire d'avoir une note pire que le mois dernier ?

Vu le comportement de mes parents ces derniers temps, il est tout à fait possible qu'ils disent : « Sam a eu un avertissement en allemand, ce mois-ci. C'est adorable, n'est-ce pas ? »

Bref, le soir de la fête, ils ont mis à exécution leur menace : dès que David a sonné, ils se sont postés dans le salon, l'appareil photo prêt à servir. Catherine était arrivée et déjà repartie. Après être passée entre les mains de Lucy, qui l'avait transformée en gravure de mode, elle avait rejoint Paul aux jeux d'arcade. Ils devaient nous retrouver un peu plus tard chez Kris.

— S'il te plaît, pardonne-leur, ils ne savent pas ce qu'ils font, ai-je glissé à David tandis que je lui ouvrais la porte.

David, qui portait un jean et un sweat-shirt noir, a paru légèrement inquiet, mais après avoir vu mes parents, il s'est détendu.

— Oh, a-t-il fait, comme s'il avait l'habitude que les parents des filles avec qui il sortait l'attendent avec un Olympus à la main. Bonsoir, monsieur et madame Madison.

Histoire de me mettre encore plus dans l'embarras,

Manet, tout excité à l'idée de rencontrer quelqu'un de nouveau, a surgi de la cuisine et a enfoui son museau entre les jambes de David.

— Je suis désolée ! me suis-je exclamée en écartant Manet.

David lui a donné une tape sur la tête.

— C'est bon, a-t-il dit. J'aime beaucoup les chiens.

Puis, ça a été au tour de Lucy : elle a descendu l'escalier dans sa tenue de soirée avec des allures de grande star, et a lancé :

— Oh, David, c'est toi ! Je pensais que c'était mon fiancé, Jack. Tu feras sa connaissance à la fête. Je suis sûre que vous allez vous entendre. Jack est un artiste, lui aussi.

Rebecca enfin est arrivée. Elle a observé David puis elle m'a regardée et a dit : « Oui. On peut parler de frisson », avant de regagner sa chambre à l'étage.

Si ma famille avait décidé de me faire honte, elle n'aurait pas agi autrement.

Une fois dehors, à l'abri de leurs remarques, David m'a demandé :

— C'est quoi, cette histoire de frisson ?

— Ha ! Ha ! Ha ! me suis-je esclaffée. Je ne sais pas. Ça doit être quelque chose qu'elle a appris à l'école.

David a froncé les sourcils.

— Je vais à la même école qu'elle, et je n'en ai jamais entendu parler.

Il fallait vite que je change de sujet ! Du coup, j'ai

poussé de hauts cris en arrivant près de la voiture. Si je n'avais pas suivi tous les conseils de Lucy – je portais mes vêtements, une jupe noire qui m'arrivait aux mollets, mes Doc et un pull qui, s'il avait un col en V, était noir –, je me rappelais quelques-unes de ses remarques, dont celles concernant la voiture du garçon. « Extasie-toi sur sa voiture. Les garçons sont obsédés par leur voiture. »

Sauf que ça ne devait pas s'appliquer à tous les garçons car après m'avoir laissé manifester mon amour pour les berlines à quatre portes, David m'a observée d'un air dubitatif et a dit :

— Euh... Elle n'est pas à moi, tu t'en doutes bien. Elle appartient aux services de sécurité.

— Oh, ai-je fait.

C'est alors que j'ai aperçu John, accoudé à la portière. Une voiture quasi identique était garée quelques mètres plus loin, avec deux agents des services de sécurité assis à l'intérieur.

J'ai senti qu'une explication était nécessaire.

— C'est ma sœur qui m'a dit que les garçons adoraient quand les filles s'extasient sur leur voiture.

— Oui, ça ne m'étonne pas. Elle a bien le genre.

À ce moment-là, un reporter a brusquement bondi vers nous en criant : « Samantha ! David ! Ils sont là ! », et nous a mitraillés avec son appareil photo.

Je n'ai pas vu ce qui se passait après à cause des flashs qui m'éblouissaient, mais j'ai entendu une voix grave dire : « Je garde ça », puis le bruit d'un objet qu'on écrase. Une minute après, quand j'ai ouvert les yeux, je me suis rendu compte que la voix grave appartenait à l'un des gardes du corps. Il remontait dans la voiture garée derrière celle de David. Le reporter, lui, se tenait à quelques mètres de nous, sur le trottoir d'en face, l'air triste, son appareil photo en pièces entre les mains. Il marmonnait quelque chose sur la liberté de la presse.

John a ouvert la porte de la première berline et a dit, gêné :

— Je suis désolé pour ce qui vient de se passer.

Je me suis installée à l'arrière sans un mot. De toute façon, qu'est-ce que j'aurais pu dire ?

David est monté de l'autre côté et a fermé la portière. L'intérieur de la voiture était très propre et sentait le neuf. Je déteste l'odeur des voitures neuves. J'ai songé à baisser la vitre et puis j'ai renoncé. Il faisait trop froid.

John s'est glissé derrière le volant.

— Prêts à partir ? a-t-il demandé.

— Moi, oui, a répondu David en me jetant un coup d'œil. Et toi ?

— Euh... oui.

— C'est bon, a déclaré David.

— Parfait. On y va alors, a répliqué John.

Au moment où la voiture démarrait, j'ai détourné la tête : mes parents se tenaient sur le perron de la maison et nous faisaient signe. Comme nous prendre en photo, David et moi, était manifestement interdit, un reporter qui avait réussi à échapper à la vigilance des services de sécurité, s'était rabattu sur eux. Il ne restait plus qu'à espérer qu'ils apprécient de se voir à la une de *USA Today* ou d'un autre journal du même genre.

À l'intérieur de la voiture, le silence régnait. Un silence gênant. « Il y a trois sujets que tu peux aborder avec un garçon », m'avait expliqué Lucy, bien que je ne l'aie nullement consultée sur la question. Le premier, c'est lui. Le second : toi et lui, et le troisième, toi. Commence par lui, puis glisse lentement vers toi et lui, et enfin, amène la conversation sur toi. Et n'en bouge plus. »

Pour une raison ou pour une autre, je me sentais incapable de suivre ces conseils. Le fait que mes cris enthousiastes au sujet de la voiture soient tombés à côté de la plaque m'avait un peu refroidie. Finalement, en sortant avec le fils du président des États-Unis, je pénétrais en terre inconnue, même de Lucy, ce qui était tout dire. Bref, j'allais devoir me débrouiller toute seule.

En même temps, aussi angoissante que soit la situation, j'étais sûre de pouvoir m'en tirer convenablement. Après tout, ce n'était pas comme si j'étais avec Jack.

— Euh..., je suis désolée pour mes parents, me suis-je excusée alors que John s'engageait dans la 34e Rue.

David a éclaté de rire.

— Ce n'est pas grave. Dis-moi plutôt où tu veux aller. Tu as envie de manger quoi ?

Dans la mesure où je n'aime manger qu'une chose – des hamburgers –, je ne savais pas très bien comment répondre à la question.

— J'ai réservé dans deux, trois restaurants, a continué David. Le Vidalia, il paraît que c'est sympa, et le Four Seasons. Je ne sais pas si tu connais. Ah oui, et le Kinkead aussi, mais je crois qu'ils ne servent que du poisson...

La panique s'est emparée de moi. Des réservations ? David avait réservé dans plusieurs restaurants ? Jamais je ne trouve un plat qui me plaît dans les restaurants où il faut réserver.

Je ne sais pas si David a deviné à l'expression de mon visage que l'inquiétude me gagnait, ou si c'est mon silence qui lui a mis la puce à l'oreille, mais il s'est empressé d'ajouter :

— On peut aussi laisser tomber les réservations et aller dans une pizzeria. J'ai entendu parler d'un endroit à la mode. Ça s'appelle *Chez Luigi*.

Là où Lucy et sa bande avaient rendez-vous avant d'aller chez Kris Parks. Même si on devait tous les retrouver dans quelques heures, l'idée d'être en leur compagnie avec David, tout en sachant de quoi ils parleraient, m'a paru insupportable. En plus, Jack serait là. Comment écouter David me parler avec Jack à quelques mètres de moi ?

— Ou bien, a repris David en me jetant un autre coup d'œil, on peut aller manger un hamburger...

— Oui, ce serait parfait, ai-je aussitôt répondu en m'efforçant de donner à ma voix une certaine nonchalance.

— Très bien. Va pour les hamburgers, a déclaré David avec l'un de ses petits sourires mystérieux. John, conduis-nous chez Jake. Tu peux nous mettre aussi un peu de musique, s'il te plaît ?

— Bien sûr.

John a appuyé sur un bouton et... j'ai reconnu la voix de Gwen Stefani.

No Doubt. David était fan de No Doubt.

J'aurais dû m'en douter, bien sûr. Quand on aime Reel Big Fish, on aime No Doubt. C'est obligatoire.

En même temps, ça m'a fait bizarre que David écoute Gwen en voiture. Parce que si j'avais une voiture à moi, c'est ce que j'écouterais aussi.

Et ce qui m'a paru encore plus bizarre, c'est que mon cœur a recommencé à faire ses petits bonds. Je ne plaisante pas. Dès que j'ai entendu la voix de Gwen, il a bondi contre ma poitrine. Pas à cause de Gwen, non, mais parce que je découvrais que David aimait bien Gwen. Est-ce que c'était à ça que pensait Rebecca quand elle parlait de frisson ?

Mais comment pourrais-je frémir pour quelqu'un alors que mon cœur appartenait à un autre ? Ça n'avait aucun sens. Si j'avais demandé à David de m'accompagner, c'était pour faire plaisir à Catherine.

Et peut-être aussi pour rendre Jack jaloux. Parce que j'aimais de toutes les fibres de mon cœur le petit ami de ma sœur, et un jour, il comprendrait que c'était moi, et non Lucy, la femme de sa vie.

Alors, pourquoi je frémissais ?

Du coup, j'ai décidé d'ignorer cette curieuse sensation, et vous savez quoi ? Pendant un moment, ça a marché.

Attention, je ne dis pas que je ne me suis pas amusée. Au contraire, même. *Chez Jake*, le restaurant où on est allés, était exactement le genre d'endroit pour moi. Un boui-boui peu éclairé aux tables poisseuses. Personne ne se souciait du fait que j'avais sauvé la vie du président ou que David était son fils, parce que personne ne nous prêtait attention, à l'exception des serveuses, bien entendu, et de John et des deux agents des services de sécurité, assis à l'écart.

Je n'ai même pas eu besoin de me demander de quoi nous allions parler. David m'a raconté des tas d'anecdotes sur les touristes qui venaient visiter la Maison Blanche – il leur arrivait souvent d'oublier des objets, comme des appareils dentaires, des lunettes. Une fois, il y en a même un qui a oublié son jean ! Après ça, la conversation a suivi naturellement son cours.

Et quand les hamburgers sont arrivés, j'ai constaté avec joie qu'ils étaient légèrement brûlés sur le bord, comme je les aime, et que personne n'y avait ajouté de tomates, d'oignons ou de laitue. Quant aux frites, elles étaient croustillantes à souhait et pas grasses du tout.

David m'a ensuite raconté que, lorsqu'il était petit et qu'il devait mettre la table, il remplaçait systématiquement la fourchette et la cuillère par les couverts à salade. Et chaque fois, ses parents éclataient de rire, même s'il leur jouait le même tour tous les soirs.

Inspirée par son récit, je lui ai alors raconté qu'un jour, au Maroc, j'avais jeté toutes les cartes de crédit de mon père dans les toilettes. Catherine est la seule à être au courant. Si ce n'était pas aussi mignon que le coup des couverts à salade, ça a fait rire David quand même.

Puis, il m'a avoué qu'il en avait voulu à ses parents de l'obliger à quitter ses anciens amis quand ils s'étaient installés à Washington, D.C., et qu'il détestait Horizon. Un, tous les élèves avaient l'esprit de compétition et deux, les profs mettaient tellement l'accent sur les sciences et non les arts plastiques que ceux qui aimaient dessiner, comme lui, étaient déconsidérés.

Je lui ai dit que je vivais plus ou moins la même chose au lycée, sauf que là, c'est le sport qui est mis en valeur. Je lui ai raconté aussi que j'avais dû suivre des séances d'orthophonie, et que tout le monde se moquait de moi. Et puis, de fil en aiguille, je lui ai parlé de mes portraits de stars, qui m'avaient valu une mauvaise moyenne en allemand et mon inscription aux cours de Susan Boone.

C'est à ce moment-là que les genoux de David ont rencontré les miens sous la table. Il s'est aussitôt excusé et a replié les jambes. Puis, cinq minutes après, ils sont de nouveau entrés en contact avec les miens.

Sauf que cette fois, David n'a pas bougé. Ni ne s'est excusé. Je ne savais comment réagir. Lucy n'avait pas mentionné ce genre d'incident dans la liste des choses susceptibles de m'arriver.

Mais j'ai senti que le frisson revenait. On aurait dit que je prenais brusquement conscience que David était un garçon. Bien sûr, je l'ai toujours su, mais quand ses genoux ont touché les miens – et n'ont pas bougé –, ça m'a fait un choc.

Et ce n'est pas tout ! Je ne savais plus quoi dire, je n'osais plus croiser son regard non plus, comme si ses yeux étaient trop verts. Sans compter que j'avais soudain trop chaud.

Bref, je ne comprenais pas ce qui m'arrivait. La seule chose dont j'étais sûre, c'est que je n'avais rien ressenti de tel avant que ses genoux ne rencontrent les miens. Du coup, je me suis légèrement écartée en me disant que, si je brisais le contact, les choses iraient peut-être mieux.

Ça a été plus ou moins le cas, car David m'a regardée, sans sourire cette fois, et a dit :

— Ça va ?

— Bien sûr ! ai-je répondu d'une voix bien plus aiguë que d'habitude. Pourquoi tu me demandes ça ?

Il a observé mon visage de ses yeux verts d'une manière que j'ai trouvée alarmante.

— Je ne sais pas. Tu es... toute rouge.

C'est alors que j'ai eu la brillante idée de jeter un coup d'œil à ma montre.

— Oh, mon Dieu ! Tu as vu l'heure ? On ferait mieux de partir maintenant si on ne veut pas être en retard.

J'ai alors eu l'impression que David se serait bien passé de la fête. Moi pas. Je voulais y aller, et vite. Parce qu'une fois là-bas, je serais débarrassée de ce frisson.

Et parce qu'à la fête, il y aurait Jack.

18

— Ah ! Vous êtes venus ! a dit Kris Parks quand elle
a ouvert la porte et qu'elle nous a vus sur le perron.

En fait, elle ne l'a pas vraiment dit. Elle l'a hurlé.

J'aurais dû m'en douter. J'aurais dû le savoir qu'ils
réagiraient tous de la même manière.

Dans la voiture, alors qu'on était en chemin, David
m'avait demandé qui organisait cette fête. Mes explications ne devaient pas être très claires – la raison
tenant essentiellement au frisson que je continuais
toujours d'éprouver –, car il avait déclaré :

— Attends, laisse-moi récapituler. Cette fête est
organisée par une fille que tu n'aimes pas, et qui a
par ailleurs invité des gens que tu ne connais pas.
Pourquoi y allons-nous, dans ce cas ?

Quand je lui ai confié que c'était à cause de ma

meilleure amie Catherine, il s'est contenté de hausser les épaules et de lâcher un vague : « O.K. »

Même s'il n'a rien laissé paraître quand tout le monde s'est tu à notre arrivée, puis s'est mis à parler à voix basse, j'ai deviné qu'il savait. Et pas seulement à cause du frisson, mais à cause de son petit sourire qu'il affichait de nouveau... comme s'il se retenait de ne pas éclater de rire. Oui, c'est ça : il se retenait de ne pas éclater de rire devant tous ces crétins du lycée qui ne le quittaient pas des yeux.

Au moins, lui, il pouvait en rire, tandis que moi, je n'avais guère d'autre choix que rougir. Ce que je ne comprenais pas, c'est pourquoi ? Après tout, je n'éprouvais rien pour ce garçon. Je l'aimais bien comme un copain, c'est tout.

— Je me présente : Kris, a dit Kris en tendant la main à David.

Elle portait une robe en jean super-courte, comme en plein été.

David a serré la main de la fille qui tous les jours faisait de ma vie un enfer.

— Bonsoir.

— Jamais je ne te remercierai assez d'être venu, a continué Kris. C'est un honneur pour moi de faire ta connaissance. Ton père dirige tellement bien ce pays. Tu sais, j'étais trop jeune pour voter, mais j'ai distribué des tracts en son nom.

— Merci, a répondu David, toujours en souriant mais en donnant de plus en plus l'impression qu'il aimerait bien récupérer sa main. C'est très gentil de ta part.

— Sam et moi sommes les meilleures amies de la terre. Elle te l'a dit ? Depuis la maternelle.

Quel toupet ! Je n'en revenais pas. J'ai failli intervenir et rectifier ce mensonge, mais Catherine est arrivée sur ces entrefaites.

— Qu'est-ce que je suis contente que vous soyez là, a-t-elle murmuré à mon oreille. Tu ne peux pas imaginer. Personne ne nous a adressé la parole, à Paul et à moi. Je suis tellement gênée ! Qu'est-ce que va penser Paul ?

J'ai jeté un coup d'œil à Paul. Que personne ne leur parle ne semblait pas du tout l'embêter. Il couvait Catherine des yeux. Il faut dire qu'avec son jean noir et son top en soie, elle était adorable.

Je me suis tournée vers David – il avait enfin réussi à se débarrasser de Kris – et je lui ai demandé :

— Tu veux un Coca ou autre chose ?

— Pardon ? a-t-il fait en portant une main à son oreille tellement la musique – du ska, évidemment – était forte.

— Coca ?

— Oui ! J'y vais !

— Non, laisse ! Je m'en occupe !

À quelques pas de nous, le dos contre le mur, John cherchait à se faire le plus discret possible.

— J'en prends un aussi pour John, ai-je ajouté. Ne bouge pas. Je reviens.

Je me suis frayé un passage à travers la foule en direction du buffet, ou du moins de là où je pensais qu'il devait être, vu le monde qui s'entassait dans ce coin de la pièce. Je dois avouer qu'échapper un moment à David ne me déplaisait pas trop. C'était tellement bizarre ce qui se passait entre nous. Je ne sais pas exactement de quoi il s'agissait, mais j'étais certaine d'une chose : je n'aimais pas ça.

Alors que j'avançais tant bien que mal au milieu de tous ces gens qui parlaient fort, qui riaient et qui bougeaient dans tous les sens, je me suis dit : « Est-ce que c'est ça que j'ai raté en ne faisant pas partie de leur bande ? Des maisons bruyantes, des êtres odieux et une musique qui braille tant qu'on ne peut même pas comprendre les paroles ? Franchement, je préfère passer la soirée à regarder *Nick et Nite* à la télé en mangeant une tranche napolitaine ! »

Une fois arrivée au buffet, je n'ai trouvé que des jus de fruits et de la bière.

Après avoir appris qu'il y avait du Coca dans le réfrigérateur de l'office, la pièce attenante à la cuisine, j'ai recommencé à jouer des coudes et je suis enfin arrivée à destination.

Ma sœur et Jack s'embrassaient, adossés à une porte.

En me voyant, Lucy a poussé un cri.

— Tu es là ! Comment ça se passe ? Où est David ?

— Dans le salon. Je suis venue prendre des Cocas.

— Idiote ! a lâché Lucy. Ce n'est pas à toi de le faire. C'est lui qui est censé t'apporter à boire. Enfin bref... Ne bouge pas. Je vais chercher les filles.

Par filles, elle voulait dire le reste de la bande des pompom girls.

— Lucy, s'il te plaît, ai-je murmuré. Pas ce soir.

— Oh, ne sois pas rabat-joie ! Reste là avec Jack. Je reviens tout de suite. Il y a quelques personnes ici qui meurent d'envie de rencontrer le fils du président...

Et avant que j'aie le temps de répondre, elle s'est sauvée et m'a laissée seule avec Jack.

Il me regardait d'un air songeur par-dessus le rebord du verre en plastique qu'il venait de vider d'un trait.

— Alors, a-t-il fait. Comment ça se passe ?

— Bien, ai-je répondu. Très bien, même. Mardi soir, chez Susan Boone, on a dessiné un rosbif, et tu sais quoi ? C'était génial. Je n'avais jamais vraiment regardé un morceau de viande avant. Il y a des tas de choses...

— Formidable, a déclaré Jack sans se rendre compte qu'il me coupait la parole. Tu as reçu mon tableau ?

Je l'ai regardé en fronçant les sourcils.

— Quel tableau ?

— Celui que je propose pour l'exposition *De ma fenêtre.*

— Oh ! Non. Enfin, je ne sais pas. Mais je suis

sûre qu'il est arrivé. Je ne l'ai pas vu, c'est tout. D'ailleurs, je n'en ai vu aucun.

— Tu vas adorer, a repris Jack. Ça m'a pris trois jours. C'est mon plus beau tableau.

Il me l'a alors décrit dans les moindres détails. C'est à ce moment-là que David est apparu dans l'encadrement de la porte.

Mon visage s'est aussitôt éclairé. Je n'ai rien pu y faire. Même si l'objet de mon affection se tenait à mes côtés, j'étais contente de voir David. Sans doute à cause de son histoire de couverts à salade. En tout cas, ça n'avait rien à voir avec un quelconque frisson. Rien à voir du tout.

— Hé ! a lancé David, son habituel sourire aux lèvres. J'avais peur que tu aies disparu !

— David, je voudrais te présenter le copain de ma sœur, Jack. Jack, voici David.

Jack et David se sont serré la main. Je me suis aperçue à ce moment-là que, mis à part la taille et la couleur des cheveux, ils ne pouvaient pas être plus différents l'un de l'autre : Jack avait les cheveux longs jusqu'aux épaules, un treillis et un immense sweat noir. Les cheveux de David ne dépassaient pas l'encolure de sa chemise et il s'habillait de manière beaucoup plus classique.

— David est avec moi au cours de dessin de Susan Boone, ai-je dit, histoire de briser le silence gênant qui avait immédiatement suivi les présentations.

Jack a écrasé son verre dans le creux de sa main.

— Tu veux parler de ton cours de conformité ?

David a sursauté. Pas étonnant. Jack est quelqu'un de très intense. Il faut un peu de temps pour s'habituer à lui.

— Non, Jack, en fait, ce n'est pas du tout ça, me suis-je dépêchée d'affirmer. Je me suis complètement trompée sur Susan Boone. Elle veut juste nous apprendre à dessiner ce qu'on voit avant de nous laisser libres de travailler comme on l'entend. On doit d'abord connaître les règles pour pouvoir ensuite les transgresser.

— Quoi ? s'est exclamé Jack en me dévisageant.

— Si, si, Jack. Tiens, prenons Picasso, par exemple. David m'a expliqué que Picasso avait passé des années à dessincr tout ce qu'il voyait, et ce n'est qu'une fois qu'il a maîtrisé sa technique qu'il a commencé à expérimenter la couleur et la forme.

— Ça me renverse que tu adhères à ce genre de foutaises pédago, Sam, a-t-il lâché, avec un geste de mépris.

— Pardon ? a fait David.

Jack l'a toisé en haussant les sourcils.

— Je nc crois pas m'être adressé à toi, monsieur le fils du président.

— Jack ! me suis-je exclamée, choquée.

Jack est un grand artiste et, en tant que tel, il possède en lui une énergie créatrice qui peut parfois être fatigante (je suis bien placée pour le savoir. Mais ce n'est pas une raison pour être grossier).

— Qu'est-ce qui t'arrive ?

— Qu'est-ce qui m'arrive ? a-t-il répété en éclatant de rire, bien qu'il ne donne pas l'impression de trouver la situation très drôle. Là n'est pas la question. La question, c'est plutôt de savoir ce qui t'arrive, Sam. Tu n'avais besoin de personne pour penser avant. Et maintenant, te voilà en train de faire l'éloge de ces foutaises de « dessine ce que tu vois », comme si c'était un message des dieux inscrit sur une tablette en pierre. Depuis quand ne mets-tu plus en doute l'autorité ? Depuis quand faut-il te dire ce qu'est le processus de la création et comment il fonctionne ?

Je n'en revenais pas de son discours. Pourtant il l'avait toujours tenu.

— Personne ne décide à ma place, Jack, ai-je commencé.

Mais Lucy m'a interrompue en surgissant brusquement dans la pièce, avec sa bande de pompom girls, couvertes de paillettes.

— Salut tout le monde ! David, je voudrais te présenter mes amies.

J'ai tourné le dos à ma sœur. Je voulais que Jack comprenne.

— Jack, ai-je repris, j'ai regardé dans des livres. David a raison. Picasso était un virtuose de la technique avant de se lancer dans un travail plus personnel...

— David, m'a coupée Jack en roulant des yeux.

Oh, oui, je suis sûr que David sait tout sur l'art. Parce que je suis sûr que David a déjà exposé.

Lucy nous a observés à tour de rôle, puis, quand elle a pris la parole, c'est à Jack qu'elle s'est adressée :

— Comme toi, tu veux dire ?

Avez-vous déjà vu une fille soutenir aussi peu son petit ami ?

— Oui, a répondu Jack. Il se trouve que mes tableaux ont été exposés...

— Dans la galerie marchande, a-t-elle fait remarquer.

Jack n'a pas relevé et m'a regardée intensément. Je sentais ses yeux bleu pâle qui me sondaient.

— Tu sais quoi, Sam ? a-t-il enfin déclaré. J'ai l'impression que ce n'est pas ton poignet que tu t'es cassé le jour où tu as sauvé la vie du père de ton copain, mais ton cerveau.

— O.K., est intervenu David, cette fois tout sourire absent de son visage. Écoute, gros lard, je ne sais pas quel est ton problème, mais...

— Mon problème ! s'est écrié Jack en le menaçant du poing. Ce n'est pas moi qui ai un problème, gros lard toi-même ! C'est toi qui acceptes que ton individualité soit sapée par...

— C'est bon ! a lancé Lucy d'une voix lasse, avant de se glisser entre Jack et David et de poser les deux mains sur le torse de Jack. Tu sors maintenant, Jack.

Jack a baissé les yeux vers elle. On aurait dit qu'il venait de s'apercevoir de sa présence.

— Mais... Lucy, c'est lui qui a commencé.

— Oui, oui, je sais, a-t-elle répondu en poussant Jack vers la porte qui menait au jardin. On va sortir gentiment tous les deux pour respirer un peu d'air frais. Tu as bu combien de bières ?

Deux minutes plus tard, on était seuls, David et moi.

— Qu'est-ce qui lui a pris, à ce type ? m'a demandé David.

Par la fenêtre, je voyais Jack qui gesticulait comme un fou. Il cherchait sans doute à expliquer à Lucy son point de vue.

— Il n'est pas méchant, ai-je murmuré. Il a juste l'âme d'un artiste.

— Oui, et le cerveau d'un orang-outan.

Je l'ai foudroyé du regard.

— Jack Ryder a énormément de talent. Et c'est un rebelle. Un radical. Sa peinture ne reflète pas seulement l'état critique de la jeunesse des villes d'aujourd'hui. Elle exprime l'apathie de notre génération et l'absence de rectitude morale.

David m'a considérée longuement, mi-étonné, mi-troublé.

— Est-ce que tu apprécies ce garçon, Sam ? m'a-t-il enfin demandé.

Les amies de Lucy, qui nous observaient – et nous écoutaient –, ont frémi. J'ai senti que mes joues s'empourpraient. J'avais encore plus chaud qu'au restaurant.

Mais curieusement, je ne savais pas si je rougissais à cause de la question de David ou de son regard. Je ne plaisante pas. À nouveau, je n'osais pas rencontrer ses yeux verts. Quelque chose en eux... mais quoi ?... me mettait terriblement mal à l'aise.

Naturellement, je ne pouvais pas lui répondre la vérité. Pas avec toute l'équipe des pompom girls dans mon dos.

Du coup, j'ai dit :

— C'est le copain de ma sœur, pas le mien.

— Je ne t'ai pas demandé de qui il était le petit copain, mais si tu l'appréciais, a insisté David.

J'ai essayé de lutter de toutes mes forces mais en vain. Quelque chose m'a fait lever les yeux...

L'espace d'une minute, j'ai cru que je me trouvais en présence d'un garçon que je ne connaissais pas. David n'était plus le fils du président des États-Unis, mais un garçon curieux et super-mignon, qui suivait le même cours de dessin que moi, écoutait la même musique et aimait bien mes Doc. C'était comme si je le voyais – je veux parler du vrai David – pour la première fois.

J'étais troublée, j'avais les mains moites et mon cœur battait la chamade.

J'ai alors ouvert la bouche pour répondre quelque chose, mais je n'en ai pas eu le temps. Une voix a brusquement retenti.

— Enfin, je vous ai trouvés !, et Kris Parks s'est plantée devant nous, avec une soixantaine de personnes au moins dans son sillage qui, nous a-t-elle expliqué, brûlaient d'envie de rencontrer le fils du président des États-Unis.

David a alors joué son rôle à la perfection et sans le moindre regard pour moi, il a serré la main de chacune d'elles.

19

— Ce n'est pas ta faute si tu es amoureuse de Jack !
a déclaré Catherine.

Elle était allongée sur le futon, j'étais dans mon lit,
avec Manet, couché en boule, à mes côtés.

— Tu as rencontré Jack en premier, a-t-elle continué tandis que l'obscurité de la nuit nous enveloppait.
Qu'est-ce que croit David ? Que tu allais attendre
qu'il arrive sur son cheval blanc, tel le prince charmant ? Tu n'es pas Cendrillon !

— À mon avis, David pensait que si je l'invitais à
une fête, c'est parce que je l'aimais, lui, et pas un
autre, ai-je déclaré en fixant le plafond.

— Excuse-moi, mais c'est un peu dépassé.

Depuis qu'elle avait eu son premier rendez-vous
amoureux, rendez-vous qui s'était plutôt bien déroulé
– Paul l'avait embrassée pour lui souhaiter une bonne

nuit, et « sur la bouche », s'il vous plaît –, Catherine estimait être une experte en amour. La seule chose qui l'inquiétait, c'est que ses parents l'apprennent. Non pas son histoire avec Paul, mais qu'elle soit allée à une fête, en jean noir de surcroît.

— Tu es jolie et pleine de vie, a-t-elle repris. Personne ne peut s'attendre à ce que tu ne connaisses qu'un seul homme dans ta vie. En plus, à quinze ans, ce serait ridicule de jeter son dévolu sur un seul garçon.

— Surtout quand le garçon en question est amoureux de ma sœur, ai-je fait remarquer avec un rire sarcastique.

— Jack pense qu'il aime Lucy, nous le savons très bien toutes les deux. Ce qui s'est passé ce soir prouve qu'il a enfin compris à quel point tu comptais pour lui. Pourquoi aurait-il agressé David ? Il ne supporte pas de te voir avec un autre garçon, c'est clair !

— Je crois plutôt que c'est parce qu'il a bu trop de bières.

— Faux, a répondu Catherine. Enfin, peut-être que les bières ont joué un rôle, mais je suis sûre qu'il s'est senti menacé. Menacé par ce qu'il a perçu de ton bonheur avec un autre.

J'ai roulé sur le côté – dérangeant Manet au passage –, et j'ai scruté la silhouette de Catherine dans le noir.

— Est-ce que tu as lu le *Cosmo* de Lucy ?

— Euh... oui, a avoué Catherine. Elle l'avait laissé dans la salle de bains.

J'ai roulé dans l'autre sens et j'ai recommencé à fixer le plafond. Comment faire le point sur la soirée alors que ma seule interlocutrice débitait des conseils piochés dans les pages des magazines féminins de ma sœur ?

— Est-ce qu'il t'a embrassée quand vous vous êtes dit au revoir ? m'a demandé Catherine timidement. Je veux dire, David ?

Ben voyons ! Comme si David était d'humeur à m'embrasser après la scène avec Jack. En fait, il m'avait à peine adressé la parole pendant le restant de la soirée, préférant la passer à faire la connaissance des élèves du lycée. Il ne semblait éprouver aucune gêne d'être ainsi le centre d'attention, et donnait même l'impression de bien s'amuser. Il faut dire qu'à chacun de ses bons mots, Kris Parks et ses amies hurlaient de rire.

Ce n'est que vers onze heures et demie – Theresa, qui faisait du baby-sitting pendant que mes parents étaient à un dîner, nous avait donné la permission de minuit – qu'il m'a rejointe. J'étais assise toute seule dans un coin du salon. Je feuilletais les magazines de décoration de la mère de Kris tout en essayant d'ignorer les gens qui venaient me demander un autographe ou la permission de signer mon plâtre.

— Prête ? a dit David.

J'ai hoché la tête et je suis allée prévenir Catherine

qu'on partait. Puis j'ai cherché Kris des yeux – je n'ai pas eu à la chercher bien longtemps, elle n'avait pratiquement pas quitté David de la soirée. Après l'avoir remerciée, j'ai suivi David et John jusqu'à la voiture.

Cleveland Park n'est pas très loin de Chevy Chase, où habite Kris, mais le trajet m'a paru interminable. Personne ne parlait. Au bout d'un moment, John a heureusement pensé à mettre Gwen Stefani.

Mais, pour la première fois de ma vie, la voix de Gwen n'a pas eu sur moi le même effet que d'habitude, c'est-à-dire me rendre heureuse. J'étais triste et je ne savais pas pourquoi. D'accord, David savait que j'aimais Jack. Et alors ? La belle affaire ! Est-ce que c'est défendu par la loi d'être amoureuse du petit ami de sa sœur ?

Lorsqu'on est enfin arrivés devant chez moi, le silence était carrément oppressant. Je me suis tournée vers David, et j'ai dit :

— Merci d'être venu avec moi chez Kris.

À ma grande surprise, il a ouvert la portière de son côté.

— Je t'accompagne.

J'avoue que la perspective de passer encore quelques minutes avec lui ne m'emballait pas trop. Je pressentais qu'il ne me laisserait pas m'en tirer à si bon compte.

Et effectivement, à mi-chemin, il s'est arrêté et a lâché :

— Tu t'es payé ma tête ce soir, n'est-ce pas, Sam ?

Je lui ai jeté un coup d'œil.

— Moi ? ai-je fait. Comment ça ?

— Je pensais que tu étais différente. Je pensais que tu étais vraiment... Je ne sais pas. Sincère. Et finalement, je m'aperçois que tout ça n'était qu'un stratagème de ta part pour attirer un garçon.

Je me trouvais alors en bas des marches du perron, avec la lumière de la véranda en plein dans les yeux.

— Que veux-tu dire par là ?

— Ce n'est pas pour ça que tu m'as invité à cette fête ? Sois franche, Sam. Cela n'avait rien à voir avec ton amie que tu voulais soi-disant aider. Tu t'es servi de moi pour rendre ce Jack jaloux.

— C'est faux ! ai-je crié en espérant que lui aussi serait aveuglé par la lumière de la véranda. Comme ça, il ne verrait pas mes joues en feu. David, c'est..., c'est... C'est ridicule.

— Je ne crois pas.

On se tenait devant la porte d'entrée. David continuait de me dévisager.

— Dommage, a-t-il ajouté. Je pensais que tu n'étais pas comme les autres filles.

Et avec un mouvement poli de la tête et un simple « Bonsoir », il m'a tourné le dos et s'est dirigé vers la voiture. Il ne s'est même pas retourné.

Comment pouvais-je lui en vouloir ? J'imagine que ce devait être horrible de découvrir que la personne qui vous a invité à une soirée en aime un autre. En même temps, j'avais juste demandé à David de m'accompagner à une fête, pas de m'épouser ! Ce n'était peut-être pas nécessaire d'en faire tout un plat. Et cette histoire de s'être trompé sur mon compte ? Que je n'étais pas comme les autres filles qu'il connaissait ? Combien de filles connaissait-il d'abord qui avaient sauvé la vie de son père ? Je suis sûre qu'il ne devait pas y en avoir beaucoup.

En tout cas, la soirée n'avait pas été ratée pour tout le monde. Catherine avait profité de ma soudaine célébrité pour se faire des amis et parler à des tas de gens. Elle exultait. Tous ses rêves se réalisaient. Elle m'avait même confié qu'elle était invitée à une autre fête, le week-end prochain.

— Tu sais, a-t-elle brusquement déclaré. Je suis sûre que Jack était jaloux.

J'ai redressé la tête.

— Tu crois ?

— Oui. Je l'ai entendu raconté à Lucy qu'il trouvait David pompeux et que tu méritais mieux.

Pompeux ? David était la personne la moins pompeuse que je connaissais. Qu'est-ce que voulait dire Jack, exactement ?

Lorsque j'ai fait part de mes réflexions à Catherine, elle s'est raclé la gorge et a répondu :

— Sam, il me semble que c'était ça que tu voulais. Faire en sorte que Jack comprenne que tu es une fille séduisante et que des tas de garçons te tournent autour.

Bien que j'admette que ce soit la vérité, je n'aimais

pas trop l'idée que quelqu'un – y compris mon âme sœur – dise du mal de David. Parce que David était quelqu'un de bien.

Sauf que je ne voulais pas y penser. Au fait que David soit quelqu'un de bien alors que je l'avais si mal traité. Ce genre de comportement, c'était bon pour les lectrices de *Cosmo*, pas pour une adepte de *Art in America* comme moi.

Comme je savais que je n'arriverais pas à trouver le sommeil tout de suite, et que Catherine venait de s'endormir, j'ai attrapé ma lampe torche et j'ai ouvert le livre que le porte-parole de la Maison Blanche m'avait remis sur la vie des premières dames des États-Unis.

Dix faits peu connus concernant Dolley Payne Todd Madison, épouse du quatrième président des États-Unis d'Amérique :

10. Elle écrivait son nom Dolley et non Dolly.

9. Née en 1768, elle a été élevée dans une famille de Quaker, ce qui signifie qu'elle ne portait ni bonnets ni vêtements de couleur, comme l'imposait la tradition quaker.

8. Son premier mari, un avocat quaker, est mort de la fièvre jaune.

7. Après avoir épousé en secondes noces James Madison, en 1794, Dolley a tenu le rôle de « première dame non officielle » pendant la présidence de Thomas Jefferson, qui était veuf.

6. C'est apparemment à cette époque que Dolley a dû se dire que Dieu se fichait bien qu'elle porte ou non des couleurs vives, car on la décrit arborant un turban doré avec une plume d'autruche lors du bal d'investiture de son mari.

5. La preuve que Dolley a abandonné les us et coutumes quaker : durant la présidence de son mari, elle est devenue la femme la plus populaire de la société de Washington. Elle était célèbre pour ses soirées du mercredi où elle recevait politiciens et diplomates. Ces réceptions aidèrent à calmer les tensions entre les fédéralistes, qui professaient les idées de nos républicains, et les républicains qui, eux, professaient celles de nos démocrates.

4. Pendant la guerre de 1812, Dolley a non seulement sauvé le portrait de George Washington mais des centaines de documents hyperimportants en les glissant dans des malles. La veille de l'attaque par les Anglais, elle a rempli une charrette d'argenterie et d'autres objets de valeur et les a envoyés à la Banque du Maryland qui les a gardés, ce qui prouve son courage et son sens de l'initiative.

3. Cependant, en 1814, quand tout ça est arrivé, la majorité des citoyens américains n'ont pas su apprécier l'action de Dolley parce qu'ils en vou-

laient à son mari d'avoir déclaré la guerre. Résultat, quand Dolley est allée frapper chez ses voisins, alors que la Maison Blanche brûlait, et leur a demandé l'hospitalité, ils la lui ont refusée. Elle n'a trouvé un lieu où se réfugier qu'en mentant sur son identité.

2. Comme si ce n'était pas suffisant, l'un de ses fils s'est révélé être un débauché qui, par ses dépenses démesurées, a failli ruiner la famille.

Mais ce que personne ne sait sur Dolley Madison, c'est :

1. Qu'elle n'était pas très belle.

20

La semaine suivante, comme le cours de dessin du jeudi sautait à cause de Thanksgiving, j'ai pris la décision de présenter mes excuses à David à la leçon du mardi. Même si Catherine m'assurait que je n'avais rien à me reprocher et que je partageais plus ou moins son avis, une petite voix en moi me certifiait le contraire. De toute façon, c'était la moindre des choses. De m'excuser, je veux dire. Je pensais même proposer à David d'aller au bowling avec Catherine et Paul, le vendredi soir, histoire d'enterrer l'affaire. Comme Lucy participait à un match ce soir-là, il n'y avait aucune chance pour qu'on tombe sur Jack. David saurait alors que c'était pour être avec lui que je l'avais invité, et non pour rendre Jack jaloux.

Je ne sais pas pourquoi je tenais autant à ce que David comprenne qu'il se trompait... que je n'étais pas comme les autres filles qu'il connaissait, que je ne cherchais à impressionner personne, et surtout pas un garçon. En particulier quand le garçon en question sortait déjà avec ma sœur. Je voulais qu'il sache que j'aimais m'habiller en noir et que les marguerites sur mes Doc étaient mon idée.

Bref, je voulais que tout redevienne comme avant.

Sauf que David n'est pas venu, le mardi. Et personne ne pouvait me dire pourquoi. Gertie et Lynn n'étaient pas ses amies. C'était moi, son amie. Était-il souffrant ? Parti plus tôt pour Camp David, où ses parents et lui devaient fêter Thanksgiving ? Impossible de le savoir.

Résultat, quand je me suis installée pour dessiner les calebasses que Susan Boone avait disposées sur la table, mon casque sur la tête pour me protéger des attaques de Joe, je me suis sentie bête.

Bête parce que j'étais déçue que David ne soit pas là. J'avais pensé que ce serait tout simple, je me serais excusée et on n'en aurait plus parlé.

Mais surtout, je me sentais bête de donner autant d'importance à cette histoire. C'est vrai, quoi ! Je n'aimais pas David. Je le trouvais sympa, mais c'est tout.

Bon d'accord, il y avait ce frisson que j'éprouvais chaque fois que j'étais en sa présence.

Mais ce n'est pas à cause de ça que j'allais oublier mes sentiments pour Jack. O.K., il s'était mal conduit chez Kris Parks. Et alors ? Ce n'était pas une raison pour ne plus l'aimer ! Quand on aime quelqu'un depuis aussi longtemps que j'aime Jack, on dépasse les comportements bizarres que peut avoir cette personne. Et ce que je ressentais pour Jack était *profond*. Tout comme je savais que ce qu'il ressentait pour moi était plus profond que ce qu'il éprouvait pour Lucy.

Sauf qu'il ne le savait pas encore.

Quoi qu'il en soit, si David pensait qu'en ne venant pas au cours de Susan Boone, il serait débarrassé de moi, il se faisait un film, comme dirait Theresa. Parce qu'en tant qu'ambassadrice des Nations unies pour la jeunesse, j'allais à la Maison Blanche tous les mercredis. Du coup, si David n'était pas encore parti pour les vacances, je profiterais de ma présence là-bas pour lui parler. Il me suffisait d'attendre que M. White, le porte-parole, soit occupé, pour partir à sa recherche.

Malheureusement, mon plan n'a pas marché, car M. White ne m'a pas lâchée de la journée. Les tableaux pour l'exposition *De ma fenêtre* n'arrêtaient pas d'arriver. Certains venaient d'aussi loin que Hawaii et d'autres de beaucoup plus près, comme Chevy Chase (le tableau de Jack). M. White croulait sous leur nombre. Il y en avait tellement qu'il ne savait plus où les mettre. Dire qu'on n'en choisirait qu'un pour l'envoyer au siège des Nations unies à New York !

Après les avoir regardés les uns après les autres, j'en ai conclu que certains tableaux étaient très mauvais, d'autres très bons et d'autres encore très intéressants.

Celui qui me plaisait le plus était d'une certaine Maria Sanchez, de San Diego. Il représentait la cour arrière d'une maison avec des draps qui pendaient à un fil. Entre les draps, qu'une brise invisible agitait, on apercevait une barrière de barbelés. Quelques personnes se glissaient à travers pour échapper à des hommes en uniforme, armés de revolvers et de matraques. Maria avait intitulé son tableau : *Terre de liberté ?* Avec un point d'interrogation.

M. White le détestait.

— Cette exposition n'a pas pour but de faire passer des messages politiques, a-t-il dit.

— Non, mais de décrire ce qu'on voit de sa fenêtre, ai-je rétorqué. Et c'est ça que Maria Sanchez voit de sa fenêtre. Elle ne fait passer aucun message politique, elle a peint ce qu'elle voyait.

En guise de réponse M. White s'est contenté de marmonner dans sa barbe. Il avait sélectionné, lui, le tableau d'Angie Tucker, de Little Isle, dans le Maine. Angie avait dessiné un phare et la mer. Sa toile était jolie, certes, mais je ne sais pas pourquoi, je n'arrivais pas à croire que c'est ce qu'elle voyait tous les jours de sa fenêtre. Un phare ? À d'autres, oui !

Pour cette raison, j'estimais que le travail de Maria était meilleur que celui d'Angie. Et, étonnement, que celui de Jack. Oh, son tableau était très réussi, comme tous les tableaux de Jack. Il montrait trois jeunes garçons, l'air blasé, sur le parking d'un 7-Eleven, des mégots de cigarettes à leurs pieds et des tessons de bouteilles de bière jonchant le sol autour d'eux, avec les éclats de verre qui étincelaient comme des émeraudes. Il décrivait parfaitement la situation critique dans laquelle se trouvaient les jeunes des villes et le désespoir de notre génération.

C'était un grand tableau. Un très grand tableau, même.

Mais il ne montrait pas ce que Jack voyait de sa fenêtre.

Je le savais, parce que le 7-Eleven le plus proche de chez Jack se trouve à plusieurs kilomètres. Jack ne pouvait pas le voir de chez lui. Il vit dans une grande maison entourée de grands arbres feuillus. Bien que je reconnaisse que la vue de sa chambre soit, disons... peu intéressante, je ne pouvais pas non plus le récompenser d'avoir triché. Aussi fort que soit mon amour pour lui, il n'influencerait pas mon jugement.

Ce qui signifiait que le tableau de Jack ne serait pas sélectionné.

M. White et moi étions dans une impasse. Rien qu'à voir sa tête, je sentais qu'il en avait assez d'entendre mes arguments et qu'il n'attendait qu'une chose : que nous en finissions avec ces tableaux. On était mercredi, c'est-à-dire la veille de Thanksgiving.

Tout à coup, j'ai eu une idée.

— Écoutez, monsieur White, que pensez-vous d'écourter notre séance de travail ? Je me disais que je pourrais aller dire bonjour à David avant qu'il parte pour le week-end...

M. White m'a foudroyée du regard.

— Nous n'écourterons rien du tout. Nous avons encore des tonnes de choses à voir. Il y a le Festival international de l'Enfance samedi prochain. Le président tient à ce que vous y assistiez...

Cette nouvelle a tout de suite retenu mon attention.

— Vraiment ? ai-je fait. Est-ce que David sera là ?

M. White a poussé un soupir. Parfois, j'ai l'impression qu'il maudit le jour où j'ai empêché Larry Wayne Rogers de tuer son patron. Non que M. White aimerait voir le président mort. Pas du tout. Mais je crois qu'il aurait été heureux d'être débarrassé de moi.

— Je ne sais pas, Samantha, a-t-il dit avec un soupir. Il y aura des représentants de plus de quatre-vingts pays, dont le président, et ce serait bien si, pour une fois, vous faisiez un petit effort, côté vestimentaire. Essayez d'avoir l'air d'une jeune fille, pas d'un Disk Jockey.

J'ai baissé les yeux sur mes Doc, mes collants noirs, mon kilt teint en noir, et mon sweat-shirt préféré.

— Vous trouvez que je ressemble à un DJ ? me suis-je exclamée, touchée par ce compliment inattendu.

M. White a roulé des yeux puis m'a demandé ce que je comptais faire de mon plâtre. Il commençait à être défraîchi. Plusieurs filles au lycée me suppliaient depuis un moment de le leur donner une fois qu'on me le retirerait. Theresa, elle, me suggérait de le vendre aux enchères sur Internet. « Tu pourrais gagner des milliers de dollars, m'assurait-elle. Ils ont bien vendu aux enchères des bouts du mur de Berlin, après sa chute. Pourquoi pas le plâtre de la fille qui a sauvé la vie du président des États-Unis d'Amérique ? »

Je n'avais pas encore pris ma décision. De toute façon, rien ne pressait. On ne me l'enlevait pas avant une semaine.

Mais je comprenais le point de vue de M. White. Le plâtre était sale et il s'effilochait par endroits, là où je l'avais mouillé (ce n'est pas facile de se laver les cheveux avec une main seulement).

— Peut-être que votre mère pourrait vous coudre une espèce de... de manchon, histoire de le cacher, m'a-t-il proposé.

Ensuite, il s'est plaint du trop grand nombre d'invités au Festival international de l'Enfance, j'ai jeté un coup d'œil à l'horloge. Il était cinq heures, l'heure de rentrer chez moi. Impossible à présent d'aller voir David. Encore une fois, je l'avais raté.

Résultat, je n'étais pas vraiment d'humeur à fêter Thanksgiving. Je me fichais même pas mal qu'on ait quatre jours de vacances. D'habitude, quatre jours sans allemand m'auraient rendue folle de joie. Mais curieusement, cette année, ça ne me faisait rien. Je ne pensais qu'à une chose : si David n'assistait pas au Festival international de l'Enfance, je ne le verrais pas avant cinq jours.

Même la vue de Theresa dans la cuisine, en pleins préparatifs pour le repas de Thanksgiving, ne m'a pas remonté le moral. Elle faisait cuire une tarte à la citrouille, sauf qu'elle n'était pas pour nous, mais pour ses enfants et petits-enfants. Comme Theresa passe toute la semaine chez nous, la seule manière pour elle d'être prête pour Thanskigiving, c'est de cuisiner à la maison. Ma mère n'y voit aucun inconvénient car on fête Thanksgiving à Baltimore, chez ma grand-mère.

— Qu'est-ce que tu as ? m'a demandé Theresa quand elle m'a vue jeter mon manteau et mon sac à dos et prendre une barre de céréales sans me plaindre.

— Rien, ai-je répondu en m'asseyant à la table.

Rebecca, qui lisait en face de moi, avait apparemment renoncé aux livres d'amour pour revenir à la science-fiction. Tout bien considéré, c'était une sage décision de sa part.

— Alors arrête de soupirer, a lâché Theresa d'un air tendu.

Theresa était toujours tendue la veille des vacances, parce qu'elle ne savait jamais avec laquelle de ses ex-femmes son fils Tito viendrait... ou s'il ne profiterait pas de l'occasion pour lui présenter sa dernière conquête. D'après Theresa, c'était plus qu'une mère ne pouvait supporter.

J'ai soupiré à nouveau et Rebecca a levé les yeux de son livre.

— Si tu es de mauvaise humeur parce que Jack

n'est pas là, ce n'est pas la peine, a-t-elle déclaré d'une voix lasse. Lucy et lui seront probablement de retour d'ici cinq minutes. Ils sont allés chercher *Die Hard*. Tu sais, la vidéo préférée de papa.

— Pourquoi le fait que Jack ne soit pas là me mettrait de mauvaise humeur ? ai-je demandé.

En voyant que Rebecca haussait les épaules, j'ai lancé, peut-être plus fort que je ne l'aurais voulu :

— Je n'aime pas Jack, tu le sais bien, Rebecca. Du moins, pas comme tu le penses.

— Oui, oui, c'est ça, a-t-elle fait en retournant à sa lecture.

— Je parle sérieusement. De toute façon, Jack est le petit copain de Lucy.

— Et alors ? a dit Rebecca en tournant une page.

— Et alors je ne l'aime pas comme tu le penses, c'est tout.

Est-ce que j'allais passer le restant de ma vie à nier mes vrais sentiments devant toutes les personnes de mon entourage ? Au lycée, ce n'était que « Sam et David » par-ci, « Sam et David » par-là. Même la presse s'y était mise, depuis notre super-« rendez-vous ». Pire, on en avait parlé aux informations. Aux informations *nationales*. Évidemment, ça n'a pas fait l'ouverture du journal de 20 heures, mais juste avant la fin, le présentateur n'a pas pu s'empêcher de dire : « Nos jeunes ne pensent pas qu'à Thanksgiving, ici, à Washington. Il semble que deux d'entre eux aient rencontré l'amour... »

C'était scandaleux ! Pas étonnant que David ne soit pas venu au cours de dessin. Des journalistes avaient envahi le quartier et, quand je m'étais frayé un passage entre eux pour rejoindre l'atelier de Susan Boone, plusieurs d'entre eux avaient crié : « Samantha ! Est-ce que vous vous êtes bien amusés, David et vous, samedi soir ? »

Ce souvenir m'a brusquement fait penser à quelque chose.

— Dis donc, Rebecca, ai-je repris. Si je suis censée aimer Jack à ce point, qu'est-ce que tu fais de cette histoire de frisson entre David et moi, hein ? Comment expliques-tu que je frémisse pour un garçon alors que j'en aime soi-disant un autre ?

— Parce que tu es complètement aveugle et ne vois pas ce qui est devant toi, a affirmé ma petite sœur avant de se replonger dans son livre.

Aveugle ? Mais de quoi parlait-elle ? Je lui ai répondu que, grâce à Susan Boone, je n'avais jamais aussi bien vu de ma vie ! N'avais-je pas dessiné le plus bel œuf de tous ses élèves ? Et mes calebasses ? Elles étaient les plus réussies du cours.

— Eh bien, peut-être que tu sais voir des œufs et des calebasses, mais tu ne sais rien voir d'autre, a déclaré Rebecca.

Je lui ai alors dit ce que seules les grandes sœurs disent à leurs petites sœurs qui se prennent pour des Mademoiselles Je-sais-tout. Lucy me l'avait assez dit.

Theresa m'a envoyée dans ma chambre juste après.

Mais je m'en fichais. De toute façon, je préférais être dans ma chambre. Si cela ne tenait qu'à moi, je n'en sortirais même jamais, vu que chaque fois que j'en sors, j'ai des ennuis. Soit je sauve des gens qui manquent de se faire assassiner, soit je me lance dans une discussion sur Picasso, soit je m'entends dire que je suis aveugle.

Bref, ma décision était prise. Je ne sortirais plus jamais de ma chambre. Et rien ni personne ne pourrait m'en empêcher.

21

J'ai quand même dû sortir de ma chambre pour aller fêter Thanksgiving chez ma grand-mère.

Mais dès notre retour, je m'y suis enfermée à nouveau. Pas pour longtemps. M. White avait laissé un message sur le répondeur pour rappeler à mes parents que ma présence au Festival international de l'Enfance était indispensable. Apparemment, si je n'y assistais pas, ce serait catastrophique.

Résultat, ma mère ne m'a pas laissé le choix : j'irais.

Je dois dire que cette histoire d'ambassadrice pour la jeunesse commençait à me barber sérieusement. C'était pire que l'allemand. Chaque fois que Jack me croisait, il me demandait : « Alors, tu as mon billet pour New York ? », qui était la récompense offerte à l'artiste dont l'œuvre avait été sélectionnée, c'est-à-dire un aller-retour pour New York, tous frais payés, plus, évidemment, la gloire et la célébrité.

Que devais-je faire, quand Jack me posait cette question ? Lui répondre : « Ha, ha... On ne sait pas encore qui est le vainqueur, Jack. » Impossible, car il me répliquerait aussi sec : « Oui, mais ça sera moi, n'est-ce pas ? » Ce à quoi je ne pouvais rétorquer que : « On verra... »

On verra. Même si je savais très bien que ce ne serait jamais lui. Comment le lui annoncer ? Je ne voulais pas être celle qui le ferait. Cette exposition comptait tellement pour lui.

Aussi, je ne disais rien. Je lui souriais et me taisais. Tandis qu'en mon for intérieur, je pleurais.

Bon d'accord, je ne pleurais pas, mais vous voyez ce que je veux dire. J'étais mal.

Bref, j'ai dû me rendre le samedi soir à la Maison Blanche pour assister à ce Festival international de l'Enfance qui consistait en un concert et un dîner. Il n'y avait même pas un seul enfant.

Quant au groupe qui animait la soirée, dans le genre branché, on faisait mieux. Le Trio des Beaux-Arts.

Mais bon, une fois qu'ils ont commencé à jouer, je me suis dit que ce serait supportable. D'accord, ça n'avait rien à voir avec No Doubt, mais ça allait. En fait, ça me faisait penser à ce qu'on écoutait chez Susan Boone.

C'était finalement la seule chose de supportable de

la soirée ! Premièrement, j'avais dû m'habiller. Sous la pression de M. White, ma mère m'avait acheté une robe chez Nordstrom.

Heureusement, elle était noire, mais malheureusement, taillée dans un velours qui grattait, sans compter qu'elle faisait ridicule avec mon plâtre à présent tout en lambeaux.

On aurait pu penser qu'assister à un concert privé à la Maison Blanche, dans le Salon vermeil, qui est en fait tout doré, en compagnie du président et de la première dame des États-Unis, du Premier ministre français et de sa femme, et de bien d'autres étrangers défenseurs des droits des enfants, aurait été excitant. Eh bien, ça ne l'était pas du tout. C'était même mortel. Des serveurs passaient entre les invités avec des coupes de champagne – du 7-Up pour les moins de vingt et un ans qui, apparemment, n'étaient qu'au nombre de un, c'est-à-dire moi – et des petits canapés.

J'ai tenté de plaisanter en disant que ce 7-Up était un grand cru, mais personne n'a ri vu que personne n'avait le sens de l'humour.

À l'exception de David, bien sûr. Je l'ai vu juste après ma petite plaisanterie. Et quand je l'ai vu, j'ai pratiquement recraché ma gorgée de 7-UP à la figure de l'ambassadeur du Sri Lanka.

Ce dernier m'a observée avec l'air de penser que j'étais folle. Mais ça valait mieux que le regard de David qui, lui, me dévisageait comme un insecte poilu qui aurait surgi au milieu de sa salade. Sa mère l'avait visiblement obligé à s'habiller lui aussi. Il portait un costume sombre et une cravate. Cette tenue lui allait très bien. Très, très bien, même. En fait, elle lui donnait un petit côté sexy.

Quand je me suis entendue penser ça, j'ai failli m'étouffer à nouveau. *David ? Sexy ?* Depuis quand je songeais à David en ces termes ? Bien sûr, je le trouvais mignon, mais... sexy ?

J'ai eu tout à coup très chaud – soit parce que je venais de prendre conscience que je trouvais David sexy, soit parce que j'étais terriblement gênée comme peut l'être une fille quand elle croise le garçon dont elle s'est servie pour rendre un autre garçon jaloux. Quoi qu'il en soit, mon visage était aussi rouge que mes cheveux. Je le sais parce que j'ai aperçu mon reflet dans l'un des nombreux miroirs dorés du Salon vermeil.

Est-ce que cela faisait aussi partie du frisson ? Si oui, je n'en voulais plus. Rebecca pouvait le reprendre, son frisson. Ça craignait autant que les petits canapés.

David, évidemment, était trop bien élevé pour me snober. Il s'est dirigé vers moi, un sourire poli aux lèvres.

— Salut, Sam, a-t-il dit. Comment vas-tu ?

J'ai réprimé ce que j'aurais voulu lui répondre – « Très mal, merci. Et toi ? » – et j'ai sorti la formule habituelle : « Très bien, merci », puisqu'il ne me paraissait pas très approprié de me lancer dans des explications devant les invités.

— Au fait, tu n'es pas venu, mardi, au cours de Susan Boone.

— Non. J'ai eu un empêchement.

— Oh !

Ce qui n'était pas du tout ce que je voulais dire. Ce que je voulais dire, c'est : David ! Je suis désolée. Je sais que je me suis très mal comportée, je sais que tout est ma faute, mais est-ce que tu pourrais, s'il te plaît, me pardonner ?

Sauf que je n'ai pas pu. Premièrement, parce que cela reviendrait à ramper – d'accord légèrement – devant lui, et deuxièmement, parce que son père s'est avancé au milieu du salon et nous a demandé de prendre place : le concert allait commencer.

Je me suis retrouvée assise derrière David, mais sur le côté. Du coup, je le voyais bien. Enfin, je voyais surtout son oreille gauche.

Mais je n'ai rien entendu du concert. J'étais bien trop préoccupée par ce qui m'arrivait. Tout en fixant l'oreille gauche de David, je ne cessais de me demander comment faire pour que ça se passe bien de nouveau entre nous. Ce qui m'étonnait, c'est à quel point j'y tenais. À ce que ça se passe bien de nouveau entre nous.

Après le concert, le président m'a présentée aux musiciens, d'abord comme la fille qui lui avait sauvé la vie puis comme l'ambassadrice des Nations unies pour la jeunesse. Le violoncelliste m'a fait un baise-main. C'était la première fois qu'un étranger embrassait une partie de mon corps. Personnellement, j'ai trouvé ça bizarre. Mais c'est sans doute parce qu'il était très âgé.

— Et que fait l'ambassadrice des Nations unies pour la jeunesse ? a demandé le pianiste.

Le président lui a parlé de l'exposition *De ma fenêtre*, puis il a ajouté en riant :

— Et elle donne du fil à retordre à Andy.

Andy est le prénom de M. White. Je ne lui donnais pas du tout du fil à retordre ! Au contraire, même. Je lui avais remis toutes mes balles rebondissantes et je ne le harcelais plus pour qu'il me montre les lettres des pervers qui m'étaient adressées.

— Apparemment, a repris le président toujours sur le même ton, il y a des désaccords entre eux sur l'œuvre qui représente le mieux les intérêts américains.

Quoi ? Je ne savais pas que le président était au courant de ce qui se passait dans le bureau du porte-parole.

— Il n'y a pas du tout de désaccord ! me suis-je exclamée, même si le président ne s'adressait pas à moi et qu'il y avait bel et bien un désaccord entre M. White et moi. Le tableau de Maria Sanchez est le meilleur. C'est lui que je choisis pour représenter les États-Unis.

Je ne cherchais pas à créer un incident diplomatique ou quoi que ce soit. Je n'avais même pas réfléchi à ce que je faisais, à savoir contredire le président.

— Si Maria Sanchez est l'artiste de ce tableau avec des étrangers en situation irrégulière, elle n'ira pas à New York, a-t-il déclaré.

Et sur ces mots, il m'a tourné le dos et a dit quelque chose au Premier ministre français qui a éclaté de rire.

J'ai alors oublié qu'une demi-heure avant, je trouvais David sexy avec son costume et sa cravate. J'ai oublié que je voulais lui présenter mes excuses et que je regrettais terriblement de l'avoir si mal traité. J'ai oublié que ma robe grattait. Je ne pensais qu'à une chose : le président m'avait nommée à ce poste d'ambassadrice soi-disant pour me remercier de lui avoir sauvé la vie...

Et j'étais contente de jouer mon rôle, même si je trouvais qu'on me sous-exploitait. Il y avait des tas de sujets bien plus importants que j'aurais pu porter à l'attention des dignitaires de ce monde que ce qu'on voit de sa fenêtre. Au lieu de passer trois heures dans le bureau du porte-parole tous les mercredis après le lycée, ou d'assister à un concert pour le Festival international de l'Enfance, j'aurais pu rappeler à tous que, dans certains pays, il est tout à fait légal que des hommes épousent des filles plus jeunes que moi – et même parfois plusieurs filles à la fois ! Qu'est-ce qu'on en faisait, de ça, hein ?

Et que dire de la Sierra Leone où l'on tranche les bras et les jambes d'adolescents et même de petits enfants en signe d'« avertissement » pour avoir cherché à se frotter aux gangs des trafiquants de diamants ? Et de ces pays où, chaque fois que des gosses veulent jouer au foot, ils risquent de sauter sur des mines antipersonnel ?

À moins que je n'aborde un problème beaucoup plus proche, comme celui des adolescents, ici, aux U.S.A., qui apportent des armes à l'école et tirent sur leurs camarades. Où trouvent-ils ces armes, et comment en sont-ils arrivés à penser que tuer des gens peut résoudre leurs problèmes ? Et pourquoi d'abord personne ne faisait rien pour les aider à comprendre qu'aller à l'école avec une arme n'est pas une bonne chose ? Pourquoi personne n'expliquait à une fille comme Kris Parks qu'il vaut mieux être tolérant dans la vie et que ça n'apporte rien de se moquer des filles qui portent des jupes longues parce que leurs mères les y obligent.

Voilà les problèmes que j'aurais voulu évoquer. Mais à la place, qu'est-ce qu'on me faisait faire ? Compter des tableaux.

Je commençais à me demander si cette histoire d'ambassadrice ne visait pas à redorer l'image du président – qui me donnait de plus en plus l'impression de se soucier davantage de son image, justement, que des jeunes de ce pays. Par exemple, en offrant un super-poste à la fille qui lui avait sauvé la vie.

Mais je n'ai rien dit de tout ça. Pourtant, j'aurais dû. Oui, j'aurais vraiment dû.

Mais autour de moi, il y avait tous ces gens – les musiciens, le Premier ministre français, l'ambassadeur du Sri Lanka, sans parler de David –, et je me sentais incapable de prendre la parole devant eux. Je n'arrivais même pas à parler aux journalistes qui m'assaillaient tous les jours pour savoir si je préférais le Coca ou le Pepsi.

Oh, je ne manquais pas d'idées, ce n'était pas ça mon problème. Mon problème, c'est que je ne me sentais pas assez sûre de moi pour les exprimer à qui que ce soit en dehors de ma famille ou de mes amis.

Cependant, il y avait une chose à laquelle je tenais : c'est que le tableau de Maria Sanchez aille à New York.

Aussi, après avoir posé ma main valide sur le bras du président, j'ai dit :

— Excusez-moi, mais ce tableau est le meilleur de tous. Peut-être ne montre-t-il pas notre pays sous son meilleur jour, mais c'est le plus réussi et le plus honnête. Il doit représenter les États-Unis à l'exposition.

Un lourd silence a suivi mon intervention.

Le président a sursauté, visiblement surpris.

— Samantha, je suis désolé, mais ce n'est pas possible. Vous allez devoir choisir une autre œuvre. Que pensez-vous de celle avec le phare ? Il exprime bien ce qu'est notre pays, vous ne trouvez pas ?

Puis, il m'a de nouveau tourné le dos et a repris sa conversation avec le Premier ministre français.

Vous savez ce qu'on dit sur les roux. Eh bien, je

n'ai pas pu empêcher ce qui est arrivé après. Je me suis entendue prononcer des mots, mais j'avais l'impression que c'était une autre fille qui parlait. Ça aurait pu être Gwen Stefani, par exemple. Ce qui est sûr, c'est que ce n'était pas moi.

— Si vous ne vouliez pas que le travail soit bien fait, alors, il ne fallait pas me nommer à ce poste, ai-je dit au président, suffisamment fort pour que les invités entendent. Je ne choisirai pas un autre tableau. Tous les autres dépeignent ce que les gens savent, tandis que celui de Maria est le seul à montrer ce qu'elle voit, tous les jours, de sa fenêtre. Il se peut que vous n'aimiez pas ce qu'elle voit, mais le cacher à nos concitoyens ne rendra pas les choses moins réelles ou ne résoudra pas le problème pour autant.

Le président m'a dévisagée comme s'il avait affaire à un esprit légèrement dérangé. Ce qui était peut-être le cas, je n'en sais rien. Ma seule certitude alors, c'est que j'étais tellement en colère que j'en tremblais.

— Est-ce que cette Maria est l'une de vos amies ? m'a-t-il demandé.

— Non, je ne la connais pas, mais je sais que son tableau est le meilleur.

— Selon vous.

— Oui, selon moi.

— Eh bien, vous allez devoir changer d'avis, car il ne représentera pas les U.S.A. à l'exposition.

Et, pour la troisième fois, il m'a tourné le dos et s'est remis à parler à ses invités.

Je suis restée silencieuse après ça. Qu'est-ce que je pouvais dire d'autre, de toute façon ?

David, qui s'était approché de moi sans que je le remarque, m'a appelée doucement.

— Sam...

J'ai levé les yeux vers lui. Je l'avais complètement oublié.

— Suis-moi, a-t-il ajouté.

Si je n'avais pas été autant sous le choc, le fait qu'il m'adresse la parole m'aurait encore plus choquée. Qu'il m'adresse la parole et essaie aussi, apparemment, de me remonter le moral. Il m'a entraînée hors du Salon vermeil pour me conduire dans la pièce où il avait gravé mon nom sur l'appui de la fenêtre, le soir où on était venus dîner.

— Sam, a-t-il repris, ce n'est pas si grave que ça. Je sais que pour toi ça l'est, mais ce n'est pas une question de vie ou de mort.

Oui, ce n'était ni la Sierra Leone ni l'Utah, et personne ne se retrouvait avec les mains tranchées ou obligé d'épouser, à quatorze ans, un homme déjà doté de trois femmes.

— N'empêche que ce n'est pas juste.

— C'est vrai, mais il faut que tu comprennes qu'il y a des tas de contraintes que nous ne connaissons pas qui doivent être prises en considération.

— Comme quoi ? Mon choix ne va pas compromettre la sécurité nationale, si ?

David a retiré sa cravate avant de répondre.

— Peut-être veulent-ils un tableau plus gai, qui montre les États-Unis sous un éclairage favorable.

— Ce n'est pas le propos de cette exposition. Elle est censée montrer ce que les jeunes voient de leur fenêtre. Le règlement ne précise pas que ce que la personne voit doit refléter positivement son pays. Je comprendrais qu'en Chine, on ne soit pas autorisé à montrer un aspect négatif de la nation, mais enfin, on vit aux U.S.A. ! Je croyais que tous les citoyens de ce pays étaient libres de s'exprimer !

David s'est assis sur l'accoudoir de la chaise où je m'étais installée.

— Ils le sont.

— Ben voyons, ai-je lâché, sur un ton sarcastique. Ils le sont tous sauf l'ambassadrice des Nations unies pour la jeunesse.

— Tu es libre de t'exprimer, Sam.

David avait parlé avec une certaine insistance, mais j'étais trop bouleversée pour en comprendre le sens.

— Tu crois que tu peux lui glisser un mot ? ai-je demandé en levant les yeux vers lui.

Comme la dernière fois où l'on était venus tous les deux dans cette pièce, David n'avait pas allumé. La seule lumière provenait de l'extérieur. Et à la lueur des éclairages bleuâtres de la Rotonde, il était impossible de lire dans ses yeux.

— À ton père, je veux dire, ai-je ajouté. Il t'écoutera, toi.

— Sam, je ne voudrais pas te décevoir, mais je ne

parle jamais de politique avec mon père. C'est une décision que j'ai prise il y a longtemps, et rien ni personne ne me fera en changer.

Même s'il avait pris la précaution de me prévenir, j'étais quand même déçue.

— Mais ce n'est pas juste ! me suis-je écriée. C'est le meilleur tableau de tous ! Il mérite d'aller à New York ! Promets-moi au moins d'essayer, David, s'il te plaît. Promets-moi de lui parler. Tu es son fils. Il t'écoutera.

— Non. Il ne m'écoutera pas.

— C'est sûr qu'il ne t'écoutera pas si tu n'essaies pas.

À croire que David ne souhaitait pas être impliqué dans cette histoire. Ce qui me mettait encore plus en rogne. On aurait dit qu'il ne se sentait pas concerné, qu'il ne comprenait pas à quel point c'était important. Bonjour l'artiste !

Je lui en voulais tellement que je n'ai pas pu m'empêcher de lâcher :

— Jack l'aurait fait, lui.

— Oh, bien sûr, a-t-il rétorqué sur un ton cynique. Jack est parfait.

— Au moins, il aurait essayé. Par exemple, quand il a appris que son père testait des médicaments sur des animaux, il a tiré dans la vitre de sa voiture avec une carabine à air comprimé en signe de protestation.

— Et alors ? C'est complètement idiot, a répondu David, pas du tout impressionné.

295

Je n'en revenais pas qu'il puisse dire une chose pareille. Qu'il puisse même *penser* une chose pareille.

— Ah oui ? C'est complètement idiot de s'élever contre la cruauté exercée sur les animaux ?

— Non, c'est complètement idiot de protester contre quelque chose qui sauve des vies. Si les scientifiques ne testaient pas les médicaments sur les animaux avant de les prescrire aux hommes, Sam, ils risqueraient de rendre les gens encore plus malades, peut-être même de les tuer. C'est ça que veut Jack ?

J'ai cligné plusieurs fois des yeux. J'avoue que je n'y avais pas pensé.

— Mais Jack est un..., comment dis-tu..., a repris David en haussant les épaules. Ah oui, Jack est un radical. Peut-être est-ce pour cela que les radicaux d'aujourd'hui se battent. Pour rendre les gens plus malades. Je n'étais pas au courant. Je manque visiblement de rectitude morale.

Comme s'il ne supportait plus ma présence, il m'a tourné le dos puis est parti, me laissant seule, dans le noir. Comme l'aveugle que Rebecca m'accusait d'être.

Le plus triste, c'est que je commençais à me demander si elle n'avait pas raison. Car malgré les encouragements de Susan Boone, j'avais l'impression de ne rien voir. De ne rien voir du tout.

22

Quand je suis rentrée de la Maison Blanche, j'ai trouvé Lucy dans le salon, en train de lire *Elle*.

C'était bien la première fois depuis l'âge de douze ans que Lucy passait un samedi soir à la maison. Sans Jack, qui plus est !

Était-il possible qu'ils aient enfin rompu ? Qu'en me voyant avec un autre garçon à la fête de Kris Parks, Jack ait enfin mesuré la vraie valeur de ses sentiments à mon égard ?

Si la réponse était oui, pourquoi est-ce que je ne sautais pas de joie ? Et pourquoi l'idée de leur séparation me donnait-elle brusquement mal au ventre ? À moins, bien sûr, que mes crampes ne soient dues aux canapés que j'avais avalés avant de me rendre compte qu'ils étaient au saumon et aux asperges.

— Jack n'est pas là ? ai-je demandé, l'air de rien.

— Il regarde la télé, a répondu Lucy tout en consultant son thème astral. Il devait lire *Les Hauts de Hurlevent* pour lundi et évidemment, il ne l'a pas fait. Le problème, c'est que les profs lui ont dit que s'il n'avait pas la moyenne, ils ne le laisseraient pas passer l'examen de fin d'année.

J'ai retiré mon manteau puis je me suis effondrée sur le canapé à côté de ma sœur.

— Et il est en train de le lire maintenant ? Chez nous ?

— Bien sûr que non ! Le film passe à la télé. J'ai essayé de le regarder avec lui, mais même avec Ralph Fiennes, je n'y arrive pas, m'a-t-elle confié. Au fait, que penses-tu de cette jupe ? a-t-elle ajouté en me montrant le croquis d'une jupe par un créateur quelconque.

— Pas mal.

Bien que je n'aie bu que du 7-Up au Festival international de l'Enfance, j'avais l'impression de penser au ralenti.

— Où sont papa et maman ?

— À leur réunion sur les orphelins d'Afrique du Nord, je crois. Tout ce que je sais, c'est que Theresa a dû rentrer chez elle parce que Tito s'est cassé le pied en voulant déplacer son frigo. Résultat, je suis coincée à la maison pour vérifier que Mademoiselle « E.T.-maison » ne fasse pas exploser la baraque. Rebecca a invité une copine à dormir. Tu te rappelles quand Kris Parks passait la nuit ici et que vous jouiez toute la soirée aux Barbie ? Eh bien, devine ce que font Rebecca et son amie ? Elles créent une séquence d'A.D.N. à partir de leur Tinkertoys. Eh ! Regarde ce tailleur !

Cette fois, c'est la photo d'un mannequin que Lucy m'a montrée.

— Ce serait pas mal pour la remise de la médaille. Il ne nous reste que deux semaines pour te trouver une tenue.

— Lucy...

Je ne sais pas ce qui m'a pris, à ce moment-là. Vouloir parler de mes problèmes à ma sœur !

Pourtant, une fois que je me suis lancée, je n'ai pas pu m'arrêter. C'était comme la lave qui s'écoule d'un volcan. Impossible de la faire remonter.

Mais le plus étrange, c'est que Lucy a posé son magazine et m'a écoutée. Elle m'a regardée droit dans les yeux et elle m'a écoutée, sans m'interrompre une seule fois.

Normalement, je ne partage rien de ma vie privée avec ma grande sœur. Mais dans la mesure où Lucy est une experte en relations humaines, j'ai pensé qu'elle pourrait peut-être m'éclairer sur le comportement bizarre de David – et sur le mien aussi, qui sait. Je ne lui ai évidemment rien dit de mes sentiments pour Jack, et n'ai parlé que de la soirée chez Kris Parks, de la méchanceté de David à mon égard lors de la réception pour le Festival international de l'Enfance, et de cette histoire de frisson.

— Eh bien ! s'est exclamée Lucy une fois que j'ai

eu fini. J'espère que ce sera plus compliqué la prochaine fois.

Quoi ? Je venais de lui ouvrir mon cœur – enfin, une partie –, et elle semblait déçue !

— Que veux-tu dire par plus compliqué ?

— C'est clair comme de l'eau de roche.

Curieusement, mon cœur s'était mis à battre à tout rompre.

— Qu'est-ce qui est clair comme de l'eau de roche ?

— Enfin, Sam ! Même Rebecca l'a compris. Et pourtant, d'après ses profs, elle n'est pas très fine psychologue.

— Lucy, réponds-moi, ai-je dit en me faisant presque violence pour ne pas hurler. Que se passe-t-il entre David et moi ? Tu as intérêt à me répondre, sinon, je te jure que...

— O.K., O.K., a fait Lucy. Je vais te répondre, mais promets-moi avant de ne pas te mettre en colère.

— Je te le promets.

— Bien.

Lucy a examiné ses ongles. Ils formaient un ovale parfait et brillaient d'un blanc éclatant. Ce qui n'arrivait évidemment jamais aux miens : ils étaient tout le temps couverts de poussière de crayon.

Lucy a regardé ses ongles une dernière fois puis, après une profonde inspiration, elle a levé les yeux vers moi et a dit :

— Tu l'aimes.

300

— Je *quoi* ?

— Tu as promis de ne pas te mettre en colère.

— Je ne suis pas en colère, lui ai-je assuré, même si, bien sûr, je sentais la rage monter en moi.

Après tout ce que je lui avais confié, c'est *ça* qu'elle me sortait ? Que j'aimais David ? Rien ne pouvait être plus éloigné de la vérité !

— Je n'aime *pas* David, Lucy ! me suis-je écriée.

— Mais bien sûr que si, Sam ! Tu dis que ton cœur fait des bonds quand il te sourit, que tu sens tes joues s'empourprer quand tu es avec lui, et que depuis qu'il t'en veut de l'avoir amené chez Kris Parks, comme si tu paradais avec une truite de quinze kilos que tu aurais pêchée dans la rivière, tu es malheureuse comme les pierres.

— C'est ce qu'on appelle le... frisson, ai-je suggéré, avec espoir.

Lucy a attrapé un coussin et me l'a lancé en pleine figure.

— C'est ça l'amour, idiote ! Tout ce que tu ressens quand tu vois David, c'est exactement ce que je ressens quand je vois Jack ! Tu ne l'as pas encore compris ? Tu aimes David ! Et si je ne m'abuse, il ressent la même chose pour toi. Ou du moins, il ressentait la même chose pour toi avant que tu ne gâches tout.

Je ne pouvais évidemment pas lui dire qu'elle avait tort. Qu'il était impossible que j'aime David puisque c'est son petit ami à elle que j'aimais, et depuis le premier jour où elle l'avait amené à la maison.

301

En même temps, je devais admettre que c'était... concevable. C'est-à-dire si l'on se fiait à cette histoire de frisson. Car malgré tout mon amour pour Jack, mon cœur ne battait pas la chamade quand je le voyais, je ne redoutais jamais de croiser son regard – même si ses yeux bleu pâle étaient aussi beaux que ceux de David –, et si je rougissais en présence de Jack, eh bien, en vérité, c'est tout simplement parce que je suis rousse, et que les roux rougissent en présence de tout le monde.

Mais la personne en présence de qui je rougissais le plus, c'était encore une fois David.

Au fait, qu'avait-il dit sur Jack et sur son comportement de « rebelle » ? Que c'était... quoi déjà... complètement idiot ? Oui, c'est ça, complètement idiot. Maintenant que j'y réfléchissais, je me rendais compte que c'était effectivement complètement idiot de tirer sur la vitre de la voiture de son père pour protester contre quelque chose qui, certes, blessait des animaux mais pouvait sauver des vies humaines.

Et la fois où Jack avait plongé nu dans la piscine du Chevy Chase Country Club ? Contre quoi protestait-il ? Contre le règlement sur le port du maillot de bain dans l'enceinte du country club ? Vous savez quoi ? Je suis sûre qu'il y a des tas de gens au Chevy Chase Country Club qu'il vaudrait mieux ne pas voir nus dans la piscine. N'est-ce pas alors une bonne chose que d'imposer le port du maillot de bain ?

Et si Lucy avait raison ? Si j'aimais David depuis le début mais que je ne m'en étais pas aperçue ?

J'essayais de démêler mes pensées tout en me préparant un sandwich dans la cuisine, quand Jack a brusquement surgi dans l'encadrement de la porte.

— Salut, Sam ! a-t-il lancé en se dirigeant vers le réfrigérateur. Je ne savais pas que tu étais rentrée. Comment c'était, cette réception ?

— Pas mal. C'est fini, *Les Hauts de Hurlevent* ?

— Quoi ? a fait Jack en fouillant dans le réfrigérateur. Non, pas encore. C'est les pubs.

Il a sorti une carotte du bac à légumes puis m'a demandé :

— Au fait, mon tableau part à New York ?

Je savais que tôt ou tard, il me faudrait avoir cette conversation avec lui. Sauf que j'espérais que ce serait le plus tard possible.

— Jack, ai-je commencé en posant mon sandwich sur la table. Écoute...

Mais avant que les mots ne franchissent mes lèvres, il m'a dévisagée avec l'air de ne pas y croire.

— Attends... Ne dis rien. J'ai compris. Je n'ai pas gagné, c'est ça ?

J'ai pris une profonde inspiration tout en me préparant à la douleur qui m'envahirait immanquablement lorsque je prononcerais le mot qui lui ferait mal.

— Non, ai-je murmuré.

Jack, qui avait laissé la porte du frigo ouverte, a

303

fait un pas en arrière. Je l'avais blessé. Et pour ça, je m'en voudrais toute ma vie.

Mais ce qui m'étonnait, c'est que je ne souffrais pas. Je parle sérieusement. Je m'étais pourtant préparée à cette douleur intense qui devait s'emparer de moi, et je n'ai rien senti. Rien du tout. J'étais désolée d'avoir heurté ses sentiments, mais je ne souffrais pas. Comment pouvais-je blesser le garçon que j'aimais – mon âme sœur, celui auquel je me destinais pour la vie – et ne pas ressentir sa douleur dans toutes les fibres de mon corps ?

— Je n'arrive pas à y croire, a repris Jack, comme s'il avait enfin retrouvé la voix. Je n'arrive pas à y croire ! Je n'ai pas gagné ? C'est ce que tu es en train de me dire ?

— Jack, je suis vraiment désolée, mais on a reçu tellement d'œuvres, et...

— Attends, mais c'est dingue ! a-t-il dit.

En fait, il ne l'a pas dit. Il l'a crié. Il l'a hurlé. Manet, qui nous avait rejoints dans la cuisine dès qu'il avait entendu qu'on ouvrait la porte du réfrigérateur, a levé ses deux oreilles quand Jack a haussé la voix.

— C'est totalement dingue ! a répété Jack.

— Jack, je suis désolée...

— Mais pourquoi ? m'a-t-il alors demandé, ses yeux bleus remplis d'indignation. Dis-moi seulement pourquoi, Sam ?

— Eh bien, on en a reçu beaucoup. Vraiment beaucoup.

De toute évidence, il ne m'écoutait pas.

— Mon tableau était trop critique, c'est ça ? Ça ne peut être que ça. Dis-moi la vérité, Samantha. C'est parce que mon tableau était trop critique qu'il n'a pas été choisi ? Ils ne veulent pas que les autres pays voient à quel point la jeunesse américaine d'aujourd'hui est apathique ? C'est ça ?

J'ai secoué la tête.

— Pas exactement, Jack.

Bien sûr, j'aurais dû lui répondre oui ; cela aurait été tellement plus acceptable pour lui que la vraie raison. Je l'ai compris quelques secondes plus tard, quand je lui ai affirmé, un peu maladroitement :

— Tu n'as pas gagné parce que tu n'as pas dessiné ce que tu voyais.

Jack est resté silencieux. Il m'a regardée fixement, comme si ce qu'il venait d'entendre n'avait aucun sens.

— Quoi ? a-t-il fini par prononcer.

— Jack, reconnais que tu n'as pas peint ce que tu voyais. Ton tableau représente des jeunes marginaux – et il est super, mais ces jeunes ne sont pas réels. Ils n'existent pas. Tu ne connais même pas de jeunes comme eux. C'est comme... comme moi avec mon ananas. Il est parfait et tout ce qu'on veut, mais il n'est pas honnête. Il n'est pas vrai. Admets-le. Tu ne vois même pas de parking de 7-Eleven de la fenêtre de ta chambre. Je doute même que tu voies une poubelle.

— *Je n'ai pas peint ce que je voyais ?* a-t-il hurlé. *Je n'ai pas peint ce que je voyais ?* Mais qu'est-ce que tu dis ?

— Tu sais bien. Ce que Susan Boone nous a expliqué. Sur le fait de peindre ce qu'on voit et non ce qu'on sait.

— Sam ! s'est écrié Jack. Il ne s'agit pas d'un cours sur l'art mais de ma chance de montrer mon travail à New York ! Tu as écarté mon tableau parce que je n'avais pas peint ce que je voyais ? C'est n'importe quoi !

— Hé !

Une voix familière a brusquement retenti. J'ai relevé la tête. Lucy se tenait sur le seuil de la cuisine.

— Que se passe-t-il ici ? On t'entend hurler dans toute la maison. Qu'est-ce que tu as ?

Jack m'a pointée du doigt. Apparemment, il était trop bouleversé pour expliquer à sa petite amie ce que j'avais fait.

— Elle... elle..., a-t-il bégayé. Elle dit que je n'ai pas peint ce que je voyais.

Lucy nous a regardés à tour de rôle puis a levé les yeux au ciel.

— Jack, s'il te plaît, arrête un peu.

Elle l'a alors pris par le bras et l'a entraîné dans le salon. Jack s'est laissé faire. On aurait dit un pantin, incapable de réagir.

Il n'était pas le seul dans cet état. La stupeur me paralysait tout autant. Mais non pas parce que Jack avait élevé la voix, ou parce que, en tant qu'âme sœur, je n'avais rien ressenti de sa douleur. Non. J'étais paralysée car, quand Jack était entré dans la cuisine alors que je ne m'attendais pas à le voir... mon cœur n'avait pas fait de bonds dans ma poitrine. Mon pouls ne s'était pas mis à battre plus vite. Je n'avais eu aucun problème pour respirer et aucune rougeur n'avait coloré mes joues.

Rien de ce qui m'arrivait quand je voyais David ne s'était produit. Je n'avais pas éprouvé le moindre frisson.

Ce qui ne pouvait signifier qu'une chose : Lucy avait raison. J'aimais David.

David, dont le père ne me supportait probablement plus depuis que j'avais osé le contredire devant tous les invités du Festival international pour l'Enfance.

David, qui m'avait offert un casque décoré de marguerites et avait gravé mon nom sur l'appui d'une fenêtre de la Maison Blanche.

David, qui ne voudrait sans doute plus jamais entendre parler de moi, après que je m'étais servie de lui pour rendre Jack jaloux.

David, qui s'était toujours montré parfait avec moi, et j'avais été trop bête – trop aveugle – pour m'en rendre compte.

Tout à coup, la bouchée du sandwich que j'avais mangée m'a pesé sur l'estomac. J'ai eu le vertige.

Qu'est-ce que j'avais fait ?

Qu'est-ce que j'avais fait ?

Mais plus important... *Qu'est-ce que j'allais faire ?*

Les dix raisons pour lesquelles il est fort probable que je mourrais jeune (et étant donné les circonstances, ce ne serait pas une tragédie) :

10. Je suis gauchère. Des études montrent que les gauchers meurent dix à quinze ans plus tôt que les droitiers vu que tout est conçu pour les droitiers. Résultat, au bout d'un moment, les gauchers renoncent à se battre.

9. Je suis rousse, et les roux ont plus de chances de développer un cancer de la peau que n'importe quel autre individu.

8. Je suis petite. Les gens de petite taille meurent plus jeunes que les grands. C'est connu et personne ne sait pourquoi. À mon avis, c'est parce que les petits comme moi ne peuvent pas atteindre les flacons de vitamines au supermarché, car

ils sont toujours placés sur les étagères les plus élevées.

7. Je n'ai pas de guide spirituel dans la vie. Sérieux. Les gens qui ont un mentor, un conseiller, un gourou vivent plus longtemps que ceux qui n'en ont pas.

6. Je vis en ville. Des études ont montré que les gens qui vivent dans des régions à forte densité, comme Washington, D.C., ont tendance à mourir plus jeunes que les habitants des campagnes, comme le Nebraska, à cause des émissions plus importantes de carcinogènes (gaz d'échappement et coups de feu).

5. Je mange beaucoup de viande rouge. Savez-vous quel est le peuple qui vit le plus longtemps ? Une tribu du côté de la Sibérie. Ils ne se nourrissent que de yogourt et de germes de blé. Je ne plaisante pas. Je ne crois pas qu'ils soient végétariens ; ils ne trouvent tout simplement pas de viande parce que les vaches sont toutes mortes de froid. Bref, ils vivent jusqu'à cent vingt ans.

Je déteste le yogourt et les germes de blé. Je mange un hamburger au moins une fois par jour. J'en mangerais plus si je trouvais quelqu'un qui m'en faisait.

4. Je suis la seconde de la famille. Les seconds meurent plus tôt que leurs aînés ou que leurs cadets car on a tendance à les oublier. Je n'ai pas la preuve de ce que j'avance, mais j'en suis quasi sûre.

3. Je n'appartiens à aucune religion. Mes parent ne nous ont donné aucune instruction religieuse quand on était petites sous prétexte qu'ils sont agnostiques. Parce qu'ils ne sont pas sûrs de l'existence de Dieu, on n'a pas le droit d'aller à l'église. En attendant, les statistiques prouvent que les pratiquants vivent plus longtemps et ont des existences plus heureuses que les non-pratiquants.

2. J'ai un chien. Alors que les propriétaires d'animaux domestiques vivent plus longtemps que les gens qui n'en ont pas, les propriétaires de chats vivent encore plus longtemps. Résultat, parce que Manet est un chien, je pourrais périr cinq à dix ans plus tôt que si j'avais un chat.

Mais la raison principale qui fait que j'ai toutes les chances de mourir jeune, c'est que :

1. J'ai le cœur brisé.

Sérieux. Tous les signes sont là. Je dors mal, je ne mange plus – pas même des hamburgers. Et chaque fois que le téléphone sonne, mon cœur bat à tout rompre... sauf que ce n'est jamais pour moi. Car ce n'est jamais *lui*.

Tout est ma faute – j'ai tout gâché. Et je souffre.

Aucun être humain ne peut exister, le cœur brisé. Oh, bien sûr, je pourrais vivre sans David, mais quel genre de vie ce serait ? La vie d'une coquille vide. Quand je pense que la chance de connaître le parfait amour s'est présentée à moi, et que je l'ai laissée passer. JE L'AI LAISSÉE PASSER ! Pourquoi ? Parce que même si mes yeux sont ouverts, je ne vois rien. Rien du tout.

Je me donne encore deux semaines avant de mourir.

23

Je suis restée plantée devant la porte de chez Susan
Boone avec l'impression de n'être qu'une idiote. Cela
dit, comme j'ai toujours l'impression de n'être qu'une
idiote, ça ne changeait pas trop.

Mais d'habitude, je me sens idiote sans raison par-
ticulière. Tandis que cette fois, j'avais une bonne raison.

J'étais plantée devant la porte de Susan Boone sans
être attendue, un dimanche après-midi, en croisant
les doigts pour que quelqu'un vienne ouvrir.

Sauf que personne ne venait.

Et plus le temps passait, plus je savais que si
quelqu'un ouvrait, ce serait pour me dire : « Ne
sais-tu pas qu'on ne passe pas chez les gens sans
prévenir ? »

Ce qui était tout à fait normal puisque je n'avais

pas appelé pour annoncer ma visite. Et pourquoi ?
Parce que je craignais que Susan Boone ne me
réponde : « Ne peut-on attendre le cours de mardi
pour parler, Sam ? »

Le problème, c'est que je ne pouvais pas attendre.
Il fallait que je parle à Susan aujourd'hui. Mon cœur
était brisé et j'avais besoin que quelqu'un me dise
quoi faire. Mes parents ne m'étaient d'aucun secours ;
mon état les perturbait eux-mêmes. Quant à Lucy, je
préférais l'éviter. Son dernier conseil était : « Mets
une mini-jupe et va le voir pour lui dire que tu es
désolée. Tu es vraiment retardée, ma pauvre Sam ! »
Rebecca, elle, s'était contentée de faire une grimace
et d'ajouter : « Je t'avais prévenue. » Il restait Theresa, sauf que Theresa était toujours chez son fils Tito.
Et Catherine, bien sûr. Mais Catherine n'avait que le
nom de Paul à la bouche.

Bref, je me tenais devant la porte de chez Susan
Boone sans l'avoir prévenue de ma visite. C'est plus
difficile de refuser de voir quelqu'un quand cette personne se trouve déjà à votre porte que lorsqu'elle vous
téléphone. Je le sais grâce à tous les journalistes qui
essaient de m'interviewer.

Il n'y a rien de pire que d'attendre qu'on vous
ouvre quand on sait que la personne va probablement
vous claquer la porte au nez...

... sauf peut-être d'attendre devant cette même
porte avec cinq baguettes dans son sac à dos.

Je ne sais pas pourquoi, mais j'ai senti qu'il fallait

que j'apporte quelque chose. Bon d'accord, j'admets que le pain était une manière d'acheter le temps que Susan Boone était censée me consacrer. Parce que je ne connais personne qui puisse résister aux baguettes de la Dame au Pain.

Il faut dire que je m'étais donné de la peine pour les obtenir. J'avais dû me lever aux aurores pour sortir Manet et l'emmener dans la direction opposée à d'habitude, changement qu'il n'a guère apprécié. Il n'arrêtait pas de tirer sur sa laisse pour me ramener vers le parc tandis que je tirais dans l'autre sens, vers la maison de la Dame au Pain. Et vu que Manet pèse son poids, je peux vous assurer que j'ai eu mal aux bras.

En tout cas, j'ai découvert que la Dame au Pain ne se lève pas avant huit heures, le dimanche.

Mais elle n'a pas paru étonnée de m'entendre tambouriner à sa porte pour lui commander du pain pour la fin de l'après-midi. En fait, elle semblait ravie.

Elle l'a livré pile à l'heure. Cinq belles baguettes dorées comme on n'en trouve nulle part ailleurs à Washington. Rien que l'odeur m'a presque mise en appétit. Je dis bien, presque. Les êtres humains qui ont le cœur brisé n'ont pas faim.

J'ai dû ensuite prendre le métro avec mes cinq baguettes qui dépassaient de mon sac. Ce n'est pas une expérience que je suis prête à renouveler.

Comme Susan Boone vit relativement loin du métro, j'en ai profité pour réfléchir à mes nombreux malheurs. Résultat, lorsque je suis arrivée devant chez elle, je pleurais.

Et alors, pourquoi pas ? Seul le désespoir le plus total avait pu me pousser à demander conseil à Susan Boone. N'oublions pas qu'il n'y a pas si longtemps, je la haïssais. Ou du moins, je ne la portais pas dans mon cœur.

À présent, j'éprouvais l'étrange sentiment qu'elle seule pouvait me dire comment rattraper le gâchis que j'avais fait de ma vie. Après tout, elle m'avait appris à voir : qui sait si elle ne pouvait pas m'apprendre à faire face à tout ce que je voyais, maintenant qu'elle m'avait ouvert les yeux.

Cela dit, lorsque j'ai entendu un bruit de pas dans le couloir – et les cris familiers de Joe –, j'ai quand même failli me sauver.

Trop tard. Le rideau de dentelles qui décorait la porte d'entrée se soulevait, et j'ai aperçu le visage de Susan Boone. Deux secondes plus tard, elle m'ouvrait, en salopette tachée de peinture, ses longs cheveux blancs noués en deux tresses.

— Samantha ? a-t-elle dit, étonnée. Que fais-tu ici ?

Je me suis débarrassée de mon sac à dos et je lui ai montré le pain.

— J'étais dans le quartier. Vous voulez du pain ? C'est une dame dans ma rue qui le fait elle-même.

Bon, d'accord, je bafouillais. Mais c'est parce que je ne savais pas quoi faire. Je n'aurais pas dû venir.

Je l'ai compris à la minute même où Susan Boone a ouvert. C'était de la folie d'être venue. De la folie et de la bêtise. Qu'est-ce que Susan Boone en avait à faire de mes problèmes ? Elle n'était que mon professeur de dessin ! À quoi pensais-je en allant lui demander conseil ?

Joe, perché sur l'épaule de sa maîtresse, m'a salué de son habituel : « Bonjour Joe ! Bonjour Joe ! », mais je ne suis pas sûre qu'il m'ait reconnue avec ma casquette de base-ball.

Susan Boone a souri légèrement.

— Eh bien, puisque tu es là, entre, Sam. C'est très gentil à toi d'être... d'être passée avec du pain.

Je n'ai guère été surprise de découvrir que son intérieur était décoré de la même manière que l'atelier, avec des tas de vieux meubles posés un peu partout, et des cartons à dessin entassés contre les murs. Et bien sûr, une odeur d'essence de térébenthine flottait dans l'air.

— Merci, ai-je dit en la suivant et en retirant ma casquette.

Je venais à peine de libérer mes cheveux que Joe a sauté de l'épaule de Susan Boone pour se percher sur la mienne en criant :

— Joli oiseau ! Joli oiseau !

— Joseph ! a lancé Susan.

Et sur cet avertissement adressé à son perroquet, elle m'a invitée à prendre une tasse de thé.

Je lui ai aussitôt assuré que je ne voulais pas la

317

déranger, que je ne restais qu'une minute. Elle m'a regardée en souriant et je n'ai pas eu d'autre choix que de la suivre dans sa cuisine, tout ensoleillée et aux murs peints en bleu – du même bleu que ses yeux.

Elle a tenu à préparer du thé, mais pas dans deux tasses dans le micro-onde, non, en mettant à chauffer de l'eau dans la bouilloire. Pendant ce temps, elle a examiné les baguettes puis a sorti du beurre et un pot de confiture, tout en mordant dans un quignon de pain.

— Hum, a-t-elle fait. Ce pain est délicieux. Je n'en ai pas mangé d'aussi bon depuis..., eh bien, depuis mon dernier séjour à Paris.

Je lui ai adressé un sourire, contente qu'elle apprécie mon cadeau, et je l'ai regardée manger un deuxième morceau.

— Alors, comment s'est passé ton Thanksgiving ?

Sa question m'a déroutée. Pour moi, seuls les gens ennuyeux posaient ce genre de question. Pas les artistes.

— Euh..., bien, ai-je répondu. Et vous ?

— Formidable.

On s'est tues, après. Oh, ce n'était pas un silence pesant, mais quand même. Seuls le sifflement de la bouilloire et les petits cris de Joseph résonnaient dans la pièce.

— J'ai un grand projet pour l'atelier, cet été, a tout à coup déclaré Susan Boone.

— Ah oui ? me suis-je empressée de dire, soulagée que le silence soit enfin rompu.

— Oui. J'ai l'intention de l'ouvrir tous les jours de dix heures à dix-sept heures pour que des gens comme David et toi puissiez venir travailler toute la journée. Si vous en avez envie, bien sûr.

Je ne lui ai pas fait observer que selon moi, il était peu probable que David vienne – en tout cas s'il savait que moi, j'irais –, et je me suis exclamée :

— C'est super !

Au même moment, la bouilloire a sifflé. Susan s'est levée et a préparé le thé. Elle m'a ensuite tendu une tasse bleue sur laquelle était écrit *Matisse* puis elle en a pris une jaune avec *Van Gogh* dessus. Ensuite, elle s'est rassise à la table, en face de moi, sa tasse entre les mains. La vapeur montait en volutes blanchâtres de part et d'autre de son visage.

— Bien, a-t-elle brusquement déclaré. Et si tu m'expliquais pourquoi tu es venue d'aussi loin un dimanche après-midi, Samantha ?

J'ai failli ne pas lui dire la vérité et lui répondre : « J'étais en chemin pour chez ma grand-mère », mais quelque chose dans son regard m'a encouragée à être honnête. Soudain, tout en tripotant ma tasse de thé, je me suis mise à lui raconter toute l'histoire. Je ne pouvais plus m'arrêter. Tout y est passé : David, Jack, l'exposition *De ma fenêtre*, Maria Sanchez et le président.

Une fois mon discours fini, je suis restée immobile,

le regard fixé sur mon thé. Je voyais un peu flou. Il faut dire que mes yeux étaient légèrement embués de larmes. Mais je m'étais juré de ne pas pleurer. Cela aurait été ridicule, encore plus ridicule que de prendre le métro avec cinq baguettes dépassant de mon sac à dos.

Susan, qui m'avait écoutée en silence, a bu une gorgée de thé et, d'une voix très calme, a dit :

— Samantha, tu sais ce que tu dois faire. David te l'a dit.

J'ai levé les yeux de ma tasse et je l'ai regardée. Joe a alors attrapé une mèche de mes cheveux, faisant mine de la tenir dans son bec, l'air de rien, même si nous savions l'un et l'autre que, lorsque je n'y prêterais pas attention, il tenterait de l'arracher puis s'envolerait.

— Tout ce que David m'a dit, c'est qu'il refusait de parler de Maria Sanchez à son père, ai-je déclaré.

— C'est vrai, mais tu ne l'as pas vraiment écouté, Sam. Tu l'as entendu, mais tu n'as pas écouté. Il y a une différence entre écouter et entendre, tout comme il y a une différence entre voir et savoir.

Vous comprenez maintenant pourquoi il fallait que j'aille chez Susan Boone ? Parce qu'elle seule pouvait m'expliquer qu'il y a une différence entre entendre et écouter. Tout comme elle m'avait expliqué qu'il y en a une entre voir et savoir.

— David t'a dit que tu étais libre de t'exprimer, au même titre que tous les Américains, a repris Susan.

— Oui, et alors ?

— Alors, a répété Susan, *tu es libre de t'exprimer*, Samantha. Comme tous les Américains.

— O.K., ai-je fait. Mais je ne vois toujours pas quel rapport cela a...

Tout à coup, ça a fait tilt dans ma tête. Je ne sais pas comment ni pourquoi, mais brusquement, les paroles de Susan – et celles de David – ont fait sens en moi.

Incroyable !

— Oh, non, ai-je murmuré en sursautant – et non pas parce que Joe avait réussi à m'arracher ma mèche de cheveux et à se poser d'un air triomphant sur le frigo. Vous croyez vraiment qu'il pensait à *ça* ?

— David parle rarement à la légère. Ce n'est pas un politicien. Il n'a aucune envie de marcher sur les traces de son père. Il veut être architecte.

— C'est vrai ?

Je n'en revenais pas. En fait, je commençais à me rendre compte que je ne savais rien sur David. Bien sûr, je savais qu'il aimait dessiner, et qu'il était plutôt doué. Et je savais qu'il s'amusait à mettre les couverts à salade quand il dressait la table. Mais il y avait tellement d'autres choses que je ne savais pas.

À cette idée, mon cœur s'est serré. Parce que j'avais le sentiment qu'il était trop tard désormais pour découvrir toutes ces choses que j'ignorais.

— À mon avis, il est facile de comprendre pourquoi David ne tient pas à s'impliquer dans les affaires de son père. Car il n'aimerait pas qu'il s'implique dans les siennes, m'a expliqué Susan.

— Ouah..., ai-je fait, encore sous le choc de ses révélations.

— Oui, comme tu dis, ouah, a répété Susan en s'appuyant contre le dossier de sa chaise. Tu vois, Sam, ça a toujours été là...

J'ai froncé les sourcils.

— Quoi ?

— Ce que tu désirais. Tu n'avais qu'à ouvrir les yeux pour le voir. Et c'était là, devant toi.

À ce moment-là, la porte de la cuisine s'est ouverte sur un homme aux cheveux longs, les bras chargés de sacs de courses.

— Salut ! a-t-il lancé en me dévisageant d'un air amical mais curieux.

— Salut, ai-je répondu.

Était-ce le fils de Susan Boone ? Il semblait avoir vingt ans de moins qu'elle. Pourtant, jamais elle ne nous avait dit avoir un enfant ou un mari. Pour moi, c'était Joe et elle, un point c'est tout.

Mais peut-être n'avais-je pas écouté mais seulement entendu.

— Pete, a dit Susan, je te présente Samantha Madison. C'est l'une de mes élèves. Samantha, je te présente Pete.

Pete a posé ses courses sur la table. Il portait un jean et des bottes en cuir, comme celles des cow-boys ou des Hell's Angels. Et quand il m'a tendu la main, j'ai vu un tatouage représentant le logo Harley-David-son sur son bras.

— Ravi de faire ta connaissance, a-t-il dit en serrant ma main gauche vu que j'avais toujours mon plâtre au bras droit.

— Eh, mais ça a l'air superbon, ça ! a-t-il ajouté en découvrant le pain.

Là-dessus, il s'est assis à table avec nous et a pris une tasse de thé.

En fait, Pete n'était pas le fils de Susan. C'était son petit ami.

Ce qui prouve que Susan avait raison sur une chose : parfois, ce qu'on désire est devant soi. Il suffit juste d'ouvrir les yeux pour le voir.

24

J'ai choisi Candace Wu.

D'après Lucy, j'aurais dû prendre une journaliste plus connue, comme Barbara Walters ou Katie Couric. Mais j'aimais bien Candace, parce que ma chute de l'estrade et surtout mon atterrissage sur ses genoux, le jour de ma conférence de presse à l'hôpital, l'avait fait éclater de rire.

J'ai très vite découvert que Candace n'était pas du genre à se laisser marcher sur les pieds. Quand le porte-parole de la Maison Blanche lui a expliqué qu'il était hors de question que son équipe et elle viennent filmer le tableau de Maria Sanchez, elle lui a répondu que la Maison Blanche n'était pas une propriété privée. Elle appartenait au peuple des États-Unis d'Amérique et que, en tant que citoyens américains, son équipe et elle avaient autant le droit de s'y trouver que lui.

À moins, bien sûr, qu'il n'ait quelque chose à cacher.

M. White a fini par céder et j'ai montré à Candace toutes les toiles, y compris celle d'Angie Tucker. Je lui ai dit que le tableau d'Angie était très beau, mais que je préférais celui de Maria Sanchez.

— Est-ce vrai, Samantha, m'a demandé Candace devant les caméras, comme on avait prévu de le faire lors des répétitions, que le président vous a priée de choisir une œuvre, disons... moins politiquement engagée ?

— En vérité, Miss Wu, ai-je commencé, le plus naturellement du monde même si j'avais appris mon texte par cœur, il se peut que le président ne sache pas que les jeunes Américains ne s'intéressent pas uniquement au hit-parade. Certains sujets nous préoccupent. L'exposition *De ma fenêtre*, sponsorisée par les Nations unies, représente un forum idéal où les jeunes du monde entier peuvent exprimer leurs préoccupations. Ce serait regrettable, à mon avis, de réprimer leurs voix.

Ce à quoi Candace a répondu, tout comme elle me l'avait annoncé en échange de l'exclusivité de ma seule et unique interview télévisée :

— Vous voulez dire que l'homme à qui vous avez sauvé la vie ne vous autorise pas à faire votre propre choix en tant qu'ambassadrice des Nations unies pour la jeunesse ?

— Peut-être ne le peut-il pas à cause d'intérêts nationaux que nous ignorons, ai-je répliqué avec tact.

À ce moment-là, Candace a fait signe à son équipe d'arrêter la prise de vue. Il était temps d'aller à l'hôpital, où je devais faire enlever mon plâtre.

— Une minute ! s'est écrié le porte-parole de la Maison Blanche en courant derrière nous. Je suis sûr qu'il n'est pas nécessaire de diffuser ce passage. On pourra sans doute trouver un arrangement avec le président...

Mais Candace a attrapé son sac tandis que ses deux cameramen rangeaient leur matériel, puis elle nous a tous poussés vers la sortie en lançant :

— On reviendra, ne vous inquiétez pas !

Ce n'est qu'après notre retour de l'hôpital, à la maison, où Candace voulait filmer quelques prises de Manet et moi jouant sur mon lit, que le téléphone a sonné. Theresa est arrivée dans ma chambre tout excitée.

— Sam, a-t-elle murmuré, le président veut te parler.

Tout le monde s'est figé sur place – Candace, qui échangeait des tuyaux de maquillage avec Lucy, laquelle semblait fascinée par le métier de présentatrice télé ; Rebecca, qui se faisait expliquer par un éclairagiste comment se comporter comme une personne normale ; les cameramen, qui examinaient d'un peu trop près, si vous voulez mon avis, mon poster de Gwen Stefani. Bref, ils ont tous retenu leur respiration tandis que je descendais du lit et prenais le téléphone.

— Allô ? ai-je dit.

— Samantha, a hurlé le président si fort que j'ai dû écarter le combiné de mon oreille. Je viens d'apprendre que vous pensiez que je n'approuvais pas votre choix pour l'exposition des Nations unies ?

— C'est-à-dire que... je pense sincèrement que le tableau de Maria Sanchez est le meilleur, mais d'après ce que j'ai compris, vous...

— C'est celui ce que je préfère aussi, m'a coupée le président. Celui avec les draps qui sèchent.

— C'est vrai, monsieur le président ? Parce que vous aviez dit...

— Peu importe ce que j'ai dit. Vous aimez ce tableau ? Eh bien, nous allons le faire emballer et l'envoyer à New York. Et la prochaine fois que vous avez un problème de ce genre, parlez-m'en d'abord avant de vous adresser à la presse, d'accord ?

Je ne lui ai pas rappelé que c'était exactement ce que j'avais fait. Au lieu de cela, j'ai préféré répondre :

— Oui, monsieur le président. Je n'y manquerai pas.

— Parfait. Eh bien, au revoir, Samantha.

Et il raccroché.

Du coup, quand mon interview exclusive avec Candace Wu est passée le lendemain soir – le mercredi –, tout le passage expliquant que le tableau de Maria Sanchez n'avait pas gagné n'existait plus. À la place, on voyait un journaliste de San Diego se présenter chez Maria Sanchez et lui annoncer qu'elle avait remporté le concours. J'ai alors découvert que Maria avait mon âge et vivait dans une toute petite maison avec ses six frères et sœurs. Comme moi, elle était coincée au milieu d'eux tous.

Je le savais bien qu'il y avait une raison pour laquelle je préférais son tableau aux autres.

Lorsque le journaliste a appris à Maria qu'elle avait gagné, elle a éclaté en sanglots. Puis, elle a montré la vue qu'elle avait de la fenêtre de sa chambre. C'était exactement comme dans son tableau, avec des draps qui séchaient au vent et une barrière en barbelés au loin. Maria avait vraiment peint ce qu'elle voyait, et non pas ce qu'elle savait peindre.

Elle irait donc à New York et verrait son tableau exposé aux Nations unies, aux côtés de tous les autres tableaux qui avaient été sélectionnés. Apparemment, j'allais la rencontrer. M. White m'avait en effet précisé que j'irais moi aussi à New York pour l'inauguration de l'exposition. Dès que je l'avais su, je m'étais empressée de demander à mes parents si nous pourrions profiter de l'occasion pour visiter le Met, le musée de New York, et voir les impressionnistes. Ils avaient répondu oui.

J'étais prête à parier que j'y croiserais Maria.

Le soir de la diffusion de l'interview, on s'est tous

assis dans le salon pour la regarder – Lucy, Rebecca, Theresa, Manet, mes parents et moi. Mes parents n'étaient pas au courant de toute la rencontre avec Candace Wu. Elle avait eu lieu alors qu'ils étaient encore au travail.

— Mon Dieu, Samantha ! Tu aurais pu ranger ta chambre ! s'est exclamée ma mère en voyant le bazar.

Je lui ai alors expliqué que Candace m'avait demandé de la laisser exactement dans l'état où elle était. Cela ferait plus authentique – une qualité à laquelle elle tenait énormément –, et me présenterait comme une « authentique héroïne américaine ».

D'autres personnes partageaient son point de vue. Comme le médecin qui a scié mon plâtre. Il a pris soin de contourner les dessins qui l'ornaient tout en me prévenant qu'une fois le plâtre retiré, mon bras me paraîtrait très léger.

Il ne disait pas faux ! Dès qu'il l'a enlevé, j'ai eu l'impression que mon bras flottait tout seul.

L'équipe de l'Institution Smithsonian aussi me considérait comme une authentique héroïne américaine. J'avais décidé de leur donner mon plâtre, au lieu de le vendre sur Internet. J'avoue que j'avais eu peur qu'ils refusent mon offre, la jugeant trop commune. Mais non. Pour eux, il représentait une espèce de relique, témoignant d'un moment important de l'histoire américaine.

L'entretien avec Candace se terminait sur une conversation que nous avions énormément travaillée, toutes les deux. Avant de lui donner mon accord pour m'interviewer, j'avais en effet exigé qu'elle me pose à la fin une question bien précise sur... ma vie amoureuse.

— Le bruit court, Samantha... au sujet d'une certaine personne et de vous-même...

Plusieurs plans montraient alors David descendant d'un avion, puis devant chez Susan Boone, ou en costume à la réception pour le Festival international de l'Enfance.

— Est-ce vrai, continuait Candace, que vous sortez avec le fils du président ?

— Eh bien, ai-je commencé en rougissant, je ne sais pas quels sont ses sentiments à mon égard, mais j'ai bien peur d'avoir tout gâché.

— Tout gâché ? répétait Candace, étonnée (bien qu'elle sût que je lui répondrais ça). Mais comment, Samantha ?

— Disons que je n'ai pas vu ce qu'il y avait devant moi. Et à présent, je crains qu'il ne soit trop tard. J'ai espéré que non... mais je me suis trompée.

En m'entendant prononcer ces mots à la télé, j'ai attrapé le coussin sur lequel Manet était couché et j'y ai enfoui mon visage en hurlant. Pourtant, je l'avais bien dit et c'était le seul moyen pour essayer de réparer ma terrible erreur – me rendre compte trop tard que j'aimais David depuis le premier jour.

Mais je n'étais pas sûre que ça marcherait. Et c'est pour ça que je hurlais.

— Qu'est-ce que ça veut dire ? a fait mon père, l'air étonné. Qu'est-ce que ça signifie ? Samantha, vous vous êtes disputés, David et toi ?

— Ça, on peut dire qu'elle y est allée fort pour tout gâcher avec lui, a fait observer Theresa. Mais bon, s'il voit l'émission, peut-être qu'il lui donnera une seconde chance. Ce n'est pas tous les jours qu'une fille passe à la télé et vous demande si vous voulez sortir avec elle.

Rebecca m'a adressé un regard plein de respect.

— C'est très courageux de ta part, Sam, a-t-elle dit. Plus courageux que ce que tu as fait quand tu as sauvé la vie de son père. Mais, bien sûr, rien ne garantit que ça va marcher.

— Tais-toi, Rebecca, a lâché Lucy en appuyant sur le bouton qui coupait le son de la télé, puisque l'interview était terminée.

Comme ce n'est pas souvent que Lucy prend ma défense, je l'ai observée avec curiosité de derrière mon coussin. C'est alors que j'ai compris ce qui me turlupinait chez elle, depuis deux jours exactement.

— Où est Jack ? ai-je demandé.

— On a cassé, a répondu Lucy.

Tout le monde dans la pièce – pas seulement moi – est resté bouche bée.

Mon père a été le premier à se ressaisir.

— Enfin ! s'est-il exclamé.

— Je le savais, a déclaré Theresa. Il s'est remis avec son ancienne petite amie, c'est ça ? Ah, les hommes !

Tous des..., et elle a terminé par plusieurs gros mots qu'elle a prononcés en espagnol.

— Pas du tout ! s'est écriée Lucy. Il ne s'est pas du tout remis avec son ancienne copine, c'est juste qu'il a été salaud avec Sam.

Je ne pensais pas pouvoir ouvrir la bouche plus que je ne le faisais. Pourtant, c'est bien ce qui m'est arrivé.

— *Avec moi ?* ai-je hurlé. De quoi parles-tu ?

— Tu sais bien, a répondu Lucy en levant les yeux au ciel. De cette histoire d'exposition. Ça lui a complètement tourné la tête. Du coup, je lui ai... C'est quoi déjà l'expression, Rebecca ?

— Tu lui as donné son congé ? a suggéré Rebecca.

— Oui, c'est ça, a dit Lucy tout en zappant d'une chaîne à l'autre. Hé ! Regardez ! David Boreanaz ! s'est-elle écriée.

Je n'en revenais pas. Lucy et Jack avaient cassé. À cause de moi. Dire que j'avais rêvé de ce moment pendant des mois et des mois. Sauf que dans mes rêves, Lucy et Jack rompaient parce que Jack comprenait enfin que j'étais la femme de sa vie. Jamais ils ne se quittaient parce que Lucy découvrait que Jack avait dit du mal de moi.

Et ils ne rompaient certainement pas après que je découvre que je n'aimais plus Jack... et ne l'avais peut-être même jamais aimé. Pas comme on est censé aimé un garçon, en tout cas.

Ça ne devait pas se passer ainsi. Ça ne devait pas du tout se passer ainsi.

— Lucy, comment peux-tu... après tout ce temps, laisser tomber Jack comme ça, du jour au lendemain. Et le bal de fin d'année ? Avec qui vas-tu y aller si tu n'es plus avec Jack ?

— J'ai le choix entre cinq garçons, mais je pense que je vais prendre mon partenaire en chimie.

— Greg Gardner ? ai-je hurlé. Tu veux aller au bal de fin d'année avec Greg Gardner ? Mais, Lucy, ce n'est pas drôle d'aller à un bal de fin d'année avec une grosse tête comme Greg Gardner !

Lucy a fait une moue agacée, mais seulement parce que mes cris l'empêchaient d'écouter l'interview de David Boreanaz.

— Sortir avec une grosse tête est très branché maintenant. Après tout, tu devrais le savoir puisque c'est toi qui as lancé la mode.

— La mode ? Quelle mode ?

Comme l'émission venait de s'interrompre pour une annonce publicitaire, Lucy a baissé de nouveau le son et s'est tournée vers moi.

— Tu sais bien. La mode de sortir avec une grosse tête. Depuis que tu es venue avec David chez Kris Parks, toutes les filles se sont ruées sur les grosses têtes. Kris sort d'ailleurs avec Tim Haywood.

— Le garçon qui a remporté le concours de science ?

— Oui. Et Debbie a largué Rodd Muckinfuss pour un tordu d'Horizon.

— Un tordu ? Une grosse tête ? s'est exclamée tout à coup ma mère. Est-ce que vous vous entendez parler ? Il s'agit d'êtres humains, ne l'oubliez pas, des êtres humains qui ont des sentiments.

Comme ma mère, je commençais à être de plus en plus écœurée par ce que j'apprenais. Mais pas pour les mêmes raisons.

— Lucy, ai-je dit. Tu ne peux pas casser avec Jack. Tu l'aimes.

— Bien sûr, mais tu es ma sœur. Je ne peux tout de même pas sortir avec un garçon qui dit du mal de ma sœur ! Pour qui me prends-tu ?

Je l'ai regardée fixement, abasourdie. Lucy – ma sœur Lucy, la plus jolie et la plus appréciée de toutes les filles du lycée – avait quitté son petit copain, non pas parce qu'il lui avait été infidèle ou parce qu'elle s'était lassée de lui. Non, elle l'avait quitté pour moi. Moi, Samantha Madison. Et pas la Samantha Madison de l'attentat contre le président des États-Unis d'Amérique ni la Samantha Madison ambassadrice des Nations unies pour la jeunesse.

Non. Samantha Madison, la petite sœur de Lucy Madison.

À ce moment-là, la culpabilité m'a envahie. Lucy avait fait cet énorme sacrifice – bon d'accord, peut-être pas aussi énorme que ça pour elle, mais quand même –, et quel genre de sœur avais-je été pour elle ?

Hein ? Une sœur qui avait espéré – non, prié – pendant des mois pour qu'ils se séparent afin de pouvoir prendre sa place. C'était enfin arrivé et pourquoi ?

Parce que Lucy m'aimait plus qu'elle ne pourrait jamais aimer n'importe quel garçon.

Bref, j'étais la pire sœur qui puisse exister sur Terre. J'étais la plus méprisable.

J'ai levé les yeux. Apparemment, Lucy semblait en avoir assez de cette conversation, mais David Bareanaz était réapparu à l'écran.

— Bon d'accord, a-t-elle concédé. Je vais y réfléchir.

— Oui, Lucy, tu devrais vraiment y réfléchir. Jack est un garçon formidable.

— O.K., O.K., a fait Lucy légèrement agacée. Je viens de te dire que j'allais y réfléchir. Maintenant, tais-toi, j'aimerais écouter l'émission.

Ma mère, qui comprenait un peu tard ce qui était en train de se passer, a déclaré :

— Tu sais, Lucy, si tu veux sortir avec cet autre garçon, ton partenaire de chimie, ton père et moi serions ravis. N'est-ce pas, Richard ?

— Oui, tout à fait. D'ailleurs, pourquoi ne l'amènerais-tu pas après les cours demain ? Je suis sûr que Theresa n'y verrait aucun inconvénient.

Le mal était fait mais je savais que Lucy et Jack seraient de nouveau ensemble demain à l'heure du déjeuner. Ce qui me rassurait. Et me faisait très plaisir.

Parce que je n'aimais pas Jack et ne l'avais probablement jamais aimé. Pas vraiment, en tout cas.

Le problème, c'est que j'étais quasi sûre que le garçon que j'aimais ne m'aimait pas, lui.

En même temps, j'avais le pressentiment que je serais définitivement fixée sur mon sort, le lendemain, au cours de Susan Boone.

25

— Observez bien ce crâne, a déclaré Susan Boone
en soulevant le crâne d'une vache, blanchi par le soleil
et le sable. Regardez bien les couleurs. J'aimerais voir
toutes ces couleurs sur votre feuille.

Elle a posé le crânc sur la table, au milieu de la
pièce, puis elle a enfermé Joe dans sa cage. Avant que
j'aie le temps d'enfiler mon casque, il avait réussi à
m'arracher une mèche.

Je me suis assise à ma place, évitant soigneusement
de regarder David, installé à côté de moi. Impossible
de deviner s'il était heureux de me voir ou non, ou
même s'il se souciait de ma présence. Je ne lui avais
pas adressé la parole depuis la réception à la Maison
Blanche. Du coup, j'ignorais s'il avait suivi mon interview, s'il savait que j'avais écouté ses conseils en faisant valoir ma liberté d'expression, ou que j'avais tout

simplement admis, devant vingt millions de téléspec-
tateurs, que je l'aimais.

— Ne t'inquiète pas, n'avait pas cessé de me dire
Lucy. Il a vu ton interview.

Lucy ne pouvait pas se tromper. C'était une experte
en ce qui concernait les garçons. N'avait-elle pas
renoué avec Jack aussi légèrement qu'elle l'avait
quitté ? Un jour, ils se séparaient, le lendemain, on
les voyait assis côte à côte, au réfectoire, comme si de
rien n'était.

— Salut, Sam ! avait lancé Jack quand j'étais passée devant leur table pour rejoindre la mienne.
Écoute, je suis désolé. J'espère que tu ne m'en veux
pas. C'est juste que j'étais déçu pour l'exposition.

— C'est rien. Pas de problème, avais-je répondu.

Parce que ce n'était effectivement pas un problème.
J'avais des soucis bien plus importants. Comme faire
comprendre à David que c'est lui que j'aimais et non
Jack. Pour me rassurer, je me répétais que c'était peu
probable qu'il n'ait pas vu mon interview : elle était
passée à l'heure de plus grande écoute et avait été
largement annoncée, depuis le dimanche, quand
j'avais contacté Candace Wu.

Mais il existait toujours une possibilité qu'il ne l'ait
pas regardée. Une possibilité que j'allais devoir vérifier en lui posant tout bonnement la question.

Ce qui était pire que s'adresser à vingt millions
d'étrangers.

Sa présence à mes côtés me paralysait tellement que je me sentais incapable d'engager la conversation. En arrivant au cours de Susan Boone, on s'était souri, David m'avait dit : « Salut. » Je lui avais répondu : « Salut. »

Et c'est tout.

Comme si le destin ne s'acharnait pas suffisamment sur moi ces derniers temps, David portait aujourd'hui un tee-shirt de No Doubt. Mon groupe préféré et ma chanteuse préférée, Gwen Stefani. Dire que le garçon qui me plaisait portait un tee-shirt de l'un de leurs concerts !

J'avais les mains tellement moites que je pouvais à peine tenir mes crayons. Quant à mon cœur, il reproduisait à lui tout seul le solo à la batterie d'Adrian Young.

« Dis-lui quelque chose », je ne cessais de me répéter, « Dis-lui quelque chose ».

Sauf que je n'en ai pas eu le temps. Susan Boone a frappé dans ses mains : nous avions suffisamment observé le crâne et nous devions à présent nous mettre à nos dessins.

David s'est aussitôt penché sur sa feuille. J'avais raté l'occasion de lui parler.

Du moins, c'est ce que je pensais.

Alors que je cherchais comment rendre les couleurs que je voyais – malgré tout mon amour pour David, j'arrivais tout de même à me concentrer –, un bout de papier a atterri sur mes genoux.

J'ai sursauté puis j'ai regardé David.

Il semblait tout aussi absorbé par son travail que moi un instant plus tôt. En fait, si je n'avais pas décelé l'ombre d'un sourire sur ses lèvres, j'aurais pu hésiter sur la provenance du papier.

Je l'ai alors déplié.

Et j'ai lu, rédigé de l'écriture précise d'un futur architecte :

Amis ?

Je n'en revenais pas. David voulait qu'on redevienne amis ? J'ai commencé à griffonner :

Oui, bien sûr !

quand brusquement quelque chose m'a fait lever mon crayon. Je ne sais pas si c'est à cause de ce qui s'était passé ou si j'avais fini par apprendre une chose ou deux ou si encore mon ange gardien, Miss Gwen Stefani, ne s'était pas penchée sur moi pour retenir ma main.

Quoi qu'il en soit, j'ai déchiré un morceau de feuille de mon carnet à croquis et dessus, j'ai noté, le cœur battant la chamade, mais convaincue que c'était maintenant ou jamais, et que je devais lui dire la vérité :

Non. Je veux qu'on soit plus que des amis.

Et j'ai glissé la feuille sur sa table. Bien que je fasse mine d'être cette fois totalement occupée par mon dessin, j'ai épié la réaction de David du coin de l'œil. Je l'ai regardé déplier le papier et le lire. Puis j'ai vu qu'il fronçait les sourcils.

Deux secondes plus tard, un nouveau morceau de papier atterrissait sur mes genoux.

Avec l'impression de ne plus pouvoir respirer, je l'ai ouvert. David avait demandé :

Et Jack ?

Je n'ai eu aucun mal à répondre à cette question. Ça a même été un soulagement pour moi que de rétorquer :

Quel Jack ?

Parce que c'était exactement ce que je ressentais.

Mais ce qui m'a le plus étonnée, c'est la réponse de David par laquelle il me faisait part de ses vrais sentiments.

Si j'avais déjà été heureuse – si un événement m'avait déjà remplie de joie au point de penser que mon cœur allait exploser –, ce n'était rien comparé à ce que j'ai éprouvé en ouvrant le nouveau petit papier que David venait de m'envoyer et sur lequel il avait dessiné un cœur.

C'est tout. Juste un petit cœur.

Ça ne pouvait signifier qu'une chose : il m'aimait.

Il m'aimait.

Il m'aimait.

26

La cérémonie pour la remise de la médaille a eu lieu une semaine après.

Je ne me suis pas habillée en noir. Je n'y tenais pas. En fait, je m'en fichais. C'est comme ça, quand on est amoureux. On se fiche de ce genre de choses.

Sauf quand on s'appelle Lucy.

Si je ne me souciais pas de mon allure, je pouvais faire confiance à ma mère, à Theresa et à Lucy pour qu'elles s'en soucient, elles. Elles m'ont forcée à porter un tailleur bleu clair.

Pour en revenir à la réception, elle s'est déroulée dans le Salon bleu, devant l'arbre de Noël de la Maison Blanche, magnifiquement décoré de guirlandes et de boules de toutes les couleurs.

Il n'y avait que des gens importants, dont des colonels de l'armée en uniforme, des sénateurs en costume trois pièces, et ma famille, bien sûr, à laquelle j'avais ajouté Theresa, Catherine et ses parents, Candace Wu, Jack, Pete et Susan Boone.

Le président a prononcé un discours me concernant. J'avoue que certains passages m'ont donné des élans patriotiques, même si j'ai eu un peu de mal à le suivre en entier. Il faut dire que David, qui se tenait aux côtés de son père, était tellement mignon.

Quand je pense que je l'avais trouvé ridicule avec une cravate ! À présent, j'étais parcourue de frissons quand il en portait une. En vérité, j'étais parcourue de frissons dès que je voyais David.

Quand j'ai eu reçu ma médaille – en or, accrochée à un ruban de velours rouge –, tout le monde a applaudi et j'ai dû poser pour les photos tandis que les autres se jetaient sur les gâteaux et les boissons. David a été le seul à m'attendre. Dès que les photographes m'ont libérée, il s'est approché de moi et m'a embrassée sur la joue. Évidemment, un reporter s'est empressé d'appuyer sur le déclencheur de son appareil, mais ça ne nous a pas embêtés parce que, au cours de la semaine qui venait de s'écouler, on s'était embrassés plus que souvent, et pas que sur la joue, d'ailleurs.

Et laissez-moi vous dire une chose : embrasser – ce qui, inutile de le préciser, ne m'était jamais vraiment arrivé avant –, c'est superagréable.

Une fois qu'on a retrouvé tout le monde pour le thé, je suis passée d'un groupe à un autre et j'ai fait en sorte que mes invités se sentent à l'aise. J'ai ainsi présenté Susan Boone et Peter aux parents de Catherine, et David a présenté Jack et Lucy au ministre de la Justice et à sa femme.

Puis, alors que tous bavardaient et semblaient passer un bon moment, David s'est glissé vers moi avec l'un de ses petits sourires secrets et m'a murmuré à l'oreille :

— Suis-moi.

Je l'ai suivi le long du couloir jusqu'à la pièce où on avait mangé nos hamburgers.

David s'est approché de la fenêtre qui donnait sur la pelouse de la Maison Blanche et j'ai vu qu'à côté de mon nom, il avait ajouté autre chose.

Le signe +

Du coup, maintenant on pouvait lire

David + Sam

Ce qui, tout bien considéré, était plutôt une bonne façon de laisser sa trace dans l'histoire.

Dix raisons pour lesquelles je suis très contente, après tout, de ne pas être Gwen Stefani :

10. Je ne suis pas obligée de partir en tournée. Je peux rester chez moi avec mon chien et voir mon petit copain quand je veux... enfin, jusqu'à onze heures, le week-end, et dix heures en semaine, et tant que mes notes en allemand ne baissent pas.

9. Entre le lycée, les cours de dessin, mes obligations d'ambassadrice, je n'ai pas vraiment le temps de penser à ma garde-robe. S'habiller avec une certaine recherche est en fait une grande responsabilité.

8. Je pense qu'écrire et interpréter des chansons est moins satisfaisant, du point de vue de la création, que de dessiner un œuf.

7. Gwen doit donner des tas d'interviews, ce que je fais moi-même en tant qu'ambassadrice. Mais Gwen, elle, est interviewée par *Teen People*, par exemple, qui ne s'intéresse qu'à sa garde-robe. Tandis que moi, je suis interviewée par *The New York Times Magazine*, qui n'en a rien à faire de ce que je porte sur le dos.

6. Gwen change souvent son piercing au nombril. Mon nombril n'est pas exactement ce qu'il y a de mieux chez moi. De toute façon, mon père m'a dit que s'il me surprenait avec un piercing au nombril, il m'obligerait à travailler pendant tout un été à son bureau, au lieu de me laisser dessiner des œufs ou des crânes de vache à l'atelier de Susan Boone.

5. D'après Theresa, dont la sœur tient un institut de beauté, si je teignais mes cheveux aussi souvent que Gwen, je les perdrais tous.

4. Gwen est dehors toute la journée, et tous les jours de la semaine, avec les garçons de son groupe. Les seuls garçons avec qui je traîne, c'est mon petit ami, le petit ami de ma sœur, et le petit ami de ma meilleure amie, et aucun d'eux, jusqu'à présent, n'a laissé entendre qu'il avait envie de jouer de la batterie nu, ce qui, si vous voulez mon avis, serait très embarrassant.

3. Gwen n'est peut-être pas au courant, mais les grosses têtes font les meilleurs petits amis. Ça paraît surprenant, mais c'est vrai. Vous vous souvenez des petits sourires de David. Eh bien, il m'a avoué que c'était parce qu'il pensait ne jamais rencontrer une fille aussi cool que moi.

Et puis, c'est plutôt agréable quand ses parents apprécient le garçon avec qui on sort.

2. La sœur de Gwen, qui est certainement très cool et tout, ne peut pas être aussi cool que Lucy, même si parfois, elle m'énerve. Après tout, elle était prête à larguer son copain pour moi ! Vous en connaissez beaucoup des sœurs comme ça ?

Mais la raison essentielle pour laquelle je suis très heureuse de ne pas être Gwen Stefani, c'est que :

1. Je ne serais pas moi !

FIN

Composition PCA - 44400 Rezé

Achevé d'imprimer par CAYFOSA
32.10.2636.2/01 - ISBN : 978-2-01-322636-3
Loi n° 49-956 du 16 juillet 1949 sur les publications destinées à la jeunesse
Dépôt légal : juin 2008

THE SCARLETTI CURSE

CHRISTINE FEEHAN

piatkus

THE CURSE

Don Scarletti's dark, penetrating gaze traveled slowly over Nicoletta, taking in every detail.

Like the proverbial cornered rabbit, helpless, mesmerized, Nicoletta watched him, terrified of what he might do. Stark possessiveness marked his gaze, and he stood so close that she could feel the heat from his muscular body seeping into her ice-cold skin. But she couldn't look away from his black, black eyes.

'You are the one,' he said softly. His voice turned slightly mocking. 'It is your honor to be chosen in the Bridal Covenant.'

Nicoletta stared up at him. Both of them knew that, given the Scarletti curse, this proposal of marriage was tantamount to a death sentence. A sound of pure terror escaped her throat. 'Choose another,' she whispered. 'Surely there are many willing brides for you.'

His hand spanned her throat, his fingers curling around it, while his black gaze roamed her upturned face to settle on her soft, trembling mouth. He smiled, a slow, humorless curving of his perfectly sculpted lips, and quiet menace laced his voice.

'I have chosen you.'

from the plants as medicaments for the people in the surrounding *villaggi* and farms. What had started as a small hillside garden had grown into an enormous undertaking – transplanting all the herbs and flowers she required for various remedies and physics. Her bare hands were buried deep in the soil, the rich fragrances of the herbage enveloping her, a riot of color from the vegetation she had sown scattered all around her.

She shivered suddenly as a gray shadow obscured the last warming rays of the sun, leaving an ominous portent of disaster in her mind. Very slowly Nicoletta stood, dusting the damp soil from her hands and then her long, wide skirt before she tilted her head to look up at the bird sitting so still above her in the tree.

'So you have come to summon me,' she said aloud, her voice soft and husky in the silence of the grove. 'You never bring me good news, but I forgive you.'

The bird stared straight at her, its small round eyes shiny and bright. A lingering beam of light hit the feathers on its back, making them almost iridescent, before the graying clouds obscured the sun completely.

Nicoletta sighed and shoved at the wild mass of long, tangled hair flowing like a waterfall down her back well below her small waist, a few twigs caught in the silken strands. She looked as mysterious and mystical a creature as the silent raven, wild and untamed with her bare feet, dark eyes, and delicate sun-gilded features. A young, beautiful witch, perhaps, weaving spells amidst her lavish, exotic garden.

The bird opened its beak and emitted a loud squawk, the note jarring in the hush of the grove. For a moment the

CHAPTER ONE

The raven winged its way along the edge of the cliffs. Below, the waves crashed and foamed against the rocks, each one rising higher and higher, reaching almost angrily toward the black bird. The raven changed course, circling inland across fields of wildflowers, above bare slopes, flying until it reached the timberline. It appeared to be meandering, slowly gliding across the sky, the waning rays of sunlight glistening off its back. Patches of clouds began to drift across the horizon, almost in its wake, as if the bird was drawing a gray shadow over the land below it.

Once in the stand of trees, the bird changed speed, swooped quickly, maneuvering through leafy branches and around tree trunks as if racing the setting sun. It flew as straight as possible up the hillside into the grove on the far slope of the mountain. It made its way unerringly to a thick, twisted branch. Settling there, it folded its wings rather majestically, its round, shiny eyes fixed intently on the small woman below.

Nicoletta carefully packed rich soil around the small fern she had recently moved. The earth here was more fertile than that closer to home and would enable her much-needed and rarer forms of flora to flourish. She used extracts

The palazzo was many stories high, with gables, turrets, lofty terraces, and the infamous tower, rumored to be a prison of sorts. The tracery overlooking the cliff was carved of slender, intersecting stone segments that formed unusual intricate patterns, seeming to signify something rather than simply dividing the stone walls with large windows. Those portals and their unusual patterns always caught her attention – and also made her feel as if she were being watched. Sculpted into the castle's eaves, gables, turrets, and even the tower were silent sentinels, frightening gargoyles watching the surrounding countryside with hollow, staring eyes and outstretched wings.

Nicoletta shook her head, not daring to linger any longer. She felt an urgency in her; the need to keep moving must be great. She turned her back on the palazzo and began to walk quickly along the path winding away from the sea back toward the interior countryside. The first houses came into sight, small, neat farms and dwellings scattered among the hills. She loved the sight of those homes. She loved the people.

An elderly woman met her as she entered the settlement's main square. 'Nicoletta! Look at you! Where are your shoes? Hurry, *piccola*, you must hurry!' The woman calling her 'little one' sounded scolding, as she often did, but already she was gently pulling the twigs and leaves from Nicoletta's long hair. 'Quickly, *piccola*, your shoes. You must fix your hair as we go.'

Nicoletta smiled and leaned toward the woman to press a kiss on her lined cheek. 'Maria Pia, you are the light of my life. But I have no idea where I left my sandals.' She didn't, either. Somewhere on the trail, perhaps by the stream.

4

insects ceased their incessant humming, and the earth itself seemed to be holding its breath.

'I am coming, I am coming,' Nicoletta said, catching up a thin leather pouch. She raised her head to the sky above her, then turned in a slow circle, her arms outstretched, pausing as she faced each of the four directions, north, south, east, and west. The wind tugged at her clothing and whipped her hair around her like a cloak. Hastily she began gathering leaves and seeds from various plants, adding them to the dried, crushed herbs and berries already in her pouch of medicaments.

Nicoletta began to run along a well-worn path leading down the hillside. Bushes caught at her full skirt, the wind tugged at her hair, but she made her way easily through the brambles and thick vegetation. Not once did her small feet falter on a stone or branch lying in wait on the ground. As she approached a stream, she simply hiked her long skirt up her bare legs and raced across smooth, exposed stones, occasionally kicking up a spray of water, like a shower of glistening diamonds.

Timber gave way to meadows and then barren rock as she neared the ocean. She could hear the sea thundering against the cliffs, continually seeking to erode the massive peaks. She paused before completing her descent to look upon the enormous palazzo that hulked forbiddingly on the next cliff above the raging sea. The castle was large and beautiful, yet dark and foreboding, rising out of the shadows. It was whispered that the great halls held many secrets and that hidden passageways could lead one directly to the sea should there be need.

3

Nicoletta laughed softly. 'You think everything is bad luck.' She wrapped the tattered black shawl around her shoulders to cover her bare arms.

'Everything *is* bad luck,' Maria Pia scolded. 'You cannot say such things. If *he* should hear of it . . .'

'It isn't bad luck,' Nicoletta insisted. 'And who is going to tell him what I said? It isn't bad luck that kills the women who go to work in that place. It is something else.'

Maria Pia crossed herself as she looked around carefully. 'Take care, Nicoletta. The hills have ears. Everything gets back to him, and without his good will our people would be homeless and without protection.'

'So we must deal with *Il Demonio* and pray the price isn't too high.' For the first time Nicoletta sounded bitter.

Maria Pia paused for a moment, reaching out to take the young woman's arm. 'Do not harbor such thoughts, *piccola*, it is said he can read minds,' she cautioned gently, lovingly, with sorrow and pity in her eyes.

'How many more of our women and children will that place swallow before it is done?' Nicoletta demanded, her dark eyes flashing like flames with anger. 'Must we pay our debts with our lives?'

'Hush,' Maria Pia insisted. 'You go back to the *villaggio*. With this attitude, you should not accompany me.'

Nicoletta marched past the older woman, her back stiff, her slender shoulders squared, outrage in her every step. 'As if I would leave you to face *Signore Morte* alone. You cannot save this one without me. I feel it, Maria Pia. I must go if she is to live.' Nicoletta ignored Maria Pia's outraged gasp at her openly admitting to knowing something not yet revealed to

6

Maria Pia Sigmora sighed softly. '*Bambina*, though you are our healer, you will be the death of us all.'

Nicoletta was the joy of the *villaggio*, its lifeblood, its secret. She was impossible to tame, like trying to hold water or the wind in their hands. The older woman lifted an arm and waved toward the nearest hut. At once they heard the sound of laughter, and a small child raced out carrying a pair of thin leather sandals, the thongs dragging on the ground.

Giggling, the dark-haired little girl thrust the shoes at Nicoletta. 'We knew you would lose them,' she said.

Nicoletta laughed, the sound as soft and melodious as that of the clear running water in the nearby streams. 'Ketsia, you little imp, skip along now and stop tormenting me.'

Maria Pia was already starting down the narrow path back toward the cliffs. 'Come quickly, Nicoletta, and plait your hair. A scarf, *bambina* – you must cover your head. And take my shawl. You cannot draw attention to yourself.' She was clucking the orders over her shoulder as she walked briskly. She was old, but she moved as one still young, well accustomed as she was to traveling the steep hillsides.

Nicoletta easily kept pace, her sandals slung around her neck by the thongs while she deftly bound her hair into a long, thick braid. She then wound it carefully and covered her head with a thin scarf. 'We are going to the *Palazzo della Morte*?' she guessed.

Maria Pia swung around, scowling fiercely, emitting a slow hiss of disapproval. 'Do not say such a thing, *piccola*. It is bad luck.'

refusing to bow down before its savage intensity. 'I am going with you as always, and *he* can go to hell!'

Maria Pia gasped her shock and blessed Nicoletta three times before proceeding along the path. The wind shrieked its outrage of Nicoletta's defiance, roaring through the pass, and dislodged pebbles that trickled down from above them, pelting the two women as they hurried between the two cliffs. Nicoletta circled the older woman's head protectively with one arm, trying to shelter her from the shower of stones cascading down around them as they ran.

'Does he command the very mountains?' Maria Pia cried. Her words were whipped away from her and taken out to sea by the fury of the wind.

'Are you hurt?' Nicoletta demanded, running her hands over the older woman, looking for injuries, her anger and defiance swirling together like the mist. She was gentle, however, her touch light and soothing despite the emotions seething within her.

'No, I am not hurt at all,' Maria Pia assured her. 'What about you?'

Nicoletta shrugged. Her left arm felt numb, but the rock that had hit her hadn't been particularly large, and she felt lucky to have escaped with only a bruise. They were on the palazzo grounds now, and overhead the clouds darkened and roiled like a witch's cauldron. Long, dark shadows sprawled everywhere, shading each bush and tree and statue as the mansion loomed up before them. It rose right out of the cliff, a glistening castle with its enormous tower reaching toward the heavens. Huge, heavy sculptures and smaller, more delicate ones dotted the grounds, which also boasted great them. She tried not to smile as Maria Pia solemnly made the sign of the cross, first on herself and then over Nicoletta.

Mist was swirling up from the foaming sea, fine, sifted droplets of salt water curling around their ankles and clinging to their clothing. The wind was savage now, rising up off the ocean waves to slam into their small frames as if trying to drive them back. They were forced to slow their pace and choose their way carefully over the little-used path to the hulking palazzo. As they rounded the narrow, steep cliff jutting up from the sea, and the palazzo came into sight, the setting sun finally slipped below the horizon of water, thrusting a blood-red stain across the sky above.

Maria Pia cried out, halting as the vivid color swept across the heavens, a portent of disaster and death. She moaned softly, trembling as she rocked back and forth, clutching at the cross she wore around her neck. 'We go to our doom.'

Nicoletta put an arm protectively around the older woman's shoulders, her young face passionate and fierce. 'No, we do not. I will not lose you, Maria Pia. I will not. *He* cannot swallow you as he has the others! I shall prove too strong for him and his terrible curses.'

The wind howled and tore at their clothes, raging against her challenge.

'Do not say such things, *bambina*. It is dangerous to speak such words aloud.' Maria Pia straightened her shoulders. 'I am an old woman; better that I go alone. I have lived my life, Nicoletta, while yours is just beginning.'

'The *Palazzo della Morte* has taken *mia madre* and *mia zia*. It will not swallow you, too. I will not allow it!' Nicoletta vowed fiercely, hurling the words back at the wild wind, .

7

movement seemed but the slightest of tremors, barely felt, yet the candles in the hall swayed, the flames leapt high as if in warning, and wax splattered onto the floor. Maria Pia and Nicoletta looked at one another. The older woman quickly made the sign of the cross toward the interior of the house and then back behind them into the darkness and the howling wind.

The manservant turned back to look at the women. At once, Maria Pia followed him, but not before altering her entire demeanor. She stood taller, appeared confident, a quiet dignity clinging to her. Nicoletta assumed the opposite stance. Shoulders stooped, she slunk along the great hall, casting nervous glances this way and that, her head bowed low, her eyes on the floor. She scooted along the wall, hoping to blend into the shadows, her thin sandals silent on the marble-tiled floor, drawing no attention to herself in her attempt to masquerade as the 'healer's' lowly apprentice.

The man leading the way took many twists and turns along various passageways and halls and through several large rooms, moving so quickly that the average person had no time to note any landmarks. Maria Pia looked serene despite the circumstances, relying on Nicoletta, as she had so many times in the past, to know their way back. The palazzo's interior was an incredible example of a master craftsman's imagination and art. The enormously thick walls were of smooth pink-and-white marble. The ceilings were high, vaulted, with impressive domes and arches. The floors were of marble tiles throughout, the large blocks impossibly smooth beneath their feet. Sculptures and artwork abounded, often of huge winged creatures guarding the devil's lair.

10

stones carved into impressive barricades around the maze and gardens. Two huge marble fountains with gilded edges and heavily laced with winged pagan deities rose up in the centers of the rounded courts.

Nicoletta and Maria Pia now made their way up an immaculate path to the castle door, the statues glaring at them and the wind continually battering them. The door was massive and intricately carved. Nicoletta studied the carvings for a moment while Maria Pia fussed over her, making certain she was properly covered. 'Your shoes, *bambina*,' the older woman hissed.

They were both shivering in the unrelenting wind. It was dark and gloomy before the great hulk of the door, which seemed to stare unpleasantly at them. Nicoletta thought the carvings were of lost souls shrieking in flames, but then, her imagination always got the better of her when she was near this place. Maria Pia took hold of the heavy knocker and allowed it to drop. It boomed cavernously, the sound hollow and mournful in the gathering fog and darkness.

Hastily Nicoletta slipped on the offending sandals, tying the thongs around her ankles as the door swung silently open. Rows of tapered candles burned in sconces in the lofty entrance hall, flickering and dancing along the high walls, shrouding the long corridor and vaulted ceilings in grotesque shadows. The man standing in the doorway was tall and thin with gaunt cheeks and silver-peppered hair. His dark eyes moved over the two women with a hint of disdain, but his face remained expressionless. 'This way.'

For a moment neither woman moved. Then Nicoletta stepped into the palazzo. At once the earth shifted. The

9

the room but rather moving quickly out of the way, one hand discreetly covering his mouth and nose. A blast of heat and a foul odor exploded out of the bedchamber. The stench was overpowering.

The child had been sick repeatedly. The coverlet was wet and stained with the aftermath of her body attempting to rid itself of poisons. Nicoletta had to tamp down a swift surge of fury that adults would leave a child to suffer alone because they were afraid of possible contagion. She repressed the need to gag at the unholy stench and approached the bed. Behind her the door swung shut with a loud thud, but despite its thickness, it didn't drown out the useless, annoying wailing coming from the hall. The fireplace was roaring, generating tremendous heat and making the room seem to glow eerily orange from the flames.

The child looked tiny in the heavy wooden bedstead. She was very young, perhaps seven, her dark hair in tangles, her clothes sweat-soaked and stained. Her face was beaded with perspiration and twisted in agony. Nicoletta approached her without hesitation, her dark eyes mirroring her compassion. She slipped a hand around the child's tiny wrist, her heart in her throat. 'Why did they wait so long to summon us?' she whispered softly.

Something large and menacing stirred in the far shadows of a recessed alcove near the large windows. Maria Pia cried out and leapt backward toward the door, crossing herself. Nicoletta protectively stepped between the shadows and the child, prepared to defend her from the specter of death. A man's large frame slowly emerged from the darkness. He was tall, powerfully built, his black hair long and damp with

Alcoves and portals housed intricately carved angels and demons. Horses and mythical creatures bounded above the archways and along the walls. Great columns and arches rose upward; and each room was larger and more ornate than the last. The tapers lent a certain animation to the silent sculptures, which stared down with flat eyes upon the women hurrying along the cavernous corridors.

The sound of wailing echoed through the halls. As they rounded a corner, two women came into view. They were clinging to each other, the younger sobbing hysterically, the older one crying softly. A young man stood rather helplessly beside them, obviously grief-stricken, one hand covering his face. A quick glimpse told Nicoletta they were highborn personages, their clothes lavish, their hair perfect despite circumstances. For some reason that detail stuck in her mind. She knew the two women on sight, of course; they came often with their servants to the *villaggio* demanding new material for their dressmakers. The older woman was beautiful, cool, and aloof, no more than thirty-five and probably younger. Portia Scarletti and her daughter, Margerita. Portia was a widow, a distant Scarletti relative who had lived in the palazzo most of her life. Her daughter was about fifteen or sixteen and extremely haughty to the girls in the *villaggio*. Nicoletta knew the young man was Vincente Scarletti, youngest brother to the don. She averted her eyes quickly and shrank farther into the gloom of the corridor.

The servant escorting them stopped at a door. 'The *bambina* is in here. She is very ill.' The gloomy, fatalistic tone of his voice indicated that they had taken too long to arrive. He pushed open the door and stepped back, not going into also well practiced. Scurrying back inside, she ignored the man leaning against the wall and threw open the window. The wind howled into the room, making the curtains dance macabrely and the fire leap and roar. The cold sea air immediately rushed inside, and the temperature in the room dropped almost instantly while the mist pushed out the terrible odor.

The child was shivering, sweat running down her body. Nicoletta stripped her of her soiled clothing, smoothing back her hair. Maria Pia leaned in close that they might consult. 'Are you certain it is not the Black Death? *He* is ill also.' The older woman whispered the words into Nicoletta's ear.

'I need to know what food they shared.' Nicoletta's lips barely moved. Her hands were gentle on the child's distended abdomen.

'Good sir,' Maria Pia asked, 'did you and the child partake of a meal together? I must know if you two shared anything to eat or drink.'

The man was shivering almost uncontrollably. He clenched his teeth to keep them from chattering. 'You are certain of what you are doing, letting in the cold this way?'

'We must bring the fever down quickly. Both of you are far too hot. And the room reeks of sickness. It is not good. Come, come, girl, hurry now.' Maria Pia did not like the way the don's black, piercing eyes took in Nicoletta's graceful, soothing hands as they moved over the child. Deliberately she shoved herself in front of the younger woman, pretending to examine the patient. 'Well, Don Scarletti? Did you two partake of the same comestibles?'

14

sweat. He swayed unsteadily for a moment, one hand pressed to his stomach. Pain etched deep lines into his face.

Nicoletta moved swiftly toward him, but he shook his head, and his jet-black eyes narrowed in warning. 'Do not come near me.' His voice was faint but held an unmistakable command. He indicated the child with a gesture. 'Is it the Black Death?' His gaze was on Maria Pia's wizened face.

Both women froze in place for a moment. It was the don – Don Scarletti himself. Even ill as he was, wracked with fever and pain, he looked powerful and entirely capable of easily disposing of two peasant women. Much to Nicoletta's disgust, Maria Pia crossed herself a second time.

'*Dio!* God, woman, answer me!' he demanded, his white teeth snapping together like those of a hungry wolf. 'Signorina Sigmora, do we have the plague?'

Maria Pia glanced very briefly at Nicoletta, who shook her head slightly and moved once more to the child, quickly resuming the demeanor of a frightened servant girl. She was well versed in the role, using it as often as needed. She didn't look again at the man, focusing her attention instead on the little girl. Saving her would be a fight; the child was nearly gone. Nicoletta stripped off the coverlet and bedding, taking grim pleasure in opening the door and hurling the items into the hall where the haughty manservant and whimpering aristocrats lurked.

'We need hot water,' she said, without lifting her eyes to him. 'Lots of hot water, clean rags, and fresh bedding at once. And send two servants to help wash this room immediately. The healer must have these things now if the *bambina* is to live.' Her voice was thin and reedy, a quality

13

Nicoletta combined various potions, ensuring the medicaments were mixed properly. It was Nicoletta who assisted the child, pulling the small body into her arms, rocking her gently while she fed her tiny sips, coaxing and soothing with whispers of encouragement as the devil in the corner watched them with a steady, relentless black stare.

Only when the child made a feeble attempt to drink on her own did he finally stir, sagging against the wall as if his legs could no longer support his weight.

Maria Pia went to him at once, helping to ease his large, muscular frame into a sitting position. 'He is burning up,' she said with a nervous glance at Nicoletta.

Nicoletta lay the child carefully on the bed, drawing up the coverlet. The blanket caught her attention. Neat little stitches, beautiful workmanship, the pattern so dear and familiar. For a moment she could hardly breathe, her throat clogged with painful memories. She traded places with Maria Pia, as if the older woman needed to examine the child while her assistant took care of the basic needs of the second patient.

Nicoletta used the excuse to run her hands over the don's hot skin, to examine him and 'feel' his illness. Don Scarletti was all roped, sinewy muscle, as hard as a tree trunk beneath her gentle, exploring fingers. She skimmed over him lightly, soothing him with her touch.

Suddenly his fingers circled her wrist like a vise, holding her still while he examined her hand. He stared down at it curiously.

Those pain-filled eyes saw far too much. Nicoletta tugged to get her hand back, her heart slamming uncomfortably in

16

'We shared a portion of soup. Sophie could not finish it. I helped her.' The words revealed far more of the man than he might have thought.

Nicoletta glanced at him; she couldn't help herself. He was *Il Demonio*, the demon, his family under a terrible curse. He was arrogant and aloof, cold and unyielding, his neighbors terrified of crossing him, yet he had shared a bowl of soup with a child, perhaps to prevent her from being punished for failing to finish her meal. It was the first nice thing she had ever heard about him, their dictator, their don, the man who held the power of life and death over her people.

Maria Pia coughed to get her attention. Nicoletta quickly resumed her charade as shy, inconsequential apprentice to the healer Signora Sigmora, hunching as she closed the window and straightened the curtains. Two servants peeked in timidly with buckets of hot water and armloads of rags. The taller male servant behind them carried fresh coverlets folded in his arms. None of them entered the room but lingered out in the hall. Nicoletta had little patience with them and took the water and rags rather abruptly, setting them down before whisking the coverlets out of the third manservant's hands. With her foot she forcefully slammed the door closed on them, hoping it hit them right in their noses.

Maria Pia hissed softly at her, scowling fiercely to remind her the don was watching. Nicoletta and Maria Pia went to work. While Maria Pia bathed the child to bring down her fever and clean her, Nicoletta scrubbed the room and the bed. Maria Pia consulted with her 'assistant' in whispers quite often. Seemingly under the older woman's watchful eyes,

15

rejecting it, was a good sign. The don was likely not nearly as sick as the child. He was much larger, stronger, and his body more capable of fighting off the ill effects of the soup they had both ingested.

Maria Pia took several candles from Nicoletta's leather satchel and placed them around the room. Nicoletta had made them herself out of beeswax and various aromatic herbs. Their scent at once filled the room, dispelling the last remnants of the foul odor of sickness. The fragrance was also peaceful and soothing, aiding in further calming the little girl.

'*Mio fratello* awaits news of his *bambina*.' It was another order, delivered by a man accustomed to being obeyed.

Nicoletta was outraged that the man's brother – the child's *father* – was *outside* the room, leaving his daughter to the care of her sick uncle and two strangers. She bit down hard on her lip to keep from making a sound. She would never understand the *aristocrazia*. Never.

Maria Pia opened the door and delivered the news that the don would recover and that they would continue to battle for the child's life throughout the night. It was not the dreaded disease the household had thought, and the don wished them to know.

Nicoletta wished they would all just go away and stop their useless wailing. What good did such a din create? None of them had come near the child, afraid they might catch her illness. Poor *bambina*, to matter so little that her own father refused to see to her! Nicoletta's heart went out to the child.

As a hush finally fell over the household, Nicoletta

her breast. She jerked away from him, moving out of range, back into the shadows, drawing her shawl more tightly around herself. There was danger in his close scrutiny. Maria Pia and Nicoletta had perfected their illusions, the reversal of roles that ensured Nicoletta's safety, guarding her 'differences' successfully from the eyes of those who might suspect her a witch and call upon the Holy Church – or Don Scarletti himself – to have her investigated . . . or worse.

Maria Pia clucked her sympathy as she bustled around looking busy. She conferred with her assistant, watched closely to assure the younger woman mixed her drafts and powders correctly and insisted on helping the don swallow the liquid herself. 'You must rest now,' Maria Pia ordered. 'We will see to the child through the night. Pray we did not arrive too late.'

Nicoletta signed with her hand discreetly as she once more went back to persuading the child to drink small sips of the medicine.

'I must know if others are ill. Did others share the soup?' Maria Pia asked at Nicoletta's suggestion.

The man shook his head, murmured, 'No one else,' and ignored the older woman's nervous gasp as he rose and staggered across the room to a large chair. 'I will stay with the child.' He said it firmly, closing his eyes and turning his head away from them.

Maria Pia looked helplessly at Nicoletta, who shrugged. The room was as clean as they could make it in so short a time. The child's fever was down slightly, although she was still quite ill. But the fact that she was keeping down the potion Nicoletta had concocted, that her stomach was not

17

distinctly uneasy. His fever was down but not entirely gone. With a little sigh, Nicoletta held the cup of liquid to his mouth. She didn't want to wake him, but he, too, needed the medicaments to ensure his recovery.

His hand abruptly moved up to trap hers around the cup as he drank, making it impossible for her to let go. He was enormously strong for a man so ill. When he had drained the contents, he lowered the cup but retained possession of her hand. 'I wonder how the healer knows which remedy to use. I have heard of her skills; the healer to your *villaggio* is spoken of often with great respect.'

Nicoletta stiffened, her heart thundering in her ears. She tugged, a not-so-subtle reminder to release her, but this time he tightened his grip, not allowing her to escape back into the shadows. There was danger here; she sensed a threat to her. 'I . . . I do not know, Don Scarletti. Her secrets are hers alone.' Deliberately she stammered and hung her head, shrinking into herself like a not-so-bright servant.

The don continued to hold her still, regarding her through half-closed eyes. In the firelight he looked a dark and dangerous devil, far too sensuous and powerful to be trifled with. Nicoletta didn't waver beneath the scrutiny, although she wanted to tear her hand free and run for her life. He was so much more dangerous to her than she had first thought. She *felt* it, as she did everything. Resolutely she stared at the floor.

The don retained possession a few moments longer, then abruptly let her go, his eyes closing, clearly dismissing her. Nicoletta prevented her sigh of relief from escaping and moved swiftly to put a safe distance between them, curling settled down on the bed close to young Sophie. The child desperately needed more medicine in her to counteract the effects of the poisoning. Had it been accidental? Or deliberate? Nicoletta tried not to think about that as she quietly removed her sandals, settled against the strangely carved headboard, drew up her knees, and tucked her bare legs beneath her long skirt. With the glow from the stoked fire and the flickering candles, she had sufficient light to observe the room.

Nicoletta couldn't understand why anyone would put a small child in such a chamber. It was far too large, and the carvings in the walls were demonic. Long, coiled, forked-tongued snakes and strange serpents with fangs and claws cavorted between the enormous windows. The marble reliefs and a particularly wicked-looking gargoyle seemed almost alive, as if they might leap off the walls and attack one. The curtains were heavy and dark, and the ceiling was far too high and carved with a plethora of winged animals with sharp beaks and talons. Nicoletta couldn't imagine a child of seven attempting to fall asleep with these creatures surrounding her in the darkness.

Eventually, Maria Pia fell into a doze slumped in a small chair beside the fire. Nicoletta covered her with the spare coverlet and reluctantly checked on the don. He was very quiet, his breathing shallow enough that she could tell he continued to be in pain but was refusing to acknowledge it. Though almost afraid to touch the man, she laid a cooling hand on his forehead. A strange current suddenly ran between the two of them. She could feel it arcing and crackling beneath her skin, beneath his, and it made her thought long forgotten, emerged naturally, a ballad Nicoletta's mother had often sung to her when she was young. Nicoletta's heart went out to the lonely child, who had no one who cared enough to hold her in the darkness when the nightmares came.

Nicoletta looked around the cavernous room, taking in the heavy curtains and hideous carvings, enough to give anyone nightmares. As she rocked, the little girl snuggled close to her, and they drifted to sleep together, neither noticing the man sitting in the chair observing Nicoletta through half-closed eyes.

up on the bed beside the child once more. She breathed slowly, calmly, watching the rise and fall of his chest until she was certain he slumbered once more.

Several times she attended the child, washing her to keep the fever down, prompting her to drink fluids and the physic. The child seemed to be breathing more easily and each time Nicoletta rested her hand on the distended little abdomen, it seemed to be twisting less, the pain subsiding.

She was finally drifting off to sleep herself when a movement at the far side of the chamber caught her eye. A bell pull seemed to sway, though there was no breeze. She shifted her gaze to the wall behind it, watching intently. The smooth, seamless panel seemed to waver, as if her eyes were out of focus. She sat up, staring intently. The wall was marble, a beautiful pink and white, yet it seemed to move in the flickering firelight. Shadows danced and stretched, and the flames and curtains leapt as if a draft had entered the room. She shivered as two of the candles suddenly went out.

For one awful moment she thought she saw the sheen of eyes staring at her malevolently from the shadows, but then the child beside her moved restlessly, breaking the spell. Instantly Nicoletta protectively gathered her close, her gaze once more straying to the wall. It was as unblemished as a sea-smoothed stone. The little girl began to cry in her sleep, a soft, pathetic sound.

Nicoletta rocked her gently and began to hum, then quietly sang a soothing lullaby, a whispered melody for the child. The little girl began to relax in Nicoletta's arms, clinging to her tightly as if she might never let go. The words, comfort as they lay together in the massive bed. The ornate sculptures did seem to be whispering; she could hear the soft murmuring, which seemed to surround them, making it impossible to discern the exact source. The shadows moved and deepened so that the wings on the carved creatures appeared to spread in preparation for flight. The curved claws of the wicked-looking gargoyle lengthened and grew, stretching toward the bedstead, throwing a darker gray across the figures etched into the ceiling. One talon elongated across the eaves and rafters, a dark shape like the hand of death. It seemed to be reaching for something, and Nicoletta almost stopped breathing as the grotesque shadow hovered across the ceiling above the bed.

Sophie sobbed quietly, the sound muffled against Nicoletta's neck.

'Shh, *bambina*, I will not allow anything to harm you,' Nicoletta promised in her softest, most reassuring voice. But she was frightened, watching the shadows play macabre games, hearing the hideous murmuring. The shadowy talon slowly passed overhead and reached the ornate chandelier with its heavily layered rows of tapers. The claw curved around the base, the sharpened talon digging at the fixture.

Unexpectedly she saw the chandelier sway. Felt a ripple of motion much like the tremor that had passed through the ground up on their arrival at the palazzo. Nicoletta's heart leapt into her throat. Horrified, she stared up at the large, heavy circle of candles. It definitely trembled; it was not her imagination. This time the movement was more pronounced, a shudder that sent several half-burned tapers spilling to the floor. The waxy missiles failed to touch the

CHAPTER TWO

It was a whisper of movement that woke Nicoletta. She felt the disturbance in the air, the shifting of currents. She lay holding the child in her arms while her heart pounded and she attempted to get her bearings. The fire had died down to a soft orange glow. The last of the candles was spluttering into its own wax with a hiss, its aromatic scent drifting into the air with a thin trail of black smoke. The bedchamber was situated on the ocean side of the palazzo, and despite the thick walls, she could hear the constant pounding and roaring of the waves as they crashed against the jagged rocks. In a way the steady, constant rhythm was a comfort.

Nicoletta glanced toward the chair where Don Scarletti had been sleeping. The seat was empty. Maria Pia still slumbered in her chair, her small, frail body barely visible beneath the coverlet.

The child in Nicoletta's arms moved, her little hand creeping along Nicoletta's arm until she clasped her hand tightly. Her rosebud mouth pressed against Nicoletta's ear. 'Sometimes they whisper to each other all night.' Her voice was a shaky thread of sound, her thin body trembling.

Nicoletta tightened her arms around the child, offering

glared at them from beneath bushy eyebrows, intimidating after their recent terror. His fierce gaze took in Nicoletta, the child clinging to her, and Maria Pia on the floor in the middle of a heap of rubble that had once been the chair and the chandelier. 'What the devil is going on in here?' It was a clear accusation.

Sophie cringed at the tone of his voice, and tried to burrow closer to Nicoletta, refusing to look up. Her sobs increased in volume, verging on hysteria.

The old man came into the room, a towering fury. 'Stop that incessant wailing, you wretched little female!' He loomed over them, his fists clenched, shaking a stout cane at them. His eyes glittered like obsidian, his face twisted into a thundercloud. 'It is thievery going on in here! Nothing less than thievery in the middle of the night!'

Nicoletta was uncomfortably aware of the unblinking eyes of the various carvings and sculptures all around them – silent, taunting faces gloating at their misfortune.

Maria Pia moaned and pushed herself to a sitting position. Nicoletta kept her attention on the little girl. It was obvious that Sophie was as terrified of the old man as she was of the shadowy specters that haunted her room at night. Nicoletta instantly began whispering soothing words to the child, knowing it best to leave the old man to Maria Pia, who wouldn't kick his ankle as he so richly deserved. Nicoletta had been frightened by the odd murmurings and shadows and the crashing chandelier, but this flesh-and-blood rude old man was now making her angry. It would not be wise to say or do anything to call a closer inspection upon herself; she dared not say what she thought. Nicoletta did bed, but they struck the chair where Maria Pia slept. The chandelier creaked and swayed alarmingly, sending more candles spiraling wildly in all directions through the air.

Nicoletta gasped and attempted to shove the child to safety beneath the massive, untouched bed. She was forced to use precious seconds prying the child's fingers from around her neck, and then she dove for Maria Pia, dragging her out of the chair onto the floor, covering the older woman with her own body.

She heard a terrible grinding sound, and the enormous fixture ripped loose of the ceiling and slammed into the chair where Maria Pia had been sleeping. The chair was smashed to pieces, and the chandelier broke apart. Nicoletta couldn't prevent her cry of pain as the shorn brass sliced into her calf and other pieces pelted her.

Sophie screamed, a thin wail of terror. Nicoletta ignored Maria Pia's muffled questions and pushed herself up, shouldering large pieces of the chandelier off herself to scramble on all fours and drag the little girl to her. Sophie burst into tears, burying her face in Nicoletta's neck and clutching her tightly. Nicoletta could feel warm, sticky liquid running down her leg, and it throbbed and burned. She rocked the child gently, soothingly, glancing up at the ceiling. The strange shadow had receded, leaving the carved sculptures nothing but ornate works of art and her own vivid imagination.

The door to the bedroom was flung open, and an old man, a stranger, stood framed there. 'What happened here?' His frame was tall and thinning with age, his thick hair silver, wild, and untamed, sticking out in all directions. He nearly turning purple, he seemed to be threatening everyone in sight. Once he leaned over and spat on the floor near the door, his fierce gaze fixed spitefully on the little girl.

At his tirade Sophie clung all the harder to Nicoletta, not daring to look up at the old man. He accused the child of everything from being bad luck to being a witch. Nicoletta glanced quickly at Maria Pia. The older woman was devoutly crossing herself and piously kissing the crucifix that hung around her neck.

The don looked completely exasperated, so much so that Nicoletta almost felt sorry for him. He was still feeling the ill effects of the poisoning; she could see it in his eyes and the slight way he hunched his body to bring relief to the painful knots twisting in his abdomen. He waved his grandfather out of the room, his voice quiet yet stern as he followed him into the corridor.

The two men spoke briefly before the don returned to the women, eyeing the disaster in the room. 'What happened here?' he asked quietly.

Sophie peeked out at him from the safety of Nicoletta's arms. '*They* did it.' She pointed at the silent, watching creatures on the ceiling.

Don Scarletti's gaze settled on the little girl. 'Do not start that silliness again, Sophie.' His voice was mild but delivered a reprimand.

The child flinched burying her face once more against Nicoletta's neck. Nicoletta's dark eyes, a hint of fire in their depths, jumped to the don's face. Maria Pia deliberately kicked at a piece of the fallen chandelier to draw attention away from the younger woman. 'Clearly the thing fell,'

28

her best to resume her role as a slow, frightened servant girl. The last thing she wanted was for the don to notice her. She didn't want the villagers to suffer punishment on her behalf. They might be able to go into the surrounding towns and make a modest living, but she doubted it. They had lived in the hills all their lives, depending on the tolerance and good will of the don.

Maria Pia answered the old man respectfully but on the steadier ground her role as the healer provided her. Unlike Nicoletta, she had much practice through the years in dealing with the *aristocratici* and their tyrannical ways, and obviously she had encountered this horrid old man before. 'Signore Scarletti, we have suffered a terrible accident. We were nearly killed!' she said indignantly.

'Stupid woman, I can see what has been going on here!' the elder Scarletti snapped, clearly angrier than ever that anyone should contradict him, and a lowly woman from the village, at that.

A darker shadow fell across them all, blocking the light from the candles in the hall, bringing instant silence to the exchange between the healer and the old man. Even Sophie stopped crying to hiccup sorrowfully. Simultaneously they turned their heads to see the don standing in the doorway. 'Nonno, what have you done? I left this chamber but a short time ago to return to my own room, as the healer had things well in hand.'

The elderly man erupted into a barrage of Latin and Italian and another dialect, but Nicoletta had the distinct feelings that the don's grandfather wasn't praying. With his gnarled hands waving his cane around wildly, and his face

27

Maria Pia pointed out. 'It was only by the grace of the good Madonna we were not killed.'

The don moved closer to inspect the debris. 'There is blood on the coverlet. Was Sophie injured?'

Nicoletta quickly averted her eyes from the don, and it was left to Maria Pia to shake her head and answer. 'She was untouched. The fever has gone down, too. Our vigilance has paid off,' she declared, touching her crucifix for forgiveness for the small lie, since she had fallen asleep even before the don left the room.

Don Scarletti's penetrating gaze settled thoughtfully on Nicoletta's face. 'So you were the one injured. Let me see.' He crossed the floor in his long, fluid strides and bent to examine her.

Shocked, Nicoletta drew her legs under the skirt and silently shook her head, feeling like a frightened, wayward child, butterflies brushing at her stomach.

'*Dio! Piccola*, I am out of patience.' He circled her bare ankle with his long fingers and straightened her leg out for his inspection. It was a curiously intimate gesture. Nicoletta had never been touched by a man before, and certainly not on her bare skin. Color crept up her neck and flooded her delicate features. He was enormously strong, and she had no way of combating his strength or his hard authority.

Nicoletta made a soft sound of distress and looked desperately to Maria Pia for help. Don Scarletti was turning her leg to inspect her calf. His hands were surprisingly gentle. 'This cut is deep.' He glanced briefly at the older woman. 'Hand me a rag.' There was authority in his voice.

'I will attend her, signore,' Maria Pia said firmly, clutching the rag, her shock mirrored on her face. It wasn't decent that the don should touch Nicoletta that way; worse, it was dangerous.

The don reached up, took the rag out of Maria Pia's hands, and gently wiped the blood from Nicoletta's leg so that he could see the extent of the injury. Nicoletta winced as the laceration burned, pulsing with pain. She tried not to notice the way the don's hair curled around his ears and rippled in unruly waves down his nape. 'Light a candle, woman. This wound is deep and must be dressed, or it may putrefy.'

Once again Maria Pia made a desperate attempt to shield Nicoletta from the don. 'I am the healer, Don Scarletti. You should not trouble yourself with such.'

'I have attended many battle wounds,' the don answered absently, thoughtfully inspecting the shapely leg he held in his hands.

Nicoletta was mortified to have the don kneeling at her feet, her ankle in his hands. She was acutely aware of the heat emanating from his body. In her arms, Sophie began to squirm, the beginnings of a whimper starting.

The don caught the little girl, pulled her out of Nicoletta's arms, and thrust her at Maria Pia in one smooth motion. 'See to her needs,' he ordered abruptly, his voice as mild as ever. He was clearly distracted by Nicoletta's injuries, not really looking at the child or the older woman. His fingertips moved over her skin, leaving a strange tingling sensation behind. Nicoletta held herself very still, afraid to move.

Her teeth tugged nervously at her lower lip, drawing his

unwanted attention to her face. He reached for a clean cloth on the nightstand to use for a bandage. 'Are you training as an apprentice to the healer?' he asked casually as he wound the bandage around her leg. One hand was still circling her ankle, so it was easy enough to feel her trembling.

Nicoletta looked desperately for help from Maria Pia, but her mentor was attending the child, who needed to use the chamber pot in an alcove at the far end of the room. Nicoletta shrank away from the don, hoping the candlelight wouldn't reach her face. She had trained herself to be extremely careful of contact with others, yet she was in an impossible position. One didn't deliberately incur the wrath of the don Giovanni Scarletti. That was dangerous and foolhardy. Nervously she swept a hand through her thick hair, horrified to discover her head scarf had slipped off. It was too far away for her to grab it and cover her abundance of hair, but at least the strands were still drawn back in a severe knot.

'You can talk – I have heard you,' Don Scarletti pointed out. 'What was the melody you sang to Sophie? It was somehow familiar to me.' He asked it casually, idly, as if it didn't matter at all and he was simply making conversation. But Nicoletta wasn't fooled. His black eyes were on her face, sharp like a hawk's.

She felt the breath explode out of her as if he had hit her with his fist. Unexpectedly she was struggling not to cry. Sorrow welled up out of nowhere, so deep that her throat closed, and tears burned behind her eyes. It had been her mother's favorite song. Nicoletta still held those precious memories, of her mother's soft, beautiful voice, the

31

warmth of her arms. Her mother had worked at the palazzo, and twelve years earlier they had brought her body home from this place of death. Involuntarily Nicoletta averted her face, once again attempting to draw her leg away from the don.

His fingers tightened like a shackle around her ankle. 'Be still.'

Nicoletta was feeling desperate. She did her best to look doltish. Under the circumstances, it wasn't that difficult. She was feeling entirely off balance. She mumbled something unintelligible, knowing instinctively he would have no patience for evasion, and covered her face as best she could. Alas, the don had sharp eyes and likely had missed nothing at all. Something in his voice, something nameless, something undefined, gave Nicoletta the uneasy impression that he no longer regarded her as an ageless, nameless, nondescript servant. He spoke as if he were talking to a young maiden or frightened child. He had even called her *piccola* – little one.

'Send for the servants,' he ordered Maria Pia, confirming Nicoletta's suspicions that he no longer thought of *her* as a servant. The older woman had returned silently, but he was aware of her presence immediately. 'Your apprentice cannot remain in this room this night.'

Sophie was struggling to gain her freedom, wrenching her hand free of Maria Pia to run to Nicoletta and crawl into her lap. Nicoletta gratefully wrapped her arms around the child, unashamedly hiding behind the little girl.

Maria Pia hastily tugged the bell pull and hovered anxiously close to Nicoletta. 'She is invaluable to me, don.' Love and concern etched deep lines into her face, naked, transparent, and easy for someone as sharp as Don Scarletti to read.

'The wound is deep, but I have cleansed and bandaged it. Where are her shoes?' He stood abruptly, easily, flowing power and coordination combined, lifting Nicoletta and Sophie into his arms in one smooth motion. 'I do not want further injuries caused by bare feet on the debris. Gather her things, and we will go to the nursery.'

Where the child should have been all along! Why had Sophie been in that monstrous room? Nicoletta bit back the questions clamoring inside her. It seemed that no one paid much attention to Sophie. If anything, the child appeared to be in the way. Had the soup been intentionally poisoned? Or had it, perhaps, been intended for the don? *Può darsi.* He had numerous enemies. Although his people were loyal to him – they were well fed, protected, and cared for – they also feared him, and fear was often a dangerous emotion. It was known, too, that the King of Spain had made an uneasy treaty with the don. The king had conquered other cities and states but had been unsuccessful in taking over Don Scarletti's lands. Could there be a traitor at the palazzo? Few would dare challenge the don outright, but perhaps they sought other ways to defeat him.

She couldn't believe the selfsame don was holding her so close to him, almost protectively, cradling her in his arms, against his wide chest. Much like a frightened rabbit, she dared not move or speak. In any case, she knew with certainty that struggling wouldn't do her any good. Don Scarletti was a man who got his way.

The manservant who had shown them in arrived a little out of breath. His clothes were a trifle disheveled, as if he had dressed on the run. His eyes widened at the sight of Nicoletta and Sophie in his master's arms, but he was discreet enough not to comment.

'See to the debris, Gostanz,' Don Scarletti ordered, moving past the man without so much as looking at him.

Nicoletta held her breath, still not daring to move or speak. The don's body was hard and hot and unspeakably male. As he carried her and Sophie through the massive halls, she noted ribbed archways and domes, automatically attempting to remember the way, but he was moving very quickly. Maria Pia was nearly running to keep up. The spiral staircase they ascended was wide and ornate, the banister shaped like a golden snake curled around a long, twisting, golden branch. Maria Pia was afraid to touch it, muttering a multitude of prayers as she climbed. Ordinarily Nicoletta would have found Maria Pia's superstitions amusing, but being in the don's arms, tight against his chest, unnerved her.

The nursery was along another long, vaulted hallway, but the room had a smaller, less intricate interior. No sculptures of mythical creatures, no sinister gargoyles preparing to do battle threatened here. However, dark, heavy tapestries covered the wall from ceiling to floor behind the bedstead, and the room was cold, with no logs on the hearth. The don placed Nicoletta and her tiny charge carefully on the bed. He patted Sophie's head rather absently, his attention still centered on Nicoletta.

'Look at me.' He said the words very softly. His voice was

34

a weapon, seductive, tempting, an invitation to something beyond her comprehension.

She was uncomfortably aware of her own body, how soft and curved it had felt against the hard strength of his. And then there was that strange current that ran between them, arcing and crackling with a life she didn't understand. She only knew that his voice was soft and could move over her skin like the touch of his fingers, and that if she dared look into his eyes, she might be trapped there for all time.

Nicoletta stubbornly shook her head, her eyes averted, looking resolutely down. The don, clearly exasperated with her defiance, caught her chin in firm fingers and forced her head up so that her dark eyes met his gaze. For a moment they stared at one another. His eyes were beautiful, black as obsidian, glittering like gems. Hypnotic. Fathomless. She felt a curious sensation, as if she might be falling. The feeling was so real, her fingers curled around the coverlet to anchor her to safety.

She felt a stirring in her mind, a warmth. She was losing her resistance, helplessly drowning in the seduction of his eyes. In her lap, Sophie squirmed, already worn out by the brief activity. From somewhere down the hall, Nicoletta heard a door close with a soft thud. For some reason the sound seemed sinister in the gloom of the nursery. It was enough to break the spell. With a supreme effort she pulled her gaze away from his and looked around the chamber, blinking rapidly to bring the room into focus. It felt as if she were waking from a dream. The flame from one small candle gave off so little light, every corner seemed filled with shadows.

Nicoletta sighed softly. As high as the ceilings were, as large and spacious as the palazzo was, as ornate and luxurious, she preferred the outdoors, the sea and the mountains, the small huts. There was something very wrong in this house; she could feel it. And the don was much more dangerous than anyone had thought. She turned her attention to the child, slipping her into the bed beside her, fussing as she tucked the coverlet around her. She was aware of Don Scarletti towering over her in frustration, but she steadfastly refused to look up again. She held her breath as he turned on his heel without another word and strode from the room.

The moment the don left them alone, Maria Pia collapsed on the bed with them in relief, conversing in whispers. 'I never saw such a brazen thing,' she admitted, 'the way he touched you, made so free with you. The man must be heathen. I have heard the rumors, but I did not believe them.'

'I saw a shrine to the Madonna in the great hall,' Nicoletta disputed, for some reason feeling the need to defend him. 'If he is truly without God, he would not have such a thing in his home. And he often meets with the village priest and elders.'

'The old man, his grandfather – he is a heathen, that is certain. May the good Virgin protect us from such a man.' Maria Pia was solemn. 'Look at his home. Did you see the creatures in every alcove? The ancient dons worshipped many gods and built this palazzo in defiance of the Holy Church. They held back the armies of the invaders, some say with the power of many demons behind them, but this

36

palazzo is indeed cursed. For years there have been rumors of murders, assassinations. Once, an invading army trapped the *famiglia* Scarletti here in the palazzo. When the soldiers breached the castle walls, the family had simply disappeared, and most of the invaders died horrible deaths. A few days later, the *famiglia* returned as if the invasion had never happened.' Shuddering, she held her crucifix in both hands and kissed it several times. 'We will leave this place at first light. The *bambina* is much better and will surely live. Someone here must be capable of giving her her medicaments.'

Nicoletta tucked Sophie beneath the coverlet the child had restlessly kicked off herself. She coaxed the child to drink the medicine-laced water, smiling when the little girl clutched her hand. 'Perhaps it would be best to continue this conversation when we are alone,' she advised quietly. She leaned back and closed her eyes tiredly. Her calf was sore, burning and throbbing, already swelling. If she hadn't been so tired, she would have mixed a potion for herself. But first she wanted to sleep; and then she wanted to leave the palazzo and get back to her own world, where she could breathe more easily.

'Nicoletta, the don is dangerous,' Maria Pia announced softly. 'You have too much compassion in you. You are very young. There is something wrong in this house. I do not like the way he looked at you.'

Nicoletta smiled without opening her eyes. '*Ti voglio bene.*' She affectionately told the older woman she loved her. 'Do not worry for me. You have done so all my life. I will not see the don again. I love living, Maria Pia. I do not want to be burned as a witch.' She was smiling, reassuring the woman, but inside she was trembling. The don frightened her in a way no one ever had before, in a way she could not explain to Maria Pia or even to herself.

The older woman hissed, looking quickly into every corner of the room, frightened by Nicoletta's audacity. 'Hush, *bambina*, you cannot speak of such things. Not ever. The good Virgin will not protect you if you call down such unspeakable evil upon yourself.'

'The little one is asleep; there is no one to hear.' Nicoletta was unrepentant.

'There are eyes and ears everywhere. This house is not right,' Maria Pia reminded her sharply, glancing uneasily around the silent nursery. An abrupt knocking broke the hush. Maria Pia gave a frightened cry as the door swung inward.

The manservant slunk in carrying a load of wood for the fire. He didn't look at the women, his features stiff and set. He built a nest of curls of shaved wood, added the logs, and set the whole thing blazing. When the flames crackled to life, the man turned and regarded the 'healer' and her 'assistant' with a cold stare. 'Your fire, as ordered,' he said grudgingly. As much as he evidently wished the women gone, the healer was respected and needed in the community, and he didn't dare alienate her completely. He turned on his heel and marched out, his back ramrod stiff.

'We are not making many friends here,' Nicoletta observed with a small smile. 'Do you suppose they waited so long to send for us in hopes it would be too late to save the *bambina*?'

'Nicoletta!' Maria Pia was shocked, her gaze wildly

searching the room as if she expected to see the don standing there listening. 'I forbid anymore of this talk.'

Nicoletta was happy enough to go to sleep. The child was warm in her arms, and with the fire crackling nicely, the room seemed much more pleasant. She snuggled down onto the bed and lay quietly. Within a matter of minutes, Maria Pia was breathing evenly, indicating she had immediately fallen asleep. Nicoletta was very tired, but she couldn't follow suit. Too many unanswered questions whirled in her head.

She was 'different.' She had been born with unique abilities. Maria Pia called them gifts, yet she had to hide them for fear of being named witch. She could touch an individual and 'feel' the illness. She knew instinctively which herbs or potions sick people needed to alleviate their suffering and aid their healing. She could even communicate with plants. She 'felt' the life in them and knew what they needed to assist their growth.

Nicoletta could also aid in curing the ill with her soothing hands and voice. From deep within her welled a healing warmth that flowed from her body into that of her patient. Maria Pia, devout as she was, would never actually call her a witch. She would never imply in any way that Nicoletta was capable of magic. She never pointed out that Nicoletta came from a long line of 'unique' women and that more than one of her ancestors had been burned at the stake, stoned, or deliberately drowned. Maria Pia guarded her carefully and maintained the role of the 'healer,' keeping the attention on herself rather than Nicoletta.

The villagers, too, knew that Nicoletta was different, and

they aided Maria Pia in deceiving the *aristocrazia*, keeping Nicoletta far from the palazzo and all who occupied it. They guarded her like a treasure, and she was very grateful to them. But now . . .

Nicoletta sighed. She went carefully over everything that had happened since her arrival at the palazzo. She certainly had caught the attention of the don. A shiver raced down her spine. Was it from fear? Or something else? Nicoletta was honest enough to admit that Don Scarletti was an incredibly handsome man. And power seemed to cling to him. She couldn't imagine trying to defeat such a man. His dark eyes were piercing and seemed to see right past flesh and bone into her soul. She shivered again and decided what she had felt was fear.

He had looked at her with interest stirring in the depths of his eyes. No one had ever looked at her the way Don Giovanni Scarletti had. He was no callow youth but a grown man, a nobleman at that, rumored to head a secret society of assassins. Others in power either left him strictly alone or vied for his attention, coveting his loyalty. But more than all of that, his family was cursed. No village woman, nor even many Scarletti wives, had survived long in the *Palazzo della Morte* – Palace of Death. And he had looked at her, marking her as prey. The thought crept unbidden into her fanciful mind.

A log in the fireplace burned through and collapsed in a shower of sparks, flames flaring momentarily to cast an image of hell on the wall. Nicoletta's breath caught in her throat as the heavy door swung slowly inward. A man hesitated in the entrance.

Nicoletta didn't believe in cowering beneath the covers. 'Signore?' She managed to keep her voice even, in spite of trembling uncontrollably. 'What is it?'

'*Scusa*, signorina, I did not mean to disturb you. I wanted to see my daughter.' Despite the natural arrogance in his tone, he was extremely polite for an aristocratic. This was Vincente, the youngest of the three Scarletti brothers. He had the same muscular build and confidence of his older brothers, as befitted one born to nobility, but the similarities ended there. Where Don Giovanni Scarletti had a palpable aura of power and danger and authority about him, this man seemed ravaged by sorrow, almost as if he couldn't stand straight beneath the weight of his burden. His young wife, Nicoletta seemed to recall, was one of the casualties of the Scarletti curse, leaving him a widower with no mother for his child.

Immediately Nicoletta's heart went out to him, her compassionate nature sharing his sorrow. Normally she would never speak directly to a member of the Scarletti family – it was as natural to her as breathing to avoid contact with nobility and outsiders – but she couldn't help responding to him. 'There is no need to worry, signore, the *bambina* will live. The soup she shared with Don Scarletti was tainted. She was given medicine to aid in her healing.' Her voice was soft and soothing, unconsciously reaching out to 'heal' him, too, as she so often did with her people.

He bowed, a courtly gesture of respect. 'I am Vincente Scarletti. The *bambina* is all I have left in this world. When I saw the bedchamber below empty, I . . .' He trailed off. 'I do not know how I thought to check the nursery. I was numb and walked here blankly, without thought.'

No wonder sorrow was etched so deeply into his face. Nicoletta reassured him. 'A small *incidente*, no more, Signore Scarletti.'

'I thank you for saving the don and my daughter. I do not know what our *famiglia* would do without *mio fratello*, the don. And the *bambina* is everything to me.'

'Maria Pia Sigmora is a healer without equal,' Nicoletta lied, straight-faced. She was grateful for the shadows in the room that prevented the man from examining her too closely. His brother's scrutiny had been enough adventure for one night.

'Vincente! What is going on? Has Sophie taken a turn for the worse?' The woman, Portia Scarletti, who had been weeping earlier in the hallway, poked her head into the room, wrapping her hand familiarly around Vincente's arm. Her face mirrored her deep concern.

Nicoletta studied her closely. Portia looked far younger than what must be her thirty or so years. Margerita, her daughter, appeared to be at least fifteen. Portia wore a long, form-fitting gown that revealed more than it covered, and even in the middle of the night, her hair was dressed perfectly.

Portia took in the women and child in the room with one swift glance. 'Ah' – she crossed herself devoutly – 'thank the Madonna, the *bambina* is well. Come, Vincente, you have suffered much. You must rest.'

'Have you both gone mad?' The voice from the doorway was low but carried a whiplash in it, a hard authority no one would dare to defy. 'Sophie nearly died tonight, these women are exhausted with the work they have done, and you do not give them even the courtesy of allowing them to sleep undisturbed?' Don Scarletti moved into the room, his presence immediately dominating the nursery and those who occupied it. 'Portia, you and Margerita were too afraid to see to the needs of the *bambina* when she needed you, yet now, in the middle of the night, you enter the room to awaken her caretakers?'

The woman winced under the reprimand. 'How can you accuse me of such a thing? I was seeing first to Margerita's safety, as a mother should. The servants were to see to the *bambina*. I ordered them to do so, but they refused, thinking they might encounter the plague. I cannot control the superstitious beliefs of those from the *villaggi*. They do not listen when they fear the unknown. Surely you do not blame *me* for their incompetence!'

'I found the poor *piccola* abandoned, with waste and vomit all over her.' The obsidian eyes were lethal. He didn't raise his voice, but he was cutting the woman to pieces, and Nicoletta almost felt sorry for her.

'I gave the orders to the servants.' Portia lifted her chin. 'How dare you chastise me in front of ones such as these?' She waved a hand to encompass Nicoletta and the sleeping Maria Pia. 'Vincente, please, escort me to my room.'

Vincente obligingly took the woman's hand and tucked it into the crook of his arm. '*Grazie*, for the life of my *bambina*,' he said sincerely, bowing to Nicoletta in a courtly manner.

'I am grateful at least one of you knows to whom we owe a debt of thanks,' Don Scarletti said softly. His voice fairly purred with menace, a velvet lash masking an iron will. Nicoletta found herself trembling for no reason at all. She suddenly didn't want the others to leave the room. Worse, she knew by Maria Pia's breathing that she wasn't faking but was still truly asleep. Nicoletta would find no savior there if Don Scarletti turned the full power of his soul-piercing eyes on her once again.

Portia now remained silent against the don's accusation, and that told Nicoletta much about the household. Its members feared him nearly as much as she did. There was something cold and aloof about the don. Something in him held away from the others, seemingly relaxed yet coiled and ready to strike like a snake. His family treated him with tremendous deference, as if they, too, sensed he was dangerous.

Nicoletta allowed her long lashes to drift down as Vincente took Portia Scarletti from the room. She held herself very still, not daring to move a muscle. Silence stretched out so long, she wanted to scream. There wasn't a sound, not the rustling of clothes or a hint of movement. Not knowing what the don was doing was worse than facing him. She lay there with her heart pounding, hardly breathing. Waiting. Listening. There was no sound.

Nicoletta began to relax. No one could be that quiet. She sighed with relief. He must have followed the others out of the room. Snuggling deeper into the coverlet, she took a chance and peeked. He was standing over her, as still as the mountains, waiting, his dark eyes fixed on her face. He had known all along that she wasn't asleep and that she would eventually look. For a moment she couldn't breathe, trapped in the intensity of his black gaze. The flames from the hearth seemed to be reflected there, or perhaps it was the volcano seething inside him, deep, hot, and dangerous.

'I am not fooled so easily as you and the old woman might think.' He said it quietly, a soft, ominous statement of fact. Indeed, the words were so soft, she wasn't certain he had actually murmured them. He turned with his peculiar flowing grace and left the room, closing the door behind him with finality.

CHAPTER THREE

'Nicoletta! You left your shoes by the stream again.' The childish voice was giggling, bubbling over with laughter. 'Maria Pia said to watch you. You left your real sandals at the palazzo. She said –'

'You are never going to let me forget that, are you, Ketsia,' Nicoletta interrupted, laughing. She placed a garland of flowers on the little girl's head. 'I cannot believe she told everyone. That was so mean!' But her dark eyes were dancing with shared merriment.

Ketsia giggled again. 'You are so funny, Nicoletta.' The little girl danced around, spinning in circles, her arms held out wide to embrace the crisp mountain air. Wild flowers exploded in a riot of color, and overhead, birds sang out, each attempting to outdo the other with trilling melodies.

Nicoletta whirled and swayed beside Ketsia, her wide skirts flaring, her long hair flying in all directions, her bare feet tapping out a rhythm in the grasses. She began to sing softly, her voice melodious as she danced, limping just a little. Her leg was still sore, but the swelling had gone down. She bathed it daily in the cold stream, applying poultices to speed the healing.

It had been several days since she had been called to the

palazzo. The memory of the don hadn't faded at all. Instead, she found herself uneasy, often thinking of him. At night she dreamed of him. A tall, solitary man with dark, hypnotic eyes. He whispered to her, called to her, his soft voice insistent, aching. She dreamed erotic dreams, things she knew nothing about; she dreamed of love and death. Lately, the only time she had felt at peace was when she was far from the village, surrounded by the peace of the mountains. Young Ketsia often accompanied her into the hills while the girl's mother worked at her weaving. The *villaggio* women were renowned for the weaving of beautiful cloth, much in demand by the *aristocrazia* and surrounding settlements.

When the wild dance was ended, the pair collapsed together, laughing at their silliness, Ketsia putting an arm around Nicoletta. 'I love to be with you,' she admitted in the guileless way of children.

'I am so glad, Ketsia, because I love spending time with you.' Nicoletta had been mixing flower petals together in an attempt to come up with a new dye for the cloth of the village. The weavers depended on her experiments to produce things unique enough to please those in the palazzo and to barter in the neighboring towns. Ketsia proved helpful in gathering the flowers for her. The child liked being the assistant, remembering where Nicoletta had left her shoes and seeing to it that she remembered to eat the bread and cheese she carried but often forgot.

'Cristano was looking at you again, Nicoletta,' Ketsia pointed out slyly.

Nicoletta shrugged her slender shoulders. 'Though he

47

vows to wed me one day, I do not have the shape he is looking for. He has told me my waist is too small, as are my hips. I would not make *buoni bambini*.'

Ketsia was outraged. 'He said that to you?'

Nicoletta nodded, hiding her smile at the child's indignation. 'Yes, he did, and he also said I was too wild and he would insist on taming me and making me cover my hair and wear shoes at all times. Now, in truth, Ketsia, should I even consider marrying a man who would expect me to remember where my shoes are?'

Ketsia thought about it solemnly. 'Cristano is very handsome, Nicoletta. And I think he likes you very much. He is always looking at you when he thinks you are not aware of it.'

'He is handsome,' Nicoletta conceded, 'but it is more important that a man likes a woman as a person, Ketsia. And I should like *him* as a person, not just how he looks. Cristano will make some girl a good husband, but not me. He will want me to cook and clean for him and stay all day inside. I would wither and die. I belong here.' Nicoletta spread her arms wide to encompass the mountains. 'I shall not marry but stay free to do what I was born to do.'

The little girl looked up at her, puzzled. 'You do not want to have *bambini* and a husband, a *famiglia*?' she asked. 'You will be all alone.'

'I will not be alone, Ketsia. Do not look so sad,' Nicoletta assured her, affectionately ruffling her hair. 'I will always have you and your children, and Maria Pia, and your mother, and all the others in the *villaggio*. You all are my *famiglia*. I have all of you and my plants and the outdoors. I could not ask for anything else to make me happy.'

The wind rustled, a mere whisper of sound, but Nicoletta instantly spun around. 'Where did you say my shoes were?' She looked around the ground strewn with flowers of every description, pushing a hand through her hair in agitation. 'Subito, Ketsia, we must find them at once.'

Ketsia laughed again, the childish sound joyful. 'Maria Pia is coming up the trail,' she guessed sagely. No one else could get Nicoletta to be concerned over her lack of footwear. Her present shoes didn't even fit properly. Ketsia's mother had donated an old, worn pair to Nicoletta when she returned shoeless from the palazzo. Ketsia didn't question that Nicoletta sensed Maria Pia nearing them; Nicoletta knew things others did not, though no one spoke of it. When she had tried to tell her mother of the wondrous things Nicoletta could do, her mother shushed her severely.

'Yes, you little imp, it is Maria Pia coming. Now where along the stream are those shoes?' Nicoletta was torn between desperation and laughter. If Maria Pia caught her barefoot again after the incident at the palazzo, which everyone thought terribly amusing, Nicoletta was certain to get a long lecture on growing up and becoming a lady.

Ketsia quickly ran downstream several paces and snatched up the footwear just as Maria Pia came into view down on the trail. The older woman stopped to catch her breath, waiting for them to come to her, clearly out of breath, as if she had been hurrying to reach them.

Nicoletta took the shoes from Ketsia almost absently, her face lifted to the wind. She opened her arms to the earth, and turned in the four directions – north, south, east and west – seeking information. She glanced skyward, searching for the raven, studying the birds, listening to the insects. Puzzled, she turned once again toward Maria Pia.

'Do not stand there gawking, *piccola*. Don Scarletti has summoned the healer once again. You did not come. I waited, but you did not answer the call.' Maria Pia sounded impatient.

Nicoletta began walking slowly, thoughtfully, toward her, swinging her shoes absently. 'There was no call, Maria Pia. There is no one sick at the palazzo.'

'You must be mistaken. He sent word that he wanted the healer and her assistant to return.' Maria Pia put her hands on her hips, scowling fiercely at Nicoletta. 'Why are you carrying, not wearing those shoes?'

Nicoletta didn't appear to hear her. 'There is no illness, Maria Pia, and no injury. I do not know why the don has summoned the healer, but it is not to attend the sick.'

The color drained from Maria Pia's face. 'Are you certain? You know?'

'I know. There are no disturbances. I feel nothing of consequence. I would know. I have never been wrong, not even as a *bambina*, and I have grown much in the last few years.'

Maria Pia cleared her throat noisily and made several not-so-subtle gestures toward Ketsia with her chin to remind Nicoletta they were not alone. 'I was there when his servant arrived. He said to come at the first opportunity.'

Nicoletta whistled softly, a sound that had Maria Pia gasping anew at the young woman's wild, unbridled ways.

'You do not see?' Nicoletta asked. 'Look at his order. "At the first opportunity." He did not command the healer's presence as he would if a member of his household was ill. He sent for the healer in such a way that she could complete her work should she be aiding some other who is ill. He has not summoned the healer because her skills are needed. He has another motive.'

Maria Pia devoutly crossed herself repeatedly. 'He has found us out!' she wailed. 'He knows we deceived him. Our lives will be forfeit.'

'He could not know,' Nicoletta pointed out calmly. 'He may suspect, but he cannot know. It's possible this is a test.'

'Your disguise did not work.' Maria Pia sounded fearful, and for the first time she looked her every decade.

'Not with Don Scarletti,' Nicoletta agreed, unruffled. 'But we made no false claims outright. He cannot condemn us. There was no dangerous deception. I altered my appearance, that is true, and praised you as a healer but how can he prove peril or malice in such things?'

'Don Scarletti does not need proof, Nicoletta,' Maria Pia said hopelessly. 'Remember who he is.'

'I do not think he has called the healer to condemn her and her young assistant to death. What does it matter to him if we use the illusion of servitude to protect me?'

'You are the one who heals, Nicoletta. Even as a mere *bambina*, you had the gift. I can aid you, and I have some experience, but I am not able to cure as you can. I do not even understand what it is you do or how you do it.'

'The don does not know that I am the healer, Maria Pia,' Nicoletta said firmly. 'He cannot know. Perhaps this is a test. He may be suspicious and is hoping we will do something to give away our secret.'

51

'He has set a trap for us.' Maria Pia let out her breath slowly. The thought of her and her precious Nicoletta coming under the close scrutiny of a man as powerful as Don Scarletti was terrifying. 'Perhaps it is time to send you away from here,' Maria Pia ventured reluctantly. 'We knew this could happen.'

Nicoletta stood very still, recognizing the faint hint of resolve in Maria Pia's voice. She rarely used that inflection, but when she did, she meant business. 'We do not know yet, and I will not let him drive me away from my home without even knowing. Perhaps we should turn the test back on him,' she said thoughtfully.

'Nicoletta!' Maria Pia was used to Nicoletta's defiance of convention, but defying a man as powerful as Don Scarletti was suicide.

'We know there is no one sick enough at the palazzo that you cannot care for alone. Take our neighbor, old Mirella, with you. She will enjoy being frightened by and later gossiping about the experience. Besides, she has accompanied you many times in the past delivering *bambini* in the *villaggi*. You can easily claim to have more than one assistant. The don did not say which of your assistants you were to bring. Should he ask about me and why I did not accompany you, tell him you wished me to rest my leg another day or two.' Nicoletta suddenly began to laugh. 'Don Scarletti left us a way to slip out of his noose. He thought mere women would be easy to trap.'

Maria Pia took her time thinking over Nicoletta's plan. The branches overhead swayed gently, making the leaves glint silver in the sunlight. They could smell the ocean, fresh and salty. The breeze was beginning to pick up, bringing a fine spray of mist with it.

Ketsia stayed very quiet, but her fingers were wound tightly in Nicoletta's skirt. Her eyes were wide, and her lower lip was trembling. 'Nicoletta cannot go far from us, Maria Pia,' she said. 'What would we do without her?'

'It will work, Maria Pia. It will allay his suspicions,' Nicoletta said. 'A man such as the don will not continue to waste his time on something so insignificant. He will accept you as the healer, believe you have several assistants, and soon his busy life will continue, and – poof! – we will be gone from his thoughts.' Nicoletta's dark eyes were twinkling in anticipation. 'I know it will work. He had curiosity, that is all, but it is fleeting, soon to be lost amidst more important matters of state.'

Ketsia was nodding in agreement. 'Do not make Nicoletta go away, Maria Pia. I do not want her to go.'

'Neither do I, *piccola*. I will go to the palazzo with Mirella while Nicoletta rests her leg. You will watch over her and make certain she does not dance around. I do not wish to utter a lie, may the good Madonna watch over me.' She made the sign of the cross. 'Nicoletta must rest her leg,' she decided piously. 'She is really not nearly as healed as I would like.' She fixed Nicoletta with a stern eye. 'I will take no nonsense from you, *bambina*. You must rest while I am gone. I will not get on the bad side of the good Madonna.'

Nicoletta raised an eyebrow, her expression innocent. 'I did not know the good Madonna had a bad side, Maria Pia.'

Outraged, Maria Pia erupted into a barrage of scolding, even going so far as to deliver a rap to the young woman's behind. Ketsia backed away, frightened by the unexpected display from Maria Pia, but Nicoletta stood her ground, smiling and slipping her arms around the old woman. '*Scusa*, Maria Pia. I am so ignorant, I am uncertain what is causing you distress.' Her dark eyes were alight with mischief.

Maria Pia firmly pushed her away, blessing her several times in the process. 'If I did not see you devoutly at your prayers, Nicoletta, I would fear for your soul. You have more knowledge than is good for a woman. Go to your bed and stay there while I attend the don.'

'I can rest up here, Maria Pia,' Nicoletta pointed out. 'The fresh air will aid my healing, and I can continue to do my work.'

Maria Pia took in her disheveled appearance and sighed. 'You were not working, Nicoletta, but flitting around again. No good can come of your continuing such behavior. I intend that you marry soon. I have noticed Cristano looking at you often.'

Ketsia giggled but kept her gaze resolutely on the ground, not daring to glance up at Nicoletta, who had stiffened and was standing very still.

Nicoletta's dark eyes flashed with sudden fire. 'I will not marry Cristano or any other.' She enunciated each word carefully. 'I will not, Maria Pia. Do not think you can change my mind. Such a match would be a death sentence for me.'

Maria Pia was silent while the wind tugged gently at their clothing. She sighed softly. '*Piccola*, I have done you an injustice. When you lost your *madre*, you were so inconsolable, you spent all your time in the wilds. You were so little and sad, we were all afraid of losing *you*. Do you remember those

54

dark days? I would sit beneath the trees with you and up on the cliffs, many times all night. You did not speak for weeks at a time. You did not seem to feel the cold or the rain. I had to force you to eat. You took risks with your life, climbing crumbling cliffs and exploring caves just before the tide rushed inside. The wolves would howl, and you would not flinch. I would see their glowing eyes and try to persuade you to return to the *villaggio*, but nothing frightened you, and nothing could assuage your grief. We allowed you to mourn in your own way, but I am not certain it was for the best. You were only five summers, but you were separate from us even then.'

'I have always been separate,' Nicoletta pointed out gently. 'I am ever aware I could bring *morte* to the entire *villaggio*. It is a terrible burden hanging over my head. I know the little ones are taught never to speak of me to outsiders or if an outsider is near. It is a burden for them also. I cannot change that I am different. I did not want to be different, but I accept that I am. I try to use my gifts for the good of others, and I light candles to the Madonna that it is right to do so.'

'You are a treasure to us, Nicoletta.' Maria Pia laid a hand on the younger woman's arm. 'To me. You are a good girl, and the Madonna knows that.'

Ketsia clutched Nicoletta's skirt tighter. Nicoletta brought laughter and love to the *villaggio*. The children adored her and followed her everywhere. 'Why are you afraid, Nicoletta?' She didn't understand the conversation, but she could feel the intensity of emotion shimmering between the two women.

Immediately Nicoletta smiled at the child, her dark eyes

55

dancing with mischief. 'I have an idea, Ketsia. You should marry Cristano. He can wait until you are sixteen. It is only a few more years, and by then he might have made his fortune.'

Ketsia thought it over. 'He is handsome, but he is already old. *Probabilmente* he is already too old even for you, Nicoletta.'

Maria Pia coughed delicately behind her hand. 'I must go now to the palazzo. It will not do to keep the don waiting too long. Mirella will come with me, but you stay out of sight. The hills have spies, Nicoletta. The don is a powerful man, and many wish to have his favor. If he has interest in you, someone will answer his inquiries.'

'You are right,' Nicoletta agreed. Those who lived in the tiny *villaggio* depended on Nicoletta's strange gifts for a good portion of their livelihood. But they lived on land owned by Don Scarletti, and he was a good and generous protector and provider, though they were expected to work hard at their farms and crafts and to be somewhat self-sufficient. Unlike other dons, Don Scarletti did not take the lion's share of their profits, so the people were loyal to him, but they loved Nicoletta. She healed their sick, determined the richness of the earth for their crops, and she concocted the unique colors that kept the *aristocrazia* coming to them time and again for fine cloth.

Scattered over Don Scarletti's vast holdings were many other *villaggi* and farms, yet few of them held the importance to the don that theirs did. Nicoletta's *villaggio* was tiny in comparison to many others, but they had made a certain name for themselves and were the most prosperous of all.

They were a closed group, wary of outsiders. They were all aware that other children much like Nicoletta had been born to different families throughout their history. Each of them had ancestors who had been burned in the not-so-distant past as witches or devilworshipers, so they carefully maintained their image as a devout, pious people completely loyal to their don.

'Be cautious, Maria Pia. The don is . . .' Nicoletta trailed off, unsure how to put her feelings into words. She suspected the don was as 'different' as she was – not in the same manner but in ways far more dangerous than the older woman could conceive.

'I have heard the rumors and have met his *famiglia*. I do not speak unless spoken to, and Mirella will be too frightened to open her mouth. She is much older and remembers the days gone by.'

'What does she remember?' Nicoletta asked, curious. Among the villagers it was very difficult to separate fact from fiction, rumor from the truth. The Scarletti family history was shrouded in curses and dark mysteries spoken of only in whispers.

'It is said that Don Scarletti's grandfather strangled his wife with his bare hands.' Maria Pia whispered the words softly so the wind could not whisk them to other ears. 'Mirella knew her well, served her faithfully. She is convinced the crime was committed and the don's *padre* covered up the evidence. Three murders in less than two years, all women, and no one did anything.'

Nicoletta had heard the dark whispers of the don's grandfather strangling his wife yet never being punished. The woman had died around the same time as Nicoletta's mother and aunt, and many believed the elder Scarletti had committed more than one crime. But the don's family had closed ranks, and no one was powerful enough to cross them. Nicoletta could almost believe such things of the eldest Scarletti; he certainly seemed to despise females. She could not imagine any woman being chained to such a terrible man.

'The good Madonna will look after us, Nicoletta, and you will stay out of trouble and out of sight.' Maria Pia made it a decree.

Nicoletta allowed her smile to reach her dark eyes, lighting her face. 'Ketsia will watch over me while I "rest."'

Kestsia nodded solemnly, pleased with the responsibility. She straightened her shoulders and looked quite proud. Nicoletta and the little girl watched Maria Pia begin the trek down the mountain.

Nicoletta put an arm around Ketsia's shoulders. 'I wanted to look at a patch of plants I moved from the far side of the mountain. Sometimes if I move them from below, they struggle with the new elements, at first, and I must instruct them how to grow.'

Ketsia's small mouth formed an O. 'You talk to plants?' She looked around to make certain they were alone. Talking to plants didn't sound like something Maria Pia would approve of.

'Of course. Some of them like me to sing to them.' Nicoletta winked at Ketsia. 'Like this.' She hummed softly, then tried to yodel.

Ketsia dissolved into a fit of giggles. 'I knew you did not

really talk to plants.' She skipped to keep up with Nicoletta. She had to stop once to pick up the shoes that slipped from Nicoletta's hands onto the path winding up the hill.

The ocean came into view far below them. The deep blue sea was breaking on the rocks in plumes of white foam. Nicoletta paused to look at the breathtakingly beautiful vista. 'You see this, Ketsia? This is what life is about. Not being closed up inside, but free like the birds all around us.'

'Nicoletta, do not go too close to the edge,' Ketsia scolded, mimicking Maria Pia almost perfectly. 'You could fall.' She tugged at the wide skirt until Nicoletta reluctantly moved away from the cliff's edge, smiling at the little girl taking her job so seriously.

Nicoletta loved her life and loved the children who often followed her as she roamed the mountains and valleys in search of the rare, precious plants she needed. She had endless patience, finding the children to be great company on her excursions. And her guardianship of the little ones aided the women in the village while they were tending the sheep or weaving cloth.

Ketsia and Nicoletta spent the next couple of hours with their hands buried deep in the rich soil. Nicoletta did talk to her plants, her soft, crooning murmurings often making Ketsia laugh helplessly. She nurtured and encouraged the drooping stalks. For some she added mixtures into the soil; others she left alone. Ketsia observed her closely, unable to discern exactly what she was doing. Although they both laughed about it, Ketsia was clever enough to know that something she couldn't see or understand was happening. The plants really did seem to respond to Nicoletta's voice and ministrations. And sometimes she did sing to them, her beautiful voice rising on the wind.

Overhead a dark-winged bird swooped low over the pair. Nicoletta lifted her head to look at the raven, a faint frown on her face. She stood up slowly, moving away from the plants to turn her attention to the wind. It whispered continually to those who could interpret its murmurings. She stiffened slightly and caught at Ketsia's shoulder. Very quietly she put a finger over her lips to signal to the child to be quiet. 'Stay right here, *piccola*. Do not move until I come back for you.'

Ketsia's eyes widened, but she nodded dutifully. No one would ever really want to defy Nicoletta. She could heal the sick; she could do things no one talked openly about. Obediently, Ketsia sank into the bushes and remained as still as a stone.

Nicoletta went back toward the cliffs, moving quickly, every sense alert. Far below she could see the figure of a man moving in a furtive manner, skulking from bush to boulder, his body bent as if seeking to hide. She scanned the cove, could see no other movement, but knew something was not right. Her heart began to beat fast. The sun was beginning to set, staining the sky a pinkish orange. The sea grew angry, the water dark, waves climbing higher as they rushed at the shore and splashed at the rocks.

Her hand went to her throat protectively. Something terrible was about to happen. She was too far away to prevent it; she could only stand on the cliff watching helplessly as the drama unfolded on the beach far below her. The wind rushed off the sea, a low, keening moan that seemed to rise into a howl of warning. She couldn't take her eyes off the scene as the sea rose up, pounding the rocks relentlessly in anticipation.

She saw him then, Don Giovanni Scarletti. He moved swiftly, fluidly, like a powerful hunter, his shoulders straight, his head up. His body rippled with sinewy muscles beneath his elegant clothing. The wind tugged at his wavy black hair, leaving it tousled like that of a small boy. Yet he looked every inch a man, ruthless and dangerous, far more powerful than any other she had ever encountered.

Nicoletta turned her attention to the fellow now crouching behind a rock. He hadn't moved at all. Don Scarletti glided unknowingly past the hiding place, his attention fixed on something she couldn't see. From off to the right, where she knew the caves were, another man emerged, calling out a greeting, a smile on his face. Nicoletta couldn't hear him, but the two men seemed to be friends. It was obvious that Don Scarletti trusted him.

She could barely breathe, and her heart was pounding so hard that she could hear its frantic rhythm. The wind whipped her hair across her eyes, and by the time she had captured it and held it back tightly, the two men were shaking outstretched hands. It was then that the one hiding behind the rocks moved. Slowly. Stealthily. He inched his way along until he was directly behind Don Scarletti. She saw the last rays of the sun glint off the stiletto in his hand. The sun plunged into the sea, and the sky went blood-red for a second time, the terrible portent of death.

Nicoletta cried out a warning to the don, but the wind whipped her voice from her, back into the mountains and away from the roaring sea. But even though it was impossible that he could have heard, something alerted the don, and he swung around to catch his assailant's wrist. He moved so fast, he seemed a blur, somehow swinging the man around in front of him so that, when the one he had been speaking to plunged *his* knife deep, it was buried in the don's assailant instead of the don himself.

Don Scarletti allowed the man to crumple helplessly to the beach. Nicoletta could see that the shocked assailant's mouth was wide open, as if he was screaming, but she could hear nothing. His body writhed for a moment, contorted, then lay still. The don looked from the dead man crumpled in a heap at his feet to his betrayer. Nicoletta's heart went out to the don. She could almost feel his sorrow, see it in the droop of his shoulders. For one awful moment she thought he was going to open his arms and allow the other man to kill him. Don Scarletti seemed to be speaking softly, shaking his head.

'No,' she said softly to the wind. 'No.'

At the precise moment of her denial of his death, the don's shoulders straightened, and his betrayer attacked. The don was once again a whirling blur of motion as he leapt to one side to avoid the dagger, catching his opponent's wrist and twisting it as he stepped back into the man so that the blade buried itself in the betrayer's chest. They stood, toe to toe, staring into each other's eyes, and then slowly the betrayer collapsed, and the don lowered him reluctantly to the sand. He stood for a moment, his head bowed in evident sorrow, and she saw his hands come up to cover his eyes.

Nicoletta's heart turned over, and tears shimmered in her eyes for a moment, blurring the scene below. She wiped them away and looked down again. The don suddenly looked up. Gasping, she shrank back into the foliage. Even though it was impossible for Don Scarletti to see her through the thick leaves and branches, she felt the weight of his stare. He could not have seen her, not from that angle; it would have been impossible. He couldn't even have known she was there. Her teeth bit at her lip nervously. She had always been so careful, yet in a short time she had had two strange encounters with Don Giovanni Scarletti, the very last *aristocratico* she should ever meet.

'Nicoletta!' Ketsia's plaintive voice caught her attention, and she turned to see the child rushing toward her. Obviously alarmed because she could no longer see Nicoletta, she had panicked. Tears streaked her little face.

Nicoletta immediately caught the child to her, dragging her back away from the cliff so she could not see Don Scarletti and his dead assailants on the beach below.

'Were you afraid, *piccola?*' Nicoletta stroked back her hair and bent to kiss the upturned face. 'I thought I heard something, but . . .' She shrugged casually. 'What frightened you?'

'I thought . . . Did you see the color of the sky? I thought . . .' Ketsia trailed off. 'Maria Pia told me I should watch you all the time. I did not want you to get into trouble.'

Nicoletta hugged her. 'The sky was indeed a wondrous hue, but Maria Pia – well, she can frighten the men in the *villaggio*, she can frighten the sheep on the hillsides, perhaps she can even frighten the fish in the sea, but certainly not

63

you, Ketsia. Why, I have seen you fly at your big brother when he teases you. Surely he is much more terrifying than Maria Pia.' Deliberately she teased the little girl as she continued to walk with her toward the trail.

Nicoletta wanted to go back and see what had happened, but she didn't dare rouse Ketsia's suspicions; the little girl was curious about everything her mentor did. Night was falling rapidly. Nicoletta often roamed the wilds at night, but she would never keep a child out so late. The villagers were a superstitious people and believed in all sorts of things Nicoletta had never found to be true. With a sigh of regret, Nicoletta began to lead the way down the path.

'Wait!' Ketsia called, turning and running back toward where they had been working on the plants. 'Your shoes! I left your shoes! Maria Pia will lecture me!'

Nicoletta burst out laughing. 'We cannot have that.'

Ketsia giggled, her world right again. She skipped after Nicoletta, chatting and happy, completely unaware of Nicoletta's silence. It had grown dark by the time they made their way to the village. When Ketsia saw Maria Pia, she tugged at Nicoletta's skirt. 'She is frowning at you,' she whispered, surreptitiously tapping the shoes against Nicoletta's leg. '*Presto*, put them on before she sees.'

Nicoletta ruffled the child's hair as she took the shoes. 'She sees everything, Ketsia. Do not worry. She frowns, but she does not bite.'

Ketsia's mother took the child off after exchanging all the endless gossip of the day with Nicoletta, who pasted on an appropriate smile.

Maria Pia evidently felt the same impatience. She

clutched at Nicoletta's arm. 'We must eat. I am sagging without food.'

Nicoletta followed her quickly into the small hut they shared. 'You look tired. Allow me to fix you something to eat while you rest.' Gently she helped the older woman into the one good chair they had beside the fireplace. Curbing her curiosity, she built a fire and began to heat the soup. Maria Pia did look tired and strained. She was usually so spry, Nicoletta often forgot her advancing age.

'Stop giving me those worried looks, *piccola*. I am just tired. I am too old to traipse off to the palazzo with Mirella. She is an old fool, that one.'

Nicoletta hid her smile. All in the *villaggio* deferred to Maria Pia, with the exception of Mirella. Mirella was older than Maria Pia, and, according to her, she had been the most beautiful and coveted of all the women in her youth. The stories of her romantic conquests seemed to grow with each telling, and Maria Pia was exasperated with the tales. 'The old fool,' Maria Pia repeated. 'She was actually flirting with the don.'

Shocked, Nicoletta nearly crumbled the loaf of bread into crumbs. 'She what?'

'Ha! The old fool. I told you her mind was going. But, no, you always laugh, as if she is so entertaining. And what are you doing to that bread? Wringing its neck? We have to eat that.'

'Mirella detests the entire *famiglia* Scarletti. I remember some time ago you said you had to forcibly stop her from speaking to Portia Scarletti in order to protect her. What happened? What could have gotten into her?'

Maria Pia crossed herself solemnly. 'It is the palazzo. It is not right. Evil lurks there. I think she was' – she lowered her voice, looked around, and finally let the word slip out – 'possessed.' Hastily she rose and shuffled to the shrine to the Madonna in the corner of the hut and lit three candles against any evil she might have invoked with her words. 'Nicoletta, perhaps you know strong offerings that, with the Madonna's consent, you might make on our behalf against what I may have wrought.'

Nicoletta gaped at her. Maria Pia was a devout practitioner of her faith. She would never consider doing anything improper unless she felt they were in mortal danger. 'Maria Pia?' she said softly. 'Come sit down, and tell me exactly what happened. Surely it is not so bad that we cannot make things better.' She swept her hair back into a knot before arranging bread and cheese on the older woman's plate, the action steadying her trembling hands. She couldn't bring herself yet to tell Maria Pia about what had taken place at the cove. She needed to know first what had gone on at the palazzo.

'I tried to protect you, Nicoletta, but I think Mirella told the don things about you. He was asking many questions.' Maria Pia left the shrine to make her way slowly, heavily to the crude table.

Nicoletta poured hot water into a cup and added a mixture of herbs to make a soothing brew. 'Start from the beginning. Why did the don command the healer to the palazzo?'

'He said he wanted to pay me for my services. And he paid us handsomely,' Maria Pia said sorrowfully. 'It was ill to

66

take his payment.' She shook her head as Nicoletta placed a steaming bowl of soup in front of her. 'I knew he was looking for you. He stared at Mirella as if she were an apparition. I think the old fool thought he was intrigued by her. He asked about you, and I told him you were resting.' She glared at Nicoletta. 'You *were* resting.' She simultaneously made it a statement and a question.

'In my way.' Nicoletta waved her hands airily and sat across from Maria Pia at the small table. 'Please continue.'

'He asked if you knew a great deal about healing. He was speaking so casually, so easily, I was distracted at first, he was so kind. But then a man came in and spoke to him in a whisper, and during that pause I realized I was telling the don things I did not want to tell.' She crossed herself again and kissed the crucifix around her neck. 'I am sorry, Nicoletta. I got up to leave and would not look at him again, but Mirella simpered and fawned all over him in a terrible display.' Maria Pia's faded eyes were watery and could not look at her young friend.

Nicoletta placed her hand over the old woman's, feeling the papery skin beneath her palm. Maria Pia shook her head and jerked her hand away. 'I am as guilty as Mirella. I betrayed you, too. He knows you are the true healer.'

Nicoletta took a deep breath and let it out slowly. 'We must eat while the food is hot.' She bowed her head over the food to give herself time to think.

Maria Pia prayed devoutly for some time before signaling it was time to eat. Nicoletta took several cautious sips of the soup before speaking. 'What, exactly, did Mirella say to him?'

'She told him you were magical. She actually used the

word *magical*. I interrupted and tried to say she meant you were so filled with joy and laughter and could light up a room, but Mirella just stared at him completely spellbound and went on as giddily as a girl.

'The don had to leave to meet someone – I heard him tell his manservant, Gostanz, that he had a very important meeting and would return late. I hurried Mirella out of there, I can tell you that, and scolded her all the way home. She was very contrite, as she should have been, but I fear that will not save you. Though it breaks my heart, we must send you away, far away, where you will be beyond the don's reach.'

Nicoletta continued to eat calmly, her mind racing. Now she didn't dare tell Maria Pia what she had seen from the cliff. She would be sent away for certain. The don had obviously gone to meet someone of importance at the cove, but it had been an ambush, ending in two killings at his hands. If he knew she had witnessed the event, he might well wish to dispose of her by naming her a witch. Don Giovanni Scarletti might live in a pagan household, but he had close ties to the Church. He had close ties to everyone in power.

'I will stay here, Maria Pia. I do not intend to hide from him. Besides, no one hides successfully from the don. You have said so yourself on many occasions. No one has yet come to haul me away. After supper I will go to Donna Mirella and comfort her. I do not want her to worry that she has placed me in a terrible position.'

'But likely she has, Nicoletta. You are not taking this matter as seriously as you should.'

'I am taking it very seriously,' she said softly, 'more seriously than you can know, but I do not think it fair for Mirella to blame herself when I believe the don is able to . . . to *influence* people in some way. You said yourself he influenced you. You said he is rumored to read minds as well. It is not Mirella's fault.'

Maria Pia looked at her a long time and then smiled slowly. 'I did a good thing when I took you in, *bambina*. You are right, of course. We cannot allow the old fool to be ashamed and mourn. She is dimwitted – that is her excuse. I, however, have none. If the don should threaten you, I will travel far from here with you.'

Nicoletta smiled sweetly. 'You will remain here where I know you are safe, and you will trust me to hide out until the don loses interest.'

'You said he would lose interest immediately, and he did not. You also just agreed that no one could hide forever from the don.' The sparkle was beginning to return to the older woman's eyes, however, with Nicoletta's reassurances.

'I thought you told me you were forgetful,' Nicoletta teased her back, pleased that Maria Pia was no longer so fretful.

CHAPTER FOUR

Nicoletta lay beneath her coverlet, unable to sleep, tossing and turning this way and that. Outside, the wind rushed at the thin walls of the hut as if storming a fortress. It brought his voice with it. The don's voice. She could hear the low voice murmuring to her continually, mercilessly, a relentless assault she feared would never end. Soft. Compelling. Needing. Commanding. It went on and on, the sound brushing at the inside of her mind and making her body burn in an unfamiliar way. There was something darkly sensual in that voice, a whisper of sin, erotic and seductive, that left her wanting and needing and burning in her bed. Nicoletta squirmed and put her hands over her ears to try to drown out the sound. It only increased in volume. Her skin felt damp and sensitive, her breasts aching with need. Furious, she sat up, her long hair cascading over her shoulders. Impatiently she braided it quickly, padding on bare feet to the window to stare out into the darkness.

She desperately wanted to leave the hut right then in the middle of the night and inspect the cove. What had happened to Don Scarletti? Was he safe? Was she merely dreaming he was calling to her? Had there been others lying in wait to ambush him? Could he be out there, injured and in need of aid? But the voice sounded smooth and haunting, not weak and injured. The voice sounded seductive, like a sorcerer's weapon that seeped its way through flesh and bone and under skin to smolder with wicked heat in her breasts, her belly, between her legs. Color swept up her neck; her entire body seemed hot and unfamiliar to her. Was the don capable of black magic, as it was rumored? Had he somehow marked her because he saw her differences? Defensively she put a hand to her throat. Few things in nature frightened her, but Don Scarletti and his evil palazzo had managed to do so.

Restlessly she paced across the room to tuck the coverlet more closely around Maria Pia. Her heart warmed at the sight of her, sleeping so soundly. The woman had always been there for her as long as she could remember. Nicoletta knew they shared a distant blood tie – nearly all the families in the *villaggio* were related in some way – yet Maria Pia was more family to her than any other she had known. Long before her mother and aunt had died, there had been Maria Pia. She remembered the low murmur of feminine voices conversing while she was dozing off. Her *madre*. Her *zia*. Maria Pia. Reassuring, secure. She had been accepted and loved by Maria Pia all her life. Now she had no one else, and most likely she never would.

Were they coming for her, the don's minions? She padded on bare feet back to the window to peer anxiously in the direction of the palazzo. Right now, were they gathering torches and coming together at the command of the don to call her witch? She could hear her heart beating far too loud and fast. Earlier she had managed to appear calm, but the truth was, she was terrified. This was her home; she knew no other. These people were her family; she wanted no other. She did not want to attempt to flee, and no one wanted to be burned as a witch. And what of her people? Would they suffer for having harbored such an abomination in their midst? Was the voice she was hearing a sign from God? Had she gone mad?

The wind rattled the small hut and found its way in through the chinks, making her shiver. It howled mournfully through the trees, an eerie, ghostly sound that rose like a thin wail and died off, only to return again and again. She heard the hunting cries of distant wolves, first the leader of the pack and then the others answering, signaling the presence of prey. The cries sent another shiver along her spine. The mist from the ocean had turned to a heavy fog, shrouding the surrounding hillside. The wind spun the viscous vapor until it appeared to boil angrily, and shadows moved within the gray-white veil as if edging closer and closer. All the while the voice murmured to her, a low, insistent command Nicoletta tried not to hear.

She stood watching at the window most of the night until the wind died down and took the relentless whisperings with it. She was slumped against the wall at dawn, sound asleep, when young Ricardo, son of her friend Laurena, burst into the hut after only a perfunctory knock.

'You have to come now. *Mia madre* said you have to go to the farm of her sister. Zia Lissandra is very ill. Her *bèbe* is coming, but something is wrong. *Madre* says do not let her sister die, Donna Nicoletta.' His face was white, and he delivered his message without taking a single breath. Sagging against the door, he looked at Nicoletta with tears in his eyes. 'She was screaming, Nicoletta. Zia Lissandra was screaming. I ran here as fast as I could.'

Nicoletta was immediately awake, hurrying to soothe the boy. 'You have done well, Ricardo. Your *madre* will be proud of you. I shall come at once. You light a candle to the good Madonna that my work this morning goes well.'

At the sound of Ricardo's high-pitched, frightened voice, Maria Pia sat up on her bed and looked anxiously around, afraid the don's men had come to take Nicoletta from her.

Nicoletta bent to kiss her. 'I must go now. To Lissandra, ill in childbirth. Follow as quickly as you are able. I cannot wait; it sounds too urgent.' She wrapped a shawl around her shoulders, caught up her satchel of medicaments, and rushed from the hut, her bare feet silently slapping the ground.

Thoughts and fears of witchcraft and the don were shoved aside as she prayed all the way to the farm. Lissandra was young yet to be a mother. Not yet sixteen, she had married a man much older than she. Nicoletta and Lissandra were friends, and Nicoletta was terrified of losing her. Already she had seen far too many women lose their lives in the birthing process.

The farm was some distance away, and Nicoletta lost track of the times she begged the Madonna to lend wings to her feet. Maria Pia would take well over an hour to make the trek. Whatever had to be done would be done by Nicoletta alone. She almost wished she did have magic at her fingertips to aid her. Every step was uphill and steep. Her injured calf was burning by the time she saw the torches lit around the farmhouse where Lissandra resided with her husband, Aljandro.

He flung open the door, having obviously been watching for her, his huge bulk filling the frame, his face twisted with guilt. 'Hurry, Nicoletta. I fear you are too late.'

Nicoletta pushed aside his terror along with her own and reached deep inside her for calm. It was there, the reserve she could always count on, draw on, and she entered the dwelling as a confident, assured healer. Lissandra's sister, Laurena, leapt to her feet with a cry of relieved greeting.

The house was already filled with black-shawled women, mourners congregating to wail for the dead. Nicoletta's dark eyes flashed fire. 'Is she gone then?' She hissed the question at them, and they all cringed at her evident displeasure. Immediately they ceased their incessant wailing. Not one dared defy her or point out that she was barely past being a child herself. Nicoletta was a powerful healer, and they were very superstitious. If Nicoletta could heal, she might very well be able to harm them as well.

'Laurena, remove these women to another room, where they will be able to pray to the Madonna in peace,' Nicoletta ordered prudently. 'I will need water boiled and clean cloth.' She approached Lissandra with more confidence than she felt. The girl was whimpering, her stomach swollen and hard, her body worn from labor.

Nicoletta looked past Laurena to Aljandro, straight into his eyes. 'Why was I not summoned the instant she went into labor?' Her gaze glittered with hot accusation.

He looked away from her immediately. They both knew why Aljandro had not wanted to call her. He was still angry because Nicoletta had spurned his attentions before he had turned his eye to Lissandra. He had wanted sons, workers for

74

his farm, and had chosen a young bride to supply him. He had not called the healer because he had intended to keep his earnings to himself, in hopes of becoming wealthier. He had not thought of the consequences to so young and small a 'brood mare,' and at that moment he was mortified at his own behavior.

Nicoletta pressed her lips together to keep from lashing out at the ignorant man and immediately set about inspecting Lissandra. Her young friend was well advanced in her labor, the babe very large. Nicoletta had seen this too many times. Lissandra was small, the babe large; everything was wrong. The outcome was usually grim: both mother and child died. She looked at Laurena, and for a moment their eyes said it all, a knowing exchange between women about a hopeless situation that need not have occurred.

'Lissandra,' she said quietly, 'I am going to try to help. The babe is still alive. You must do what I say and trust in me.' Nicoletta threw off her shawl and rolled up her sleeves, immersing her hands in scalding water. It was one of Nicoletta's strange differences, often remarked upon as this obsession with hot water when she tended the sick.

Fortunately, she had small hands, and she relied on her inner guide, which always seemed to know exactly what was wrong and how to fix it. Had she been called earlier, she was fairly confident she might have saved both mother and child, but Lissandra was exhausted, her delicate body worn out. Nicoletta talked her through each swelling wave of pain, all the while patiently maneuvering until she could grasp the babe to help ease it out. Laurena thrust a thin, rounded stick between her sister's teeth, afraid that in her wild screaming she might swallow her tongue. Nicoletta worked steadily and patiently, sweat running down her face so profusely that sometimes she couldn't see.

The baby was stuck. It would die, and so would Lissandra. Nothing would ease the baby through the tiny opening of pelvic bones. An idea of what to do on such occasions had been in her mind for some time now, but Nicoletta shied from trying it alone, wanting the comfort of Maria Pia's presence before she attempted such a terrible thing. But Nicoletta didn't have the luxury of waiting for Maria Pia. Lissandra had run out of time. Nicoletta had to act now or never.

She looked into her friend's desperate, pleading eyes and made her decision. Sick to her stomach, she performed her task quickly, deliberately breaking the shoulder of the babe, then turning it with her hands to whisk it free. It slid into the air, blue and lifeless and still. Quickly she cleared the mucous from the throat, rubbing the infant's chest to stimulate it into taking a gulp of air. The moment it began a thin wail, she passed the babe off to Laurena, turning her attention quickly to cutting the cord and attending Lissandra.

Now it would be a matter of controlling the bleeding. All the while she worked, she was nauseated at the thought of what she had done to a helpless infant. She was sick at the knowledge that even if she saved Lissandra this time, her husband would insist on another babe immediately, and, child that she was, Lissandra would not take the potion Nicoletta had secretly given her to allow her more time to grow before she became pregnant. She would obey her husband, and she would certainly die.

Nicoletta was sick, her stomach lurching at the vast quantity of her friend's blood that covered her, still sick at the thought of what she had been forced to do to the babe. Most of all she was sick to death at the waste of a young, vibrant woman whose life should have been just beginning.

Nicoletta fought to stop the inevitable. She called on her special gift, her hands moving over Lissandra, letting the healing warmth flow out of her and into her friend, attempting to direct the energy where it was most needed. The effort was draining, mentally as well as physically. No one watching could say precisely what she did, yet they could not deny that it worked.

Finally Maria Pia entered the house and immediately went to work beside her. They were both exhausted by the time Lissandra drifted into sleep, still alive but terribly weak.

Nicoletta left it to Maria Pia to impress upon Lissandra's husband her need for fluids and bed rest until she was healed properly. Maria Pia would not say the cutting, angry words that burned inside Nicoletta. All Nicoletta wanted now was to run back to the safety of her mountain, far from the weariness and sadness and guilt pressing in on her. But she turned her attention to the newborn next, her hands finding the terrible crack in the bone and aligning it perfectly, bandaging it tightly to keep it from shifting. She again used her special gift, the touch of her hands spreading warmth and healing to the babe as it had to Lissandra. The effort was exhausting, draining, some element she couldn't define flowing out of her and into her patients to aid recovery, but she used it nonetheless.

Finally she washed Lissandra's blood from her arms and

slowly, wearily, daubed at her bloodstained blouse. Laurena hugged her tearfully, then quickly wrapped some bread and cheese into a scarf and thrust it at her, a token of her gratitude. Too tired to protest, Nicoletta shoved the meager meal into the pocket of her skirt. Exhausted from her sleepless night and the ordeal with Lissandra, she explained softly to Laurena that the babe would need special care while his shoulder healed, lit a candle to the Madonna in thanks, and left the farmhouse without saying a single word to Lissandra's husband. She never wanted to look at him again.

'Nicoletta!' Aljandro hurried after her, attempting to catch her shoulder with one hamlike hand. He nearly crushed her bones there in the darkness. She could feel his anger at her, barely leashed, and his eyes were still hot with greed for her body even as his wife lay near death after giving birth to his child. It sickened her.

Steadfastly she kept her gaze on the ground, fearful of lashing out at him. She didn't dare cause any more hostility between them when she wanted to remain Lissandra's friend and on good terms with all the *villaggio*. 'I am very tired.' She twisted her shoulder out from under his grasping fingers. His touch made her stomach lurch.

Aljandro dropped his hand as if she had burned him, his stare a mixture of anger and shame. He handed her payment but hissed something crude at her.

Without once looking back, she walked slowly to the closest stream, feeling a hundred years old. She stood with her bare feet in the ice-cold water and stared up at the leaves of the trees blowing to and fro above her head. She cried then, for Lissandra and all the young girls like her, while the crystal-clear water rushed around her and on down the stream with its soft sound of cleansing. She blindly waded back to dry ground, where she sank into the cushion of deep grasses, drew up her knees, and sobbed as if her heart were breaking.

The voice came to her then, *his* voice, soft and warm, a gentle inquiry – or was it her own need conjuring that warm and comforting voice, a soft murmur of protest over her storm of tears? Nicoletta didn't know how he could do it, or even if he was in league with the devil, but for the first time she welcomed the voice whispering to her. There were no real words, more a feeling, images of warmth and security, like strong arms enfolding her from the inside out.

A hand on her shoulder startled her, effectively stilling the voice. Or dispelling the enchantment? A sorcerer's black-magic web? Maria Pia stroked back her hair. 'You saved their lives, Nicoletta.'

'*Può darsi.*' She didn't look up, her face buried on her knees. 'But for what? So the *bambino* will slave for Aljandro all of his life, and Lissandra will go through this again and die? I hate him, Maria Pia. I truly hate him. Aljandro did this because of me, because I refused his attentions. Even to spare her suffering, he would not send for me. I hate him.'

'You cannot show it, Nicoletta,' the older woman counseled. 'He does not forget slights to him, and you are in a very vulnerable position.'

'I do not care if he knows how I feel. I hope he does. He does not deserve Lissandra, and I did her no favor this morning.' Nicoletta cried even harder.

'In his way he cares for her,' Maria Pia explained gently. 'But he does not understand. He thinks mainly of his farm.'

'How difficult is it to understand that a child cannot have a child without fear of death, Maria Pia? His "caring" will kill her. She is but a brood mare to him, and when she dies, he will get another. He thinks only of himself.' She stood up and began to run, her bare legs flashing beneath her long skirts as she raced away from the farm. From Aljandro and what he represented. From blood and death. Yet she found herself heading for the cove.

She wanted to see for herself that no one else had hidden in the rocks and attacked the don, although why it was so important at that moment, she didn't know. She had to do it, though. It didn't matter that she might discover the two dead bodies; she had to see for herself. She had to know the don was safe. A dark compulsion was on her. Nicoletta was drawn to the cove, helplessly caught in a spell she couldn't resist. Hypnotized, mesmerized, perhaps, trapped in a web of growing evil – it didn't matter. At that moment, the most important thing to her was to ensure that Don Scarletti remained safe.

She ran until her injured calf protested too much, forcing her to a more sedate pace, and then she walked quickly, pausing only to sip some cooling water from the tiny falls scattered among the hills. She made it to the cliffs and looked down, wanting to be prepared for whatever she might find before she descended. The cove was empty. No dead bodies, no blood staining the sand, nothing to indicate that violence had visited the day before. No proof of the incident remained other than her memory.

Nicoletta made her way down to the cove, picking her steps carefully on the steep, narrow path. The ocean mist bathed the tears from her face as she paced cautiously along the ledge to pick her route over the rocks to the sand. She searched carefully, but there was no sign of death on the beautiful semi-circular beach. Moving back into the shadow of the cliffs, she sat and stared out at the ever-moving ocean. The tide rushed to shore endlessly, rocking back and forth in a steady rhythm. She should have found peace, but the place seemed more sinister than ever. She could feel the aftereffects of violence lingering there.

Exhaustion combined with the rhythm of the sea finally took its toll. She dozed for a time, worn out from her fight to save her friend. The waves continued to wash back and forth, a lullaby while she slept.

It was the bird that woke her. Its shadow passed over her head as it circled lazily. The raven drifted lower, its circles tighter and tighter, until he landed in the sand and hopped over to Nicoletta.

She opened her eyes wide and sighed softly. 'So you have found me once again,' she said, resignation in her voice.

The bird stared at her, its beady eyes fixed on her face. She smiled. 'You think I should find you a bit of food and reward you for alerting me? I am not that fond of you and your warnings.' She stood up slowly, wincing as her muscles protested and her calf throbbed and burned. She stretched, a long, slow stretch, before reaching into the pocket of her skirt for the bread wrapped so carefully in Laurena's scarf. 'You do not deserve this, but all the same . . .' Nicoletta tossed several chunks to the creature. The bird caught the pieces one by one in its sharp beak and devoured them. The bird continued to stare steadily at her, gave one squawk, then hopped down the beach several steps before taking to the air.

Nicoletta's shoulders sagged, and she took her time walking back to the *villaggio*. Whatever trouble was coming would most likely be coming to find her there.

She could feel the excitement in the air the moment she neared the settlement. People were washing, when it was not washing day, busily cleaning the narrow streets, sprucing up the homes. She waved halfheartedly to Ketsia but shook her head when the little girl eagerly signaled her to come and talk.

Before she could enter the safety of her hut, Cristano confronted her, barring the doorway, cutting off her escape. His black hair was disheveled, and he looked a bit wild, breathing hard like a rampaging bull. His black eyes snapped at her. 'Look at you, Nicoletta, running around barefoot in the hills! I have had enough of it. I have been very patient, but I can stand no more. I forbid this careless roaming of the hills like a madwoman. It is not safe, and it is most unseemly. You are making me the laughing stock of the *villaggio*. It is time for you to grow up and do as your betrothed instructs. I will insist the priest marry us immediately. I will inform Signorina Sigmora that we are to be wed.'

'Have you lost your mind, Cristano?' Nicoletta pushed at him. 'Go puff your chest at one of the other girls. I will not have you ordering me about in such a way.' She was small in comparison to his tall, muscular frame, but she defied him nonetheless. In truth, Cristano was handsome and bold. She had known him all her life and held some affection for him, but her fondness was that of a sister, a friend, not a wife. He knew he was handsome, knew the girls looked at him – all except Nicoletta. She lifted her chin haughtily at him. 'I will *always* run barefoot and free in the hills, and no man shall dictate to me, Cristano. Certainly not you!'

He yanked her close to him. 'We shall see, Nicoletta. The elders know you need someone to take you in hand. I will seek their permission as I should have a long time ago.' He dropped her arm and stalked off.

Outraged, Nicoletta pushed her way inside, slamming the door shut with unnecessary force. 'Cristano has lost his mind and needs assistance immediately. It is entirely possible he suffers from brain fever. I am not jesting.'

Maria Pia ignored her caustic comment and caught her arm. 'Where have you been, Nicoletta? You have been gone all night! I was worried for your safety!'

Nicoletta put her satchel carefully into the corner. 'Did you tend to Lissandra's *bambino?*'

'He is fine, strong and healthy, thanks to the good Madonna and your quick thinking. Aljandro, of course, said you were clumsy in the delivery to break the babe's shoulder. He says you also caused much pain to Lissandra. You must be careful, *piccola*. When a man is shamed and guilt-ridden, he often seeks to shift the blame.'

Nicoletta lifted her chin. 'I do not care what he says.' She waved a hand in dismissal. 'Tell me what is happening. Why all the excitement?' She crossed to the window and stared out at the bustle of activity in the village.

Instead of answering immediately, Maria Pia began to heat soup for Nicoletta. 'You must eat, *bambina*. I know that you have not eaten since you supped last night. Come sit down, and allow me to feed you.'

'What is it you do not want to say to me, Maria Pia? It is

best to get it out in the open.' Mechanically, Nicoletta put on clean clothes. 'Just tell me. Do not make me wonder.' Her fingers curled around the hem of her blouse. She already knew. It was the don; it could be no other. He was the reason her heart pounded and her mouth went dry and she was suddenly very, very afraid.

Maria Pia remained stubbornly silent while she prepared the soup and placed it on the table with bread and cheese. 'Sit down, *piccola*.'

She artfully wove the same thread of authority into her voice that Nicoletta had obeyed since she was a child. Nicoletta stilled her trembling hands, sat quietly in the chair like an obedient little girl, and looked up at Maria Pia. 'Is he coming for me, then?'

Maria Pia fiddled with a square of cloth nervously, every age line plainly visible on her face. 'You are aware of the laws we live by. Our *villaggio* is within the domain of the don. We owe him fidelity and are under his protection. The land belongs to the *famiglia* Scarletti. Without him, our people would be homeless, powerless, with no means to make a living or protect ourselves from invaders. Two centuries or more ago, far before the curse was put upon the *famiglia* Scarletti, our ancestors made an agreement, which we have always kept.' Maria Pia took a deep breath, her hands suddenly twisting the cloth into a tight knot. 'The don has invoked his right to the Bridal Covenant.'

Nicoletta stared up at her, her eyes huge on her face, not comprehending, unable to fully grasp what the older woman was saying. The Bridal Covenant. She had heard of it, of course; all the village women had.

As silly girls they had discussed the stories of the great and handsome *aristocrazia* emerging from his ornate palazzo and whisking one of the maidens off to a fairy-tale life of luxury and ease. Of course that lucky chosen one would soon marry off her friends to other young, handsome, rich noblemen. All of the surrounding *villaggi* and farms owing fidelity to the don had gladly participated in the Bridal Covenant; it was a cause for great festivity. All women of marriageable age had bathed and donned their finery, vying with outrageous flirtations to gain the attentions of the don of the palazzo.

But that was before they all came to believe in the curse. Before the Scarletti women, and even their attendants, began to die in bizarre accidents – or were so obviously murdered. Before the palazzo was named, in whispers, *Palazzo della Morte*. Palace of Death.

'He cannot do that,' Nicoletta whispered, her hand going to her throat defensively. 'He cannot.'

'He goes to all the *villaggi*, as if to seek a bride.'

Nicoletta rested her chin in her hand thoughtfully. 'That he must do; he has no other choice. He cannot show preference beforehand. But it is another trap he seeks to catch me in.' She took a deep breath, then let it out slowly. 'We must outsmart him once again, Maria Pia. I know we can do it. If it is not so, if it is not me he is seeking, then it will not matter what we do.'

'You cannot think to be absent.' Maria Pia looked shocked. No one could defy an order given by the don. The honor of the village was at stake. After many generations of the tradition, they could not fail to comply in presenting their maidens to the don.

Nicoletta said the necessary prayers over her food far too absently for Maria Pia's liking. The older woman rapped Nicoletta on the knuckles when she would have quickly broken the bread. Maria Pia recited very long prayers over the meal, and very devoutly. Nicoletta barely managed to stop herself from giggling like Ketsia.

'This is no laughing matter, Nicoletta. I believe the current don had no intention of enforcing the Bridal Covenant. It has been two generations since one of our girls was demanded. Don Giovanni Scarletti has given no hint of such a thing, and his decision was so swift, no one has had time to adequately prepare for it.'

'I agree,' Nicoletta said calmly. She knew it without Maria Pia's observations. The raven had warned her of danger coming. She *felt* the danger. 'He is looking for me.' She broke off a small piece of cheese and slipped it into her mouth, chewing thoughtfully. 'He is still not certain. That is why he used the demand of the brides. All eligible women are commanded to show themselves, but he does not have to choose. He can return year after year and never actually make a selection.'

'Perhaps he is like a fisherman without a hook.' Maria Pia began to relax. 'Perhaps we can manage to outthink him after all.'

'He has a hook,' Nicoletta admitted at last. She glanced at Maria Pia, then averted her eyes, ashamed she had not confessed immediately. 'There is the blood of the *villaggio* running in his veins. He is also different. I know that he is.'

Maria Pia gasped and crossed herself, rushing to the shrine of the great Madonna to light several candles. After

long. When Nicoletta smiled, she brought them the sunshine. Maria Pia's gaze traveled lovingly over the young woman. Not even her worn and faded clothes could dim her natural beauty. 'I do not see how we can so disguise your womanly appearance, Nicoletta.' Her gaze fell on the small bare feet. 'Where are your shoes?' she asked as she so often had to.

Nicoletta shrugged, unconcerned. 'In truth, I do not know. Nor will I be needing them. I think bare feet will add to the illusion of a child.' She laughed softly. 'Ketsia has quite a task keeping track of the things. Yet it keeps her occupied and out of trouble – and perhaps relieves your worries at the same time.'

'Donna Maria Pia!' Cristano's booming voice nearly shook the hut. 'I must speak with you.'

Maria Pia wrapped her shawl around her shoulders as she shuffled to the door.

Nicoletta made a face. 'Do not let that vain peacock into our home,' she hissed.

'Behave yourself,' Maria Pia demanded, and she opened the door.

Cristano rushed in, almost smashing Maria Pia flat. He knocked the breath out of her and had to catch her to prevent her from falling. Maria Pia slapped at his hands and pursed her lips, clucking with disapproval like an old hen. 'What are you about, Cristano?' she demanded.

Nicoletta burst out laughing as Cristano, mortified, turned bright red. Maria Pia silenced Nicoletta with one eloquent look. Cristano shot Nicoletta a withering glare and recovered his dignity sufficiently to face the older woman. 'I have come to ask for Nicoletta's hand in marriage. She cannot be counted among the eligible women for the Bridal Covenant.'

Maria Pia smiled sweetly and patted Cristano's arm. 'What a thoughtful boy, to consider such a thing, but you seem to have forgotten that she is a year too young for marriage yet. She will not be included in the don's Bridal Covenant.' She was leading him to the door. 'It was kind of you to offer to sacrifice yourself,' she added wryly, 'but there is no need. Nicoletta will remain unmarried at least another year.' As she addressed and patted him, she thrust him out the door and closed it firmly. Then, having uttered an untruth, as she'd sworn she couldn't, she hastened to the shrine to the Madonna to seek forgiveness and charity.

CHAPTER FIVE

The air of the village fairly hummed with energy the next evening. Nicoletta shook her head as she watched the festivities from behind a large tree. She pressed herself tight against the trunk, hoping she looked like one of the nameless, faceless children the *aristocrazia* never seemed to notice. She had bound her generous breasts and wore a loose, shapeless dress, a bit worse for wear but clean. Her feet were inevitably bare, but her skirts hid her shapely legs. Her hair was bound and covered tightly with a scarf. Still, she was taking no chances, determined to stay as far as she could from the don.

During the long hours of the day the adults had continued cleaning and polishing the *villaggio* in hopes of making it more acceptable to the don. All houses and stoops were now neat and tidy, and no wash hung on the bushes or trees. The small boys were deployed as runners, stationed in the neighboring *villaggi* to report on the don's progress. He was moving slowly from the small towns and farms, inspecting the young women and evidently finding none to his liking. He was steadily moving toward them.

Nicoletta was agog at the girls, her friends, all of marriageable age, simpering in their finest clothes, scrubbed and powdered, forgetting every tragic death, every sinister rumor. They stood together in groups, talking in whispers, erupting every now and then into fits of nervous giggles. They thought only of the riches, the prestige, and what a coup such a marriage would be. Nicoletta's fingers twisted tightly into the material of her skirt, and her heart thudded hard in her chest. He was coming. He had found no bride yet, and deep in her heart she knew that he wouldn't. He was coming for her.

She was trembling, a fine shiver she couldn't quite control. Her hands were icy cold, and her stomach was doing funny little somersaults. The fog had once again rolled in, bands of it winding in eerie wisps around the trees and houses. There was a terrible drumming in her head, like the sound of thunder heralding a storm. He was coming for her. It sang in her head, a hideous refrain. Self-preservation warred with her sense of duty. The don could not be defeated. Strong men had tried, and they had died for their efforts. He was coming for her.

Nicoletta felt goose bumps creep over her skin. Close. He was close now. Her legs felt rubbery, her knees weak. It took all her willpower to stand her ground, albeit as a shrinking violet propped up by a tree.

He came into sight riding a huge black horse with a flowing mane and tail. The horse was restless, prancing sideways, tossing its head, but the powerful figure astride the animal looked calm and in complete control. Many outriders accompanied him, strong men every one, with an obvious pride in and complete loyalty to their master. Nicoletta could see the emotions on their faces, and it frightened her all the more. These would be the men who would burn her at the stake if he commanded it. They would do anything he commanded.

Don Giovanni Scarletti, with his great height and broad shoulders and thick chest tapering into narrow hips, had the hard stamp of authority on his handsome, angular face. He was no youth but a full-fledged man. His mouth had a merciless touch to it; his eyes were frankly sensual, glittering black obsidian, heavy-lidded with thick black lashes. He looked intimidating, a man born to command.

He robbed Nicoletta of her breath. He was handsome and frightening and so powerful looking, he seemed completely invincible. She didn't look directly at him, terrified of drawing his gaze. One of his men took the reins of his horse, and Don Scarletti dismounted in one fluid motion. He appeared patient and gracious as the elders of the *villaggio* greeted him with several long-winded speeches and presented him with gifts. The village musicians did their best to entertain, loud and enthusiastic rather than on key. The sound grated on Nicoletta's already raw nerves.

She was mesmerized by the don, by his graceful movements, the play of his muscles beneath the fine material of his shirt, the way power clung to him. He looked strong and capable, utterly confident, invincible. A dark sorcerer casting his spell. Nicoletta wanted to look away, terrified of drawing his attention but unable to tear herself out of the web he seemed to weave around her.

'He is very handsome,' Ketsia confided, tugging at Nicoletta's skirt.

'You think every man is handsome,' Nicoletta answered,

keeping her voice low, although they were some distance from the main festivities.

Ketsia giggled. 'But he is old, Nicoletta. I am glad you are not with the other girls, or he would surely choose you.'

Nicoletta stiffened, but she did not dare let the don out of her sight even for an instant. She didn't altogether trust the situation. Her heart was pounding louder than ever. 'Why would you say that, Ketsia?' Her mouth was so dry, she could barely speak.

'I just know he would. Anyone would pick you, Nicoletta,' Ketsia said confidently. 'You are so beautiful and good.' She studied the don. 'I think he is not having a good time. He looks bored. Do you think he should look bored when he is choosing his bride?' She wrinkled her nose. 'He is not even looking at the girls. He walked right past Rosia, and she is wearing her best dress.'

The strange shivering was becoming worse. Nicoletta's teeth were chattering so hard, she clenched them tightly, afraid the sound would attract the don's attention. Ketsia was right; Don Scarletti was giving the young women only the most cursory of inspections. He was barely avoiding being rude, but she could see it didn't matter to him what anyone thought. His face was darkening like a thundercloud. She saw him turn his head to examine the crowd, his glittering gaze sharp like that of a hawk. He was hunting prey, and Nicoletta instinctively knew that she was the prey he was seeking. Her hand went protectively to her throat, and she tried to make herself even smaller. He scanned the faces in the crowd with thoughtful eyes and then suddenly went very still.

96

Nicoletta followed the direction of his eyes and gasped when she saw that his gaze had settled on Maria Pia. He leaned and spoke softly to the man nearest him. At once the man pushed his way through the crowd and went straight to the older woman. Head down, she obediently followed him back to the don.

Nicoletta squeezed her eyes shut, wanting to shut out the inevitable. She could not allow Maria Pia to take the brunt of the powerful don's anger. Ketsia seemed to sense something was wrong, for she moved closer and clutched at Nicoletta's skirt. 'Why is he asking Maria Pia questions?' Ketsia asked plaintively. 'He looks scary.'

'Hush, *bambina*,' Nicoletta pleaded, wanting to hear. Again Ketsia was right; the don looked very intimidating.

His voice was softer than ever, but there was no mistaking that he had every intention of getting his way. 'Where is the young woman who accompanied you to the palazzo? Make no mistake, old woman, I deal harshly with anyone who attempts to defy my orders. The Bridal Covenant was invoked, and all women were to be brought forward.'

Maria Pia nodded several times. 'We understood, Don Scarletti, that you wanted to see only the young women eligible for marriage.'

The don stiffened visibly. 'Your apprentice was unmarried, was she not?' He made it a statement.

'That is so, Don Scarletti, but she is quite young . . . in her way.' Maria Pia's hands twitched with the effort to prevent herself from making the sign of the cross and clutching at her crucifix as she deliberately sought to mislead him.

Don Scarletti's dark features went very still, his glittering eyes thoughtful as they rested on the older woman's face. He bowed slightly. 'I wish to see the girl. Have her brought to me immediately.'

Involuntarily, several of the young women turned to look at Nicoletta with a mixture of fear and disappointment on their faces. At once the don alertly followed their telltale gestures, his probing gaze settling instantly, unerringly on her face like the point of a rapier.

The breath went out of her, and for a moment she was frozen in place, unable to think or move. Her every instinct told her to run, yet she couldn't, her gaze locked with his. Her pulse pounded loudly, like a drum beating at her temples. She couldn't look away from him no matter how hard she tried. She felt as if she were falling forward into the fathomless black depths of his eyes.

The don did not command that Nicoletta be brought to him but, instead, began moving toward her. The crowd parted immediately, clearing his path, and he strode purposefully, looking neither right nor left but only at her. His prisoner. His prey. The thought beat in her head to the rhythm of her furiously pounding heart.

He stopped directly in front of her, towering over her so that she had to tip back her head, her gaze still locked with his. At that moment her senses became so heightened, it was nearly unbearable. She was aware of everything: the wind tugging at her, moving over her skin with the coolness of a touch; Ketsia clutching at her skirts; the terrible trembling she couldn't seem to overcome; the blackness of the don's eyes, his perfectly sculpted lips; the way wisps of fog seemed to curl around his legs as if he were from another world.

His dark, penetrating gaze traveled slowly over her, taking in every detail of her drab, urchin appearance. Faint, mocking amusement stole into his eyes, briefly dispelling the icy aloofness that was so much a part of him. He turned on the heel of one gleaming riding boot and strode back to his horse, his movement a mesmerizing display of graceful, gliding coordination.

Like the proverbial cornered rabbit, Nicoletta watched him, terrified of what he might do. It was too much to hope he would get back on his horse, ride away, and leave her in peace. Stark possession marked his gaze when he looked at her, and Nicoletta was woman enough to recognize it. She could only wait helplessly, feeling foolish in her child's clothing.

He walked back to her and stood directly in front of her a second time. Closer now. So close that she could feel the heat from his body seeping into her ice-cold skin. She couldn't look away from his black, black gaze to see what he held dangling from his fingertips. He raised his hand to her eye level so that her thin sandals swam into view, swaying at the end of their long thongs. 'Perhaps if you were to put on your sandals, it would add an inch to your height and a year or two to your age, signorina,' he suggested softly.

Nicoletta stared at the shoes in horror. Her hands were trembling so badly, she didn't dare let go of her skirt. It was Ketsia who reached up and dragged the sandals out of his hands while he stared directly into Nicoletta's eyes with a faint, taunting smile.

The don didn't even glance at the child, his dark gaze locked with Nicoletta's. 'You are the one,' he said softly, thoughtfully. His voice turned slightly self-mocking. 'It is your honor to be chosen in the Bridal Covenant.'

Nicoletta stared up at him, still mesmerized. Both of them knew it was no honor; it was tantamount to a death sentence. The knowledge shimmered between them, unspoken. Involuntarily she nodded her head, her eyes wide and pleading.

Abruptly Don Scarletti tore his gaze from hers and turned to the village elders. 'The Bridal Covenant has been fulfilled. She is the one.'

For a moment there was complete silence. Even the wind stilled. Then chaos erupted. A sound of pure terror escaped Nicoletta's throat. Cristano, his face a mask of fury, burst into a fiery protest. Several of the prospective brides gave in to nerves and began to weep loudly. The elders protested in unison, and Maria Pia began to pray to the good Madonna. The don's men looked at one another, shocked at the villagers' reaction to the high compliment, but, unbidden to speak, remained stoically silent.

But Cristano had captured the don's attention. Don Giovanni Scarletti looked from Nicoletta's white face to the young man's outraged expression. A dark shadow crossed the don's sensual features. He turned back to Nicoletta, moving close enough that she was trapped between his hard body and the solid tree trunk. His hand spanned her throat, his fingers curling around her neck as if he might strangle her, while his black gaze roamed over her upturned face to settle on her soft, trembling mouth.

'I have chosen. Your young man must find another.' There was soft menace in his voice. Hard finality.

But that same voice managed to touch the core of strength and fire in Nicoletta. Her teeth came together with a snap. Her dark eyes flashed fire at him. 'Choose another. There are many willing brides for you,' she hissed, uncaring that he might think her disrespectful or defiant.

'I have chosen, and my choice stands.'

'I will not go.'

All around them was the clamor of talking and arguing, but they might as well have been the only two people in the world. Nicoletta was deeply aware of his palm shaping her throat, his fingers on her bare skin. There was so much heat in him, he was burning his brand into her soul. Staring directly into her defiant eyes, he smiled, a slow, humorless curving of his perfect mouth. 'The marriage will take place as soon as the Holy Church is satisfied.'

His hand slipped slowly, reluctantly off her skin, and he turned around and walked calmly back to the group of elders. The heat lingered on Nicoletta's skin where his palm had been. Maria Pia rushed to her side, slipping her shawl around the young woman's head and shoulders to give her a semblance of privacy as she escorted her through the crowd to their hut. Nicoletta could hear the elders protesting, but she knew they would have to give in. The Don didn't argue with them; he simply waited until they had talked themselves out. Then he advised them of his plans in his soft, commanding voice.

Once behind the closed door, Nicoletta flung herself across the room. 'I will not become his bride. I will not! I do not care what the elders say. I do not care if he threatens to have me burned at the stake. I will not! He cannot just take me from my home to that horrible, horrible palazzo and rip my world apart!'

Maria Pia remained silent, allowing Nicoletta her angry outburst in the safety of their home. She watched the young woman pace back and forth across the room, far too upset to stay in one spot. 'Any of the other girls would have been happy to marry him. He knows he could have chosen any of them! Well, I will not do it. He cannot make me.' Nicoletta wrung her hands. 'Do you think the elders will talk him out of it? Perhaps they will convince him I am a half-wit. Only a half-wit would dress as I did today. Surely he does not want to marry a dolt!'

'Nicoletta, did you see his face when Cristano protested his choice?' Maria Pia asked quietly. 'Don Scarletti is not a man who will give you up.'

'Well, he is just going to have to.' Nicoletta flung the shawl and scarf onto the bed, yanked the shapeless dress over her head, and tossed it aside. She pried at the cloth binding her aching breasts. The disguise had been a silly idea from the beginning. She threw the cloth after the shawl in protest. 'I am not an object, Maria Pia. No one *owns* me! I will go to the holy father and protest immediately. The don cannot do this.' Nicoletta pulled on her skirt and blouse with quick, angry movements. She was breathing fast to keep from weeping like a babe.

Maria Pia bowed her head, fighting back tears. She had known all along this day would come. The Church would not help Nicoletta; the priest would insist she marry the don. Scarletti was too powerful for the priest to alienate. He had ties to all the great political leaders, and his army was a strong one. If Don Giovanni Scarletti wanted Nicoletta, no one would stand against him. The village elders couldn't risk his wrath; they needed his land and his good will and protection. With a bride chosen from their *villaggio*, their status would rise considerably. No one would save Nicoletta from her fate. No one *could* save Nicoletta, not even Maria Pia.

Nicoletta stood in the middle of the room pulling the knot out of her hair, letting the thick mass fall in waves down her back. That she was still shaking added fuel to her anger. It infuriated her that a man had the power to take control of her life. Maria Pia didn't have to point out that she was helpless against the don; she knew she was ranting and railing against an inevitable fate.

She made herself breathe slowly, deeply, in and out. No one else could extricate her from this situation. 'The elders will ask the priest to perform the ceremony as soon as the don wishes,' Nicoletta said heavily. She glanced through the window at the crowd outside. The fog was thickening, and the air was chilly, but the throng was as dense as ever. Nicoletta knew the don was still in the *villaggio*. Negotiating. The eloquent, arrogant Don Scarletti would eventually ensure that the elders were more than satisfied with the match, though most likely he had not expected any opposition whatsoever.

'They are selling me to him!' she burst out tearfully, unable to contain her fear. She would have to leave her beloved home, her mountain, everything and everyone she knew and loved. She would have to leave it all behind.

'*Piccola,*' – Maria Pia tried to console her – 'the tradition has been in existence for many, many generations. Most girls would be happy to marry an *aristocratico*. You must not blame the elders. They tried to talk him out of it. I heard them.'

Nicoletta was nodding, but tears were streaming down her face. The fog was a thick blanket now, and the gossips were finally driven indoors. Night had fallen quickly as it did in the hills, shadows stretching, the wind howling mournfully through the trees. Her world. She belonged out there, free and wild, like the bears and wolves. She should not be imprisoned in an evil, hideous palazzo with people who would never understand or love her.

'The elders will be here soon,' Maria Pia warned softly. 'You must calm yourself, *bambina*. They cannot know your defiance.'

Nicoletta nodded, oddly grateful that Maria Pia didn't refer to her having to leave soon. She didn't think she could bear it. She gathered up her pitiful disguise and carefully put it out of sight. Taking refuge in work, she pushed all thoughts of escape aside until after the coming ordeal. She built a fire and brewed a hot herbal tea. She lit several candles for their soothing aroma and added a few more to the Madonna's shrine at Maria Pia's suggestion, refraining from pointing out the that Madonna must have been doing good works elsewhere while the don was choosing her.

Although she stiffened when the knock came at the door, she stood quietly with her head bowed as Maria Pia let the dignitaries into their hut. The elders avoided looking at Nicoletta, unable to face her without shame, but she felt the weight of Don Scarletti's stare. He was willing her to look at him, but she steadfastly continued staring at the floor.

Giovanni bowed low to Maria Pia. 'Naturally, Signorina Sigmora, I will provide generously for my bride. I have already sent for the dressmakers to see to her wedding garments and the proper attire she will need as my wife. They will be here quickly. We will be married in the cathedral as soon as it can be arranged.'

Maria Pia thanked him. What else could she do?

Nicoletta smoldered with anger. How dare he come into their home and dictate to them! He had already sent for dressmakers! The nerve of him! The don sauntered across the room to stand in front of her, setting her teeth on edge. She could tell by his mocking air of amusement that he was aware of her irritation. His presence alone filled the small hut, taking all the air so that she felt as if she couldn't breathe, would never be able to breathe again. She thrust her hands behind her back, twisting her fingers together so she didn't do anything crazy, such as slap the smug look right off his face.

'I believe you left these behind again.' The Don sounded amused as he dangled her sandals in front of her.

Nicoletta took them from him, careful to avoid touching him. 'Thank you, signore.' Deliberately she didn't give him the more respectful title, her voice barely audible, an obedient child reluctantly thanking a well-meaning adult.

'Come, *bambina*.' An elder held out a hand to her. 'Let me introduce you formally to our don. He will provide all that is needed for the festivities. Don Scarletti, this is our beloved Nicoletta.'

She made the mistake of looking at Giovanni Scarletti then, lifting her lashes so that her dark eyes met his briefly.

He glimpsed the fierce flame burning in their depths, betraying her defiance and smoldering anger. One black brow arched, and a faint, mocking amusement curved his mouth and touched his eyes, making them glitter wickedly. 'I do not want you to worry.' He addressed Maria Pia, although his gaze remained on Nicoletta. 'I know there is always the danger of an enemy trying to kidnap my bride-to-be until I have her in the safety of my palazzo. To ensure that she is safe at all times, my men will be stationed here day and night.' The merest hint of humor laced his voice.

Nicoletta had hastily averted her gaze as he regarded her, but now her chin went up, her eyes blazing at him. He was not protecting her; she was his prisoner! Let the others believe his preposterous explanation – she knew the truth! She wanted to throw something at his handsome, smiling face.

Maria Pia gasped, clasping her hands to her breast. 'Surely such a thing is not necessary, Don Scarletti.' A small *villaggio*, they could not afford to feed and shelter his troops. And what of the other young women, with handsome soldiers about? It was a dangerous situation. No one had expected the don to leave behind a regiment of guards.

'Do not worry. I will provide all their rations and supplies, and my men will have strict orders. Still, it may be prudent to keep the young women close to their homes,' Giovanni suggested silkily, a clear warning that he would not be thwarted.

Nicoletta moved away from him, unashamedly retreating behind Maria Pia. She listened to Don Scarletti's voice, its note of authority fanning the embers of resistance deep

106

within her into a full-fledged fire. His guards would not hold her. She would not go to the terrible *Palazzo della Morte*. The elders might ignore the long line of mysterious deaths there, but she would not. She would never forget that terrible day they had returned her mother's body. She stayed very still in the corner of the room, all the while plotting her escape.

Long after the officials and Don Scarletti had gone, Nicoletta remained standing by the window, peering out at the blanket of fog. Maria Pia thrust a cup of steaming hot tea into her hands. 'You look as if you might collapse,' she said gently. 'You should go to bed and rest. Things will look better when you are not so tired.'

'Will they?' Nicoletta asked bitterly. 'He has changed my life for all time.'

Maria Pia patted her shoulder gently. 'He is no heathen. He is marrying you in the Holy Church,' she tried to reassure her young charge.

'I do not see him as a good or holy man, Maria Pia. He is following the dictates of the Church, but for diplomacy, not for any other reason. But you are correct – I am very tired, and I need to rest.' She placed the cup down carefully and began to rummage through cupboards.

Maria Pia watched her in silence as she stuffed a worn shawl and blanket into her medical satchel, adding bread and cheese as if preparing for a long journey. Nicoletta kissed the older woman gently and wrapped her arms around her, clinging for a long time in silence. They blew out the candles together and lay down in their beds. Maria Pia fell asleep with tears running down her face, knowing that when she awoke, Nicoletta would be gone. She didn't try to talk the young woman out of it – she knew her admonitions would be useless – but the penalty for such defiance would be death. If Nicoletta made good her escape, Maria Pia would never see her again. And if she were caught . . . Either way, she would never see her beloved Nicoletta again.

Nicoletta lay quietly, her mind working on her plans. If she moved around too much, she would be more easily followed. It would be better to find a hiding place and stay quiet for a few days until the initial furor over her departure died down. At first, everyone would be out looking, and she would hardly escape notice if she was on the move. Better to hide and wait awhile. She had complete faith that she could slip past the guards. They would never expect her to run, and certainly not at night, when wild animals hunted their supper. Not when the superstitious feared the dark shadows and the legendary monsters roaming the hills. She could only pray to the good Madonna that her desperate act would bring no harm to the faithful and innocent Maria Pia.

Nicoletta lay in the warmth of the hut while the wind howled and moaned outside and the fog thickened into a heavy soup. She waited until Maria Pia was in a deep sleep. The guards would be warming themselves by their camp fires, perhaps looking directly into the flames, temporarily dimming their vision. She took care to dress in dark gray. Not so dark the fog would reveal her, nor so light the darkness would give her up. She deftly braided her hair and wrapped her traveling shawl tightly around her. Clutching her bag, she slipped out the door, a slim shadow merging quickly with the night. At once she melted into the fog.

Nicoletta moved swiftly and silently through the village,

carefully avoiding the clusters of soldiers hunkering by their fires. Her bare feet unerringly found the narrow trail leading higher up into the mountains. She would go up the coastline before heading for the far side of the hills, away from the palazzo. There, she knew about a network of caves that curved deep down into the earth. Few people were aware of their existence, and fewer still had the nerve to enter them.

An owl hooted, the sound distorted in the heavy fog. She heard a rush of wings quite near her. Branches swayed and danced, clicking together in a macabre stick-figure dance, the sound loud in the darkness. She saw the glowing eyes of a night predator watching her through the trees. There was a strange feel to the air, it was thick, like quicksand, and her legs soon tired, her muscles cramping. Nothing on her beloved mountain seemed the same. Even the sheep seemed hostile, strange white apparitions appearing in the mist.

The wind suddenly stilled. The leaves ceased to rustle. The night seemed unusually quiet. Nicoletta froze, simply waiting, not daring to move in the unexpected pocket of silence. A gentle breeze started up again, a soft tugging at her skirts, a ruffling at her hair. But the wind brought with it that murmuring voice, brushing in her mind like the gossamer wings of butterflies. The voice seemed clearer now, she could almost distinguish the words. It was the don's voice, no question she would recognize it anywhere. Soft yet commanding, its steady, persistent tone making it difficult to concentrate.

Nicoletta pressed her hands to her ears, attempting to shut him out and keep walking. But the voice in her mind was whispering, enticing, nibbling away at her confidence, slowing her down, so that she felt as if she were moving in a dream, unable to distinguish reality from fantasy. She was partially up the mountain when she realized that the don was well aware she was fleeing, and he was using his hypnotic voice to slow her progress. No coincidence, this voice whispering on the wind; but a deliberate attempt to hold her to him.

She clung to a tree to steady herself. 'Stop it,' she whispered to the night. He had to stop, or she might go mad. Was this what had happened to his great-great-grandmother, the woman who had thrown herself off the wide-winged gargoyle crouching atop the tower overlooking the violent sea? A guardian of the palazzo, they claimed, yet a horrible creature to her. Had the poor girl been forced to marry a Scarletti? Had she been a victim of the Bridal Covenant, too? Ripped from her home and family and given in a loveless marriage to a ruthless heathen of a man? Had her husband driven her to insanity with his commanding murmuring in her mind? 'Stop it,' she whispered again, her voice inaudible in the blanket of fog.

Nicoletta turned along a thin ribbon of a trail that led to the more jagged cliffs. The rocky ledge was slippery from the mist, and the slime on the smooth walls caused her hands to slip when she reached for purchase. She clung there, her bare feet scraped and bleeding from the sharp rocks. The voice never let up, not for a moment. She could make out some of the words now. *I will not let you leave me. I am coming for you. You cannot escape me.*

Nicoletta shook her head in an attempt to dislodge the voice from inside her head. There was no pleading or begging. He was as arrogant as ever, demanding her return, demanding she comply with his wishes, his orders. There was no gentleness in him, only a hard, ruthless authority. He would find her. She couldn't escape him. How would it be possible, when he shared her mind? And if he caught her now? She didn't want to think about the consequences she might suffer at his hands.

Would he wrap his strong fingers around her neck and strangle her? Would he squeeze the breath out of her slowly, lifting her off her feet with his superior strength and height? Is that what his grandfather had done to his grandmother? Had a legacy of hatred and madness been passed down through the generations? Was that the terrible curse that hung over the Scarletti family? Was that the fate awaiting her? It was easy to imagine it was so, there in the strange, heavy fog with his voice whispering to her continually. She touched her throat with trembling fingers. She could still feel the imprint of his hand hot against her bare skin.

I am no longer amused, cara. *The night has a bite to it. Come back before I lose patience with your foolishness.*

Now his words were very clear. How could it be that he could talk to her in her mind? Surely, as Maria Pia had once suggested, he was in league with the devil. He possessed great magic, and most likely his was not a gift from the good Madonna, as hers was. She bit at her fingernails nervously, unable to move on the slippery ledge with her legs shaking so badly. 'Go away,' she whispered to him. 'Go away!'

He was stalking her, very close, a silent predator hunting beneath the cover of darkness, as lethal as any wolf. Nicoletta felt along the cliff edge for a firm hold. Without warning, strong fingers circled her slender wrist like a

111

shackle. Don Giovanni Scarletti simply pulled her straight up, so that for one terrifying moment her legs dangled over the cliff, her entire weight supported by his one hand. She cried out, clutched at his arm, her feet digging for solid purchase of any kind.

He set her on the ground beside him. Nicoletta lashed out blindly, furious at him for frightening her. Furious at him for catching up with her. Furious at him for choosing her. He caught her fist in midair and simply stood there looking down at her. They stared at one another, his black eyes unblinking, like those of a large mountain lion.

He had every right to throw her off the cliff if he so desired. No one would question the don. Nicoletta couldn't believe this was happening. She flung up her head in challenge. 'Why are you insisting on a bride? And why me?' With the sudden insight that often flooded her in moments of high emotion, she added, 'You did not even want a wife.' She studied his face. 'You never intended on taking a bride, not even to provide you with an heir.'

He slipped his arms out of his coat. 'You are shivering again, *piccola*. Is it from your fear of me, or is it from the cold?'

He enfolded her small frame in the large coat, pulling the edges together so that she felt as if she were in the warmth of his arms, surrounded by the heat of his body. She looked around them. 'Where are the others? Your soldiers?'

He raised one elegant eyebrow. 'Warming their hands by their camp fires, no doubt. I did not want them to realize that my bride feared me so much, she ran away in the night at the first opportunity.' He sounded more sardonic than perturbed. He shrugged his wide shoulders casually. 'Better to collect you myself. It would not do for my men to know that my bride preferred the company of wolves to mine.' His hand brushed a stray strand of inky black hair from her face, his touch lingering on her skin. 'I should not have left temptation open to you. I knew what was in your mind.'

'Reading my mind?' She dared him to admit it and condemn himself as a servant of the devil.

'Your face is transparent, *piccola*. I do not find you in the least difficult to read. You did slip past me,' he conceded, bowing slightly in salute. 'But I think our adventures are over for this night.'

Nicoletta reluctantly walked beside him. 'Why would you suddenly want a bride?'

Giovanni was silent so long, she was certain he would not answer her. 'I have recently discovered my great need of a . . . mate.' His voice was a deliberate seduction, suggestive and so intimate that she blushed wildly.

Nicoletta found she was shivering again despite the warmth of his coat. 'I just want to go home.' In spite of her every resolve, she sounded like a forlorn child.

'That is where I am taking you – and where we will be wed immediately. It may be diverting to some men to chase young women around in the hills at night, but it is, after all, a rather chilly business.'

'Don Scarletti, there are so many women who would be honored to be your bride. Any one of them would make you a wonderful wife, much more fitting to your station than I.' Nicoletta attempted to make him see reason.

'But then, I am not looking for a wife who is "fitting to my station." The needs I have only you can meet.' He reached out absently and pushed back another stray tendril of hair curling on her forehead. His fingertips lingered, as if he couldn't help himself, as if he couldn't stop touching the softness of her skin. It was almost a caress, sending a shiver of awareness rushing through her with the heat of a flame. She saw the gleam of the heavy ring bearing his family crest.

'You chose me because of what I saw on the cliff,' she accused, frightened by her own body's reaction to him. 'I did not tell anyone. I knew you killed only in self-defense.'

'Do not speak of it again.' His voice was a whip of command.

She walked for a distance in silence, turning over his words in her mind, not understanding him at all. Afraid to understand him. 'We are going the wrong way,' she suddenly noticed. 'We will miss the *villaggio* if we continue in this direction.'

'I am escorting you to *my* home, where you will remain under guard until we are wed. I have neither the time nor the inclination to go on nightly hunts for my errant bride.' A note of mocking amusement crept into his voice.

Nicoletta stopped walking, staring up at him, shocked. 'That is unseemly. I cannot go to your palazzo without Maria Pia as chaperone. Don Scarletti, you cannot take me there.'

He reached down and firmly grasped her elbow. 'Yet that is exactly what I intend to do, Nicoletta.'

CHAPTER SIX

Nicoletta stared from atop the hill at the palazzo on the next peak, now immersed in fog. The *Palazzo della Morte* seemed to rise up out of the mist like a great castle in the clouds. She knew that winged creatures guarded the turrets; great gargoyles and strange demons with fangs and claws perched atop the ramparts and tower. Its many portals and great windows of stained glass depicted various scenes of serpents carrying hapless victims into a watery hell. The castle was eerie and sinister, rising out of the fog as if disembodied from the earth. She stopped walking abruptly, staring in a kind of fascinated horror at the palazzo.

'*Palazzo della Morte*.' Giovanni Scarletti whispered the soft taunt. 'That is what you have named my home.'

At any other time, Nicoletta would have blushed with shame. Now, in the middle of the night, with the winged creatures facing her with blank, staring eyes, claws reaching for her, she couldn't find it in her heart to worry whether or not the terrible name had hurt the don's feelings. In any case, she wasn't altogether certain he *had* feelings. He seemed made of stone, a chiseled marble sculpture of a beautiful Greek god, handsome but ice-cold. His fingers shackled her arm like a vise, leading her to her doom. The *Palazzo della Morte*.

'I cannot go to that place,' Nicoletta said in a low voice. 'I wish to return to my home. Besides, it is unseemly for me to be alone with you.'

'It was unseemly of you to run like a little rabbit, but you did so,' the don pointed out mildly. 'I suggest you continue walking, *piccola*. It would be far more unseemly if I had to carry you into the palazzo.' It was a clear threat, though delivered in his usual calm voice.

Nicoletta tore her gaze from the grotesque floating castle to stare at him in horror. 'You would not dare!'

Don Scarletti looked down at her upturned face. She was extremely pale, her beautiful dark eyes large with shock. She looked young, ethereal, there in the mist, an untouchable, mysterious beauty. Her skin was soft and tempting, so inviting that his hand, of its own volition, framed her delicate cheek. At his touch she stilled, a measure of fear creeping into the innocence of her eyes. His thumb feathered over her lush lower lip, sending a strange heat rushing through her body, starting a fine trembling deep within her. She stared up at him helplessly, mesmerized by his black, hypnotic gaze. She was drowning again, unable to look away.

He leaned toward her, and her eyes widened as she watched his perfectly sculpted mouth slowly, relentlessly descending toward hers. Her breath stilled in her body, and a small sound of terror escaped her vulnerable throat. He continued to lower his head until his lips skimmed the corner of her mouth, then trailed along her satin skin to her ear. 'I dare anything,' he whispered wickedly, his warm breath stirring tendrils of hair against her neck. His teeth caught her earlobe, a small, painful nip quickly eased with a sinful swirling of his tongue.

Nicoletta gasped, her entire body leaping to life, blood surging through her hotly, unexpectedly – and completely unacceptably. She was trembling too hard to move away from him, and, in any case, his fingers still shackled her arm. 'I insist you return me to my home. This is very wrong.'

His white teeth gleamed at her. 'What is wrong? It would be wrong if a prospective bridegroom did not find his bride in the least attractive.' His voice purred at her like that of a satisfied lion, a wild, growling purr that set her heart pounding in alarm.

She caught the note of dark mirth in his voice, and she glared at him. 'I am not amused by your wickedness, Don Scarletti.' She tilted her chin at him. 'You are reputedly a gentleman. I demand you return me to Maria Pia Sigmora.'

One black eyebrow arched arrogantly. 'I do not recall being labeled a gentleman even once in all the gossip reported back to me. A blackguard, a spy, an assassin, but never a gentleman. Walk with me, Nicoletta, or I shall carry you and awaken the entire household when we enter.' His glittering gaze danced over her mischievously. 'That would set the gossips' tongues wagging. Then they would demand I display our wedding-night sheets out the window of the palazzo for all to see.'

Nicoletta made a sound much like the squeak of a terrified mouse, so outraged by his suggestion that she tugged away from him and marched toward the palazzo. Better to face certain death than his smoldering sexual seduction. Her back was ramrod stiff, and she knew he was secretly laughing at her innocence. She stuck her nose into the air and assumed her haughtiest expression. Don Scarletti might be used to debauchery, but Nicoletta certainly was not. Adopting Maria Pia's pious attitude, she crossed herself and continued down toward the palazzo.

The don easily kept pace with her much shorter strides. 'I understand you recently helped to deliver a particularly difficult babe,' he said.

Nicoletta bit down on her lip. Men did not discuss such things as childbirth. It was unseemly. Everything he said and did was scandalous. He truly was a heathen. And clearly he did have spies reporting to him. How much more did he know of her? Doubtless there was little sense in attempting more subterfuge, attempting to mislead him further into thinking Maria Pia the true healer. Maria Pia had been the village midwife and wisewoman for years before Nicoletta's birth, but Don Scarletti certainly knew that Nicoletta herself was the unique healer, one capable of things she shouldn't have been.

She peeked sideways at him from under her long lashes, trying to judge his mood. Should he decide to condemn her as a witch, she would not be able to defend herself. Accusing the don in turn of reading minds and being in league with the devil would be ludicrous. 'It was difficult. I thought the mother would be lost. She is my friend.' Nicoletta's voice was a thin thread of sound in the fog, and her tone did not invite further discussion on the subject.

The don reached around her with both arms to pull his coat closer about her body, a strangely comforting gesture. 'You are very brave, *piccola*,' he said softly, his lips pressed to the top of her silky hair. 'You know it is dangerous to roam these hills as you do. Aside from the danger of wild animals, there are many robbers hiding close by. At the moment the King of Spain has decided it is not worth the risk to attempt to conquer these lands, but it is still a dangerous time. That temporary reprieve from attack can change with any hint of weakness on my part. I want you to remain at the palazzo for your own safety. Once you are my bride, you may become a target for my enemies.'

'I am a healer.' She made the statement very quietly, not defiantly, but with great dignity. 'It is who I am. What I am. I must go where I am needed.'

'You are my betrothed. You will be my wife. That is who you are,' he countered. 'My wife will do as I tell her.'

She looked back at him, a faint smile curving her soft mouth. 'It is possible you have mistakenly chosen the wrong bride. You did not even look at Rosia, and she was wearing her best dress. She *always* obeys the rules, and she remembers to wear her shoes. I do not obey very well at all. Ask the elders. Ask Maria Pia.'

'What would that angry young man say? Cristano? Would he say you do not obey?' There was now a dark edge to his voice that made her shiver, as if all his male amusement had suddenly worn thin. It reminded her that she was completely alone in the night with him, and she was at his mercy.

'No one would ever say I obey. Your spies should have given you a full report when they were scouting out your bride.' As sensitive as she was to emotional vibrations, her heart was beginning to pound in fear.

'You are favoring your leg more and more. Your injury

119

cannot yet be healed completely. Perhaps I should carry you,' he mused. 'I should have been more aware. Come, *piccola*, allow me to carry you.'

Her dark gaze was eloquent as she sent him a swift, smoldering glare. His sculpted mouth curved sensually, and his black eyes glittered at her, but he didn't laugh. She tried not to notice how handsome he was, how his hair fell in glossy waves down his nape and curled slightly over his ears. How one lock fell persistently onto his forehead, making her want to push it aside with shaky fingers. The very idea was as shocking as was her body's wayward reaction to him.

They were nearing the palazzo now, the huge castle sprawling out like a massive prison. Scattered throughout the grounds were the giant marble fountains, the great sculptures of winged deities and demons. Gargoyles stared maliciously down at her from the eaves and turrets. She could feel them watching her in gloating silence, eager for her to come within their reach. Horrid claws seemed to extend toward her, rapier sharp through the thick fog. The windows stared blankly, a strange inky color in the gloom of the mists. Like sightless eyes. Cold, sightless eyes watching her.

Nicoletta's mouth went dry. When she had come to the palazzo before, the feeling of evil and doom had been impersonal. Now the malevolence seemed directed at her. She hunched deeper into the thick folds of the don's coat as if for protection. There was a growing terror in her. Each step took her closer to that waiting evil.

'I would not leave the choosing of my bride to my men,' Don Scarletti informed her softly, picking up the thread of

120

their earlier conversation as if it had not been interrupted. 'No other would have recognized you.' His hand slipped down her arm to entwine his fingers firmly with hers. 'And, Nicoletta, you will obey my orders.'

She pressed her lips together to keep her angry retort firmly locked away. She leaned close to his broad shoulder, oddly grateful for his strength and power as they moved up the marble steps to one of the many entrances of the palazzo. He reached out to push open the heavy, ornate door. Like the other entrances, it was covered with carvings, winged creatures guarding the dark lair. The door swung inward slowly, grating on her already raw nerves with an ominous creaking sound.

Nicoletta planted her feet outside, but Giovanni tugged at her hand, taking her with him as he entered his home with the same easy confidence with which he did everything else. He walked along the darkened halls, not bothering to light the tapers, rather moving quickly through the wide corridors and up the winding staircase from memory. She recognized the general direction of the nursery.

'Are you taking me to the tower?' Nicoletta tried to make it a jest, but she was terrified he might really lock her up.

'I do not intend that you should escape me by leaping to your death.' His tone held no amusement, rather a grim authority. 'I am not willing for history to repeat itself. I would not allow such a thing.'

She lifted her long lashes to look at him. 'I am not the type of woman to throw herself off a tower. Should such a fall occur, you can be sure it was murder.' She had merely meant to make a point about her character, but the word

121

murder conjured up the recent feel of his fingers around her soft throat and the old rumors of his grandfather strangling his grandmother. Of his great-great-grandmother plummeting to her death. Of the other women who had died in the palazzo. Her voice wobbled in spite of her best intentions.

'You will do exactly as I say, Nicoletta. No one will be allowed to murder you unless I decide to indulge in such a pleasure myself.' It was a decree, a threat.

Nicoletta swallowed her retort, determined not to participate in a direct confrontation with the don in the darkness of his lair. That was how she thought of it – his lair, a fitting place for a hunter such as Don Scarletti. He stopped in front of a door a few paces down from the nursery. Instead of thrusting it open, he knocked lightly, one hand on her shoulder, holding her still, as if he feared she might attempt to flee.

At once the door was flung open, and Maria Pia stood there. Nicoletta uttered a glad cry and burst into tears, flinging herself into the older woman's outstretched arms. Mortified that Don Scarletti was witness to her breakdown, she clung to Maria Pia and refused to look at him.

'You asked to be brought to Signorina Sigmora, and I have done so,' he pointed out with a grim smile. 'I will have two guards stationed outside this door at all times. If you wish to explore the house or grounds, they will accompany you. Nicoletta . . .' There was iron in his voice. 'Should you attempt to flee again, these men will suffer for allowing you to slip past them. I will hold them responsible should anything happen to you, or should you manage to find your way back into the hills.'

122

Anger flashed through her, and she lifted her head to glare at him through the tears swimming in her eyes.

His hard features were an implacable mask. 'I can find you anywhere, at any time. There is no way you can escape me. You know it is so.'

She swiped at her tears. 'There is no need to threaten others.' Her chin was up in challenge. 'It is beneath you.'

His eyebrows shot up. 'A compliment at last? A favorable comment on my character?'

Maria Pia gripped Nicoletta's arm hard to stop her from retorting.

'Signorina Sigmora, I trust you remembered to bring Nicoletta's shoes. It seems she cannot keep them on. She has injured her feet tonight. You will, of course, see to the cuts and bruises. Her leg is also still painful to her, so you must attend to that injury as well,' commanded Don Giovanni Scarletti.

'Of course, Don Scarletti, do not worry yourself,' the older woman hastily assured him.

'Nicoletta's injuries are not trifles, signorina. I shall expect a full report on her condition on the morrow. The dressmakers will arrive at midday. I suggest you both get some sleep, as the night is nigh gone.' He bowed low, that slightly mocking smile on his face as he closed the door.

Nicoletta hugged Maria Pia to her again, then quickly examined her for injury. 'His soldiers did not hurt you, did they? They must have terrified you when they woke you. I am sorry, Maria Pia. I should have considered the possible consequences to you of my flight, but I selfishly thought only that I could get away from him. Now we are both prisoners.'

'His men woke me and insisted I pack your things and

mine, and they brought me here without harm. I realized then that the don had gone after you, and naturally, he would not allow you to be alone with him. It would be unseemly.'

'Naturally,' Nicoletta echoed softly, fighting back tears. Maria Pia's comment on the don's decency seemed almost a betrayal.

Nicoletta pulled the don's coat closer around her, trying to absorb some warmth, though flames were dancing in the hearth, throwing off heat and helping to light the room. She looked around carefully. The room was large and ornate. The eaves were covered in carvings, and scenes from the Scriptures were painted on the walls, but she also saw depictions of the seas drowning poor souls, scaled sea serpents, coiled around the bodies as they sank beneath the water. In a niche in the wall was a small golden replica of a boat with wide sails, detailed and very beautiful. The piece was unlike anything she had ever seen. It didn't seem to belong in the room with its plethora of tormented souls and the demons rushing to drag them to their deaths.

'So, we are back in the palazzo,' Nicoletta said softly. 'I am sorry, Maria Pia, that I have managed to make both of us prisoners.' She paced restlessly across the room. 'But I could not make him change his mind. The don is determined to wed me. It is no mistake or terrible prank. He is insisting that I am suited to his needs.' She sighed heavily. 'I am not in the least suitable, and he knows it.'

'You must not defy him again, *bambina*,' Maria Pia cautioned. 'Did he strike you or punish you in any way?' Her voice shook with fear.

Nicoletta immediately helped her into a chair. 'No, no,

Maria Pia, he was gentle with me.' She paced the room again restlessly, back and forth like a caged cougar. 'I do not think I can escape him. He . . . has a way of reaching out to me.' She still couldn't bring herself to tell Maria Pia the complete truth about the don and his unique ability. 'I think he could find me anywhere.' She turned in circles, staring up at the apparitions covering the walls and ceilings. 'We are in this hated house where some terrible, nameless evil lies in wait to devour me.'

Maria Pia stood and shuffled over to the young woman and gently pushed *her* into a chair. 'You have had a shock. Sit quietly, *bambina*, and let me take care of your feet.'

'The house was staring at me when we walked up to it. All those hideous creatures perched atop it.' Nicoletta rubbed her forehead tiredly. 'How can he live here with all those terrible eyes staring at him, watching everything he does and says . . .' She trailed off, suddenly thoughtful.

Maria Pia poured water into a bowl from the pitcher on the washstand and carried it to Nicoletta. It was lukewarm from being next to the hearth. 'This house is a monument to many gods,' the older woman observed. 'At some time at least the Scarlettis must have paid tribute to the Holy Church, though the house does not seem to support such offerings.' She devoutly crossed herself to ward off evil as she knelt to examine Nicoletta's feet.

'I will tend my cuts,' Nicoletta protested, ashamed to have Maria Pia at her feet.

'Let me do it, Nicoletta,' Maria Pia said, dabbing at the lacerations to get a better look. 'Your leg is a little swollen again. You have overused it. You must be more careful.'

Nicoletta took a deep breath. 'When Don Scarletti touches me, I feel funny inside,' she announced abruptly.

Maria Pia nearly dropped the bowl of water. 'He touched you? What do you mean he touched you? How did he touch you?' The older woman was outraged. 'Touching you! A young girl like you! You should not have been alone with him. Nicoletta, you must show better sense,' she scolded, clucking her tongue softly in agitation.

In spite of herself, Nicoletta began to smile. 'If I marry Don Scarletti, Maria Pia, I expect there will be many times when I am alone with him.'

Maria Pia glared at her. 'That is different, and well you know it, young lady. This is no laughing matter. Men can take advantage of young girls.'

'That is what I am asking you about,' Nicoletta replied, wide-eyed. 'What is that like? Why is it different when he touches me? I do not feel the same way around Cristano or any other male.' She certainly knew the mechanics of mating; she had grown up around farm animals and had attended more than one girl who had been badly used. But she didn't know what was expected of her, and no one seemed willing to tell her.

Maria Pia worked steadfastly on Nicoletta's cuts, refusing to look up. 'I am not a married woman, Nicoletta. I do not know about these things other than that you do as your husband wishes. He will direct you in such matters.'

'What if I hate it?' Nicoletta persisted. 'What if it is horrible?'

'It is horrible if a man touches you when he should not,' Maria Pia grumbled, 'but when it is your husband, it is not bad and must be tolerated.'

Nicoletta mulled that over. 'How can that be, if it is the same act?' she asked, curious, her hand moving to her throat where the warmth of Don Scarletti's fingers still lingered. She touched her earlobe, stroking a small caress where his teeth had nipped her. The strange sensations were not only memories in her mind but in her body as well. She could feel the rush of heat moving through her, an aching need she didn't understand.

'Nicoletta!' Maria Pia threw the rag into the bowl hard enough that water splashed in every direction. 'That is enough! We will talk no more of this. This heathen place has confused your good sense. Such things are best left between a husband and his wife.'

Nicoletta raised a small black eyebrow at her but refrained from speaking. Maria Pia certainly hadn't answered any of her questions, and she wasn't about to ask the don. The mere thought of that made her blush. When they married, he would have certain rights over her. He was a large man; she was small. Did that make a difference? No one would tell her. She sighed aloud. 'He was not nearly as angry as I thought he would be.'

'You took a terrible chance, Nicoletta. He could have ruined you or worse.'

'As I do not much care to be married to anyone, being "ruined" does not worry me.'

Maria Pia squawked her outrage, the noise much like that of a chicken. She soundly slapped Nicoletta's knee, so shocked that for a moment she couldn't speak. 'That is enough. You go to bed, and do not speak such scandalous words again! I will not hear such talk!'

Nicoletta suppressed a sudden desire to laugh, afraid it might sound a trifle hysterical. She was on the verge of hysteria anyway. The entire day seemed a nightmare. Somewhere deep inside her, Nicoletta had known from the moment Don Giovanni Scarletti emerged from the shadows of Sophie's sickroom that her life was entangled with his.

Slowly, with infinite weariness, she prepared for bed. She was aching and sore, her calf tender from the demands she had made on it. Her feet did hurt. Everything seemed to hurt. She lay down in the too-large bed. It was on a raised dais, a huge, heavy piece that did nothing to dispel the general gloom of the room. On the ceiling above the bed were more carvings of sea serpents. She studied them as the firelight danced and played in the drafty room.

'Why do you think they put all these strange carvings on the walls and ceilings like this, Maria Pia?' she asked, looking at a particularly scaly, eel-like creature with fangs. 'Who would want such things in a room where people sleep?'

'You sound like Ketsia, with all her questions,' Maria Pia answered grumpily. 'Go to sleep, Nicoletta. In this place they are heathens, and their rooms are designed for heathens. Say your prayers, and thank the good Madonna for watching over you.'

Nicoletta sighed and continued to stare up at the strange carvings. She wished she could touch them. 'Do you think she *was* watching over me? I thought perhaps the good Madonna was answering prayers in a distant land, as she did not answer mine. Or perhaps she answered the don's. Perhaps he lit more candles than I did,' she said sardonically.

'Nicoletta!' This time Maria Pia meant business, her outrage spilling into her voice so that Nicoletta muffled her laughter and apologized instantly.

'I did not mean that the Madonna would take a bribe, like an elder might,' she tried to explain. The creatures above her head were fascinating, coiling in the water. If one looked at them long enough, they appeared to move, slithering through the waves, shimmering down the wall into the hideous mural of the sea closing around the unfortunate drowning souls. The art was cleverly done, creating an optical illusion that the shadows from the flames helped to enhance.

'Maria Pia, this is all truly is a work of art,' she announced a few moments later in the silence of the room, 'if you do not allow your imagination to take over.' Her imagination was vivid and very capable of terrifying her; she wanted the comfort of Maria Pia's voice scolding her.

Only the crackling of the flames answered her. Nicoletta sighed softly. The wall directly at the head of the bed was covered in carvings, too. She turned over to study it. The entire theme of the room seemed to be of damned souls drowning or being devoured in a sea boiling with serpents and other monsters of the deep. Here, at the head of the bed, strange panels of flowing, scaly creatures were carved into the marble, seeming to ripple with life. She stared at the room's paintings and carvings, trying to be objective, trying to see how the artist had woven the painted mural and the marble carvings together.

She curled up beneath the coverlet, listening to the sounds of the house. The palazzo was enormous, several stories high with wide, vaulted ceilings. Sounds echoed eerily yet were muffled by the thickness of the walls. Could an outside source have created the strange whisperings in Sophie's sickroom? Was the don capable of making all in his household hear the strange murmur of his voice at will? That thought came unbidden to Nicoletta.

She thumped the mattress hard, half wishing she had done so to the don. She had no desire to meet the other members of the household again, and certainly not in the capacity of a captured, guarded bride-to-be. It was intolerable! She plucked at the coverlet. Don Scarletti had made certain she was on the second floor, too high to escape through a window. She was stuck, and the dressmaker was coming at midday. Determined to go to sleep, she breathed deeply and evenly. She was beginning to drift off when a strident voice in the corridor outside her room roused her. The woman's voice was clearly demanding entry into Nicoletta's bedchamber.

Nicoletta sat up quickly, drawing the nearest thing – the don's coat – around her to cover her nightshift as she hurried to the door. She unlocked it quickly and opened it a tiny crack to peer out.

Portia Scarletti was raging at the guards. 'How dare you defy me! I demand you tell me who is in that room. Open the door at once!' Her voice was shrill and shaking with fury. 'What manner of prisoner does Don Scarletti bring into our home that his elite personal guard must watch day and night! Are we to be murdered in our own beds?' She was breathing fast and deeply, her bosom heaving, straining at the low neckline of her fashionable gown.

Nicoletta could see that one guard was having a difficult time tearing his gaze from the expanse of creamy flesh spilling from the daring neckline. 'I am sorry, Donna Scarletti, but we have our orders, and no one can change them but the don. It is our lives if we do not obey.' There was deference in the guard's voice, but he did not yield.

'We shall see about that. I will call Vincente. He will get to the bottom of this nonsense, and I will see that you never return to the palazzo!'

'Very good, Donna,' the guard agreed, his face a mask of calm.

'You think I will not?' Portia demanded. She raised her voice. 'Vincente! Vincente!'

The youngest Scarletti brother hurried down the hall, obviously coming from the nursery. 'What is it, Portia, my dear? What is wrong?' He flung an arm around the woman to comfort her.

'This horrible man has refused me entrance into this room. He claims Giovanni has given orders that we do not enter. I can scarcely believe he would bring a prisoner so dangerous under our very roof.' Her voice shook with rage. 'This man has rudely refused my orders to open the door.'

Vincente pinned the man with a stern gaze. 'Surely there is no harm in accommodating Donna Scarletti. Please open the door immediately.'

'I am sorry Signore Scarletti, but I have my orders, and I cannot disobey them. You must speak to Don Scarletti.' The guard was resolute.

Vincente's face darkened with disapproval. 'Certainly you can tell us who is in that chamber.'

Nicoletta cleared her throat to announce her presence, although she was certain the guards had been aware the moment she cracked the door open. She snuggled deeper into the comfort of the don's coat as Portia and Vincente turned at her sound. The three of them stared at one another for a long moment in silence.

'I know you,' Portia said, letting her breath out slowly, her gaze narrowing slightly as she took in the man's elegant coat wrapped so tightly around the visitor. 'You are the apprentice to the village healer. What in the world are you doing here?' There was a wealth of contempt in her voice. Her fingers were clutching Vincente's arm so hard, her knuckles were white.

Nicoletta lifted her chin, her dark eyes flashing. 'I believe the don can answer that better than I can, Donna Scarletti.' She kept her voice low and even but not subservient.' Perhaps you should address the question to him.' She avoided looking at the guards or at the don's brother.

The older woman's face hardened perceptibly. 'How dare you?' she hissed. 'The don shall hear of your insubordination and have you flogged! You will be thrown out of the palazzo along with this oaf of a guard!' She looked up at Vincente. 'They are obviously lovers, these two. This guard has no such orders. He is hiding and protecting the girl because he does not want to be discovered.' She turned back to Nicoletta. 'Is that it? Are you two lovers? I do not think Don Scarletti will allow such behavior in his home. Vincente, make them tell the truth.'

'I am very tired, Donna Scarletti. If your inquisition is finished, I should like to return to my bed,' Nicoletta announced, hoping the don *would* have her thrown out of the palazzo. It would be the answer to her prayers.

Portia turned crimson at being dismissed by a lowly peasant in front of the guards. 'I will have you flogged myself!' she announced, reaching for Nicoletta's arm with every intention of pulling her out of the room.

The second guard stepped quickly between the two women. 'I am sorry, Donna Scarletti, but I must ask you not to touch the signorina. I cannot allow you to harm her. Our orders are quite clear.' He spoke softly, his posture was firm and protective, his face a mask of determination.

'Portia, have a care,' Vincente cautioned. 'I owe this woman much for helping little Sophie. And, it is obvious Giovanni has brought her here. Perhaps he is ill again.'

'We would know if he was.' Portia dropped her arm to her side, then stepped back with a little cry of dismay. She stared at Nicoletta incredulously, the truth suddenly dawning on her. She backed up farther, her cry rising even louder. 'You must tell me that Giovanni did not go through with that ridiculous threat to take a bride from the *villaggi*. It was only a jest, a dare, if you like. He cannot have taken the wager this far.' The last turned into a dramatic wail of despair. 'Oh, this is so like him to punish us for imagined indiscretions.'

She lifted her chin, and her eyes were flat and cold. 'I will not allow such a perversion, signorina. The don with a little baggage! Oooh! You may as well pack your things and return to your *villaggio* immediately, now, tonight. I forbid this unholy union. Vincente! You must forbid it also.'

Nicoletta smiled serenely. She looked over Portia's

shoulder as she addressed her. 'I shall be more than happy to oblige you, Donna Scarletti. If you would state your objections to Don Scarletti and make him see reason, I will be forever in your debt.'

Portia turned to see whom Nicoletta was looking at so challengingly. She gasped when she saw the don's elegant frame draped lazily against the wall. One black eyebrow was arched at Nicoletta, his mouth curved in a mocking smile.

'Giovanni, this girl cannot possibly be telling the truth!' Portia exclaimed.

'What has she claimed, Portia, other than that she will leave if you convince me of my mistake? What is this wager you are prattling on about? I know of no wager, no dare, no jest. I did not state my intention to wed because my marriage is no one's business but mine and my bride's.'

Portia let out another dramatic cry, both hands clasped over her heart as if she were suffering greatly. 'You cannot be serious, Giovanni. You cannot!'

'Go to bed, Portia.' Giovanni sounded exasperated. 'You will wake young Sophie, and she will not be separated from Nicoletta if she hears that her friend has returned to us.'

'That is so, Portia. It has taken me some time to get my daughter to sleep this night. All she talks of is the healer's apprentice. I do not want her to awaken,' Vincente backed his brother. 'It would be best if you waited until the morn to sort this out.'

'What of *my* daughter, Margerita?' Portia demanded. 'This news will kill her.' She glared at Nicoletta as if it was all her fault. 'This will kill her! What do you expect her to do, Giovanni?' Tears glittered in Portia's eyes.

'I expect Margerita to welcome Nicoletta into our home and be her friend, as I expect you to do.' The iron in his voice warned that his patience had come to an end. 'Go to bed, Portia, and do not threaten my personal guards. They take orders from me, not from the women of the household.' He glanced at his brother. 'Or anyone else for that matter.'

'How can you speak to me so in front of that peasant girl?' Portia cried. 'Vincente, do you hear him? After all I have done!' she sobbed, pressing a hand to her mouth. 'After all I have done!'

Vincente smiled at Nicoletta, shrugged helplessly, and circled Portia Scarletti's waist with his arm. 'Come, Portia, I will escort you to your chamber.'

Giovanni watched them go down the candlelit hall before turning to Nicoletta. He stepped close to her, his body crowding hers, making her feel small and vulnerable. His hand cupped her chin, tipping it up so that she was forced to look at him. 'Did Portia hurt you with her thoughtless words?' His voice brushed over her skin like a gentle caress. 'She is used to being the mistress of the palazzo and guards her position jealously. But it does not matter what she thinks.'

Nicoletta's eyes were alive with pride. 'Every one of your friends and relations and associates will think the same thing. Do you not see how this is wrong and how it cannot be?'

His thumb found her lower lip, stroking it back and forth, sending heat spiraling through her body. He was staring intently at her mouth, and he was so close, she couldn't breathe. Still, she couldn't have moved if her life depended

135

on it, mesmerized as she was by his dark eyes and compelling voice, by his touch. 'I have no friends, *piccola*, and I have never cared for the opinion of others.'

Behind Nicoletta, Maria Pia cleared her throat noisily. She took her new role of chaperone quite seriously. She reached for Nicoletta, slowly pulling her back into the room.

Giovanni's white teeth flashed at her, a rueful, almost boyish smile as Maria Pia closed the door firmly in his face.

CHAPTER SEVEN

Nicoletta dreamed of the don – dark, erotic dreams that set her heart pounding and her blood coursing through her body like slow, fiery, molten lava. The dreams were shocking, filled with images and feelings she had never thought of, hands touching her bare skin, his mouth moving over hers. Her body and his, hot and twisting in the bedclothes, tangled together in sweat and a terrible need. Toward dawn her dreams were invaded by strange, clawed creatures grasping at her bare skin, tearing at her, dragging her into the sea to drown her. She cried out for the don, reached for him, begging him to save her, but he watched her with impassive, staring eyes and a small mocking smile on his perfectly sculpted lips. Behind him was the palazzo, with its hulking grace and wide, staring windows like terrible, empty eyes, watching, watching, as she was dragged into the murky waters. She awoke strangling, choking, gasping for breath, her heart pounding in alarm.

She lay in the gray gloom, staring around her in a kind of shock. The fire was out, and it was cold and drafty in the great chamber. This terrible place was to be her home. Her prison. She could barely breathe with the thought of being cooped up indoors. Already her mountains were calling, her

137

plants and the birds. She needed them the way she needed air to breathe.

A slight noise caught her attention, much like the scratch of a rat in a wall. She rolled over to stare at the carvings at the head of her bed. The scratching stopped for a moment, then began again, a little louder and much more persistent. The more she examined the marble, the more it appeared as if the serpents and sea creatures were undulating, moving.

She frowned and stood up in her nightshift, rubbing her arms as she studied the carvings and mural closely. They *were* moving! This was no optical illusion. The wall was splitting apart, one section swinging toward her! Nicoletta backed away from the bed until she came up against the wall on the other side of the room. Jumping nervously to the side, she glanced behind her to ensure that that wall remained intact. When she looked back, a little head was peeking around the thick marble at her.

'Sophie!' Nicoletta breathed in relief. Her legs were suddenly so weak, she sat down abruptly. 'You frightened me. What are you doing?'

The child put a finger to her lips and looked around the bedchamber cautiously before she came all the way in, swinging the hidden door closed. At once it was a seamless marble wall again. Nicoletta moved across the room to examine it. 'I should have known there was a reason for these strange carvings.' She ran her hand over the sea serpents. The opening was so cleverly woven into the carvings, it was impossible to find, even when she knew it was there and was looking for it. The walls were incredibly thick, easy enough to conceal the rumored hidden passageways through the palazzo.

Nicoletta looked at the little girl and smiled. 'I am Nicoletta. Do you remember me?'

Sophie nodded her head so adamantly that her hair flew about. 'You saved me. You made my stomach stop hurting, and you held me when the bad voices came.'

'You were very sick,' Nicoletta admitted. 'Are you feeling all right now?'

Sophie nodded again, casting several nervous looks at Maria Pia.

'Where does this hidden passage lead?' Nicoletta asked, curious.

Sophie pressed her little body against the wall. 'I am not supposed to be in this room,' she confided. 'And Papa told me never to use the passage. I am not even supposed to know about it. He said never to tell anyone and never to go in.' Her wide eyes touched on Maria Pia again, who was still sleeping. She lowered her voice even more. 'He says there are *i fantasmi* in the passageway. He said it was dangerous to go in.'

Nicoletta raised an eyebrow. Ghosts? Ghouls? 'Your *padre* told you this?'

Sophie nodded solemnly. 'He has not made me go back to that other room yet. Zio Gino said I could stay in the nursery, even though Zia Portia thinks I am far too old.' Her large, dark eyes were very wide. 'I heard them arguing about it. Zia Portia thinks I want my papa's attention. I heard her say I need discipline.' She shivered. 'But I did not lie. You heard the voices, too. I know you did. *I fantasmi*, the ghosts. I tried to tell Zio Gino you heard them too, but I know he did not believe me. No one else can hear them. Once I had

139

Papa and Zio Gino listen with me, but the voices did not come. You can tell him I did not lie. Zia Portia says I am a liar. I do not tell stories, but Papa believes her.' She shrugged her thin shoulders. 'Zia Portia does not like me much, you know, because I am just like *mia madre*.' She tried to look strong, but Nicoletta could see the pain in her eyes. Sophie's little hands twisted together, and she looked very forlorn.

'Your *madre* must have been very beautiful, Sophie, because you certainly are,' Nicoletta said softly. She sat on the bed and patted the spot beside her. 'Come visit with me.' The child was obviously starved for attention, hungry for any affection, and Nicoletta's compassionate heart went out to her. 'How did you know I was here? And how did you brave *i fantasmi* to sneak past the guard?' She sounded conspiratorial and admiring.

Sophie immediately smiled, looking self-important as she skirted around the cot where Maria Pia slept beside the fire and perched on the edge of the bed. 'It is dark in the passage, but I light a candle and carry it. *I fantasmi* will not come out during the day. Only at night. Never use that way at night.'

Nicoletta nodded. 'I understand. Where does the passage go? Does it lead outside?' She sounded more hopeful than she intended, and the child shook her head, her eyes wide with alarm.

'You cannot go around in the passage. There are spiders and rats and terrible things. The spider webs are very thick and sticky. I only go between the nursery and this room and . . .' She trailed off, looking disconcerted. 'It is a bad place.'

'Thank you for telling me,' Nicoletta said solemnly. 'I

140

certainly would not want to meet *i fantasmi* or spiders and rats. Is everyone else still asleep?'

'Zia Portia and Margerita sleep very late.' Sophie again looked impressively self-important as she imparted the information about the household. 'No one dares disturb them. Do not talk loudly or laugh, or they will get very angry. But Bernado is in the kitchen early, and he will fix special treats for you if you ask him. He is nice,' she confided.

'And what is Don Giovanni Scarletti like?' Nicoletta prompted shamelessly.

The child sighed. 'Everyone does what Zio Gino says. Even Papa. Margerita acts silly around him and always giggles whenever he comes near her.' Sophie rolled her eyes. 'She says I am an ugly little peasant.'

Nicoletta's eyebrows shot up. 'She does not say such a thing in front of your papa or Don Scarletti, does she?' she guessed shrewdly.

The child's eyes grew large, and she shook her head. 'And then there is Zio Antonello, Papa and Zio Gino's middle brother. He does not talk much at all, but Margerita giggles around him, too. She also acts very silly around my papa.'

The elusive Antonello Scarletti. Nicoletta had seen him once in the forest. A few months earlier, he had sustained a terrible injury while out hunting. An arrow had struck him in the thigh, and he had bled profusely. His horse, nervous with the smell of blood, had thrown him. Antonello had crawled into the brush and lay unconscious. The raven had led Nicoletta to his hiding place. She had immediately set about saving his life. It had been a struggle, and she had had no choice but to heat a blade in flame and press it to the wound to stop the flow of blood, a painful process. He had not spoken a word or uttered a sound other than one throaty cry torn from him when the hot knife seared his thigh.

He had not wanted anyone to know where he was, shaking his head repeatedly when she offered to send word to the don. In the end she and Maria Pia had dressed his wounds, arranged him in his bedroll, brought him food and water, and stayed silent despite the soldiers combing the hills for him. He was gone on the third morning, and Nicoletta had never so much as heard a whisper of a rumor that the don's brother had been injured. Twice, in the winter, though, someone had left a deer, all dressed out for them, on their doorstep. Nicoletta suspected Antonello Scarletti had left the meat for them, to reward them for their aid, but she never found out for certain.

Nicoletta tapped her fingernails on the coverlet. Antonello Scarletti had been afraid for his life; she was certain of it. He must have suspected that someone from the palazzo had attempted to murder him. Why else would he have refused to allow Nicoletta to call his *famiglia* to aid him? It was a frightening thought. 'Sophie, did Bernado make soup for you before you became so sick? Do you remember? Was it for your supper?'

Obviously uncomfortable, Sophie glanced quickly at Maria Pia, who continued sleeping heavily. The little girl looked down at her hands.

Nicoletta smiled at her. 'Do not worry, *bambina*. We are alone. It is safe to tell me.'

Sophie suddenly looked frightened and shook her head. 'I have to go before they find me here. Do not tell anyone that I was in this chamber. Do not tell Papa.' She slid off the bed and scampered to the wall. 'Come to the kitchen, and Bernado will fix us treats. Hurry, Nicoletta.'

Nicoletta watched carefully as the child slid her hand along the floor until she found some hidden mechanism. Whatever it was that released the wall was eerily silent as the heavy marble swung open. Nicoletta peered into the dark interior. Sophie was right about the thick veil of spider webs. The gossamer strands covered the walls and hung from the ceiling. The passage was very narrow and dark. Sophie's little candle was barely adequate to light her way. Nicoletta stayed in the opening, watching to see that the child returned safely to the nursery.

Maria Pia was chuckling softly. 'I did not think the young scamp would ever leave. I am too old to lie in bed without moving for so long.' She sat up with a faint smile on her face. 'Secret passageways. I should have known this heathen palazzo would truly have such things.'

Nicoletta allowed the wall to swing shut, shivering suddenly. 'Perhaps they need such a thing to store all the bodies of the women murdered here.'

'Nicoletta!' Maria Pia automatically reprimanded her as she began to dress.

'Tell me what happened to *mia madre* and *mia zia*. I want to know. Tell me what really happened to them.' Nicoletta leaned against the cool marble and regarded the older woman somberly.

A cold draft seemed to race from the cold hearth and into the room, chilling both occupants so that Nicoletta shivered uncontrollably. Without conscious thought she reached to pull the don's heavy coat around her, wrapping herself in folds of warmth. There was a strange, hushed silence, as if all movement in the palazzo had suddenly ceased. In that vacuum of sound no mice or rats scratched, no servants scurried in the halls.

Maria Pia sighed softly and shook her head. 'It has been many years, yet it is not a good thing to speak of, not now when we are in the palazzo.' She looked around her carefully at the staring eyes of the many demonic sea serpents. 'It is not good to discuss the dead, Nicoletta.'

Nicoletta lifted her chin, her dark eyes eloquent. 'I need to know what happened. I remember them bringing Mama's body back over the hills. That day was so dark and dreary. I was waiting up in the meadow for her, and the raven came. I knew she was gone. The bird would never have been out flying about otherwise with the rain that had poured down so heavily that morning. I knew something terrible had happened to my mother, but no one would say, no one would tell me. Later I heard the whispers. People implied she was murdered, but no one actually came out and told me what happened. She was *mia madre*, and I deserve to know.' She sank down onto the mattress, her hand circling the tall, thick bed post until her knuckles turned white. 'I have to live here, Maria Pia – here, where my mother and aunt died. I need to know.'

'It was said that your *madre* was working on the ramparts, cleaning the walkway. She was young and beautiful, already a widow so young, your father taken so early by incurable disease. Everyone loved your mother and she sang like an angel.' There were tears in Maria Pia's voice. 'They said she must have slipped on the wet surface, the marble walkway slick from the rain.'

Nicoletta's dark gaze remained steadfastly on the older woman's face. 'But you did not believe them.'

'Why would she be cleaning the walkway in the rain? It was dangerous up so high. Your mother was very smart; she would not have chosen such a time to clean the walkways around the turrets.' Maria Pia spread out her fingers. 'I examined her body when they brought her home. She had fallen a great distance and so had many bruises and broken bones, but her fingernails were torn and bloody, as if she had clawed to save her life. The bones in her fingers were broken, and there were bruises and scratches around her throat. And . . .' Maria Pia turned away from Nicoletta, tears swimming in her eyes.

'Finish it,' Nicoletta said numbly. 'I need to know what I will be facing.'

'She had been badly used. I think she fought her attacker, and when he was finished with his dark deed, he hurled her over the rampart. She must have caught the ledge, and he pounded her hands until he broke her fingers and she fell.' Maria Pia hung her head. 'My beautiful angel. I told the don, Giovanni's father, my findings, and he conducted an investigation, but nothing came of it. I could not prove anything.'

Maria Pia sighed heavily. 'The very next morning Don Scarletti's grandmother was found dead in her own bed with fingerprints around her neck, the old man sleeping beside her. The palazzo, indeed the entire land, was grief-stricken with Donna Scarletti's death. She was much loved and

145

rightly so. Yet no one would remember the death of a peasant, a poor, widowed *domèstica*.'

A surge of anger erupted in Nicoletta, shaking her body so that for a moment she could only cling to the bedpost and fight down the volcanic emotions swirling so strongly within her. It took a few minutes for her to realize that Maria Pia was weeping silently. At once Nicoletta pushed aside her own feelings and rushed to the older woman's side. She hugged her tightly. 'I am sorry I made you relive it all again. It is no wonder you did not wish to speak of such an ill thing.'

'She must have been so frightened. And she had gone to the *Palazzo della Morte* certain the gossip was not true. I should have stopped your mother from seeking work at such a place, but we needed to get through the winter, and we had no man to help. I knew there was danger; I had seen the body of her sister, your *zia*, when they returned *her* home from the palazzo.' Maria Pia buried her face in her hands, her shoulders shaking. 'Only a few months before, your *zia*, too, had met with an "accident" while serving here. A statue made of heavy stone fell and crushed her, they said.'

Nicoletta held the old woman to her. The air in the room seemed oppressive, and all at once Nicoletta didn't want Maria Pia to say anymore. The premonition of danger was acute, robbing her of breath, stealing her ability to think properly. 'You cannot stay here, Maria Pia,' she said decisively. 'I do not want you in danger. If whoever killed the women still resides here, they must know you are aware that those deaths were not accidents.'

Maria Pia patted Nicoletta's shoulder consolingly. 'Your

madre and *zia* died over twelve years ago, *piccola*. The *aristocrazia* would not remember the deaths of two *domèstice*. And they cannot know I examined both bodies and found the truth. Don Scarletti's father is dead these last eight years. I spoke to no one else.'

'Two other women from the surrounding *villaggi* have died here in strange accidents in the intervening time. And the young wife of Vincente Scarletti. This is indeed the *Palazzo della Morte*.' Nicoletta allowed the don's coat to fall from her shoulders to the coverlet. 'I cannot take a chance with your life, Maria Pia. You must leave this place.'

'Until you are married, I must stay with you,' Maria Pia pointed out. 'Get dressed, Nicoletta. We have much to do this day. Are we allowed out of the room?'

'The don did not say I was confined to my dungeon,' Nicoletta said resentfully. 'Only that the guards must accompany me wherever I go. At least I have the key to the room and can lock it from this side.' She laughed ruefully. 'Not that it will do much good when anyone can come in through the wall. We should push something heavy against it at night.' As she spoke, she was performing her morning ablutions. The water was cold, but she washed thoroughly, taking her time to prepare for meeting the household.

'Perhaps I should make another appeal to the don.' Maria Pia ran a gnarled hand over the fine material of the handsome coat. 'Ask him to change his mind and choose another bride, although he seems very set on you.'

'Do not bother, Maria Pia. I was quite eloquent in my appeals to him. The man has no sense at all, and he listens to no one.' Nicoletta turned away to hide her expression.

Her dreams were still very vivid in her mind, hot color running beneath her skin at the memories. She cleared her throat. 'I feel as if eyes are watching my every movement. I do not know how I can stand such a thing.'

'You must be careful,' Maria Pia cautioned. 'I believe you will always be watched. You must never forget that. If you make a mistake, the don will realize you are . . . different, and he will condemn you as a witch.'

'I thought that, too, but now I do not believe that is so. I do not comprehend why he has invoked the Bridal Covenant when he knows I am different. If he was going to condemn me to death, he would have done so last night.' Nicoletta shivered. 'Someone in the palazzo knows who murdered my *famiglia*, and I intend to find out who that person is.'

Maria Pia gasped in alarm. 'You cannot. They died so many years ago, and it is dangerous to stir up old wounds. You could be in terrible danger.'

Nicoletta inserted the key in the lock and turned it. She glanced over her shoulder at Maria Pia, her dark eyes sober. 'I am in great danger now. I know I am. I feel it. I will not be the rabbit cowering in wait for the wolf to take me.' She lifted her chin in determination. 'There is evil here, but I will go to meet it, not wait, shivering like a babe, in my room.' She yanked open the door.

The guard there, a different man from the night before, nodded politely to her and stepped aside so that she was free to enter the wide hall. Sunlight was beginning to stream through a series of high, arched, stained-glass windows, casting colorful rays dancing across the spacious corridor. The second guard was stationed a few paces down, standing at a window, but his attention clearly centered on Nicoletta as she started toward him. She kept her chin held high and her hand clasped tightly with Maria Pia's.

'Would one of you be so kind as to instruct me where the kitchen is?' She was proud of the fact that her voice didn't shake in the least.

'Follow me, signorina,' the man by the window said, and he turned to lead the way.

Nicoletta was acutely conscious of the other guard behind them and the servants stopping their work to stare curiously at the little procession they made as they walked down the twisting staircase and through the many turns of the palazzo toward the kitchen. She looked around her, inspecting everything, determined, in the light of day, to uncover some of the palazzo's secrets. Without the dancing candlelight, its vaulted ceilings gave off a cathedral-like, rather than gloomy, effect. The rows of windows provided sunlight and spectacular views. The servants were industrious, the palazzo spotless.

As they approached the cook's domain, Nicoletta was expecting a dark, dank room with scorched walls, sinister carving knives, and heads on platters, but, in truth, the enormous, airy kitchen was as clean and neat as the rest of the rooms she had seen. The pleasant-looking cook, Bernado, was working diligently beside an older woman. Sophie was seated at the smallest of three tables and let out a glad cry of welcome.

Nicoletta caught the child as she leapt into her arms. 'I knew you would come! I told Bernado you would come. I

149

told him to fix you something special.' She wrapped her arms around Nicoletta's neck and squeezed hard.

Nicoletta laughed as she pried the child's arms off her. 'Thank you for the invitation, Sophie. Bernado, I am Nicoletta. I have invaded your domain at young Sophie's invitation. Do you mind?'

Bernado was already aware of the gossip flying about the palazzo. The don had chosen a bride from the neighboring *villaggio*, and he knew this young woman guarded by his elite personal soldiers had to be the intended wife. He bowed low and indicated a chair. 'Always a pleasure to entertain such beautiful women, signorinas.'

Maria Pia beamed at him, grateful someone was being kind to her young charge. Bernado and Celeste, his assistant, fixed enough food for the guards, too, and the meal was quite good. Nicoletta complimented Bernado and with a few smiles and jests soon had the small group grinning and laughing. Sophie sat close, and after the meal Nicoletta leaned against the counter to talk with Bernado, absently playing with the child's hair.

Don Scarletti heard the echo of laughter spilling through the cavernous corridor as he made his way to his study. It stopped him in his tracks. He could not remember the last time he had heard laughter in the palazzo. Real, honest laughter, not the affected, silly nonsense Portia's daughter, Margerita, used so coquettishly around every male *aristocratico* she came near. The sound was like sunshine, dispelling the gloom of the halls, and he found himself turning and following the melodious notes beckoning him.

He stood in the kitchen doorway, one hip leaning lazily

against the wall as he watched her. Nicoletta was dressed in a simple skirt and blouse, her hair on top of her head in some intricate knot. A few tendrils had escaped, falling in silky waves around her face. Her eyes were large and dark and filled with dancing mischief as she teased the cook and one of the guards. Her small feet were bare, and her mouth was lush and inviting.

The moment they saw him, a hush fell on the group, and Bernado turned quickly back to his work. Sophie moved a little behind Nicoletta as if for protection, and the two guards came to immediate attention. Nicoletta smiled at the don with the innocence of a child. 'You truly have a treasure here in the kitchen,' she greeted him happily.

'Yes, I do,' Don Scarletti agreed enigmatically, his eyes on her small, delicate face. Something in his voice and the intent way he watched her made Nicoletta blush. His smile widened so that his strong white teeth were very much in evidence. 'I see you have forgotten your shoes again. I must remember to put a pair in each room so that when you kick them off, it will be of no consequence.' His voice was low and gentle, a brush of velvet heat over her skin.

'You seem to be very concerned with shoes,' Nicoletta observed, her dark eyes laughing openly at him.

He held out a hand to her. 'Come walk with me, *piccola*. I am sure Signorina Sigmora and the others will ensure I do not take a bite out of you, although you look very inviting this morning.'

Faint color crept up her neck under her sun-gilded skin. She stared at his hand for a moment as if he might really be capable of biting her. Very slowly, almost reluctantly, she extended her own. At once his fingers enveloped hers, curling around them firmly. He drew her to his side so that she fit beneath his broad shoulder. Behind them, Sophie giggled nervously. Giovanni didn't turn around but rather walked Nicoletta toward the entrance to the courtyard. 'Did you sleep well?' His body brushed against her, hard and muscular, very different from her own, making her all too aware of her own soft, feminine contours.

'You mean after all the commotion?' Nicoletta glanced sideways at him. He was tall and powerful, and every time she looked at him her heart seemed to cease beating and then begin to pound. She couldn't look at him without remembering her wicked, erotic dreams, still very vivid in her memory. 'Is it always like that around here at night?'

His thumb feathered along the inside of her wrist. Once. Twice. Her heart did a funny little somersault. Color was creeping slowly under her skin again. All at once the drafty hall wasn't nearly cool enough. The pad of his thumb lingered over her frantically beating pulse. 'I confess, you seem to cause quite a stir,' he answered, his mind clearly on other matters. His fingers were moving over her skin as if of their own volition, stroking caresses along her forearm, sending heat waves throughout her body.

Nicoletta knew she should pull away, but his touch was mesmerizing. He dropped her hand, abruptly halting so that he trapped her close to the wall, his large frame blocking her view of the courtyard. She felt the heat of his body through the thin barrier of her clothes. His fingers curled around her throat. His dark eyes stared down into hers. 'When you laugh, you light up the world. That is a very dangerous thing.'

It should have been a compliment, but he said it in a brooding, almost disapproving voice. There was no laughter in him, no hint of gentleness. His black gaze was intense as it roamed over her face. His fingers tightened on hers, making her gasp.

Her lips parted, a tempting invitation. With what sounded like an oath, he lowered his head and fastened his mouth to hers. At once Nicoletta's world changed. The ground shifted, a subtle, rippling movement beneath her feet, making it seem natural to take shelter next to his heart. He was enormously strong, his arms sweeping her soft body against his hard, muscular one as his mouth took possession of hers. He was fiercely hungry, a dark, dangerous need he didn't bother to hide. She melted, her body becoming boneless, pliant, flames dancing along her skin with a need she couldn't define. A wildness began to rise from somewhere deep inside her, needing, demanding.

'Don Scarletti! Nicoletta!' Maria Pia's horrified voice lashed at them both. 'This is scandalous behavior!'

The don took his time, his mouth moving gently over Nicoletta's. Where before there was fiery hunger, he was now gentle, lingering for a moment, kissing her thoroughly until her legs threatened to give way and she was clinging to him. Only then did he slowly lift his head, his black gaze hypnotic, making her stare up at him helplessly, caught in his dark sorcerer's spell. His fingertips traced the delicate curves of her face as if committing them to memory for all time.

'Don Scarletti, I must protest this behavior!' Maria Pia was insistent, tugging at Nicoletta's arm to free her from between the don's hard body and the palazzo wall.

Giovanni didn't relinquish possession immediately, but continued to stare intently into Nicoletta's upturned face as if he were the one under a spell of enchantment, totally bemused by her. 'Then it is good that we marry immediately,' he said, completely unrepentant, his voice as steady and soft as ever. He was speaking to Maria Pia, but his mouth was close to Nicoletta's ear, his warm breath stirring the tendrils of hair there and pouring heat into her bloodstream. He bent his head still lower, so that his lips moved against her ear. 'I cannot wait.' He whispered the words against her bare skin, and she felt them all the way down to her toes.

Maria Pia let out an outraged squawk. The don straightened slowly, bowed slightly to the women, and sauntered back into the palazzo. Nicoletta stared after him, unable to move, unable to think, one hand pressed to her mouth in shock. He looked so calm and unruffled, his body moving with the same casual ripple of power, while Nicoletta wanted to slide down the wall into a little heap.

Sophie broke the spell, wrapping her arms around Nicoletta's legs and hugging her tightly. 'Is Zio Gino really going to marry you?'

Nicoletta glanced at the two guards, who were doing their best to hide their smiles. Color flooded her face, and she hastily walked past them into the huge courtyard. It was a riot of color, the plants well tended by several groundsmen. A huge fountain dominated the area, a marble structure nearly a story high. A chariot with six racing horses sending up sprays of white-foamed water from their flying hooves loomed in its center. It was enormous, an ornate, incredibly beautiful sculpture.

'Nicoletta.' Sophie tugged at her skirt. 'Are you really going to marry Zio Gino?' Her young voice was insistent, containing none of the hesitation she frequently seemed to exhibit.

Nicoletta took her hand. 'Well, your Zio Gino has said I will, so I suppose I must. What do you think?'

Sophie immediately looked impressed at being asked her opinion. 'I think if Zio Gino marries you, then you can stay here always.' She smiled up at Nicoletta.

Nicoletta picked up the child and swung her in a circle until the little girl squealed with delight. They raced across the courtyard together, their laughter floating back to bring smiles to the faces of the guards and even Maria Pia.

Nicoletta stopped on the far side of the courtyard, kneeling to examine a rare flower that opened only in the early hours of morning. The petals were covered in dew, and she exclaimed over it, beckoning to Sophie. In truth, she was trembling inside, shocked at the wild, wanton side of her nature she hadn't known existed. She couldn't deny to herself that she was just as much to blame for that scandalous kiss as was Don Giovanni Scarletti. He could have seduced her right there and then, and she would have let him, so mesmerized by him was she that she couldn't see straight.

She didn't want to think about being alone with him in the bedchamber. He was a dark sorcerer weaving a black-magic spell, and Nicoletta was flitting closer and closer to disaster, drawn inexorably toward his hot flame. She couldn't seem to resist him, the intensity in his black gaze, a dark hunger she couldn't ignore. Nicoletta pushed at her hair with a trembling hand, grateful Maria Pia was across the courtyard and not lecturing her on being a 'good' girl.

'So, you are the chosen bride.' Vincente appeared out of the maze of hedges, his tall, handsome frame immaculate in his fashionable attire. His dark eyes were laughing as they took in Nicoletta's peasant skirt and blouse and her small, bare feet.

Nicoletta scrambled to stand. Sophie stared up at her father in a kind of painful, hopeful silence, her hand catching at Nicoletta's skirt for support. Nicoletta reached down and stroked the child's hair in comfort. 'Good morn to you, sir,' she said brightly. 'Sophie has been wonderful, showing me around the grounds. I do not know what I would do without her.'

Vincente raised a skeptical eyebrow. 'She is not pestering you?'

Nicoletta's fingers slipped down the little girl's arm to take her hand. 'Not at all. I am asking her so many questions, she probably wishes herself away from me.'

Sophie laughed nervously. 'She is fun, Papa.'

'Fun, eh? I can believe that.' The man reached down and ruffled his daughter's hair. 'I must apologize for cousin Portia's behavior last night. I hope you were not thinking I agreed with her demands. She is rather spoiled and used to getting her way. The thought of a new mistress here is frightening to her. In truth, no one thought Giovanni would take a bride. My brother, Antonello, and I thought it our duty to provide heirs as Giovanni had declared no interest in the subject. Antonello has not yet wed, and my being widowed,' he said sadly, 'left Portia the woman of the house. But now

156

Giovanni has chosen . . . you.' There was a faint questioning note in Vincente's voice, as if he half expected Nicoletta to admit she had cast a spell over his eldest brother.

'And choose he did. I had not thought to take a husband,' Nicoletta responded.

Vincente threw back his head and laughed aloud. 'Good answer. I am Vincente Scarletti. We have met, of course, on more than one occasion, but not yet formally.' He reached for her fingertips and drew them to his mouth for a kiss while his dark eyes flirted outrageously with her. He bowed low. 'Even had we not met before, you look very familiar to me. Perhaps I know your *famiglia*?'

'Perhaps,' Nicoletta answered vaguely. She was having a difficult time thinking clearly. There was a curious sensation in her head, a dark, oppressive feeling she had never experienced before. A heavy dread seemed to be spreading in the pit of her stomach. She felt the need to step away from Vincente, from his good looks and charm. The need to pull her hand from his was so sharp and strong, she actually did so.

It was then that she glanced toward the wide windows of the palazzo. From the long balcony atop colossal columns surrounding the structure, Giovanni was watching them. He was as still as the mountains around them, as if he were carved from marble himself. A powerful, intimidating figure. At once she realized he was in her head, a dark fury driving him hard. She could feel waves of warning beating at her mind. He was *demanding* that she move away from his flirtatious brother. This was no soft whisper but a dark flow of anger, of black jealousy.

Her chin rose a fraction in challenge as she stared back at him. Across the wide expanse of the palazzo their eyes locked in weird combat, her will against his. Slowly the malevolence faded, replaced by faintly mocking amusement. *You cannot hope to win a battle with me*, cara. *You are far too young and innocent.*

The words were clear this time, not merely an impression but there in her ears, as if he had spoken aloud! Shocked at his power – the evidence of a true sorcerer, perhaps the devil himself – Nicoletta took a step backward.

I prefer your dreams to your fears, piccola. He whispered it to her wickedly, reminding her vividly of the erotic dreams that had danced in her head the night before. He stood for a moment longer on the marble balcony, looking so much the *aristocratico*, a man so accustomed to commanding others that authority was stamped into his hard features. Giovanni Scarletti's white teeth flashed briefly before he turned and went back into his study. She could see his tall, muscular frame through the window as he gestured to someone she couldn't see clearly to enter the room.

Vincente turned his head to follow her gaze. 'Mio fratello is hard at work. So many meetings with the powers that be, you know. No time for fun.' He shrugged casually. 'Do not worry, signorina, I will see to it that your time here is not a dreary one.' He smiled down at his daughter. 'Sophie, I hope, will not be too bothersome. If she is, we will send her off to learn to sew those beautiful coverlets all women seem to know how to make.' His head suddenly came up, and he stared at Nicoletta almost as if she were a ghost. His face paled beneath his bronzed skin.

'What is it?' Nicoletta asked, curious.

'Just for a moment you reminded me of someone I knew a long time ago. She made the most beautiful coverlets.' His voice sounded thoughtful. 'She would be much older than you. I was about your age back then.'

Nicoletta turned back to the flowers in the garden, gazing at the dewy petals to hide her expression. Her mother! Vincente Scarletti had known her mother, and he remembered her! Who could not? The memories were vivid in Nicoletta's mind. All at once she wanted to weep. She had recognized the coverlet in Sophie's room as her mother's handiwork.

Nicoletta? The voice was gentle, not wicked and teasing, not fiercely angry, but a tender, concerned inquiry. She experienced a strange warmth flooding her. It was disarming, that hypnotic spell enveloping her so that she couldn't help but reach for him with her heart and soul.

As if pulled by a source outside herself, she glanced over her shoulder, her gaze drawn to the windows overlooking the courtyard. He was there, staring down at her intently. She could see the shadowy figure behind him pacing as if agitated. The don's attention was centered on her rather than on his important guest. It made Nicoletta feel cared for. She knew he felt her sorrow, and it mattered that he had touched her from a distance.

Maria Pia probably would have said it was sinful, a gift from the devil, and wrong, but at that moment Nicoletta was grateful, and she smiled up at the lonely dark figure. He sketched her a small salute and resolutely turned back to his visitor.

Nicoletta was returning her attention to Vincente and his daughter when out of the corner of her eye she caught sight of something bright fluttering up on the ramparts high above Don Scarletti's study. It was Portia and her daughter, Margerita, their gowns billowing in the wind, watching her as did the huge winged gargoyles.

A small shudder ran through her. She was being watched all the time, and she had allowed herself to forget already. The don seemed capable of driving out her every sane thought, something she dared not allow to continue. With so many eyes observing her every move she would have to appear 'normal' at all times. Would it be possible?

CHAPTER EIGHT

Nicoletta held her arms obediently away from her sides and made a face at Maria Pia. 'She is sticking me with pins,' she complained. 'I have a few words to say to the don regarding this particular form of torture.' She had spent a good portion of the day attempting to explore the palazzo, but for hours now she had been locked in with the dressmakers. Her patience was wearing thin.

'If you complain one more time, Nicoletta,' Maria Pia scolded, 'I shall stick a pin into you myself. Any other girl would be delighted to receive such elegant garments. The extravagance is almost sinful. Although, truly, many of these gowns cover you so little as to be nearly indecent,' she blithely contradicted herself.

Nicoletta laughed, the sound so infectious that even the two dressmakers found themselves smiling. 'You mean it is sinful for one such as *me* to be getting such fine attire.'

'Ballgowns with necklines that are far too low,' Maria Pia groused. 'You are a good girl. The Madonna is weeping – weeping, I tell you. You should not wear such gowns. It is not right,' she said decidedly.

'You look beautiful, my dear,' the seamstress said sincerely. 'It is a pleasure to dress so pretty a girl. We are almost finished.'

Portia stuck her head into the room. 'It sounds as if you are having fun in here,' she said, a smile plastered determinedly to her face. Resolutely she made no reference to the scene she had caused the night before. 'May I come in?' She didn't wait for an answer but moved into the room, her elaborate gown rustling as she did so. She wore the latest fashionable creation, her hair perfectly dressed. 'You look quite beautiful, Nicoletta. May I call you Nicoletta? Have they begun your wedding dress? I shall, of course, plan the blessed event personally. Giovanni has told me you are to be wed almost immediately.' Her eyes ran speculatively over Nicoletta's slim figure.

Maria Pia lifted her chin, her faded eyes snapping with quiet fury. 'I do not know why Don Scarletti is so insistent that Nicoletta marry him without a proper courtship. How does one calm the young girl's natural fears when she does not even know her bridegroom?' She threw her hands in the air dramatically.

Portia nodded. 'It is unseemly of him, but Giovanni has always been a law unto himself.' She shrugged her milky white shoulders so that her low-cut gown seemed suddenly precarious, about to fail in its ability to contain her ample bosom. Portia knew she was a beautiful woman, and her gowns showed her figure to perfection. She moved with a graceful confidence in herself, with the perfect poise her station had bequeathed her. 'Giovanni does what he wishes, and there is none to stop him.' The implication was ominous, almost sinister, yet Portia laughed softly, waving aside her own words. 'You must leave everything in my capable hands. Since Vincente's wife, Angelita, the last mistress of

162

ing deter-
nd dragged
comfort of
n the hall,
nuch better
Bedraggled,

ve planned many festivities for
have received much praise for my

ppreciated, *grazie*,' Maria Pia

r hair as she
l her way to
rns, an unbe-
tly across the
s she hurried
welling up in
dear, familiar

miled sweetly at the bride-to-
nother better, my dear, if you
household. Giovanni would
o help you learn your duties
ften and see to it that his
ile was as false as the offer
Scarletti *famiglia* to have
ls many courtiers here for

s clacking and
etta allowed the
halfway across
it open and fol-

ed when pins stuck her
e seamstress. 'I am fin-
aria Pia is right; it is
here are enough here
t possibly wear them

reen grasses, her
eart were break-
oots kicking up a

ioned. 'But, indeed,
p for the day,' she

oletta demanded,
y are you crying?
With the girl in her
Cristano, too. As
stumbled and all

nced the manser-
refully when he
sage in his usual
rina. They are
sdain was very
nething unde-

'Thank you,' Nicoletta answered politely, smil
minedly at him. She hastened behind the screen a
on her familiar skirt and blouse, thankful for the
the oft-washed material. She then rushed dow
waving distractedly at Portia. Maria Pia was n
equipped to deal with the woman anyway.
indeed!

Nicoletta made an attempt at smoothing he
hurried down the stairs. She managed to fin
the courtyard entrance with only two wrong tu
lievable feat in the huge palazzo. She ran ligh
marble tiles, her bare feet making no sound
through the corridors to the door, a sudden jo
her. She knew who the visitors were, her
friends, and she needed them desperately.

The two guards hurried after her, sword
boots slapping loudly against the tiles. Nicol
door to slam in their faces and made it
the courtyard to her visitors before they tore
lowed her.

Ketsia was sitting on the lush carpet of g
face buried in her hands, crying as if her h
ing. Cristano was pacing furiously, his b
spray of white pebbles on the pathway.

'*Bambina!* Whatever is the matter?' Ni
scooping the child into her arms. 'Wh
Cristano! Tell me why she is crying so.' V
arms, Nicoletta spun around to hug
Cristano embraced both of them, the
spilled together into the soft grasses.

'Thank you,' Nicoletta answered politely, smiling determinedly at him. She hastened behind the screen and dragged on her familiar skirt and blouse, thankful for the comfort of the oft-washed material. She then rushed down the hall, waving distractedly at Portia. Maria Pia was much better equipped to deal with the woman anyway. Bedraggled, indeed!

Nicoletta made an attempt at smoothing her hair as she hurried down the stairs. She managed to find her way to the courtyard entrance with only two wrong turns, an unbelievable feat in the huge palazzo. She ran lightly across the marble tiles, her bare feet making no sound as she hurried through the corridors to the door, a sudden joy welling up in her. She knew who the visitors were, her dear, familiar friends, and she needed them desperately.

The two guards hurried after her, swords clacking and boots slapping loudly against the tiles. Nicoletta allowed the door to slam in their faces and made it halfway across the courtyard to her visitors before they tore it open and followed her.

Ketsia was sitting on the lush carpet of green grasses, her face buried in her hands, crying as if her heart were breaking. Cristano was pacing furiously, his boots kicking up a spray of white pebbles on the pathway.

'*Bambina!* Whatever is the matter?' Nicoletta demanded, scooping the child into her arms. 'Why are you crying? Cristano! Tell me why she is crying so.' With the girl in her arms, Nicoletta spun around to hug Cristano, too. As Cristano embraced both of them, they stumbled and all spilled together into the soft grasses.

the palazzo ... died, I have planned many festivities for Giovanni, and I must say, I have received much praise for my efforts.'

'Your help would be appreciated, *grazie*,' Maria Pia answered for Nicoletta.

'Then it is settled.' Portia smiled sweetly at the bride-to-be. 'We must get to know one another better, my dear, if you are to become a member of our household. Giovanni would think it very wicked of me not to help you learn your duties as his wife. You will entertain often and see to it that his household runs smoothly.' Her smile was as false as the offer of friendship. 'It is the duty of the Scarletti *famiglia* to have numerous festivities. The king sends many courtiers here for negotiations.'

Nicoletta dropped her arms, yelped when pins stuck her from all directions, and glared at the seamstress. 'I am finished with this,' she announced. 'Maria Pia is right; it is sinful to have so many gowns. Why, there are enough here for every woman in my village. I cannot possibly wear them all.'

'You will need every one,' Portia cautioned. 'But, indeed, dear, you look bedraggled. You must stop for the day,' she added solicitously.

A tentative knock on the door announced the manservant, Gostanz. He cleared his throat carefully when he caught sight of Portia but delivered his message in his usual monotone. 'There are visitors for you, signorina. They are waiting in the courtyard.' His customary disdain was very much in evidence, and something else, something undefined, as if the man was secretly amused.

Ketsia's tears turned to laughter, and she flung her arms around Nicoletta's neck. 'I knew you would be the same. And look, no shoes! Look, Cristano, even *he* cannot make her wear shoes!' Ketsia sounded proud and happy over Nicoletta's lack of footwear.

The two guards hovered close, but clearly their training had not prepared them to cope with a barefoot young woman hugging a sobbing child and an angry young man. The three were tangled together on the ground, laughing and obviously no threat to Nicoletta. The guards looked at one another rather helplessly and remained in the background.

'Why were you crying so, Ketsia?' Nicoletta asked, kissing the girl on the top of her head. She pulled her hand out of Cristano's, since he seemed disinclined to let her go.

'I thought the don might have hurt you,' Ketsia answered. 'You disappeared. And Mirella said the soldiers took Maria Pia from her hut in the dead of night. And Mirella said that it was just like you to run away and that the don would have you beaten and killed and the disgrace would ruin the entire *villaggio* for all time.'

Nicoletta burst out laughing, the sound happy and carefree, rising upward to float away on a friendly breeze. 'Silly old Mirella. She loves to weave tales of terror.' She grinned at Cristano. 'Surely *you* did not believe her horror stories.'

Cristano glanced at the guards and lowered his voice in a conspirator's whisper. 'The don had no right to claim you. If you had accepted my offer instead of being so stubborn, Nicoletta, he would not have had the power to touch you. Now I can think of only one thing to do to set you free.'

Nicoletta's eyebrows shot up. 'Whatever you are thinking, Cristano, you must forget it. The don and I will sort things out.'

'You mean you will attempt another escape? You ran away once, and he caught you. I know that is why you disappeared from your home. But I have thought of a way to force him to let you go.'

Ketsia leaned into her, wanting to be cuddled. 'I thought the don was handsome, but I do not want him to take you away. The *villaggio* is sad without you. You must come back, Nicoletta.'

'I have a plan,' Cristano continued. 'We will confess to the don that we have lain together. He will not want you then, and he will order you to marry me.' Cristano stared at her. 'It will work, Nicoletta. You must be guided by a wiser, older man in this.'

Nicoletta buried her face in Ketsia's neck to muffle her laughter. Cristano was four summers older than she but a good ten or twelve years younger than Don Scarletti. 'My reputation would be ruined, Cristano,' she reminded him.

'You would be with me, where you belong, and back in the *villaggio*. There is much danger here. Everyone knows you will not live long if you remain in this place.' Cristano puffed out his chest and stood, reaching down to pull her up with him.

The dark, smoldering anger creeping into her mind burst into a flame of such intensity, Nicoletta grabbed her head with her hands and pressed hard in an attempt to alleviate the throbbing in her temples. Her gaze, almost of its own accord, sought the row of glaring windows. Don Scarletti was out on the wide, first-story portico, his black gaze glittering with a menace she recognized even from a distance. Watching her with merciless intensity, he vaulted easily over the portico wall and began to move toward them. All rippling power, he reminded Nicoletta of a stalking mountain lion.

Her breath caught in her throat. As he neared them, she could see the dark shadow on his handsome face. He glided up to them and drew Nicoletta firmly beneath his shoulder. 'Where is your chaperone, Signora Sigmora? She should accompany you at all times, *cara*. Your young friends are welcome to visit you, but you must remember that your actions are scrutinized at all times.' He spoke gently, his tone as soft as velvet, his arms around her waist gently holding her to him, yet there was something very threatening about him, something she couldn't define.

'I am Giovanni Scarletti,' he said courteously but unnecessarily to Cristano, his gaze hard and glittering as it touched the younger man. 'I believe we have encountered one another before.'

Cristano mumbled something inaudible in reply.

Ketsia curtsied beautifully. 'I am Ketsia,' she announced, 'Nicoletta's friend.'

'Ah, yes, of course I remember you.' Giovanni smiled down at her with so much charm, the child beamed at him, as susceptible to his wiles as any woman.

'I thought you were busy with your visitor,' Nicoletta ventured cautiously. She was suddenly terrified of what Cristano might say or do. He could be thoughtless and abrupt at the best of times, fiery and sulky if he didn't get his way.

'I will never be too busy to meet your friends,' Giovanni answered in his gentlest voice. He bowed to Ketsia, who immediately burst into a fit of giggling. Behind the group's back he motioned Nicoletta's guards toward the palazzo and out of hearing.

Cristano drew himself up to his full height. 'Don Scarletti, I must tell you, Nicoletta is my betrothed.'

Nicoletta gasped in shock. She gaped at the young man, terrified that the don might order him taken to the dungeon or, worse, challenge him to a duel.

Giovanni's black eyebrows shot up. He pulled Nicoletta's hand against the heavy muscles of his chest and held it against his steady heartbeat. His thumb feathered back and forth across her hand in a small caress. 'I do not think Nicoletta can be betrothed to both of us, and I have the prior claim. I am sorry. I realize any man would wish to make Nicoletta his wife, but I will not give her up.'

Cristano took a deep breath. 'There are special circumstances you should know.'

'No, Cristano.' Nicoletta shook her head vigorously, her hair flying out like a cape. Silky strands tangled on the don's blue-shadowed jaw, creating an instant intimacy between them. He didn't attempt to pull the strands away, but rather tugged Nicoletta even closer to him.

Giovanni bent his head to her so that his mouth was sinfully close. 'Do not be distressed, *piccola*. You are not accountable for what others choose to say or do,' he whispered against her skin, his breath warm and comforting. For a moment Nicoletta's heart returned to its normal rhythm, but then Giovanni turned the full force of his black eyes on

Cristano. His gaze glittered with something dangerous, something very menacing.

Nicoletta began to tremble. She shook her head mutely, her enormous eyes on Cristano, eloquent with fear. The don's hand slid up her arm, rubbing lazily to warm her.

'Before you speak, Signore Cristano, remember that the woman you are discussing is my betrothed and under my protection.' Once again Giovanni spoke quietly, but there was such a shimmer of menace in his tone that they all appeared frozen in place.

Cristano fixed his eyes on Nicoletta, gathered his courage, and blurted out his lie. 'Nicoletta and I have lain together.'

Ketsia's dark eyes grew big and round. She pressed a hand to her mouth to keep from emitting a screech of shock. The silence was ominous, stretching out so long that Nicoletta wanted to scream under the sheer strain of it. Even the insects seemed hushed beneath the weight of the don's dark disapproval.

Giovanni caught Nicoletta's chin in his hand and forced her to look at him. He stared down into her eyes for a long while. Then a slow smile softened the hard edges of his mouth. *You are such an innocent. You have not been with this lout, nor do you love him.*

Nicoletta shook her head, unable to look away from the don and unable to break free of the hypnotic spell he always seemed to cast over her. She couldn't have lied to him if her life depended on it, and it very well might. He might have let her go if he thought she had lain with Cristano.

I would never let you go, so do not think this silly boy is your way out. Slowly, almost reluctantly, Giovanni released

Nicoletta's gaze and turned to regard Cristano with his intense, merciless stare. 'You should know better than to attempt to ruin a woman's reputation. Walk with me, boy. You have need to learn manners.' He gestured toward the labyrinth.

Nicoletta circled Ketsia's shoulders with one arm and, with a frown on her face, watched the two men approaching the huge masses of groomed shrubbery that formed the maze.

Ketsia tugged at her skirt. 'Do you think he will run Cristano through with a sword for lying about you?'

The little girl spoke loudly enough for Cristano to hear. Cristano hunched his shoulders, and the tips of his ears turned red. Nicoletta felt sorry for him.

'Hush, *bambina*. Don Scarletti knows Cristano is just being silly. He would not resort to so cruel a thing.' Nicoletta didn't sound as convinced as she would have liked.

Maria Pia and Sophie joined them in the courtyard. Sophie stared at Ketsia with a mixture of apprehension and interest. She marched right up to Nicoletta and took her hand, giving Ketsia a haughty look. 'Nicoletta is *mia famiglia* now. She is *mia zia*.'

Ketsia made a face at the little girl. 'She will not be your *zia* until she is married to the don. Nicoletta is my best friend.'

'We are all going to be best friends,' Nicoletta hastily intervened. 'Sophie, this is Ketsia. We shall all have so much fun together.'

Sophie relaxed a bit when Nicoletta continued to hold her hand and smile sweetly at her. She even managed a small nod to Ketsia. Nicoletta tried not to laugh at the way the two little girls were behaving and instead suggested, 'Sophie, will you show Ketsia the kitchen and introduce her to Bernado? Ketsia, Bernado is the best cook in the world and Sophie's good friend. Sophie will get you a wonderful treat from the kitchen.' She winked at shy little Sophie. 'Do not forget to get me something, too. I trust you will take good care of my friend for me.'

Again made to feel important by the errand, Sophie took Ketsia's hand, and they skipped off together toward the palazzo.

Nicoletta sank onto the green carpet of grasses, her knees giving out on her. 'It's possible I will have gray hair before this wedding takes place,' she said to Maria Pia. 'Cristano, the dolt, told Don Scarletti he had ruined me.'

Maria Pia shrieked her outrage so loudly that birds rose into the air from the treetops, scattering across the sky. She made the sign of the cross in every direction, including over Nicoletta three times. 'That boy needs a good hiding! Has the Don ordered you back to the *villaggio*?' There was a hopeful note in her voice.

'He did not believe Cristano. They are having a talk.' Nicoletta tilted her head, frowning. 'Maria Pia, do you remember that boy from the *villaggio* over on the other side of the hill? The odd-looking one who did not grow up in his mind? He would be so sweet, smiling at everyone, but when someone would cross him, he would go berserk. He was first an angel, then a devil, as if he were split in half. I would never have believed it if I had not seen it myself.' Nicoletta wrung her hands. 'Could someone appear perfectly normal and yet hide madness within? Could he be ever so quiet and calm yet capable of throwing a woman off a tower?' she asked worriedly.

Maria Pia glanced at the soldiers to ensure they couldn't overhear the conversation. 'You think the don might suffer such an affliction?'

'I do not know if such a thing is possible.' Nicoletta watched the maze for signs of a violent confrontation. As always, from the moment she had arrived at the palazzo she felt as if she was being watched. She glanced up at the ramparts, and, sure enough, amidst the gargoyles with their hard, flat eyes she spotted Portia's daughter. Margerita thought herself protected by a squat, hulking stone creature, but her crimson dress billowed out with sweeps of the wind. She seemed to be always lurking, watching with hate-filled eyes.

'I will not be the wife the don needs, Maria Pia. I cannot entertain the *aristocrazia* as Portia said I must.' Nicoletta nervously swept back her hair. 'I cannot live this life with all eyes watching my every move. I want to go home where I belong. I almost wish the don had believed Cristano. I think I could manage Cristano, but there is no one who can manage the don. He frightens me in many ways. I do not trust my own reaction to him.'

Maria Pia murmured vague reassurances, patting Nicoletta's shoulder helplessly. Even she could not save Nicoletta from the don.

Nicoletta smiled at her a little grimly. 'I am surrounded by enemies, but I do not know if they are mine or the don's. There are many secrets here, things I do not understand. Someone is always watching.' She glanced at the soldiers some distance away. 'And those guards are serious about following me.' A mischievous grin replaced her melancholy mood, her irrepressible good nature refusing to be defeated. 'At least they did not enter the room with the dressmakers.'

Maria Pia smiled in spite of herself. 'You are scandalous, *bambina*.'

Nicoletta stood as Giovanni sauntered out of the maze. At once her heart beat fast at the sight of him. He was so tall and powerful and good-looking he took her breath away. But he was alone, and he looked ruthless, implacable. Nicoletta glanced past him in an attempt to see Cristano, but he didn't follow Giovanni out of the labyrinth. She stood very still, waiting for the don to reach her side.

Giovanni reached out to wrap a length of her shining black hair around his hand. 'Do not look so frightened, *cara*. I will not lock you in the tower, at least not yet. But my heart cannot survive all these men who seem to be worshipping at your feet. We must marry soon, or I shall be fighting duels on a daily basis.' He tugged on Nicoletta's hair until she was forced to step close to him. His teeth flashed at her. 'You are beautiful, *piccola*. More beautiful than I can say. I suppose I cannot blame the young men.'

Nicoletta looked at his hand. His knuckles were scraped, and a spot of blood marred his immaculate shirt. Her eyes widened in horror, and she turned anxiously toward the labyrinth in hopes of seeing Cristano.

'The boy is fine,' Giovanni assured her. 'He attempted to insist on his untruth, but I could not allow him to continue misusing your good reputation. He will think about his folly over the next few days.'

'Perhaps I should attend him,' Nicoletta said fearfully.

'I do not think so, Nicoletta,' the don said with a hard note of authority in his voice and a hard cast to his dark features.

'Maria Pia must see to him, then,' she insisted.

'The boy would not welcome a woman witnessing his present discomfort.'

'Giovanni, you have deserted your guest,' Vincente greeted, ambling across the courtyard with a secret, taunting grin on his face. He had emerged from the far side of the maze, rounding the square-cut bushes to cross the green carpet of grasses. 'You seem unable to pull yourself away from your bride, although I must say, I cannot blame you.' He looked beyond his older brother, and a welcoming grin broke out on his face. 'Antonello! You have returned at such an opportune time. The *famiglia* gathers to celebrate the wedding!'

Nicoletta turned with Giovanni to watch Antonello Scarletti emerge from the opposite side of the labyrinth. His clothes were worn and tattered, smudged in places with what looked like blood and dirt. He appeared tired, a tall, handsome man, but very much alone.

Antonello stopped a short distance away, his dark gaze moving over Nicoletta, recognition flaring for a moment in his eyes. Nicoletta suddenly found her bare toes very interesting. Giovanni sighed softly as he looked down at the top of her bent head. *Is there any man who has not coveted you?*

Nicoletta blushed furiously, the color creeping up into her face so fast that she had no hope of stopping it. She glared at the don. Antonello certainly had not coveted her. She and Maria Pia had simply helped him once, and he had helped them in return. Giovanni looked unrepentant. *How*

174

is it you already know my brother, then? One eyebrow arched in inquiry, a hint of amusement creeping into his smoldering eyes.

'What wedding?' Antonello asked softly, his voice husky as if from lack of use. 'Who is it that is going to be married?'

'Giovanni,' Vincente announced cheerfully, a wide grin on his face as he delivered what was obviously shocking news.

Antonello froze in place, his entire body stiffening. His dark gaze jumped to his elder brother's face. 'You are to be wed?'

Nicoletta felt dark undercurrents swirling around her, ones she couldn't fully understand, but she was afraid she would drown in them. Something dark and ominous, loomed among the brothers, a sinister shadow that clouded every attempt at happiness.

Giovanni tightened his arm around her, almost protectively. 'Nicoletta has consented to be my bride.'

She laughed. She couldn't help it, despite the grimness the three brothers seemed to share. She found the don's choice of words amusing under the circumstances. Her laughter was low and contagious as she looked up at her betrothed. An answering smile softened his hard mouth and dispelled the shadows in his eyes. For a moment they stared at one another, lost in their shared amusement.

Giovanni looked his brother over carefully. 'Are you hurt? Was there trouble?'

Antonello shrugged carelessly. 'Nothing I could not handle.'

'Well,' Vincente announced loudly, 'the entire family has

175

gathered. We need only Damian to complete the family circle.' He bowed slightly toward Nicoletta. 'Damian is our cousin and our good friend. We all grew up together.'

She was aware of the sudden change in Giovanni. It was subtle, very subtle, but her body was up against his, and she felt a thread of iron run through him, his blood suddenly surging hotly. Nicoletta looked up at his face. It was an expressionless mask, a faint, humorless smile fixed there. He looked casual, almost lazy, but he was coiled and ready to strike.

'Have you seen him, Antonello, in your travels?' Vincente continued. 'He sent word ahead that he would be arriving a couple of days past. We planned a hunt together. But there is no word from him, and that is unlike him.'

'He usually comes by boat,' Antonello said. 'Have you checked the cove?'

Nicoletta stiffened, her heart slamming in her chest. She knew. She knew the truth immediately, almost as if Giovanni had shared the information with their strange mind link. Their cousin was dead, one of the men Giovanni had slain on the beach. Her face paled, and her mouth went dry. She didn't dare look at him, but his hand clamping hers over his heart was enough. He knew she shared his knowledge.

His own cousin. A man he had grown up with, a man he called *famiglia*. She was suddenly terrified. More than ever she wanted to go home, back to the simplicity of the *villaggio*. No hint of conspiracy lurked there; the people were hardworking and God-fearing. She could count on their stability. Here, in this place of madness, in the *Palazzo della*

Morte, the sands were always shifting, and she could call no one friend.

'When did you last hear from him?' Giovanni asked his youngest brother.

Vincente shrugged. 'He sent word some weeks ago that he would be here for the hunt. I think we should send inquiries to his people. Perhaps he has come overland and has stopped at some inn.' He grinned. 'Damian has an eye for the ladies.'

'I will send out runners,' Giovanni said, his hand tight around Nicoletta's, warning her to remain silent. 'He must attend the wedding.'

Nicoletta stared steadfastly at her bare toes. She knew the don could feel the way her body was trembling beside his, the way her pulse beat so frantically beneath the pad of his thumb. One hand went to the nape of her neck in a slow massage. To soothe her? Or to warn her? She stayed very still as she listened to the three brothers talking, their voices oddly alike, while their characters were so different.

'Nicoletta!' Ketsia and Sophie rushed at her, unaware of the dangerous undercurrents, their faces joyful and smeared with white cream. 'We brought a treat for you!' The children were hand in hand as they approached the adults.

Nicoletta and Maria Pia smiled a welcome at them as they stopped, suddenly uncertain under the attention of the three men. Nicoletta held out her free arm to them in encouragement, and both girls immediately hastened into her embrace. She was as grateful for their presence as they were for hers.

'Sophie, who is your little friend?' Vincente asked his daughter.

Sophie moved closer to Nicoletta, a fine shiver running through her. 'Ketsia,' she answered, almost painfully shy again. Nicoletta noticed that Giovanni dropped his free hand onto the child's head, a small gesture of affection and encouragement.

Vincente bowed low and pretended to kiss Ketsia's fingers.

'Have you come unescorted? That was very brave of you.' Ketsia erupted into nervous giggling. 'Cristano came, too,' she explained without guile. 'He wanted to see Nicoletta, too. Nicoletta is my best friend.'

'Well, then, you must come and visit often,' Vincente encouraged. He looked around. 'Where, then, is this Cristano?' He smiled at Ketsia. 'Your escort should not be so lacking in manners as to leave you alone for long. I fear if he does not correct his errant behavior, another man will swoop you up.'

She giggled again, this time blushing, already, at her young age, completely susceptible to the Scarletti charm.

Sophie clutched Nicoletta's leg so hard, her fingers actually bit into flesh through the skirt. The child was shaking.

Instinctively, Nicoletta circled Sophie's shoulders and hugged her. 'Thank you so much for entertaining Ketsia for me. Don Scarletti, Sophie has been so good to me, I think she should be in the wedding party along with Ketsia. I will need someone to ensure I remember every thing.'

Giovanni smiled at the little girls. 'Such as her shoes. She seems to forget them all the time. I would be most grateful to you, Sophie.'

Ketsia nodded vigorously. 'She does, Sophie. You must help Nicoletta remember her shoes while she is here.'

'Nicoletta lives here now, Ketsia,' Giovanni reminded her gently. 'Was it your job before to help Nicoletta remember?'

Ketsia nodded importantly. 'She has so much to do. People from all over seek out Nicoletta because –' She broke off, looking horrified, clapping a hand over her mouth and looking at Maria Pia as if expecting a sharp reprimand. At once tears of remorse swam in her eyes.

Giovanni smiled at her with his abundance of masculine charm. 'You must tell Sophie of all your duties, so while you are away, she can look after Nicoletta properly. Of course Sophie must be in the wedding party and attend you with Ketsia, *cara*. We cannot do without either of them.'

Nicoletta exchanged a genuine smile with him, grateful that, with all of his duties, the don would recognize the little girls' insecurities and help to combat them. Poor Sophie needed attention from her family desperately. 'It grows late, Ketsia. Where is Cristano?' She looked to the don, her dark eyes eloquent, begging him to allow her to check on him.

'He was sulking in the maze when last I saw him, and refusing to return to the ladies,' Giovanni said, disclaiming responsibility.

'I saw no one,' Antonello said, 'but I took the short cut through.'

'I have never found that short cut,' Vincente groused. 'I walked only a small distance on the outer edges and saw no one other than Portia out for her daily walk.'

'Perhaps he has gone home,' Maria Pia ventured, knowing well Cristano's fiery nature. If he was angry or humiliated after his talk with the don he might easily storm off, forgetting he had escorted Ketsia. Yet the child could hardly be expected to make the journey home unattended.

'Perhaps someone should seek him in the labyrinth.' Nicoletta glared at the don.

Giovanni regarded her silently for a moment, then summoned one of the guards. They spoke briefly, and the guard quickly did a search of the outer maze.

Maria Pia shook her head. 'Likely he has gone, Nicoletta. Likely he will be angry and sulk for days.'

The fog was beginning to seep in from the ocean, and the air felt much cooler. Bands of white drifted over the walkways of the palazzo, lending the sculptures an eerie, unearthly appearance. Nicoletta was growing accustomed to the strange images, but she could see that both timid little Sophie and the usually bold Ketsia were becoming nervous.

'I will escort Ketsia home,' Nicoletta said. Perhaps Maria Pia was right. Cristano had a fiery temper and more pride than most. After being chastened by the masterful Don Scarletti, he would be too humiliated to face any of them. 'I often walk the hills and know the paths well. Besides, I have a need to check on my hillside garden.'

Giovanni laughed softly, his mocking male amusement grating on her raw nerves. 'I will hardly allow you to roam the hills, Nicoletta. Your roaming days are over now.'

'I will escort young Ketsia, and Nicoletta also,' Vincente offered, bowing low.

Giovanni's dark eyes were at once hard and glittering. Nicoletta could feel the power running through him, the edge of darkness, the shadow of violence. 'Nicoletta will not leave the palazzo. I will send young Ketsia safely to her mother with two of my personal guards. If you wish to accompany them, Vincente, all to the good.' He glanced down at Nicoletta. 'You are shivering, *piccola*. You must go inside where it is warmer.' Having made it an order, he signaled the soldiers.

Vincente shrugged, hanging on grimly to his smile. 'There is no need for a procession for one small child. I will allow the guards to take on the task. If you will excuse me, Nicoletta, I have duties to attend.'

'And I must go bathe,' Antonello added, bowing slightly toward her.

Giovanni did not relinquish control of Nicoletta, his arm clamping her body to his. 'Come, Ketsia, kiss Nicoletta goodbye, for now. I will inform the servants that you may visit whenever you desire to see Nicoletta or Sophie. My guards will escort you home and will tell your mother that you are always welcome here, and that they will attend to your safety on your return journeys. No tears now. You do not want Nicoletta to be sad.'

'Do you mean it?' Ketsia demanded.

'I do not say things I do not mean,' the don said softly.

Ketsia hugged Maria Pia, Sophie, and Nicoletta, the last so hard and long that the don was forced to pry her little fingers from Nicoletta and gently send her on her way with two of his personal guards. Finally the child walked off, tall and straight and self-important between her very own soldiers.

'Thank you,' Nicoletta said, in spite of herself. Giovanni Scarletti was a paradox to her. On the one hand, she sensed he was a dangerous, violent man, and yet he could also be gentle and thoughtful. It was difficult not to be intrigued by him. Not to be drawn to him.

She looked up at him and instantly was lost in the depths of his eyes. She saw so much need there. An intense hunger. Blatant desire. Hot flames that threatened to consume her if she dared to go near them. Her fingers curled against his chest.

Giovanni moved her back toward the palazzo under Maria Pia's watchful eye. Sophie walked with them, looking curiously from one to the other. Ketsia would have asked a million questions, but Sophie was more reserved and always restrained herself until she could be alone with Nicoletta.

'I have much work to do, Nicoletta, but I trust you can manage to stay out of trouble and away from other suitors until such time as I can be with you,' Giovanni teased her. He held the door for the women to precede him through.

Laughter bubbled up out of nowhere. 'I *never* get into trouble, Don Scarletti. I do not know where you should have gotten such an idea.' Deliberately Nicoletta winked at Sophie to include her.

Sophie hastily covered her mouth to keep her smile from showing. She had never heard her uncle Gino tease or be teased. He was the head of the household, and everyone was afraid of him. She had never heard him use that low, caressing voice before either.

'Perhaps it has something to do with looking out my window and finding you in a tangled heap on the ground with an ardent young man.' That drawling caress was back in his voice, brushing Nicoletta's skin like the touch of fingers. 'Stay with Sophie, *cara*, so I can breathe again.'

'You breathe just fine,' Nicoletta said, her soft laughter turning the heads of the servants and the guards.

Giovanni had recently noticed a strange phenomenon in his home. It was as if Nicoletta's smiles were contagious. Many of the servants and soldiers now wore answering smiles on their faces. In the gloom shrouding the palazzo, Nicoletta was a ray of sunlight. His hand curled around the nape of her neck, his head bending low until he pressed his brow against hers. 'I do not think our wedding can come soon enough to suit me.'

Maria Pia clucked her tongue to remind Don Scarletti that he was not wed yet and that his behavior was bordering on the unseemly. Giovanni let out his breath slowly, shaking his head ruefully. 'You have your chaperone well trained.'

'You are the one who decreed I was never to be alone,' she pointed out. 'You could have come to our hill and courted me properly.'

He laughed softly, lightly rubbing a fingertip over her tempting mouth. 'Properly? I do not think there would be anything proper about the way I would court you in the hills,' he said wickedly.

His voice alone was scandalous, whispering over her skin until her body burned with need. Flames danced through her, and she shook her head, mesmerized into smiling in reply. How could she ever resist the dark intensity of his eyes, his perfect, sensuous mouth?

Maria Pia cleared her throat noisily. The don gave in to the pressure with a wry grin, taking Nicoletta's arm and Sophie's hand and walking down the corridor. 'I think I have been reprimanded, Sophie,' he confided in a whisper to the child, leading them toward his study.

Sophie laughed out loud, the sound carefree and unexpected. She was always such a solemn child, but right now she was giggling along with Nicoletta. 'I am glad it was you being chastised, Zio Gino, and not me. She frowns like this.' Sophie glanced back to ensure the older woman was still some distance behind, then made a face much like Maria Pia's.

'Zio Giovanni!' The strident voice carried down the long hall and seemed to echo up to the high, domed ceiling. Margerita emerged from the staircase leading from the ramparts and hurried toward them from the far end of the corridor. The last rays of the setting sun pierced the thickening fog and the stained-glass windows. Colors radiated over the walls and danced on the ceiling. Then, just as suddenly, a dark shadow swept over the palazzo as the sun sank into the sea.

CHAPTER NINE

Nicoletta's heart was suddenly pounding in alarm. Margerita had nearly reached the small group, bringing with her an ominous portent of danger. The impression was so strong, Nicoletta wrenched her arm away from Giovanni. The corridor seemed gray and sinister, dark and shadowed with violence.

'Zio Giovanni.' Margerita pushed rudely past Nicoletta, her nose wrinkled delicately. 'Who are these people? Sophie, stop looking like the village idiot clinging like a *bambinu* to that woman.'

Nicoletta couldn't look at Margerita, with her venomous eyes and her haughty disdain. The darkness was spreading like a terrible stain over her soul. 'Do you feel it? Something is wrong,' she murmured. She pressed a hand to her stomach, the warning so strong it nearly paralyzed her with fear. 'Someone is in peril . . .' She stepped away from the others to spread her arms, reaching for the feeling. Reaching to embrace the warning. Without looking at any of them, she raised her face to the vaulted ceiling. She needed to be outside, to feel the wind on her face, to smell and taste the salt spray riding in from the sea. She needed to read the tales the wind brought her.

Margerita stared at her in horrified fascination. 'What in the world is wrong with her?' she demanded. 'Has she gone mad? Zio Giovanni, you have brought a madwoman into our midst,' she bluntly accused in her whining voice.

'Nicoletta!' Maria Pia said the name sharply in hopes of snapping her young ward out of what looked suspiciously like a trance. Terrified that someone would realize Nicoletta's 'differences' and name her witch, Maria Pia called her name loudly a second time.

The color drained from Nicoletta's face. 'Close by,' she said softly to herself, her body beginning to tremble. 'It is very close to us.'

When Maria Pia would have grabbed Nicoletta to shake her out of transfixion, Giovanni gently pushed the older woman's hand away. 'Leave her,' he ordered. 'What is it, *cara?*' His voice was incredibly calm but carried unmistakable authority and penetrated Nicoletta's terror-stricken state. 'What is wrong, Nicoletta? Tell me, and I will help. What is close to us?'

Nicoletta glanced at him, her eyes wide with fear. '*La morte,*' she whispered softly. Just outside the window a large, dark bird flew close, its shadow passing over them, its great wings fluttering against the glass. Its talons scraped at the glass, and its beak knocked against it twice. Nicoletta gasped aloud, staring in fascinated horror at the dark creature.

Margerita screamed loudly and flung herself into Giovanni's arms, hiding her face against his chest and weeping loudly. 'It is going to break through and get me. I am afraid! So afraid!'

'Something terrible has happened,' Nicoletta said,

186

pushing past Giovanni in an attempt to get out of the palazzo. 'I must go.'

The manservant, Gostanz, appeared as if out of nowhere. 'There is a young boy at the entrance to the kitchen. He seems quite distraught. He is asking for Signorina Nicoletta. He calls her the healer.'

'I must go,' Nicoletta said again, trying to inch past the don.

Putting Margerita firmly aside, Giovanni caught Nicoletta's arm, slowing her down but not stopping her. He went with her, easily matching her shorter stride. Maria Pia headed in the opposite direction, running for the medicine satchel, calling to Sophie to help her find her way. Margerita simply stopped wailing and stood still, shocked that no one was paying attention to her. Furious to be left in the middle of her dramatic moment, she glared venomously after Nicoletta, stamping her foot.

It was young Ricardo, Laurena's son, waiting for Nicoletta, his face tear-stained. 'You have to come, Nicoletta. It's Zia Lissandra – she is very sick. *Madre* says to come right away. Aljandro tried to stop me' – he turned his head to show her a darkening bruise on the side of his face – 'but I got away and ran as fast as I could. Please, Nicoletta, come with me.'

'Of course I will come. But I need my medicaments.' She was looking out into the swirling fog, her heart pounding with terror. 'I have to go, Don Scarletti. I have to go.'

Vincente appeared behind the young boy. His clothes were a bit disheveled, evidence of the wind picking up outside. 'The palazzo certainly has livened up with you in it,

Nicoletta.' He looked unconcerned that she was acting strangely. 'I will take her to her village, Giovanni, if you wish. She has her heart set on going. I am not doing a thing, and I can help out once in a while. I am already damp from the fog, and it is no trouble.'

The don signaled his guards to bring horses. 'Will you need Signorina Sigmora?' he asked Nicoletta calmly.

Nicoletta nodded mutely, her face so pale that Giovanni swept his arms around her. 'Can you feel it?' she whispered. Her voice was muffled against his chest. 'It is bad. Someone is in terrible danger.' It was more than that. She felt the presence of evil as if it were a living entity.

'What is she saying?' Vincente demanded.

'*Grazie*, Vincente, for your offer. We will both go and see what the danger is. Ride with us,' Giovanni said to his brother.

'I cannot wait,' Nicoletta insisted, trying to pull free of the don's restraint.

His arms retained possession, refusing to allow her to get away from him. 'They are bringing the horses, *cara*. Signorina Sigmora is here with your satchel. *Grazie*, Sophie, for bringing her so quickly through the palazzo. She would have gotten lost without you.'

'What is wrong, Zio Gino?' Sophie asked bravely. 'Will you bring Nicoletta back to me?' She was looking up at him with childlike trust.

It struck Giovanni that she had never looked at him or anyone else that way until Nicoletta had entered their household. 'Yes, of course,' he assured her as he took the bag and led Nicoletta to his horse. He swung up in one fluid motion, then reached down for her hand. He was enormously strong, easily pulling her up in front of him. 'Bring the boy, Vincente. Signorina Sigmora will ride with the guards.'

Nicoletta gripped Giovanni, grateful for his reassuring presence, tears burning behind her eyes. She felt the danger, knew that whatever she was facing was bad. Very bad. Aljandro had not sent for her despite the gravity of the situation, and perhaps it was all her fault, because she had allowed him to see her deep dislike, her contempt for him. And now Lissandra might pay for Nicoletta's careless show of temper with her life.

The horse's hooves pounded the ground with a rhythm almost like a heartbeat. It drummed in her ears, an incantation. *Hurry. Hurry. Hurry.* The hills were dark, the tree branches ominously still. The fog was thick, rolling in from the sea, a white veil that shrouded them in an eerie, disembodied world. She glanced back but could not see the other riders. The thudding hoofbeats were muffled by the fog and the constant roar of the waves crashing against the rocks below them. Nicoletta buried her face against Giovanni's neck, uncaring what he thought, uncaring that she had unmasked herself in front of him and his family and they might name her witch.

The urgency was strong in her, and somewhere, far off, she heard the terrible hoot of an owl. Once. Twice. Thrice. A portent of death. When the sound died away, a wolf gave a mournful howl, the sound rising and falling in the dead of the night. A second wolf answered. A third. Silence reigned once more. Her hands gripped the don's shirt. She was shivering but not from the cold mist or the night. Rather,

189

from deep within her, an icy death knell was freezing her, and she felt she might never be warm again.

As if sensing the terrible urgency, the dread welling up inside her, the don leaned forward to urge his mount to greater speed, a dangerous undertaking when they were riding nearly blind in the thick fog. One misstep and the horse could break a leg. Nicoletta prayed to the good Madonna, but the feeling of death was so strong, she could not find a spark of hope in her.

The moment they arrived at Aljandro's farm, she was off the horse, her fingers clutching her bag of herbs and medicines, racing up the steps to tear open the door of the house. Laurena's white, tear-stained face was the first thing she saw.

'What happened?' Nicoletta demanded, hurrying past Laurena and into the bedroom where Lissandra lay. She stopped dead in her tracks as she saw the pool of bright red blood on the floor beside the door and the trail of droplets leading to the bedstead. The coverlet, too, was wet with blood. 'Lissandra,' she whispered softly, forcing herself to the bedside.

Lissandra was so pale, she looked transparent, as if she was already gone from the world. Her eyes were wide open and fixed on Nicoletta's face in desperate, hopeless pleading. Nicoletta took her limp hand, stroked back her hair soothingly. Lissandra's eyes were sunken in, and there was a bluish color around her mouth. Dark bruises marred her face and neck, her bare arms.

'He was angry because the babe was crying,' she said. 'He called me lazy because I did not get up. I wanted to get up, Nicoletta, but I was so weak. Laurena left for only a short

190

time to attend her *famiglia*. She was coming right back, but Aljandro would not tend the *bambino*. He flew into a rage and dragged me from the bed. He hit me and kicked me as I crawled to the babe, but he was still angry with me.' Her expressive eyes mirrored her pain. 'I am so cold. I cannot seem to get warm, Nicoletta. I cannot get warm.'

'I know,' Nicoletta murmured, her sorrow so heavy she thought her heart might break in two. She tucked warmer blankets around her friend. Lissandra was so young, only a few years older than Ketsia. But there was nothing Nicoletta could do for her; Lissandra was looking for a miracle.

'I do not want to die. I do not want someone else to raise my *bambino*. Do not let me die, Nicoletta.'

Laurena, standing in the doorway, sobbed loudly and hastily turned away to bury her face in her hands. Nicoletta remained beside Lissandra, talking softly, stroking back her hair with gentle fingers, using her healing warmth to soothe Lissandra, to make her passage into the next life as easy as possible.

'He said I was bad, that I did not deserve to have his babe.' Tears swam in her dark eyes, and there was no strength left in her fingers. 'He was disgusted with me and left me on the floor. He went out to tend the animals.'

'He was foolish in his anger, Lissandra. You know there could be no other mother like you,' Nicoletta assured her gently. She bent to kiss the girl's brow. Lissandra's skin was already cold and clammy. 'You are much loved – you know that you are.'

'I cannot feel your hand,' Lissandra said plaintively. 'Do not leave me alone.'

'You are not alone. I am here with you,' Nicoletta said. But it was already too late. Lissandra had slipped away with the great volume of blood, and all that remained was the beaten shell of her body. Her face was turned toward Nicoletta, her eyes staring wide in fear and desperation and pleading. Nicoletta gently closed Lissandra's eyelids and sat with her head bowed, trying to pray.

Sorrow and rage swirled together inside her until she felt almost numb. It was a sobbing Laurena who performed the death rituals, covering her younger sister's face with a shawl and shrouding the mirror in a black veil. Nicoletta couldn't move, her grief so deep she couldn't even cry. It burned in her like a terrible brand, her throat convulsing, leaving her gasping for breath.

Aljandro stamped into the room, his face twisted into a mask of distaste. 'What are *you* doing here?' he bellowed, his face red, his huge hands curled into fists, 'I forbade them to send for you. I will not pay you. Get out of my home. The lazy cow can get up and fix my supper.'

Nicoletta launched herself into the air, flying at his monstrous face, a volcanic rage seething in her. Aljandro swatted her out of his way, and she landed heavily against the wall. Then he roared like a wounded animal, rushing at her, his fists flailing. She closed her eyes, winced at the ugly sound of flesh meeting flesh, but Aljandro hadn't struck her. Cautiously Nicoletta opened her eyes.

Giovanni Scarletti stood between her and Aljandro's hulking frame, Aljandro's fist caught in Giovanni's palm. The two men stood toe to toe, their eyes locked in mortal combat.

'You will never attempt to strike this woman again,' the don said quietly, the very softness of his voice betraying his anger. 'If I ever catch you doing such a thing, you will not live to see the next sunrise. Am I making myself clear? I am putting this *incidente* down to your obvious grief over the death of your wife.'

Behind Aljandro were the two guards, their swords drawn and at the ready for their don and Nicoletta. Vincente stood in the doorway, cutting off Aljandro's escape and keeping Maria Pia at bay when she would have rushed to Nicoletta's side.

Aljandro nodded repeatedly, his face mirroring his terror. Then the don's last words penetrated his anger and fear. 'My wife – dead?' He looked toward the bed. 'Lissandra was well when I left.' His gaze fell on Nicoletta. 'She is bad luck to me. She broke my son's arm, and now she has killed my wife. She is a witch, and –'

The don backhanded Aljandro, his strength enormous, the slap nearly knocking the larger man off his feet. 'That insult I will not overlook.' Don Scarletti reached back to offer his hand to Nicoletta, lifting her effortlessly from the floor. Gently he moved her around Aljandro and past his brother into Maria Pia's waiting arms. 'Signorina Sigmora, if you will be so good as to take Nicoletta away from this farm, I will be indebted to you.' His hand moved down the back of Nicoletta's silky hair, a small, comforting gesture.

Nicoletta couldn't look at him, or at Aljandro. She was trembling, so many emotions swamping her that she wanted to run to the highest cliff and shout her anger at the gods. She hugged Maria Pia, more to comfort the older woman than herself, but she couldn't suppress the rage building in her until she thought she might burst if she didn't take physical action. She tore herself out of Maria Pia's arms and ran as she had run the night they brought her dead mother home.

There was no sound in the heavy fog, no sight as she ran blindly along the paths leading to the cliffs. She knew the trail as well as did any wild animal. She had roamed the hills her entire life, night or day; she knew every path, every trail. Behind her, the two soldiers did their best to keep up with her, but they didn't have her knowledge of the terrain, and the fog impeded their progress. They lost her in the bushes and groves of trees. They listened, trying to locate her through sound, but the fog muffled every noise. They had no chance of hearing her bare feet on the earthen path. But on the way back to Aljandro's to report their failure, they did hear the horse bearing down on them, steam flaring from the animal's nostrils as steed and rider flashed by them in the blinding mist.

Nicoletta ran along the top of the cliffs until she neared the very edge, heedless of the crumbling bluff. She hurled her anger and defiance out over the raging seas as below her the waves pounded the rocks and foam sprayed high into the air. The wind howled at her, tugging at her clothing so that her skirt billowed out and her hair flew in all directions. Her fingers curled into fists, her fingernails digging into her palms. She lifted her face to the tearing wind, and its howl blended with her own wild grief, carrying all sound away from her.

Below her the sea raged as her heart raged. Wildly.

Passionately. Inconsolably. She couldn't contain her fury or her anguish. It exploded out of her like the turbulent waves crashing into high white plumes. She screamed her hatred of Aljandro and all men like him. She shouted her defiance of the deities that would allow a delicate, lonely young girl to die without a loving husband. She cried until she was hoarse, her throat as raw and ragged and torn as her heart.

Giovanni dismounted some distance from the small figure raging on the bluffs. His heart was in his throat. She was so close to the edge of the cliff, her grief so deep she couldn't bear it, and he was afraid for her. He didn't dare take his horse to the edge of the crumbling bluffs, so he tethered the animal to a tree and approached on foot, wary of startling her. She looked wild and untamed, an elusive, mysterious creature of the night.

Nicoletta was, indeed, not the type of woman to cast herself into the sea, but her grief ran deep, her passionate nature equal to the sea raging below them. She seemed unaware of the peril she had placed herself in. Heedless. Reckless. His heart ached for her. He fixed his black gaze on her, as if he could hold her with his will alone, keep her safe from the ferocity of the greedy waves reaching higher and higher toward her.

Giovanni slowly moved closer to her, silently stalking her, prepared to leap forward should there be need. She looked so passionate, there on the very edge of disaster with the foaming sea before her and the wind whipping her silken hair and the fog around her like gossamer veils. He had her then, his arms curling around her, dragging her back from the precipice.

She turned on him, fighting like a wildcat, blindly, instinctively, as if she feared his intention was to hurl her over the edge instead of to protect her. She made no sound, and there was no recognition in her dark, terror-stricken eyes. He pinned her wrists together with one hand and dragged her into the shelter of his body. She was ice-cold, shivering uncontrollably yet seemingly unaware of it.

'Nicoletta.' Giovanni stilled her struggles with his superior strength. 'You are so cold. Allow me to warm you. No one can hurt you now. No one. You are safe with me.' He murmured the words in a gentle, almost tender voice, holding her still to try to warm her with the heat of his own body.

She slumped against him, the fight draining out of her, exhaustion winning the battle. Finally she turned her face up to his. Tears ran down her skin, swimming in her eyes, making them look luminous in the darkness. 'You are here.' She said it softly, an accusation. 'You can hurt me. I can never be safe again. I would rather you throw me over the cliff now than have me burned as a witch.'

He muttered something beneath his breath, his hands framing her face. 'No one will ever burn you as a witch.' He made the vow fervently, his black eyes expressive with his need to protect her. Giovanni bent his head and tasted her tears. Gently. Tenderly. He kissed her wet skin, followed the trail of tears to the corner of her mouth. 'You must not cry like this, Nicoletta. You must not.'

In his arms she was still ice-cold, shaking so hard her teeth were chattering. 'I do not think I can ever stop,' she answered him sadly.

Giovanni swung her slight figure easily into his arms,

carrying her to his horse. He wrapped her in his own elegant shirt, settling her close in front of him so that the heat from his body could provide as much warmth as possible on the ride home. He rode swiftly over the rough terrain, urging his horse to greater speed.

The palazzo's stable boy rushed out to collect Giovanni's mount as he swung down with Nicoletta huddled in his arms. It mattered little to him that his favorite mount was sweating profusely in the cold of the night, when ordinarily he would have ensured the beast was provided with excellent care. His only thought was getting Nicoletta out of the cold.

Antonello arrived at the palazzo door at the same moment, his long hair disheveled, his clothes smudged with dark, wet stains. 'Giovanni?' He sounded tired, yet there was a note of accusation in his voice. 'What has happened to her?'

Giovanni, with Nicoletta in his arms, barely glanced at Antonello as he pushed through the door his brother had opened. His eyes widened at the condition of Antonello's clothing, but he refrained from commenting. 'She has had a shock,' he replied tersely. He shouted for his manservant as he strode down the long corridor, Nicoletta held tightly against him. 'Did you get a fire going in her room, man?' he demanded as the servant scurried before him. 'Are you heating the water?'

Antonello hesitated as if undecided whether to follow, then turned and moved along the hall toward the far wing where his quarters were.

'Has Vincente returned with Signorina Sigmora?'

Giovanni continued walking very fast, the manservant nearly running to keep pace with him.

'The guards returned Signorina Sigmora to the palazzo along with your instructions to us. Your brother remained behind at the farm to see to it that your orders were carried out there.'

Giovanni spared the man a glance. '*Grazie*, Gostanz.' The words were clipped and abrupt, but the older man blinked rapidly as if bestowed a great reward.

He hurried faster to get ahead of the don to open the door to Nicoletta's room. Maria Pia stood in front of the crackling flames, wringing her hands. She gave a glad cry when she saw Nicoletta cradled in Don Scarletti's arms.

'*Presto*, signorina. Her clothes are damp, and she is in shock,' Giovanni said, placing Nicoletta in a deeply cushioned chair beside the roaring fire. He began to pull her blouse over her head in his haste to warm her.

Maria Pia, shocked at his utter lack of convention, hastily intervened. '*Scusa*, Don Scarletti, you are not married to her as of yet. *I* shall undress her.' She tried to sound firm even in defiance of his hard authority.

Impatience ran across his face. He yanked the damp blouse off of Nicoletta and tossed it aside with controlled fury. Her full breasts and satin skin gleamed golden in the dancing firelight, and his breath abruptly caught in his throat while his pulse pounded uncomfortably. He felt the answering fire in his blood, flames leaping when he wanted only to comfort. He dragged the coverlet from the bed and hastily wrapped Nicoletta in its folds. '*Dio*, Donna, do you think that matters? Nicoletta is freezing and must be warmed. Gostanz is just outside. Have him bring the tub and fill it with hot water to bathe her. She cannot stop crying.' For a moment, for all his authority and rank, the don looked like a helpless lost boy. 'She cannot stop.'

Maria Pia, stiff with outrage at the don's scandalous behavior, obediently opened the door and gave the orders to the manservant. 'Perhaps if you give her a good slap, it will startle her out of the hysteria,' she offered as she turned back to the don disapprovingly. Her sharp eyes had noticed his hot gaze moving over Nicoletta's very feminine body.

His black eyes blazed at her with controlled fury. 'We will do no such thing!' His arms tightened protectively around Nicoletta, his hands vigorously rubbing her arms through the coverlet. Much to Maria Pia's horror, he pulled Nicoletta onto his lap and began to rock her gently, murmuring softly. Eventually, while Gostanz had the tub brought in and filled, the don stopped speaking and lay his head over Nicoletta's in a strangely protective and tender gesture. He continued to rock her, but the room was silent except for Nicoletta's sobs.

Giovanni changed tactics in his attempt to soothe her. He reached for her with his mind. *Hush*, piccola. *You are breaking my heart, and I cannot stand much more of this. You are not responsible for the death of your friend. You did nothing wrong. You cannot save everyone. Come back to us. You are frightening Maria Pia. You must stop.*

With the tub filled and the servants gone, Maria Pia drew herself up to her full height. '*I* will warm her in the bath, signore. There is no need for you to stay.'

Don Scarletti lifted his head then, a ruthless, almost cruel stamp to his hard features. 'I will not leave her alone in this state. You will not strike her.'

Maria Pia shivered under the whip of menace in his tone. Nicoletta stirred in Giovanni's arms, the first movement she had made since ceasing to fight him. She tilted her head up to look at him. Her large, dark eyes studied his face for a long time. Then a faint smile touched her trembling mouth. 'Maria Pia would never really strike me, Don Scarletti. She is my *famiglia*. She likes to frighten us into decency with her threats, but I did not think a grown man would believe her.' Even as she attempted humor, her voice wobbled alarmingly, and her eyes filled with more tears. He could feel the desperate struggle in her to regain her self-control.

At once he bent his head to brush the tears from her eyes with his mouth, his lips lingering against her skin in an intensely intimate gesture. 'She thinks it unseemly of me to see to your bath. She does not realize that people already gossip about me all the time. It matters not what I do; they make up stories to frighten their children. It is your reputation alone that concerns me.'

Nicoletta heard what no one else ever could. Or maybe she *felt* it – the note of hurt in his voice, as if, for all his hard authority and ruthless ways, it did matter that others feared him. He was stroking her long, damp hair away from her face, and it fell in waves around her body. His hand followed the strands down her back to brush against her rounded bottom, and his black eyes were suddenly so hotly intense that Nicoletta could feel an answering flame smoldering deep within her. She became aware that she was in his arms, cradled in his lap, that his body was hot and hard and thick with need. She could hear his heart beating beneath her ear. She wore nothing above her waist but a coverlet that seemed to have slipped precariously to display a generous view of her breasts. His shirt lay on the floor in a sodden heap beside hers.

Her eyes widened as she took in the ropes of muscle along his arms and chest, clearly visible beneath his thin undergarment. She could feel the play of his muscles against her own skin. Faintly shocked, she clutched the coverlet more closely around her. 'I . . . I think it best if Maria Pia attends my bath,' she said.

His chin rubbed the top of her head. 'I do not know, *piccola*. One more *incidente*, and my heart will be unable to stand up under the strain.' He was beginning to relax, sensing that the intensity of the storm raging within her had subsided. Very gently, almost reluctantly, he eased his hold on her. 'I trust you will call me the moment you are dressed?' His hand slid to her neck beneath the coverlet to caress her bare skin.

Nicoletta rose quickly and nearly lost the blanket as she scurried away from him, her heart pounding in sudden alarm. Her skin was freezing, but inside, something hot and liquid was becoming an aching need.

'We will call you at once,' Maria Pia announced, deliberately walking to the door.

Don Scarletti looked totally unrepentant. He arose with his usual fluid grace, reached casually for his shirt, and gave both women a slight bow before strolling out. Maria Pia closed the door firmly after him and turned the key in the lock.

Nicoletta and Maria Pia stared at one another across the

room. Nicoletta's eyes filled with tears all over again. At once the older woman went to her, holding her close. 'I am sorry I was not there,' Maria Pia whispered. 'Do not cry aloud, *bambina*. The don will break down the door if he hears you. That man is a law unto himself.' She patted Nicoletta, moving her toward the steaming tub. 'You must get in before the water cools,' she added.

Nicoletta allowed the coverlet to drop to the floor, tossed her skirt aside, and stepped into the hot water. It seemed scalding against the icy coldness of her skin, but she sank gratefully into the tub. It seemed a sinful luxury to bathe this way, in an elegant bedchamber with others carrying the water to her. She ducked her head under the water so that her hair floated like sea kelp.

Maria Pia waited until Nicoletta had come back up, the water running off her face along with her tears. 'Don Scarletti banished Aljandro, stripped him of his farm. He told him to leave his lands or the soldiers would hunt him down. Laurena took the babe to raise. The don would not give Aljandro Lissandra's *bambino*.'

Nicoletta shivered violently. 'Aljandro killed Lissandra,' she said in a low voice. 'He knew she was supposed to stay in bed, that she could bleed to death, but it did not matter to him. He would not pick up the babe while Laurena went home to attend her *famiglia*. It was too much trouble for him. He dragged Lissandra out of bed and beat her because she was too weak to attend the *bambino*.' She pushed back her hair, looking at Maria Pia with anguish in her eyes.

'I am sorry, *bambina*,' Maria Pia murmured again, her hands soothing as she cleansed Nicoletta's blue-black hair.

'He hated me so much, he left her to die. He would not let them call me. He walked out and left her lying on the floor all alone. He just left her.'

'Laurena told me,' the older woman admitted. 'She found her and sent Ricardo for you. Aljandro tried to stop him and even struck the boy, but he was able to get away and come here. Nicoletta, you could not possibly have saved her. It was already too late when Laurena found her. You know that,' she said gently.

'She was so afraid. I just sat there, offering her nothing. I simply sat with her and watched her die.' Nicoletta swept a hand across her forehead, pain beating there so fiercely that she could barely breathe.

Cara mia, *I shall have to come to you and hold you until this sorrow lessens. Breathe for me,* piccola, *that I may breathe also.*

The words stirred in her mind, gentle and warm, a comforting presence. Nicoletta rested her head against the back of the tub and closed her eyes tiredly. Giovanni Scarletti. He was like no man she had ever met. He seemed to have no regard for convention. He could do things Maria Pia would name unholy. How could he send his words to her in his mind? She had been afraid to ask him, afraid of learning the truth.

What if he was a devil-worshipper? A sorcerer? What if he was capable of black magic? Nicoletta was drawn to him as she had never been to another human being. Dark, ugly tales were whispered of him. Was he capable of heading up a secret society of assassins, as was rumored? Certainly he had enough visitors throughout the day, meeting them alone in his study with no one permitted near. She knew he was capable of killing. He had many times gone with his army to defeat hordes of invaders. She had seen him take the life of his own cousin. Was he capable of throwing a woman off the castle tower? Had he perhaps even murdered her mother?

Nicoletta shook her head decisively. She didn't believe it, not for one moment. She didn't fool herself into thinking Giovanni was a gentle man. He was capable of many things, but not of outright murder. And certainly not the murder of a woman or child. He could be ruthless, unconventional, and merciless – for all she knew, he might very well be in league with the devil – but he would not kill a woman.

She touched her mouth, her throat. He could be incredibly appealing. He made her feel as if she were special. As if he needed her. Wanted her. Even had to have her. It was in the dark intensity of his eyes. The possession in his touch. The desire flaring so wantonly in his hot gaze. And yet he had tenderly comforted her. He had stood up to Aljandro for her, even stripped the man of his lands and sent him far away.

'He was good to me.' Nicoletta looked up at Maria Pia. 'He was very good to me. I went a little mad, I think.' Her throat felt raw from raging at the seas. 'I have never felt that way before. I had no control at all. I even tried to attack Aljandro, but he threw me against the wall.'

Maria Pia gasped aloud. 'He did what? Were you hurt?' Immediately she lit the tapers along the wall to inspect Nicoletta carefully. There were slight bruises marring her left thigh and hip. 'We should put a poultice on those. I do not think the injury is severe, but Don Scarletti will not be happy with bruises on your skin.'

Nicoletta reluctantly left the warmth of the tub. The terrible trembling had ceased, and the heated water had restored the glow to her skin. She wrung out her long hair and twisted it into a loose knot to work with later. She felt she had a semblance of her self-control back, but it was tenuous at best.

Very slowly she dried her skin. She was exhausted and longed to go to her bed and sleep. 'I do not care this night if evil monsters lurking in the palazzo choose to visit. I will sleep. They will not disturb me.'

'You must eat, Nicoletta,' Maria Pia insisted.

Nicoletta pulled on fresh clothes and curled up in the chair beside the fire as Maria Pia unlocked the door and waved the waiting servants in to remove the tub. Nicoletta watched the leaping flames and thought about her late friend.

It was only when the manservant brought dinner that she stirred. As he was leaving she called out to him softly. 'Signore Gostanz, *scusa*.'

Gostanz turned back to her, his features carefully blank. 'Signorina?'

'*Grazie*. For your kindness and all the extra trouble you have had to go to, *grazie*,' she said sincerely. 'I will not be such a bother again.'

Gostanz stared at her, clearly startled. He bowed, a clumsy gesture, but for some reason it brought a flood of tears to Nicoletta's eyes. A shadow fell across them, the large frame of the don in the doorway. His glittering eyes slashed at the manservant. '*Piccola*, why are you crying?' It was an accusation directed at poor, defenseless Gostanz. The man froze, his head bowed, waiting for a reprimand.

Nicoletta forced a wan smile. 'Signora Gostanz has been so wonderful to me, Don Scarletti. He has gone to much trouble, when he was up very early with so many duties. To make your big home run so smoothly, he must be a miracle worker. He is another one of your treasures, yes?'

Giovanni studied the older man for a long moment. 'That is true, Nicoletta. Gostanz, perhaps you would be so kind as to meet with me on the morrow to discuss the daily routines of the palazzo. You do work long hours, and more staff may be needed to ease your burden.'

Gostanz bowed several more times as he backed out of the room, his lined face quite pale, as if he thought his master might be testing him.

Giovanni stood for a long time watching the firelight play over Nicoletta's delicate features. She blushed and looked down at the tray in her hands. 'Are you going to stare at me all evening?' Self-consciously she pushed at damp tendrils of hair falling around her face.

He could that see she was trembling slightly. He nodded slowly. 'Yes, I think I might do so.'

Maria Pia seated herself across the room, keeping a wary eye on the don. She knew it would do no good to mention how unseemly it was to have the bridegroom in the bride's bedchamber prior to the marriage, and she was beginning to feel desperate. She decided the marriage must take place immediately or the scandal would be huge. There was no controlling the don. She was an old lady, unmarried, but even she could see the sexual tension smoldering between Don Scarletti and her young charge.

Nicoletta turned her attention to the food. Bernado had

gone out of his way to make her a meal that looked quite tasty, but, in truth, she had no appetite. With a sigh, she put it down. 'I do not want to hurt Bernado's feelings. Perhaps you might eat this?' she asked the don hopefully.

'You look tired, *cara mia*,' Giovanni said softly, and he lifted her right out of the chair to cradle her close to his body. She was beginning to feel as if she belonged there.

Nicoletta slipped her arm around his neck and lay her head against his shoulder. 'I am sorry I hit you earlier. It was horrible of me.'

He buried his face against her neck and inhaled her fragrance. 'I do not recall such a breach of conduct. I was only grateful to be of service.' He carried her to the bed, very gently placing her beneath the coverlet. 'Sit up for a few more minutes, *cara*.' His hands loosened the thick rope of hair knotted atop her head. He took the brush from the dresser and began tugging at the tangles.

Nicoletta closed her eyes, so exhausted she was swaying with weariness. There had been so much bl___ ___ Lissandra's eyes had been open, staring ___ ___ ___ mind, and her stom-
___ ___ ___ close to her, his hands caressing as he
___ plaited her hair into a long, thick braid. You will sleep, *cara*, with no nightmares. I insist on this, and you will learn, I always get my way.

The words brushed intimately in her mind. Nicoletta could tell the connection between the don and her was growing stronger; his words were much clearer, and he used little effort now to reach her. She curled up beneath the coverlet, his voice a soft murmur, not aloud but rather in her mind, where no other could hear, no other could intrude. He talked to her softly, soothingly, weaving tales of adventure, of daring, of beautiful foreign lands, driving out the nightmare images. All the while he held her close to him, his hands moving in a caress over her silky hair. There was such gentleness in his hands, such tenderness in his voice, that Nicoletta relaxed and drifted into slumber.

CHAPTER TEN

Light streamed through the thick stained glass, and colors danced on the mural. Reds and blues highlighted the strange carvings. Nicoletta awoke to a small body nestled beside hers. Cautiously she turned her head, eyelashes fluttering open. Sophie lay curled tightly against her, her dark hair spilling around her face. A melted candle lay on the floor beside the marble wall where the child had left it, a testimony to her courage in braving the dreaded *fantasmi* in her effort to get to Nicoletta. Her little hand clutched Nicoletta's thin white night shift.

Nicoletta gently removed Sophie's grip on her shift and sat up. Maria Pia was no longer in the room, indicating it was probably fairly late. Nicoletta didn't often sleep past early dawn. There was a hushed silence in the palazzo. Nicoletta stretched lazily and padded across the chamber to perform her morning ablutions. Her hair was still damp when she loosened it from the thick braid the don had woven for her the night before.

She closed her eyes against the memories crowding in: Lissandra's blood and her young, desperate face looking to her for a miracle Nicoletta couldn't provide. Then she glanced at the innocent child sleeping so peacefully in the large bed. This child she could and would help, she vowed.

Nicoletta did not want to think too closely about her own behavior with the don last night. He had taken her blouse right off her, exposing her body to his burning gaze. At the time she had been in shock, but now her memory was vivid, far more vivid than she would have liked. The look in the don's eyes had been intensely possessive. In her mind, she had felt his honest attempts to comfort her, but his gaze had held stark, raw desire. Her body grew hot and uncomfortable at the memory.

She sighed and deliberately turned her attention back to the painted mural and the carvings in the marble wall. With the rays of the sun pouring through the stained glass, prisms of color bathed and illuminated the relief. Across the coverlet, red, green, yellow, and blue hues fashioned a beautiful rainbow. Nicoletta looked back at the panel of windows. It caught her interest, it was so unusual – very tall, with a virtual tapestry of pictures woven into its various circular panes. Scenes of the life of the *aristocracia*. Winged guardians watching over the *famiglia aristocratico*. Weaving among the panes were leaded vines drawing the scenes together. It was truly a work of art, and the metal filigree had a strange effect on the mural on the far wall. The serpent coils looked completely different, almost like spiral staircases leading down to the bottom of the sea.

Sophie stirred, her little hand moving around in the bed, obviously seeking Nicoletta. When she discovered she was alone, she gave a startled gasp and sat up, her eyes wide with fear. Nicoletta instantly hurried to her side. 'I am right here, *bambina*. Surely you are not afraid. You braved *i fantasmi* last night to share my room. In the light of day, nothing can scare you.'

Sophie circled Nicoletta's neck with her thin arms. 'I was afraid you would not come back. Margerita said you were an evil witch and Zio Gino would never marry you. She will insist he make you go away or have you stoned or drowned. She does not like you and does not want you here.' She burst into tears and hugged Nicoletta tightly. 'I want you here, Nicoletta, and I do not think you are a witch.'

Nicoletta stroked Sophie's tangled hair soothingly. 'Margerita was just trying to scare you with her silly tales, Sophie. Your *zio* is a great man. Not even the powerful Spanish king has dared to invade his lands. The king has swallowed our neighbors, but he has not managed to defeat your *zio*. A mere *bambina* such as Margerita will not change his mind.' She kissed the child's head and reached for her comb to begin taming Sophie's tangles. 'Margerita has a wild imagination.' Nicoletta was very gentle as she eased the knots from the child's hair.

'I do not want you to ever go, Nicoletta,' Sophie confided. 'You could marry *mio padre* and then you would be *mia madre*.'

'I am to marry your *zio*, Sophie, so I will be your *zia* and live here in the palazzo. We will always be together, and if I ever have a *bambina*, you will be the *zia*, and you will help me so much.' She hugged the child to her. 'Do you suppose we should go to the kitchen and ask Bernado to fix us a treat? I think we overslept.'

A smile crept into Sophie's eyes, dispelling her troubled

look. 'I must dress.' Then her face clouded. 'Did you hear them last night?' She scooted around Nicoletta to the alcove where the chamber pot was.

'Hear them?' Nicoletta echoed. For some reason her heart jumped at the phrasing. Her hands curled around the bed post. 'What did you hear last night, Sophie?'

The little girl came back to Nicoletta, her large, dark eyes solemn. 'I heard them whispering again. They found me in the nursery. I thought I was safe there, but they are coming for me. That is why I came and hid in your room.'

Nicoletta felt her heart pounding out a drumbeat in her ears. She believed Sophie. She had heard the strange murmurings her first night in the palazzo. And Giovanni Scarletti could project his voice directly into her mind. Could it be that he was conducting some strange experiment with his ability, and poor little Sophie was feeling the effect of it?

'Come here, *bambina*,' she invited softly, holding a hand out to the little girl. She was aware of Sophie waiting anxiously to be condemned for lying as she had been in the past. 'I want you to tell me whenever you hear those voices. You were very brave to come through the passage to me. I am proud of you.'

'I think they will get me soon,' Sophie confided, her lower lip trembling. She took Nicoletta's hand. 'They got *mia madre*, and Margerita says they will take *me* away, where I will never be in her way again.'

'Margerita seems a very unpleasant young woman,' Nicoletta pointed out, 'and she is not very bright. Your *zio* has said you must attend me in the wedding. No one disobeys your *zio*.' But Nicoletta's teeth nibbled nervously at her lower lip. She'd had a strange premonition of danger when Sophie mentioned the whispers in the night. Nicoletta had the feeling the child really was in danger, but why? What danger could she possibly represent to anyone? She was not in line to inherit the palazzo, not with Giovanni about to be wed and Vincente and Antonello so young and virile. Certainly one of the three brothers would eventually produce a male heir.

'I do not want to go back to the nursery,' Sophie said. 'I only hear them at night, but I have never heard them there before.' Her dark eyes were trusting as she looked up at Nicoletta. 'What if they are there now?'

'I will go with you to the nursery and help you dress,' Nicoletta offered instantly. 'You must tell me immediately every time you hear the voices, Sophie. Come, we are already late, and Maria Pia is sure to scold us when we arrive in the kitchen.'

They walked together out into the wide corridor, Nicoletta nodding to the two guards. As she took Sophie down the hall, Nicoletta couldn't help marveling at the beauty of the building. It did have a strange, haunted feeling to it, an oily evil that seemed to hang in the eaves and cling to the strange carvings. Perhaps it was emanating from the grim, demonic sculptures staring at them so solemnly. There appeared to be many eyes watching them at all times, and Nicoletta feared some of them were human.

Sophie suddenly gasped and tightened her grip. 'Nicoletta!' Panic-stricken, the child halted in the middle of the corridor, staring in stark fear at the man coming toward them from the opposite direction. He was tall and thin with silver hair sticking out in all directions. He would have been handsome still had his face not been twisted into a permanent scowl.

Nicoletta watched as servants scurried out of the eldest Scarletti's way, crossing themselves, clutching crucifixes to them as talismans. As the don's grandfather approached several workers, they hastily turned away from him, as if they thought him a devil and dared not look upon him. She watched the old man's face. It was proud, arrogant, twisted with a kind of fierce anger. His head was high, and he struck several retreating servants with the cane he used more as a weapon than as an aid for walking.

'Run, Nicoletta,' Sophie whispered. 'We must run.' She tugged and pulled at Nicoletta to get her going but did not let go of her hand. Sophie would not run away herself and abandon her only friend. When Nicoletta refused to move, Sophie scuttled behind her for protection, attempting to hide in the folds of her wide skirt.

Nicoletta squeezed the child's hand in reassurance. She waited calmly while the older man came toward them, his scowl darkening with every step, his bushy brows meeting in a fierce, straight line. Nicoletta smiled at him when he was almost upon them, dropping a graceful curtsey and pressing Sophie to do the same. 'Good morn, Signore Scarletti,' she said determinedly. 'We are going to the kitchen to see if we can coax Bernado to fix us something to eat, though we are very late. Would you care to join us?'

The old man's step faltered. He spluttered an unintelligible answer, looking suddenly vulnerable. He stood still for a moment in apparent indecision, then resorted to shaking his cane at her. It looked a halfhearted attempt to Nicoletta, but Sophie ducked her little head back behind Nicoletta, frightened, and the guards rushed forward protectively.

Nicoletta laughed softly, the sound merry and inviting in the wide halls. 'If I had a cane, good signore, you could teach me how to duel. We could have much fun here in the big palazzo, although I am certain we would be severely reprimanded by the don.' She leaned close to him. 'He can be quite fierce in his reprimands, but I am willing to risk it if you are.'

There was a small silence. Nicoletta sensed the guards tensing to spring should they need to protect her from her own folly. Several of the servants had turned and were watching the exchange in horrified silence.

The old man stared at her. For a moment his mouth appeared to twitch as if he might be struggling to smile, but he seemed to have forgotten how. Muttering beneath his breath, he pushed past her without speaking and hurried on down the corridor. Once he looked back, and it seemed to Nicoletta, as she watched him, that his old eyes were watery.

'Nicoletta,' Sophie said softly, 'the don's *nonno* does not like anyone, and no one likes him. Zia Portia says he will kill me one day in my sleep if I do not stay out of his way. He killed his own wife. Even Margerita is afraid of him. You cannot talk to him, Nicoletta. It is possible even Zio Gino cannot protect you from his *nonno.*'

'It is possible we need to be his friends,' Nicoletta pointed out gently. 'It is not good to be always alone, Sophie. And

I do not think your Zio Gino would ever allow his grand-father to kill you in your sleep. You are much loved by your Zio Gino, and who else would keep track of my shoes for me if you did not?'

Sophie laughed. 'I have never seen you wear shoes, Nicoletta. Do you even have shoes?'

'Little imp,' Nicoletta scolded teasingly. Sophie was exactly what she needed after the trauma of the night before. The child was engaging and sweet and eager to please. She didn't have Ketsia's self-confidence, but she was growing quickly in assurance. As long as Nicoletta remained beside her, Sophie seemed a normal child, happy and curious and willing to please and play. She winked at the little girl. 'Guess what we are going to do today!'

'What?' Sophie asked eagerly, skipping in her exuberance. She pushed open the door to the nursery and stopped to allow Nicoletta to go in first.

Nicoletta entered without hesitation. 'We are going exploring.' She laughed softly at Sophie's horrified expression. 'We are. We are going to clean the passageway between the nursery and my room. I do not want all those terrible spider webs hanging from the walls.'

Sophie shook her head so vigorously that her hair flew in all directions. 'We cannot go in there. What if Papa catches us?'

Nicoletta helped the child dress. 'That is the fun of it, silly *piccola*. We have to sneak. You will be the lookout.'

'What is that?' Sophie asked. It sounded an important job, and a bit thrilling.

'After we tease Bernado into getting us a meal, we shall

216

go back to my room and lock the door. While I am in the passageway, you will stay in my room and watch that no one finds us. We will make up a signal, like singing or humming, to warn me if someone is coming.' Nicoletta laughed gaily. 'And after we see to the passageway, we will have to do something about making this room much nicer for you.'

Sophie shook her head quickly. 'The voices found me here. They do not want me in here. I have to sleep with you.' Her eyes were large and somber. 'I am not making it up. Zia Portia says I am a wicked child to tell such tales, but I *heard* them. I hid beneath the covers, but they would not stop.'

Nicoletta brushed Sophie's hair once again after the child changed her clothes, more to give herself time to think and to soothe the little girl than anything else. 'Sophie, could you understand the words? Do the voices ever say things to you?'

'They want me to go away. They are like Zio Gino's *nonno*. They want me to go far away and never return.' Sophie reached up to take Nicoletta's hand, opening her mouth to speak, but no words came out. Instead, tears shimmered in her eyes.

Nicoletta knelt instantly and gathered the child into her arms. 'Tell me, *bambina*. Do not be afraid to tell me.'

'Zia Portia told Margerita I am losing my mind like *mia madre*. She said *mia madre* heard voices at night, and we were both mad. I do not want to be mad.' Her dark eyes held sorrow. 'Do you think I am?'

Nicoletta hugged Sophie tightly. 'Well, I heard the voices also, Sophie. So if you are mad, and your *madre* was mad, then I must be mad, too.' She smiled at the child, shaking her head. 'There is nothing wrong with you, *bambina*, believe me. Nothing at all. We will find out just what is going on with those voices. Mayhap it is only a silly prank. There are many possible explanations.' Privately, Nicoletta thought something very sinister was going on.

Unbidden, the thought of the don's drawling voice crept into her mind. If he could send his voice to her mind, he certainly must be able to send it to others. But why little Sophie? What would be the purpose of driving a child insane? Nicoletta rubbed her temples and looked around the nursery. In the light of day, the room had every potential of being really beautiful. A young mother could manage to do quite a bit with such a room. Removing the heavy dark curtains would go a long way toward dispelling the gloom. She shook her head, trying to rid herself of Giovanni's voice brushing seductively in her mind. It created such an intimacy between them. But she could see the danger if such a gift was misused.

Sophie didn't seem to notice that Nicoletta had gone very quiet as they left the nursery. She was happy enough with Nicoletta's reassurances, and she skipped along the corridor to the lavish staircase. Nicoletta followed at a more leisurely pace, the ominous meaning of the murmuring voices whirling around in her head. The voices had to signify something. Perhaps they were even a portent of death. Nicoletta believed it possible that spirits were living in the house, evil or good. At times the impression of evil was quite strong in the palazzo. Nicoletta shook her head. She didn't want the notion of evil to persist. She wanted to reason out the possibilities, not frighten herself with superstitious non-sense. More likely it was a living person behind the evil at the palazzo, not a spirit.

Sophie had entered the kitchen before Nicoletta, and one of the guards had gone ahead also. She wandered in behind them and looked up in time to see the guard drinking from a cup and placing it carefully back in place at the table. He moved away, not looking at her, to stand against the wall.

Nicoletta greeted Bernado. He was acting strangely, too, almost guilty. For a moment, when she sat down across from Sophie at the little table, she was afraid to eat, afraid the food was tainted. She touched the cup the guard had sipped from and replaced. She looked at him, then back at the cup. Realization dawned. She glanced at Bernado, who was suddenly very busy with his preparations. Celeste, his assistant, was stirring something in a large bowl quite vigorously. Only Sophie seemed normal, chattering away to everyone as she ate quickly, grateful for Bernado's cooking and for Maria Pia's scolding absence.

Nicoletta pushed the food around on her plate. She glanced at the guard again. 'The don gave you orders to taste everything I eat and drink.' She made it a statement, but her dark eyes were steady on the guard's face, compelling him to answer.

He tried to look away, then glanced helplessly at the other guard, clearly looking for aid. He cleared his throat. 'Yes, signorina. It is one of my duties.'

She drummed her fingers on the table. 'So if the food was tainted, you would become ill.' Exasperated, she looked toward Bernado for help, but the cook steadfastly refused to look at her. He was busily checking Celeste's work. 'I doubt tainted food would act that quickly. In any case, I would not want you ill because someone wanted to harm me.'

The soldier shrugged. 'It is a common practice, signorina. It is done for all members of the household.'

'The don has his food tasted?' It seemed out of character for Don Scarletti to allow another to take risks on his behalf. The image of him standing with his arms out, away from his sides, as the killer attempted to assassinate him near the caves crept unbidden into her mind.

The guard exchanged another rather sheepish look with his partner and then with the cook. A slow smile curved Nicoletta's soft mouth. 'You do not have to answer. I think I understand.' They could not speak of their 'conspiracy' behind the don's back. It was obvious they were attempting to protect the don despite the fact that he would never allow them to endanger themselves by tasting his food. 'But, of course, I do not want you ever taking such a risk on my behalf again. I mean it. I will speak to the don and have him rescind the order. There is no need, nor would I want the responsibility should one of you become ill. I do understand your need to protect . . . *him*.' She glanced again at the wide-eyed child, who was distracted by Bernado's latest offerings. 'Well, you know who I mean. But I am not of the same position he is.' She said the last a little lamely. The two guards were grinning at each other and looking pointedly at her bare feet. They were not about to listen to *her* orders over their don's.

Nicoletta gave up, determined to have a talk with Don Scarletti at the first opportunity. While the guards were busy eating their own breakfast some distance away, Nicoletta teased Sophie, distracting her quickly from the earlier conversation. Deliberately she wiggled her eyebrows and made whispered, outrageous references to the passageway and the grand adventure they were certain to have together. Neither guard had been on duty the night before, so they did not realize Sophie had not spent the entire night in Nicoletta's bedchamber. Nicoletta was thankful she didn't have to provide explanations as to how the child had gotten there.

Sophie leaned close to her as they finished their food. 'What of Signorina Sigmora? Perhaps she will catch us and look like this.' The child turned her face into a severe scowl. It was such a fair representation of Maria Pia's fierce disapproval that Nicoletta, the two guards, Bernado, and Celeste burst out laughing.

Nicoletta caught the child's hand to lead her from the kitchen and hastily waved her thanks to the cook and his assistant. 'You are getting too good at that, Sophie. One of these times, Maria Pia will catch you, and then we will both be in trouble. Do you know the name of that maid?' She indicated a young woman who was industriously sweeping out the alcove with the shrine to the Madonna.

Sophie shook her head, but Nicoletta was undeterred from her quest. Within a matter of moments the maid was laughing with her, and the broom was in Nicoletta's possession. The guards shook their heads at her unpredictable ways but followed her back up the stairs to her room. Nicoletta's eyes danced at them. 'You be certain and keep a good watch out there, and warn us if the don or Maria Pia happen to come by.'

The guards looked at one another suspiciously. 'Signorina Sigmora?' one asked her.

Sophie nodded vigorously. 'We are going to –' She clapped her hand over her mouth and looked up at Nicoletta.

'Clean,' Nicoletta supplied hastily. 'A surprise for Maria Pia. She has a distaste of dust, and the room is heavy with dust.'

'The don would want a *domèstica* to do the cleaning, certainly not his bride,' the guard pointed out. He raised his eyebrows at his partner, who only shrugged and smiled at the strange ways of their charge.

'Signorina Sigmora likes things a certain way,' Nicoletta amended, pushing Sophie into the room, where they both burst out laughing. 'I am quite used to doing things the way she likes.' Nicoletta hastily shut the door on the guards' startled expressions. 'I could not tell a lie, or Maria Pia would have me light many candles to the good Madonna and kneel in prayer for a long, long time.'

'Are you sure you will not meet *i fantasmi*?' Sophie asked. What had seemed a great adventure was a bit more frightening when they were actually about to do it.

'If there really is such a thing,' Nicoletta said as she searched beneath the smooth edge of the wall for the hidden mechanism, 'it would only come out at night.'

Sophie sighed and wiggled her body to fit between Nicoletta and the wall so she could guide Nicoletta's hand to the right place. 'It is dark in there,' Sophie cautioned. 'Perhaps *i fantasmi* cannot tell the difference.'

They moved back as the wall seemed to shimmer with

life. The sun had changed position, and Nicoletta noted that the strange differences brought on by the stained-glass window were no longer apparent. Back were the images of wickedness and doom. Or were they? She peered closer. Were the winged creatures embedded in the marble reaching to free the hapless victims from the sea serpents?

'Nicoletta!' Sophie tugged at her skirt. 'See how dark it is?'

Nicoletta looked into the interior and was astonished at how dark it really was. As there were no windows, the passageway looked black inside. When she lit a taper and held it up, it illuminated shiny spider webs, white tapestries of silken threads covering the walls and hanging from the ceilings. She looked up the walls in hopes of finding a sconce for her candle, but found none. She was forced to set the taper precariously on the floor.

Nicoletta studied the passageway. It was narrow in comparison to the cavernous corridors in the palazzo, but a man with wide shoulders, such as Giovanni Scarletti, could still pass through without scraping his skin. The ceiling was much lower, too, so that she felt closed in by the heavy stone. She very much wanted to explore, to see where the passage led, but Sophie was frightened, breathing fast, nearly jumping up and down in her terror. Nicoletta contented herself with bashing spiders and sweeping away the webs between the nursery and her room. The walls of the passage appeared smooth, the secret doors obviously hidden from both sides. The floor immediately outside the room was constructed of marble but soon gave way to rougher, grainy stone.

She retrieved the taper and went farther into the dark interior, holding up the light so she could see beyond the nursery. Tentatively she reached out with the broom, swiping at the seamless wall in hopes of discovering another door. Instead, something dropped out of the top of the wall, a heavy, flat, sharp object that cut right through the broom handle, so that the bristles end clattered to the floor. Her heart nearly stopped as the huge blade disappeared with menacing silence back into the ceiling as if it had never been. Gasping, Nicoletta dropped the taper, which fell to the stone floor and rolled away, extinguishing the flame. At once the passageway seemed a dark, sinister place, a death trap, and she shuddered to think of Sophie skipping through it. She froze in place, terrified of moving, looking around her now with wide, frightened eyes.

Behind her, Sophie held the door open, valiantly keeping up her end of the adventure, completely unaware of the very real danger to anyone moving around in the passageway. The child was Nicoletta's only escape. If the marble wall somehow closed, she would be unable to find her way out. She had no idea where the doors were located or even how to open them. She had no idea what other hidden traps lay in wait for an unwary victim, but she was certain that they did, each as lethal as the one she had accidentally sprung. Now, in the darkness, after witnessing the sudden descent of that hideous blade, she felt the vibrations of the aftermath of violence. Very cautiously, Nicoletta turned around, careful not to touch the walls and placing her feet gingerly, one directly in front of the other, to minimize the risk of stepping on the wrong stone.

Cara! She could clearly hear the anxiety in the don's voice. *What is it? Your fear is swamping me.*

The sound of his voice brushing so gently in her mind was instantly comforting. Nicoletta managed to take a deep breath, exhaling before walking slowly and carefully toward the pinpoint of light from the open door still several paces away from her. She wished she had Don Scarletti's particular talent so she could answer him. It was terrifying to be moving in the darkness, afraid of the very walls and floor. She used what was left of the broom to probe the stones straight in front of her before she placed her foot.

She heard Sophie yelp, call out her name, and to Nicoletta's horror, the child's head withdrew into the bedroom. At once, the thick marble wall swung shut, the faint pinpoint of light extinguished, plunging the passageway into total blackness. She froze, her heart pounding so loudly she could almost hear it echoing in the eerie silence.

Nicoletta attempted to force her mind away from fear and panic. It didn't matter that it was daylight outdoors; here in the passage it was forever night. She could hear the scratching of rats, tiny sounds that made her blood run cold. The air was musty and thick, heavy and still, oppressive in its silence. Beads of sweat began to trickle down her skin. While the palazzo had so many drafts, it was stifling in the passage. The low ceiling and walls seemed to be pressing in on her, leaving no space for air.

She straightened her shoulders and told herself she was simply in an unfamiliar environment. She often stayed alone in the hills, where bears and wolves roamed. This was no different. Both places were potentially dangerous but not necessarily lethal. For all her firm lecturing, Nicoletta could-n't force her feet to move forward. That hidden blade had sprung from nowhere and had disappeared just as silently and smoothly. The evidence – what remained of the broom handle – was in her hands.

What was the passage hiding? Where did it lead? What was so secret that someone would prepare lethal traps to guard it? An inquisitive rodent touched a tiny wet nose to her ankle, and she cried out, stepping in a straight line, fear-ful of reaching out toward the walls. The drumbeat in her head seemed even louder, and for a moment she was literally choking on her fear.

Just ahead a faint crack of light appeared. At first it was a mere slit, but then light radiated into the passage. A man's large frame filled the open doorway. Nicoletta hurled her-self forward, uncaring of decorum, uncaring of his station. She ran into Don Scarletti's arms, nearly impaling him with the remains of the broom handle clutched tightly in her hand.

Giovanni wrapped his arms around her and held her tightly to him, burying his face in her hair. He took the pre-caution of removing the broom handle and tossing it into the bedchamber. His body was trembling slightly, and he waited there, still partially in the passage, for the pounding of his heart to subside. Then he hauled Nicoletta back into the bedroom and shook her slightly, furious that she had managed to frighten him when no man had ever done so.

Abruptly, his arms dragged her close again and enfolded her protectively. 'I have considered locking you in the tower, *piccola*, but I suspect even there you would manage to find trouble.' He whispered the words in exasperation against her ear.

Nicoletta allowed herself the luxury of snuggling closer to him, so she could hear the reassuring beat of his heart. He was solid and strong. He bent his head to hers, his hand lifting her chin so that his mouth found hers in total desperation. She tasted his fear for her, his hunger. A need as elemental as time. He was fiercely possessive. And his kiss was the most sinfully intimate thing she had ever experienced.

She felt the way his body hardened, his arms like iron bands about her, his loins hot and aggressive. But his mouth . . . It moved over hers like hot silk. It teased and insisted. Caressed and tempted. The moment she relaxed and submitted, opening her own mouth, he took complete control, sweeping her into a world where there was only feeling. Only Giovanni and Nicoletta and pure sensation. Of their own volition, her arms crept up to circle his neck, and her body melted, soft and pliant, right into his. They fit together perfectly despite the differences in their sizes. As if they were halves of the same whole.

Giovanni deepened the kiss, demanding, dominating, ruthlessly sweeping her along with the rising tide of his own wild passion. And she followed where he led. His hands slipped down her back, shaped her small waist to slide over the curve of her rounded bottom, dragging her even closer until she was pressed tightly against him.

'What is going on in here!' Maria Pia's voice rang out with shocked outrage. 'Don Scarletti, I demand that you let go of that girl at once!'

Giovanni's mouth was hot with need, moving over Nicoletta's, his tongue dancing and dueling and teasing her body into hot flames until she was drowning in her own desire. He made a sound. A soft groan of frustration and need. Slowly, with infinite care, he reluctantly kissed the corners of her mouth, then rested his brow against hers as if he didn't have the strength to lift his head.

'Nicoletta!' Maria Pia's voice was sharper than ever, and this time it penetrated enough that Nicoletta heard the note of fear.

Bemused, she stared up at Giovanni, her dark eyes searching his face intently. He smiled at her, the expression in his eyes so tender that it robbed her of breath. Carefully he picked a spider web from the silken strands of her hair. 'You have taken ten years off my life,' he confided very softly.

'Thank you for rescuing me.' Her voice didn't sound like her own. It was husky and soft, a seductive invitation, and she found herself blushing wildly.

The don turned his head to look at Maria Pia. He bowed slightly, a courtly, elegant gesture. 'I believe I am going to have to insist that you stay with your charge at all times, Signorina Sigmora. It is that or the guards will have to be stationed *in* her room.' A dark scowl shadowed his face at the thought of the two men in Nicoletta's bedchamber.

'That passage is dangerous, Don Scarletti,' Nicoletta announced, pointing to the severed broom handle as evidence. 'Sophie has been using it to get from the nursery to my room. Her father knew.' Her voice held accusation although she tried hard to keep it neutral.

His eyebrows shot up. 'Call me Giovanni,' he prompted,

228

his lips so outrageously close to her ear that she felt the warmth of his breath heating her blood all over again. 'It is forbidden to all to use the passageway. Sophie knows that, and certainly Vincente knows it. Sophie was moved out of the nursery when it was discovered she knew of the passage. She was warned many times of the danger. Both Vincente and I forbade her to use it. There are numerous traps in there, and more than one person has died trying to hunt treasure or escape to the sea.'

Nicoletta lifted one eyebrow. 'I have heard of Scarlettis under assault escaping unseen to the sea, but I have never heard rumors of hidden treasure.'

Giovanni shrugged his wide shoulders with careless ease. 'It is said that our ancestor, Francisco Scarletti, who had this palazzo built, included the hidden passageway to allow members of the household to escape to waiting ships should there be need. Few know how to maneuver the passageway or the rocks in the cove, but Francisco mapped it carefully for future generations. More than once, during an invasion, the passageway and the cove were used for escape. In the days when the palazzo was constructed, fortresses often hid elaborate traps for invaders. Francisco was also reputed to have treasures without equal. Solid gold sculptures.' He glided across the room with his natural grace, lifted the golden boat from its alcove shelf, and handed it to Nicoletta. 'These pieces have been protected from all invaders, including the Holy Church.'

She gasped at the open admission for a need to protect riches from the Church and glanced at Maria Pia, who crossed herself devoutly. Nicoletta was also reluctant to take the sculpture from him. It was an exquisite piece, richly detailed and highly ornate. She admired the skillful workmanship, the attention to detail, and gave it back immediately. 'Why would you have it in this room? It must be worth a fortune. Someone might steal it.'

For a moment the don's eyes glittered dangerously. 'I think that most unlikely.' His voice was a purr of menace.

'And there are more of these sculptures?' she prompted.

Giovanni nodded. 'The King of Spain has gobbled up most of the cities and states in this region. I have managed to repel his armies from our lands, and he does not want to sustain more heavy losses. Still, my "ancestors," with their maps and hidden passageways, are guarding the art treasures in the event I fail to detect a threat in time to keep the invaders from overrunning us. At the moment we have an uneasy treaty with Spain, but greed can tip the scales. There is a rumor of war with Austria. Spain would like to get its hands on our coffers. This is not something I speak of with any other, so I trust you and Signorina Sigmora to remain silent on the matter. The passageway is a necessary evil, and I thank you for bringing to my attention that the *bambina* has been using it. No one can make it through to the sea without the map. Each section has numerous traps to slow the enemy and allow the *famiglia* to escape. Only the ruling don knows where the map is and how to read it.'

'You should have warned me,' Nicoletta reprimanded him.

A slow smile took the merciless line from his mouth and lit his dark eyes. 'It did not occur to me that a woman would enter such a place. In truth, I did not think you would even hear of it. In the future, do not go exploring until you consult with me.'

Her chin rose a fraction. 'You are always busy, and I do not wish to disturb you. I do not usually get myself into difficulty.'

He made a choking sound.

Nicoletta glared at him. 'I do *not* get myself into difficulty. And I took precautions. Sophie was watching for me. She was holding the door open.' She put her hands on her hips. 'Where is that little imp?'

'I knew you were in danger, and I rushed in a most unseemly manner away from my important visitor and up to this room. The door was locked from the inside' – it was said as an accusation – 'so I threatened to break it down. Sophie, doubtless trembling at my threats, ran to unlock the door. She dropped the key out of the lock at least three times, fearing, I am certain, she would be severely punished for her part in this escapade. The wall must have swung shut when she rushed to open the door for me. It was a harrowing experience, waiting for that child to let me in.'

'Why, you probably frightened *her* to death,' Nicoletta said in exasperation, completely unsympathetic to *his* complaint. 'Do you not realize that if you had not frightened her, the wall would never have closed, and I would have walked out of the passageway with no problem at all? Poor little scrap, she is probably in tears.'

'No doubt,' he admitted dryly. His hand slipped around her throat, warm and strong and far too intimate. 'I have asked the holy father to allow us to be married immediately. He has agreed.'

231

'Perhaps that was not such a good idea.' Maria Pia rushed forward, catching Nicoletta's hand and drawing the young woman firmly to her side. Away from Don Scarletti. Nicoletta could feel the older woman trembling.

'What is it, Maria Pia?' she asked gently.

'Cristano did not return to the *villaggio*,' she announced, her faded eyes fixed on the don in accusation.

CHAPTER ELEVEN

There was complete silence in the room. A cold draft seemed to come out of the very walls and swirl around Nicoletta. She shivered, and deep within her heart, she heard her own cry of unspoken protest. There was evil walking in the palazzo. She stared up at Don Scarletti, her gaze locked with his. Fierce. Intense. Soul to soul. She couldn't even feel Maria Pia's hand in hers. She and the don were the only two people in existence. He was watching her closely, his mind in hers. She *felt* him there. He was waiting in silence for her to condemn him.

Unbidden came the image of his scraped knuckles, the incriminating droplet of blood on his otherwise immaculate clothing. Nicoletta felt her heart pound uncomfortably. His gaze continued to bore straight into hers, and she couldn't turn away from him. She knew he was waiting for it, knew he expected her to denounce him. Don Scarletti, *Il Demonio* of the palazzo. The curse. The whispers. The rumors.

Giovanni stood tall and straight, his black eyes fathomless, his features carefully expressionless. Nicoletta took a breath and let it out slowly. 'Will you send your men to search the entire maze for him? Perhaps Cristano could not find his way out.'

He bowed slightly. 'At once, *piccola*. And I will send them into the hills to see if the boy was injured on his way home,' he added deliberately to remind her of the numerous other travelers who had fallen victim to wild animals, the terrain, or even to robbers. His voice was incredibly gentle. A warmth brushed at the walls of her mind so that she felt somewhat comforted.

Nicoletta swallowed the hard knot in her throat. It was difficult to think straight with the don watching her so intently. She could feel Maria Pia's eyes on her now, as accusing as they had been on Don Scarletti.

'You were the last person to see Cristano alive, Don Scarletti.' Maria Pia said what Nicoletta would not. Her very tone was a declaration of his guilt.

'We do not know that he is dead, Signorina Sigmora,' Giovanni pointed out softly. His voice held a thread of menace, as if his patience was fast wearing thin. 'If the young man met his demise in the maze, the scavengers would be present overhead.'

Relief swept through Nicoletta. 'That is true, Maria Pia,' she said. But a terrible dread was creeping into her mind and heart and soul like a dark shadow. She would know if someone was hurt, would she not? She always knew.

Maria Pia faced the don bravely. 'The wedding should be postponed until the young man is found,' she challenged. *If you are exonerated.* The words were left unspoken, but they shimmered there in the room, as vividly as if Maria Pia had uttered them aloud in condemnation.

The black eyes gleamed ominously. 'Nothing will stop the wedding, Signorina Sigmora. Not you, not this errant young

234

man. For all I know, he disappeared with every intention of bringing a halt to the wedding plans. We are to be married on the morrow.' It was a decree, Giovanni's dark features implacable.

For a moment Maria Pia looked mutinous, but the don's words seemed to sink in. She knew Cristano well. He had a childish temper and, if humiliated, could sulk for days. He was quite capable of disappearing to frighten the compassionate Nicoletta and thus get back at her for not marrying him as he had demanded. Still, she had the feeling that Nicoletta was in terrible danger, and she wanted desperately to drag her from the palazzo. Maria Pia looked at her young charge. 'Mayhap I am worrying over nothing,' she said softly, looking at the floor in defeat. Don Scarletti was not going to give up her beloved Nicoletta; she could see it in his masculine aggressiveness, his possessive posture each time he was near the younger woman. Perhaps it was her fear for Nicoletta, living in such an environment, that had caused her to condemn the don so rashly.

Giovanni reached out to capture Nicoletta's hand, taking it right out of Maria Pia's grasp. It was a blatant gesture, claiming her, branding Nicoletta as his own. He carried her fingers to the warmth of his mouth. His black gaze was locked on hers, and she had that strange feeling of falling forward, to be trapped for all eternity in the depths of his eyes. Time stood still. Her heart beat for him. She felt the rush of blood, of heat, of liquid fire.

Don Scarletti released her reluctantly, his touch lingering for a moment before he glided away. 'I have kept my visitor waiting far too long, and I must arrange for my men to begin the search for your young friend.'

Nicoletta stood rather dazed, as if in a trance, staring at the closed door after the don left the room.

Maria Pia sighed heavily. 'Do you believe him, Nicoletta? Really believe him? Because I am not certain I do. It is possible Cristano is hiding out in the hills. When he was a boy and angry with his *madre*, he did such things, or perhaps he is hurt and needs help.' She was watching Nicoletta closely as she spoke.

Nicoletta's teeth teased nervously at her lower lip. She would know if someone was in need, and Maria Pia was well aware of it. Nicoletta had always known. And the bird would come to her. She looked at the older woman with stricken eyes. 'I must go outside where I can feel the wind on my face. I want to look at the sky.'

'What do you have in your hair?' Maria Pia reached around her and picked strands of a spider web from her long hair. 'What have you been doing?' For the first time she noticed the severed broomstick the don had carefully removed from Nicoletta's hands when she had been in danger of injuring him with it. It had been neatly sliced through with a blade of some kind. Maria Pia picked it up, turning it this way and that to examine it before looking at Nicoletta with a frown.

'Do not ask,' Nicoletta said, shoving a hand through her long hair. 'You arrived after the misadventure in the hidden passageway. What matters now is that you no longer wish me to marry the don. You were not quite so opposed of late.'

'Something is wrong here, *piccola*. When I am in this house, I feel the echo of your *madre*'s screams as she was

236

thrown over the ramparts. I can feel the spirits of the other dead. They are uneasy in this palazzo.' She made the sign of the cross and kissed her crucifix. 'May the good Madonna save you from your enemies.'

Nicoletta did not protest. She knew she had enemies at the palazzo; she just didn't know why. She felt eyes staring at her in disapproval each time she left her bed-chamber. 'I must go outside,' she said again. Her heart felt heavy in her chest. She opened the door, turning back toward Maria Pia as she did so. 'How did all of this start, so long ago? When did they first whisper of the curse on the *famiglia* Scarletti? Is it possible there is a strain of madness in their blood?'

Maria Pia glanced past Nicoletta to the waiting guards. 'It is not a good thing to speak of in this place where the walls have eyes and ears.' She lifted her chin. 'Come, let us go out to the courtyard. We will see if the don kept his word and sent his men looking for Cristano.'

For some reason it irritated Nicoletta that Maria Pia entertained the notion that the don would betray their trust. 'I can imagine many things about Don Scarletti, but he lives by his word. He would not tell me one thing and do another,' she defended.

Maria Pia looked at her sharply. 'Perhaps you are already falling under his spell. I told you to be careful. He can read minds, make one say things one does not wish to reveal. You must be strong, Nicoletta. Until you know more of the don . . .'

'The man who is to be my husband,' Nicoletta corrected. 'We are to be wed on the morrow. I will live with him, and this palazzo will be my home. I have no choice in the matter. You said not even the holy father would defy the don.'

Maria Pia muttered unintelligibly as they moved down the long corridor to the stairs. She looked at the banister and once more crossed herself devoutly. 'Look at this, Nicoletta. A serpent coiled around a tree branch! That is the artwork on his stairs. What manner of man is he?'

'He inherited the palazzo and the title from his father and his father before him, and so on. What should he have done? Refused to live here because he did not like the artwork on the stairs? It is actually quite beautiful, Maria Pia. If you look at some of the work, it is truly remarkable.'

Maria Pia resorted to clucking as she often did when she was agitated. 'I fear he has cast a spell over you, *bambina*.'

Nicoletta glanced over her shoulder at the silent guards following them at a circumspect distance. 'Where is little Sophie?' The child would still be upset that Nicoletta had been trapped in the secret passage.

'She was sent to her room, signorina,' the guard replied, raising an eyebrow at his partner.

The other guard shrugged with a wry grin and placed something in the first guard's open palm.

Nicoletta ignored the byplay between the two men. 'I must go to her; she will be frightened. By now she will think *i fantasmi* have gotten me.'

As she started back up the stairs, the guard shook his head. 'She was removed from the nursery and is on the first floor.'

Nicoletta smiled at him. 'Thank you.' She knew the exact hideous room the child had been banished to. She ran along the corridor, waving to the maid she had taken the broom from earlier. The woman stopped working long enough to lift a hand in return, blushing when she noticed the two guards trailing behind Nicoletta.

Sophie was facedown on the big bed, so small she could barely be seen among the covers. Nicoletta rushed to her and dragged her into her arms, rocking her while the child sobbed as if her heart were breaking. 'I thought I killed you!' She hiccuped the words, her tears soaking Nicoletta's neck and face. 'I am sorry, Nicoletta.'

'*Bambina.*' Nicoletta hugged her even closer. 'You did not do anything wrong. You did exactly what you should have done. Don Scarletti commanded you to open the door, and of course you must do as he says.'

Sophie lifted her head, looking forlorn. 'I can never go out of this room again. Zio Gino and Papa told me never to go into the hidden passageway. They said it was dangerous. I have to stay here forever now. I have to be punished.' She wailed the last dramatically.

Nicoletta's soft mouth curved. 'Who told you to stay in your room?'

'Zio Gino.' Sophie looked as pathetic as possible.

Nicoletta laughed softly. 'Maria Pia shall stay with you, and I will go talk to your *zio*. Perhaps he will think you have been punished enough. But you must heed his warnings. I do not think *i fantasmi* guard the passageway, but certain traps in there can endanger your life. You must promise me you will never go in there again.'

Sophie nodded vigorously, willing to promise Nicoletta anything at all.

'Dry your tears, *bambina*. I will get you out of your prison.'
She ruffled the child's hair and beckoned Maria Pia into the
room to comfort Sophie while she was gone.

Nicoletta hurried back along the hall, making a little face
at the two guards who seemed so amused by her antics.
'Wagering is sinful,' she reminded them haughtily, but neither looked in the least repentant that she knew what they
had been about. Instead, both openly grinned at her.

Outside the don's study, she hesitated, her courage suddenly faltering. She was interrupting his work, intruding on
his time. She was all at once unsure of herself. Don Scarletti
had been more than kind to her, but he had a certain reputation, and Nicoletta wasn't blind to the fact that he was
a powerful man. He had probably earned that reputation
many times over. She bit her lip in an agony of indecision.
She couldn't very well encourage Sophie to defy her uncle
and leave her room without permission. Her bare foot tapped
out a rhythm of nerves on the tiled floor. He had already
been interrupted once, leaving his important visitor to
rescue her from the passage.

She glanced over her shoulder at the guards. They were
whispering together, no doubt making another wager on
what her actions would be. She rapped on the door quickly
before she completely lost her nerve, glaring at the guards as
she did so. The same soldier had to hand over his losses. She
raised an eyebrow at him. 'One would think you would have
learned the first time.'

He burst out laughing. Giovanni opened the door to find
Nicoletta sharing the merriment with her two guards. He
sighed heavily and wrapped his palm around the nape of her

240

neck as he moved out into the corridor, closing the door to his study behind him, obviously to afford his visitor privacy and anonymity. His thumbs tipped her face up to his. 'Once again I find you without your chaperone, *cara mia*. Did you run away from Signorina Sigmora again? How is it you manage to elude her? She looks quite capable to me.'

That faint betraying shiver began again, from deep within her. She glanced at the guards. They were no help, moving away to give the don privacy in dealing with his errant bride-to-be. Giovanni urged her closer to the hard strength of his body. 'You have misplaced your shoes again, I see. What is so urgent, *piccola*, that you would dare *Il Demonio* in his lair?' His thumb was feathering along the delicate line of her jaw to linger over her frantically beating pulse.

Her dark eyes were enormous as she looked up at him. 'I do not think of you as *Il Demonio*,' she denied.

He raised an elegant eyebrow at her. 'Is that so?'

'I might have before I met you,' she conceded reluctantly, unfailingly truthful.

His eyes gleamed at her, a wicked amusement dancing in their black depths. 'I may have become one since I met you,' he answered her suggestively.

She frowned at him. 'I think you like to scare me with your wickedness, Don Scarletti, but in truth, I am not so easily frightened.' It was the truth. No one else seemed to frighten her quite the way he did. 'I . . . I have a need to speak with you . . . about your order to have your men taste my food and drink. I would not wish anyone to become ill on my account,' she ventured, hesitant to bring down his wrath on little Sophie, preferring that he spend it on her first.

Giovanni shook his head gravely. 'I will not rescind my order, *cara mia*, not even to please you. But you knew that. I suspect you had another reason to seek me out.'

She regarded him steadily for a moment, tapping her foot nervously on the floor, considering how best to argue with him. He looked far too implacable. She sighed heavily. She didn't want to reduce Sophie's chances for freedom. But in any case, he was watching her with such unbelievable intensity, she wasn't certain she would be able to think clearly much longer. 'I would like to take young Sophie with me into the courtyard. She is very sorry for her disobedience, and I have lectured her on the dangers of the passageway, although I think she could be given a demonstration from her Zio Gino, as she respects him very much. In any case, I encouraged her to aid me. *She* should not be punished.'

He stared down at her for so long, she thought she might melt. Nicoletta was mesmerized by the hot intensity in his gaze. She was very aware of his body, too, so close to hers that she could feel the heat of his skin. Again a current seemed to arc between them like a lightning bolt, sizzling and dancing until her skin was sensitive and ached with need. His gaze dropped to her mouth, and her body went weak. Butterfly wings brushed at her stomach; her body clenched, and heat pooled low within her. She honestly didn't know who moved first.

His mouth fastened to hers, hot and exciting, sweeping her away with him. It was a dark promise, erotic, sensual, his tongue demanding her response rather than asking for it. She melted into him, boneless and pliant, her body molding to his, so that she felt his fierce arousal. Instead of pulling away as she should have, Nicoletta reveled in her power, wanting more, suddenly craving his dark secrets, aching with a need so strong she burned with it. Liquid fire. Molten heat.

Her breasts swelled with desire, pushing into the heavy muscles of his body, straining for his touch. The thin material of her blouse seemed all at once too much of a barrier between them. Her mind was suddenly filled with images: her hands on his skin, his palm cupping her breast, his mouth blazing fire along her throat, lower, across bare skin to close, hot and moist, over her aching nipple. She wanted him more than she had ever wanted anything in her life.

Giovanni lifted his head, his hand still curled around the nape of her neck, her body resting against his. 'I need you, Nicoletta.' His voice was husky and sensual. 'Dio! I do not think I can wait one more night. Go take the child into the courtyard, and do not find any more trouble. Keep Signorina Sigmora with you at all times; she is your only protection.'

She could feel his strong body trembling with the effort to allow her to go. A good girl would have been appalled at his conduct, shocked and horrified at her own, but Nicoletta suspected she wasn't as good as Maria Pia would have liked. She wanted the don's hands on her body. She knew he wanted her. Nicoletta. Not any other. She made him nearly as weak with wanting as he made her. She smiled up at him, trying desperately to find a way to breathe.

He groaned softly. 'You cannot do that, piccola. You cannot look at me with such trust and need in your eyes.' He kissed the top of her head. 'I am not to be trusted around you. Go find your worthless chaperone and insist she stay attached to your side.' Giovanni carefully put her from him.

'I promise I will impress Sophie sufficiently to stay out of the passageway. Now go while I still have some respect for myself.'

Nicoletta didn't dare look at the two guards. She knew they would have smirks on their faces, and at the moment she didn't care. She looked up at the don, and for the first time she touched his shadowed jaw with her fingertips, a small, almost tender caress. Her gaze moved over his face as if drinking him in.

Giovanni shook his head and bent toward her so that his mouth was against her ear. 'I think you may be the witch Margerita has named you, casting your spells to mesmerize a mere man.' His breath warmed her skin and sent tiny shivers of flame dancing in her blood.

For the first time, she wasn't afraid of the taunt. She turned her face so her lips moved tantalizingly against his. 'I would not call you a "mere man," Don Scarletti, not ever.' It was a brush of sinful, silken heat, their mouths touching as she whispered to him. Her body moved against his in restless need. Hot desire flared in his eyes, a firestorm of such intensity it robbed both of them of their ability to breathe.

This time it was Nicoletta who moved away. She turned and walked slowly down the corridor, her hips swaying with feminine invitation. Don Scarletti could not be evil. It couldn't be so. No matter how many rumors flew about the palazzo and their don, she couldn't find it in her heart to believe him a murderer. Her head down, she wasn't looking where she was going, so she nearly jumped when someone grabbed her arm and yanked her into a small alcove.

She landed against the wall and found herself staring up

at the don's grandfather. He looked wilder than ever, his face twisted into a fierce scowl, his bushy brows drawn together into one frightening line. Over his shoulder she saw the two guards rushing forward. Hastily she shook her head at them, a warning to back away. They did so reluctantly, staying close enough to reach her should there be need. Their presence enabled her to relax in the old man's surprisingly strong grasp.

'Signore Scarletti.' She let her breath out slowly. 'Is something wrong? Please tell me. I can see you are upset.'

He stared down at her. She could feel his body trembling with a terrible tension. 'You must leave this place at once. Do not go near any of them. Any of us. Go while you still have your life!' His fingers bit into her arm. He even shook her slightly. 'You are in danger. If you stay here, you will surely die!' He thrust her away from him and rushed off, swiping at the guards with his cane so that they hastily moved out of his reach.

Nicoletta sagged against the wall, watching the old man as he hurried away. His voice had been hoarse with fear. He was warning her away from *all* the Scarletti men, even himself. What did that mean? Could she be so wrong about the don? *Was* there a strain of madness running through the family? Two sides to the men? Angel and devil? She rubbed absently at the finger marks on her arm. Where did the man get such strength? She had noticed that the don seemed abnormally strong. Did that run in the family along with madness?

One of the guards approached her solicitously. 'Did he hurt you?'

She shook her head. 'He didn't mean me any harm. On the contrary, he was attempting to be nice.' She knew the older man had bruised her skin with his terrible grip, but he seemed desperate to make her believe him.

'I must report this to the don, signorina.' The guard spoke quietly, knowing she would object. 'It is my duty.'

She wrung her hands. 'Must you? He really did not hurt me. I do not want him to be reprimanded, and the don seems very . . .' She trailed off, searching for the correct words.

'Protective of you,' the guard supplied. 'I will take care in the way I word my report.'

'*Grazie*,' Nicoletta responded, and she pushed away from the wall. More shaken by the encounter than she wanted to admit, she hastened along the corridor until she was safely in Sophie's room.

The bedchamber was much like she remembered it but without the chandelier. In the light of day the room didn't seem quite so alarming. Nicoletta smiled at the waiting child. 'Your Zio Gino has said you may go to the courtyard with me, *bambina*.'

Sophie's face lit up. 'I knew you would get him to say I could go!'

Nicoletta held out a hand to the child, carefully avoiding looking at Maria Pia. The older woman knew her very well and would know something had upset her. 'I cannot wait to get outside, either.' She tried to be enthusiastic, but she was suddenly afraid.

The eldest Scarletti had succeeded in terrifying her. Nicoletta tried to keep her racing mind under control, but it seemed impossible. Her imagination was running wild as they made their way outside. The palazzo felt like a living, breathing entity, wholly evil to her. She didn't want to feel that way; she wanted to make it a home.

'You are very quiet, *piccola*,' Maria Pia said thoughtfully as they made their way outside.

Nicoletta inhaled deeply, looking upward at the swirls of clouds drifting across the blue sky. No ominous birds circled above the maze. The wind brought her no message of an injury or illness. The tightness in her chest slowly began to ease. Cristano couldn't be dead or dying in the labyrinth, and, true to his word, Don Scarletti had soldiers moving through the tall hedges. She could hear their voices calling back and forth to one another. High up on the ramparts, several other men were using spyglasses in an attempt to peer down into the maze from above.

'Well, it is my new sister-to-be.' Vincente, along with Antonello, came through the corridor of green shrubs to make his way to Nicoletta. Both bowed politely, Vincente with elegance, Antonello stiffly, as if he was rarely in the company of ladies.

Nicoletta smiled at them. 'Have you two been searching for Cristano?'

Antonello stirred uneasily. She watched the shadows chase across his face. He nodded, avoiding her eyes. Vincente shrugged casually. 'I do not believe he is in the labyrinth. We would have found him by now. Gino's men are very thorough.'

Nicoletta agreed with him. She nodded toward the soldiers on the balcony high above them. 'Has anyone told Margerita that Cristano is missing? She was on the balcony yesterday; I saw her. Possibly she spotted something from up high. She may have seen Cristano leave.' She looked at Vincente. 'She might tell you if you ask her.' She phrased her comment carefully so as not to offend. Margerita would be spiteful if Nicoletta asked her for information. Nicoletta had met other noblewomen like Margerita. They felt entitled to say or do anything to those of lower birth.

Vincente's handsome features darkened visibly. His eyes glittered, for the first time reminding Nicoletta of his oldest brother. 'If she saw anything and is withholding information to distress you, I will get it out of her,' he promised.

Antonello looked more uncomfortable than ever. 'I will talk to her, Vincente,' he said, his voice so low it was a mere thread of sound. 'Portia's daughter can be stubborn as her *madre*.'

'She will do as I command, and certainly Portia will insist she cooperate,' Vincente answered. 'The young woman is far too indulged.'

'It is possible she saw nothing out of the ordinary, and perhaps she has not even heard of Cristano's absence,' Nicoletta offered, fearing she had gotten the girl into trouble.

'She has heard,' Vincente said, frowning at her. He looked even more handsome with his frown. 'Do not waste your pity on her, Nicoletta. Margerita lives to plague others. I will deal with her.'

Antonello sighed. 'Do not distress yourself over Margerita, Nicoletta. I must concur with my brother. She is quite capable of withholding information just for spite. She does not want you here. She is young and spoiled and used to being the center of attention.' He rubbed his nose thoughtfully, letting out his breath in a long sigh as if talking was a distressing business.

Vincente nodded his agreement. 'We have all spoiled her abominably. I am most careful with my daughter that she does not become like Margerita. At times I fear I go too far the other way.' He looked fondly at his little girl, who was dancing in delight near an explosion of flowers. 'I want her to be as good as she is beautiful, like her *madre*.' He choked on the word, and looked away quickly, but Nicoletta caught the sheen of tears in his eyes, and her heart went out to him.

Antonello rested his hand briefly on his younger brother's shoulder. Vincente sighed and shook his head. 'I rely on Portia's advice, but it is most difficult to resist Sophie's tears when she wants something dearly.'

Nicoletta bit down hard on her lower lip to prevent pointing out that Portia had failed to do a wonderful job of raising her own daughter. 'What happened to Margerita's *padre*?' she asked to change the subject.

Antonello looked grief-stricken at the question. It was Vincente who answered. 'Portia was raised with us here in the palazzo as *mio padre*'s ward. She is a distant cousin. Another cousin, *mio padre*'s brother's son, often lived here, too. He married Portia, and they had Margerita. He was very close to us, but he became ill and slowly wasted away. Portia never left his side, not for one moment. She nursed him herself, even fed him, but for all her care, she could not save him. . . .' Vincente's voice trailed off.

A chill seized Nicoletta, and she shivered violently. So much death in the palazzo. Why hadn't the village healer been called when a man was slowly wasting away? Her heart felt heavy, and she turned away from the Scarletti brothers. They both seemed so open and caring, yet she trusted neither of them. No one. A sense of danger was pressing down on her, the story not quite ringing true. Each time she looked directly at Antonello, his gaze slid away from hers. Vincente seemed just the opposite, meeting her gaze almost too boldly.

Nicoletta studied Antonello. He was of the same build as the other two Scarletti brothers, tall and elegant, with sinewy muscles and eloquent black eyes. He looked a bit more rugged, although this time his clothes were immaculate. Her teeth bit down on her lip, and her eyes widened in sudden memory. Antonello's clothes, too, had been stained with blood when he came out of the labyrinth the day before! She remembered it clearly. He wore hunting clothes covered in dark stains, much like when she had found him all those months gone. She backed away from the two brothers, taking small, barely noticeable steps, but her skin had gone pale beneath its golden tone.

Vincente turned to regard his brother steadily, obviously reading Nicoletta's transparent face. 'You looked ill-used on coming home yesterday, Anton. What happened?'

Antonello looked more uncomfortable than ever. He shrugged, again avoiding Nicoletta's eyes. 'Gino sent me out on business, which took longer than expected. On the way home I hunted.'

Vincente quirked an eyebrow at his brother. 'Up to your usual nonsense, secretly donating meat to the village widows and orphans. Antonello sees himself as the great savior of the oppressed.' His voice was good-natured rather than sneering, but Nicoletta found herself blushing deep red.

Nicoletta had been the recipient of fresh meat by an anonymous donor. Antonello certainly had been the one providing for her and Maria Pia.

He frowned at his brother. 'Sometimes it is in payment for services rendered, Vincente. The people give much to us. You do not appreciate all that they do.'

Vincente held up his hands in laughing surrender. 'We have heard this dissertation on more than one occasion. I shall pass on another lecture.' He bowed low toward Nicoletta, a teasing grin on his face. 'I see Gino has been bitten by the famous Scarletti curse. Jealousy runs deep within our blood.' He nodded toward the study and the man looking down from its windows upon the courtyard.

Giovanni stood very still, his arms behind his back, watching everything with his dark, hawklike gaze. He remained motionless, although she could see beyond him into the shadows of the room that he was not alone. His visitor was gesturing as he talked, uselessly gesturing, as Giovanni was not looking at him. No doubt he was listening intently, though; Nicoletta couldn't imagine anything else.

'It is a terrible curse upon us,' Vincente explained. 'You cannot blame him; our blood runs hot when it comes to our women. It is no small thing to capture and hold the attention of a Scarletti, but we love only once and suffer no other man near the beloved.' The way he uttered the words, almost with menace, made her shiver.

Nicoletta rubbed her bare arms. Antonello exclaimed softly and reached out to touch her upper arms. 'You are bruised!' He looked up at his older brother standing motionless at the window. There was a gleam of something frightening in Antonello's eyes, something reminiscent of Giovanni himself.

Vincente turned back from watching his daughter circling the largest fountain in the courtyard, skipping and singing happily. 'Bruised? Who has marked your skin?' He, too, glanced up at his eldest brother. '*Dio!* I do not believe it of him. I will not believe it of him, no matter what the gossips whisper. He would not mistreat a woman. But you cannot play with his feelings,' he cautioned Nicoletta sternly. 'You must stay away from other men. Marks like that betray passion. Good or evil, but passion nonetheless.'

Nicoletta turned a vivid red, the color sweeping up her neck and into her face. Her eyes flashed at him. 'How dare you accuse me of wanton behavior!' She gestured toward the guards. 'I would not have a chance even should I be so inclined.' Her chin rose haughtily. 'I take my leave of you, sirs.' She dropped a cursory curtsey toward the two brothers and marched away, her back ramrod straight. Anger smoldered deep within her. That Vincente would accuse of her of such a thing and imply, like most men, that any flirtation was her fault! Marks of passion! Who would call bruises marks of passion?

She stormed toward Maria Pia, her anger rising with every step. She wasn't satisfied with Antonello's explanation of the blood on his clothes; he had seemed far too evasive for her liking. And Vincente! He was arrogant and a true *aristocratico* in his attitude toward the people living on Scarletti lands. More than that, she couldn't forgive the fact that he had brought up the one subject she didn't want to think about. The one fear that was hovering on the edge of her consciousness.

The Scarletti family curse. She had grown up hearing the whispered rumors of madness and jealousy. It was widely believed that Giovanni's grandfather had strangled his wife in a fit of jealous rage. Vincente had sounded very ominous, almost as if he were warning her, much in the same manner his grandfather had. A riddle for her to solve. And she needed to solve it. If she didn't, it could very well mean her life.

'Little sister.' Vincente bounded after her. 'I ask forgiveness if you think I was charging you with ill behavior. No such thing. I wanted to counsel you in your behavior simply because you do not know the strange heat swirling in our Scarletti blood. I am only looking out for you and my brother.'

Nicoletta glanced over her shoulder at Antonello, who had remained very still. He was looking up at his older brother, still watching them so solemnly. 'Don Scarletti did not bruise me in anger or in any other way. I think he would be insulted that you thought he might, as I am insulted that you thought another man had put those marks on me for the reason you implied. It was ungentlemanly and most unseemly of you, signore.'

'I meant only to serve you,' Vincente replied, his dark eyes reproving as he bowed again. 'Let us not quarrel, sister.'

She supposed it wasn't Vincente's fault that he had contributed to the one real fear she had of her marriage to the don. She had seen Giovanni's flashes of jealousy, felt the dark fury in her mind when he saw her with other men, even his own brothers.

It was entirely possible that a madness ran deep within

the blood of the Scarlettis, just as Vincente and old Signore Scarletti had warned. One caution she might ignore, but she would be foolish to ignore both. She raised her chin and turned to look up at the windows where Giovanni stood.

Across the distance their eyes met, hers troubled and filled with trepidation, his fathomless, impossible to read. On the morrow her life would be tied to his for all time. She would live in the palazzo amid the sinister artwork and the watching eyes, surrounded by enemies and never knowing who they were or why they hated her.

Nicoletta turned and looked at the great maze with its twists and turns. It reminded her of the path she had been set on, with dead ends at every turn and no safe way out. She needed the comfort of Maria Pia and Sophie. She walked the remaining distance to the older woman and put her arms around her.

Maria Pia knew immediately what she needed and hugged her tightly without saying a word. Sophie, too, sensed she needed comfort and stopped playing to run over and wrap her arms securely around Nicoletta's legs.

CHAPTER TWELVE

Nicoletta returned to her *villaggio* early on the morning of her wedding. Several guards, rugged men with hard faces, escorted her, determined to do as their don commanded. Sophie had cried great, rolling tears at being separated from Nicoletta, even temporarily, but she was refused permission to accompany Nicoletta to the village. The child had slept securely in Nicoletta's room, undisturbed by any whispering voices that might have been murmuring in her old bedchamber.

Nicoletta inhaled the wind, the fresh air flowing off the mountains. The feeling of freedom was tremendous. 'I feel as if I can breathe again,' she confided to Maria Pia.

'I know what you mean,' the older woman agreed. Her expression was grave. 'Once you are wed to the don, I will not be able to stay in the palazzo. This night will be my last night to attend you as chaperone, but then I will be useless and forced to leave.'

Nicoletta put her arms around the other woman. 'You are my *famiglia*. I do not want you in danger. I want to be with you, too, but I do not want you where evil stalks the halls and haunts the bedchambers. Something is not right at the palazzo, and until I am able to ascertain what is going on, I do not want your life at risk.' She was very firm.

Maria Pia shrugged her thin shoulders. 'There is safety in numbers. I would prefer that I remain in the palazzo.' She ducked her head to hide the sudden sheen of tears in her eyes. 'I will be very lonely without you.'

'I have been trying to think of a solution for Sophie's fears,' Nicoletta answered thoughtfully. She waved at the girls in the *villaggio* who were awaiting their arrival. 'I will have my own bedchamber, of course, and I expect Sophie will sneak in often, but I would prefer that someone sleep in her room with her on a nightly basis. She has heard ominous whispers in her room . . .'

'That is nonsense.' Maria Pia tried to shush her. 'There is talk among the servants that the child is hearing voices as her *madre* did before her. It is in her blood.' She hesitated for a moment. 'Some say it is the Scarletti curse that the women go insane and must be locked in the tower, or that the Scarletti men become furiously jealous and murder their wives.' She repeated the ominous rumors in a voice of doom.

'I am not insane, Maria Pia, and I heard the whispers in young Sophie's chamber the night the chandelier fell. You were asleep, but I heard them with her. Those voices are real, not her imagination. I think the child is in danger, but I do not know why. No one will believe her.' Nicoletta turned the full power of her solemn eyes on the older woman. 'She has great need of us, if you are willing to risk the danger.'

Maria Pia had only enough time to nod in agreement before they were engulfed by the young, laughing women who bore them off to the community bath. The men had the other side of the bathhouse, separated by the long meeting hall where local festivities were often held. Thick stone formed the large communal tub filled with collected rainwater. It was cold and invigorating, and the women laughed and gossiped, teasing Nicoletta unmercifully.

The sky was a brilliant blue, the breeze coming off the sea steady and cool. Dark clouds were drifting in from out over the bay, but the puffs were flowing slowly, as if they were lazy and not certain they wanted to move inland. The birds sang to one another cheerfully, and the trees swayed gently to the tune.

Nicoletta tried hard to join in the merriment, knowing it was all in her honor, but a terrible dread was seizing her, shadowing what should have been the most memorable occasion in her life. Her natural trepidation of what happened between a husband and wife was not eased by the teasing; the sexual innuendoes only heightened her fear of what was to come.

While they dressed her hair and body, Nicoletta stared at the beckoning hills, wanting desperately to run for safety. The hills were so close. It wouldn't take her long to visit her beautiful garden, to tend her plants for just an hour or two to escape the stares and the laughter and whispers while the women gossiped behind her back. She could hear two of the girls spitefully discussing the Scarletti curse and even speculating if Nicoletta would live out the year. Angry that they were not picked as the don's bride, they made certain Nicoletta overheard their remarks.

She knew they didn't really believe she was in danger. Giovanni Scarletti was handsome and rich and powerful.

The money and position were all the women thought or cared about. But Nicoletta knew there *was* danger at the palazzo, an evil that would swallow her as it had so many before her if she did not discover its identity.

She held out her arms obediently as they clad her in the exquisite white gown the don's dressmakers had created. The girls gasped in admiration. None of them had ever seen such a magnificent garment. Nicoletta kept her mind on the hills. On freedom. On the wind and the sea.

My bride cannot run on our wedding day. The voice came out of nowhere. Soft, like a caress. The sound of Giovanni's voice brushed seductively at the walls of her mind, turning her heart over. It was frightening how he could do that. It was not simply his voice that disturbed her in her mind, although that was intimate and comforting at times. It was also the way he could so easily melt her bones and heat her blood and make her feel things she was terrified of feeling.

He made her vulnerable and out of control. Nicoletta twisted her fingers together nervously. His voice came again, inviting laughter this time. *Are they teasing you about our wedding night? Deliberately trying to frighten you with the details? You are safe with me,* cara, *completely safe.*

Was she safe with him? Would she ever be safe again once she was tied to him? Nicoletta didn't know. She could feel only the terrible dread in her heart, the foreboding, the sense of something malevolent crouching in wait like the gargoyles perched atop the palazzo. Waiting. Watching. Biding their time.

'Nicoletta, you have gone very pale,' Maria Pia said. 'Are you ill, *bambina?*'

Before Nicoletta could voice her fears, Ketsia rushed over to her, arms filled with crowns of flowers for the young women to don. 'You look so beautiful, Nicoletta, the most beautiful bride ever!'

Nicoletta managed a small smile as she looked at the child. Ketsia's face was filled with joy and excitement, her eyes sparkling in anticipation. The women were all in their finest gowns, clean and fresh with flowers in their hair. Ketsia flung out her arms in her exuberance. 'Everyone is so beautiful today.'

Nicoletta's smile touched her eyes. Who could resist Ketsia's genuine joy?

Ketsia touched the wedding gown timidly. She had never seen anything like it. 'You look like a princess, Nicoletta,' she said in awe.

Nicoletta held up the long skirts of her dress to reveal her bare feet. 'I have forgotten something important.' Her delicate eyebrow arched, and her long lashes fluttered. 'Do you think you could help me find my sandals?'

Ketsia giggled, her young voice lifting Nicoletta's spirits considerably. 'You have beautiful shoes now, Nicoletta. You must wear them when you are wed to the Don.'

'I was thinking that my gown is long enough that no one will know I am barefoot, Ketsia.'

Ketsia shook her head decisively. 'Don Scarletti will know. He told Sophie and me to make certain you remembered your shoes. I think he will inspect to make sure they are on your feet.'

Nicoletta did her best to look serious. 'So you think it will be of great importance to him?'

'Oh, yes, Nicoletta. The don pays attention to every detail. He would surely notice.'

Nicoletta wanted the comfort of Giovanni's voice. It made her uneasy that she needed to hear him, to feel his touch brushing at the walls of her mind.

Maria Pia was watching her closely. Nicoletta made an effort to smile at her, to hide the uneasy feeling that once again gripped her. She glanced up at the sky, at the dark clouds drifting in from the sea, at the trees swaying gently in the breeze. Suddenly she froze, her heart nearly stopping as she spotted the raven sitting high in the branches some distance away, its round, beady eyes watching her. Sunlight gleamed off the shiny feathers of its back, and when it saw it had her attention, it opened its beak and uttered a single squawk of warning.

Nicoletta's heart began to beat hard and fast. She had known, without the presence of the bird, that trouble was looming over her, a dark, sinister premonition she couldn't overcome. No matter how hard she tried to join in the merriment surrounding her, that shadow deep within her portended danger.

'He is coming, he is coming!' The announcement resounded from every corner of the *villaggio*. 'Don Scarletti is coming!'

Laughter and voices were raised all around Nicoletta, a panic of excitement. The villagers rushed from all directions to join the wedding party as it began to make its way toward the cathedral.

Maria Pia gasped and tugged at Nicoletta's arm. '*Presto, bambina!* He cannot see you. It is bad luck.' She quickly crossed herself and blessed Nicoletta before dragging her toward the covered coach that would transport them to the cathedral.

Ketsia ran beside them. 'Her shoes, Signorina Sigmora! She must have her shoes!'

'I have them, Ketsia,' Maria Pia reassured the girl. 'I was taking no chances this time. You look quite wonderful today in your new gown.'

Nicoletta really looked at the child and was instantly ashamed of her own preoccupation. Ketsia wore a beautiful garment, one obviously made at the don's command. It must have been thrilling for young Ketsia to have been singled out for such special treatment. 'You look absolutely beautiful, Ketsia,' she said sincerely. Nicoletta reached out and adjusted the crown of flowers on the child's head. 'I am honored that you are to aid me this day. *Grazie.*'

Ketsia beamed at the compliment. 'She must wear her veil so he cannot see her face before the ceremony,' she said very solemnly in her most grown-up voice. 'You will see to it, Signora Sigmora?'

Maria Pia nodded her agreement as Ketsia hurried on ahead and Nicoletta carefully dusted off her feet before slipping the shoes onto her feet. She arranged the veil over Nicoletta's face and dropped the heavy curtains to close off the interior of the coach to prying eyes.

Nicoletta entwined her fingers tightly in her lap as the driver shut the door, leaving her alone with Maria Pia. Her heart seemed to be beating loudly in her ears, like the warning rhythm of a drum. She sat quietly with her head bowed, trying desperately to pray, to reach for the good Madonna as

Maria Pia so often instructed her to do in times of crisis. The air in the coach seemed to be swallowed up, leaving her nothing to breathe.

You are not riding to your doom, piccola, *only to your husband. Am I so terrible that your fear must choke both of us?* The masculine voice was husky, sensuous in her mind. She could feel a peculiar warmth seeping into the cold in the pit of her stomach. It moved through her like a drifting cloud, warming her bit by bit.

You are holding your breath again. Do you think your husband is as cursed as your friends are telling you? Cara mia – a note of amusement crept into the sensual timbre of his voice – *if I was intending to strangle you, I would have done so when you forced me to chase you down in the hills in the cold of the night.* He was blatantly inviting her to share his amusement at the rumors others whispered about him. About his family.

The motion of the coach jolted her thoughts, which stuck in her mind like a dagger. His family. Someone had strangled his grandmother. The woman was dead by a man's hand, and no one had been held accountable. Nicoletta's own mother and aunt had died brutally in the *Palazzo della Morte*. And what of Vincente's young wife, Angelita? Almost no one spoke of her death. Portia's husband had died of a wasting illness, yet the healer had not been called to the palazzo. The wind seemed to increase a bit in vehemence as if reflecting her thoughts, buffeting the coach and whistling insistently.

Why hadn't Giovanni Scarletti felt the evil stalking his home? Even Maria Pia could feel it, and she did not have an ounce of 'different' blood running in her veins.

Why would you think I have not felt it? There was no laughter this time in the voice, no sinful temptation. He sounded more serious than he ever had. *I have felt it for more than half my life. It is something we have no choice but to endure.*

Endure? Nicoletta was nearly thrown off her seat when the coach abruptly stopped. At once her heart began pounding again. She would have to endure whatever her husband commanded. Once she was bound to him, he owned her body and soul. Her hand flew to the door fastening of the coach, almost of its own volition.

Soft laughter echoed in her mind. *I am right beside the coach atop my steed,* piccola. *Do you think to outrun us in your finery? I should have to carry you back in a most 'unseemly' manner.* Once again his voice was sensual, a teasing invitation to join him in the deliberate intimacy of his mind meld.

Nicoletta subsided against the seat. She would not be foolish enough to run like a rabbit and provide sport for his soldiers. She could just picture the members of his elite guard wagering on whether she would attempt to escape her fate. She closed her eyes and centered her thoughts on Giovanni, holding onto her memories of him like a boat to an anchor. He was gentle with her. He was kind to Sophie and Ketsia. She held onto those thoughts, held them close to her.

When the coach door was finally opened, she was helped down by a guard she recognized immediately as one of her usual escorts. She had heard him called Francesco. Nicoletta smiled wanly as he bowed courteously. He felt her trembling as he locked his fingers around hers. 'It is a good day for it,' he whispered in encouragement.

She had been waiting for some time locked in the

confines of the coach, and it felt good to stand and stretch her legs. As she lifted her veiled face, through the lace she could see the dark clouds directly overhead. Although they had drifted in slowly, they were now gathering over the church, coming to a standstill there as if the wind had suddenly ceased. Nicoletta's fingers tightened around the guard's, a small sound of distress escaping her throat. Perched upon the very peak of the archway of the cathedral was the raven.

The guard looked at the gathering clouds, then leaned close to Nicoletta. 'I have wagered my pay on your courage.' His voice was barely audible over the soft stomping of the restless horses. 'Some say you do not have the heart to walk beside our don, but I know that you do.' Very carefully he helped her over the uneven ground and through the throng of waiting villagers toward the marble steps of the church.

Nicoletta was grateful for his support. It was difficult to think, even to breathe with the eyes of so many people on her, though most were well-wishers and friends. She straightened her shoulders and lifted her chin. The entire *villaggio* was lining the walkway to the cathedral, the girls in their finery pressing close, the men waving and wishing her well. Some she didn't recognize, their faces blurring together, and she was afraid she might succumb to the vapors.

Once again Francesco saved her. 'If you do not make it all the way through the ceremony, my *famiglia* will not eat for a long time. Courage.'

Nicoletta wanted to laugh at his nonsense, but too many people surrounded them, and fear was choking her. Still, his words bolstered her enough to reach her waiting attendants.

'We cannot have your family starve over your lost wagers,' she murmured without looking at him. She was staring into the yawning cavern of the Holy Church, her heart pounding so hard she was afraid it would jump right out of her body. Ketsia was waiting, hand in hand with Sophie, to fall in behind her as she ascended the wide stairs.

Ahead of her, with the double doors of the cathedral wide open and the interior so deeply shadowed, the multitude seemed huge, indistinguishable as individuals. They were the *aristocrazia*, filling the pews while her people stood outside. Nicoletta walked as if in a dream, one foot in front of the other up the stairs toward a fate she had no hope of escaping.

She was in the cathedral now, yet she didn't see the ornate sculptures, the archways, the tall stained-glass windows. She saw *him*. Don Scarletti. He stood waiting at the altar, overwhelming the enormous church with his presence. He was turned toward her, and through the veil of lace, their gazes locked. He was tall and handsome dressed in his elegant clothes. His shoulders were wider than she remembered, his arms and chest thicker. The aura of power that clung to him seemed to fill the enormous cathedral so that there was only the don.

His implacable gaze compelled her forward. She had no choice. He was mesmerizing her into obedience. She walked toward him to the drumbeat of her terrified heart. There was a strange hush in the cathedral, as if a shroud of silence had descended, not in reverence but in horrified anticipation. The sound of the wind penetrated, a sudden slashing at the windows. Outside a wail arose from the crowd as the wind bit at them, an unexpected assault, piercing and cold. The wind rose in a mournful howl and rushed through the church, an icy, swirling omen of disaster.

The guards hastily closed the doors to shut out the violence of the storm now racing in from the ocean, shutting out Nicoletta's villagers as well. They couldn't shut out the sound, however, as the windows rattled and the building seemed to quiver under the attack. Giovanni remained still, his gaze fixed on Nicoletta's so that she could only stare back into his eyes, captured there, held prisoner. Even as nature protested their union, she was compelled to continue forward.

The earth rolled then, a wave beneath their feet, a ripple of protest felt throughout the church. A collective gasp went up, and several women began to cry. Nicoletta felt then as if the ground were striving to break the don's unholy spell over her. She faltered, but she couldn't look away from his gleaming black gaze. He did look a predator, intent on his prey, staring fixedly, with a demand as old as time.

Giovanni moved then, gliding in his deceptively casual way toward Nicoletta. That simple ripple of his power surged through the cathedral, controlled the crowd, and stopped the hysteria, a measure of his utter domination. His gaze never left Nicoletta's face; rather it intensified. He strode the short remaining distance to her side and took her ice-cold hand. Still holding her gaze, he brought her fingers to the warmth of his lips, then tucked her hand into the crook of his elbow and walked her to the altar and the waiting priest.

The ceremony was long, the scents of the precious incense and the chant of ancient Latin reassuring. Nicoletta knelt with the don, bowing her head as the ritual continued.

All the while the wind raged at the cathedral in a frenzy to get in. All the while she felt the venomous stares of her enemies boring into her back. She was in a holy place, yet something or someone was plotting unspeakable evil to punish her audacity for daring to join in marriage to the don.

The heavens opened and poured a savage fury of windswept rain over the cathedral as the holy father performed the vows binding her to Giovanni Scarletti. Wind howled and gnashed at the windows, and the deluge pounded the roof and sides of the building. The earth had ceased trembling, but lightning zigzagged across the sky, arcing from black cloud to black cloud, and thunder reverberated so loudly that the church shook.

As the cathedral shuddered under the storm's wild fury, the priest stammered, his voice trailing off, unable to proclaim the couple wed. His hands trembled visibly, and he glanced in fright at the rattling windows. The rain was pelting the stained glass in a pounding flood. The large crowd whispered of unholy practices, crossing themselves and kissing the crucifixes hanging around their necks. No one dared use the term *Il Demonio*, but that unspoken whisper was the loudest. Giovanni Scarletti stirred then – a ripple of movement, no more – but it was clearly a movement of aggression, of pure menace. The whispers ceased instantly, and the priest made the sign of the cross several times, sprinkling holy water over the couple for good measure.

Nicoletta kept her head bowed, forcing her breath in and out. No one could save her, not the good Madonna and not the holy father. Even the wind and rain protested their marriage, slashing at the church in rage. Nicoletta was acutely

267

aware of the man beside her. His strength. His power. The heat of his body. The way his mind was so intimately bound to hers. Her fingers were tangled with his, his thumb feathering along her inner wrist, a silent encouragement with nature's fury shunning their union. She tried to pray, tried to ask for help to defeat the don's mesmerizing spell over her, but, in truth, she wasn't certain she wanted to be free of him.

The priest blessed the small gold ring lying in the middle of his open book of Scripture. He held it out to the don. Those in attendance saw the holy father's hand shake so badly that Don Scarletti had to steady it as he took the tiny golden circle. Nicoletta closed her eyes as the band of his ownership encircled her finger. Lightning struck, ricocheting down the tower so that for one terrible moment the sky seemed to rain fire. Again the priest froze, indecisive, his voice wavering. The don's black gaze gleamed almost eerily in the flashes of lightning.

Looking warily at the rain pelting the windows and then at the elite guards standing shoulder to shoulder at the rear of the church, the holy father pronounced them wed and raised his hand to bless their marriage. Lightning ripped the sky apart, lighting the cathedral, throwing strange, colored shadows to dance grotesquely across the wall. Thunder shook, drowning out anything the priest might be saying. Giovanni never faltered, lifting Nicoletta's veil and bending his head to hers.

'You are very brave, *piccola*,' he whispered against her lips. Then he gently kissed her upturned mouth, a mere feathering of his lips over hers. He caught her firmly to him, pulling her beneath the protection of his shoulder. 'At last you are

268

my wife, Nicoletta Scarletti,' he pronounced, a wealth of purring satisfaction in his voice.

Nicoletta remained silent, afraid of her own voice, afraid she would make a fool of herself if she attempted to speak. It seemed a dream, a nightmare she was trapped in. She went with Giovanni, moving down the aisle while the guards pushed open the doors and hastily erected a canopy to shelter the couple from the fury of the storm. The drenched, frightened villagers had long since fled, only a few stragglers glancing back over their shoulders as Giovanni swept her into his arms, striding with sure, long steps to the coach.

He placed her gently onto the seat and climbed up to sit beside her. The door closed, and they were alone. 'Nicoletta' – his voice was low, a drawling caress – 'are you ever going to look at me?'

She could feel his voice whispering over her skin. Nicoletta stole a quick glance at him, then turned away from his brooding good looks. The storm was now sweeping away from the cathedral, moving inland to scatter over the mountains.

'Nicoletta, look at me.' His voice was quiet, even gentle, but it was a command nonetheless.

She turned her head, long lashes sweeping upward, her dark eyes enormous in her face. 'It has been much more difficult than I expected today.' Her voice was a mere thread of sound, so low he could barely catch the words. 'I do not know if I have the courage to face the revelers at the palazzo.'

'It is a storm, *cara mia*, a violent storm like all the others that come from the sea. The earth chose that moment to

269

tremble, as it has done in the past. These things occur often. They are natural, not the superstitious nonsense of monsters arising from the seas to walk the land as some teach the children to believe. Or worse, that the heavens were protesting our union because either you are a witch or I *il diàvolo*. I know you are not a witch, Nicoletta, although you have cast your spell over me as none other ever could. And surely you do not believe I am in league with *il diàvolo*. How could I enter the cathedral unharmed? How could I take the crucifix into my hand, drink the sacramental wine, or have holy water splashed over me?' His voice was extremely gentle but with a slight edge of mocking amusement to it.

Nicoletta glanced up again, a quick reprimand of his irreverence while she twisted at the unfamiliar band of gold circling her finger. 'How is it you can talk to me in my mind?'

'Is it so terrible a sin?' he countered.

'I do not know if it is a sin. Everything else seems to be.' The words slipped out, and she hastily bit down on her lower lip to prevent any further blasphemous statements.

Giovanni burst out laughing. 'You are right, according to Maria Pia Sigmora. But I do not think of my ability that way. I was simply born with it. *Mia madre* was a bit frightened by it and warned me never to reveal it to others. How is it you can heal the way you do? I felt the curative warmth in your touch; that's no ordinary talent, either.'

'I was born with it also,' she said. A small smile found its way to her mouth.

'Have no fear of the revelers, Nicoletta,' he said softly, taking her hand in an effort stop her trembling. 'I will not leave your side.'

'*You* frighten me much, good signore,' she admitted, her irrepressible laughter bubbling to the surface.

He caught her chin in his hand and forced her to look up at him. 'You are such an innocent, *piccola*, and I may be damned for forcing my will upon you, but, in truth, I had no choice.' This time the edge to his voice made her shiver. His black eyes were filled with a hungry intensity he didn't try to conceal from her.

She wrenched her chin out of his palm, her own dark eyes smoldering. 'I do not believe you, Don Scarletti. One such as you always has a choice. You are the law, life or death to those of us who live in the village. *You* took away *my* choice.'

'Better me than some rude peasant boy,' he retaliated.

The flames of battle leapt into her eyes. 'It might have occurred to you that I wanted no man. That I was perfectly happy without one.'

His laughter was low and taunting. 'You cannot be so naive that you would think some man would not eventually come along and take you.'

'I had learned to hide myself. My people did not speak of me to outsiders.'

'I heard of your beauty long before I ever laid eyes upon you.' He stretched out his long legs, idly complaining, 'These coaches are an uncomfortable means of transportation.'

'Did you hear that I was . . . different?' she asked.

He glanced at her stiff face, her trembling mouth. With a soft sigh, he took her hand in his. 'If you are "different," *cara mia*, then so am I. I know we belong together. I have seen the welcome changes in my home already. Your stay has

271

been short, yet your influence reaches wide. You say I had a choice. I say, if my people are to survive, I did not.'

'You made young Sophie and Ketsia very happy today,' Nicoletta said, deciding on a truce. 'Thank you for thinking to have a special gown made for Ketsia.' She knew Portia had not seen to that particular detail.

'I saw only you in the church,' he admitted, 'but I will make certain I give the girls my compliments at the festivities.'

'Do you know if any others have the ability to send their voices into people's minds?' Nicoletta asked, curious.

'My brother Antonello is adept at it. My *nonno*, too, carries this talent, it is in our bloodline. Still, my *padre* could not do such a thing; indeed, he was angry that his sons could and thought it most blasphemous.'

'What of Vincente?'

Giovanni nodded. 'Of course. But he is not as adept as Antonello, and he rarely uses the ability. Antonello is my most valued emissary to foreign lands, and it is of great use to us to speak silently when no other can hear. And even over a great distance, I can feel if he is in danger. Vincente, on the other hand, is rarely in danger, unless it is from the overly avid attentions of some young lady. Since the death of his wife, there are many who hope to be chosen his new bride. I thought he might look to Portia – they are oft together – but he is still grieving.'

'Your brother once said that the Scarletti men love only once,' Nicoletta said, trembling as she recalled the ominous sensation that had accompanied his pronouncement. Then she thought to add, 'Little Sophie hears voices at night, and

272

she is very afraid. She is not making it up, though Vincente and Portia and Margarita claim it is so, or that she is going mad. I have heard the voices, too. I believe she is in danger. She said her *madre* heard the voices, and some named her mad.'

Giovanni shook his head. 'It is a sad tale, Nicoletta. Angelita was so in love with Vincente, they stared longingly at one another for hours when first they married. But she changed very quickly. She would stay in her room for days on end, not allowing anyone in but Vincente. He would care for her, bring her meals, and entertain her. She wanted only him. He worried for her, took her traveling, tried many things, but she became nearly a recluse. In desperation he decided they must have a child.' He fell silent, and the coach swayed and jolted over the narrow passage toward the palazzo.

'It did not help,' she guessed.

Giovanni sighed softly. 'No, it did not help. Vincente devoted himself to Angelita, would almost never leave her side, but she refused to come out of her room and eventually would not see even Sophie, her child. I was afraid for my brother. The laughter had gone out of him. He rarely would look at his daughter, as if he might blame her for her *madre*'s condition. I sent him on an errand, a small one. He was gone overnight, no more, but in Angelita's demented mind, she thought he had deserted her.'

Nicoletta stared up at him, horrified by the story.

'She was found dead that evening when the maid took her supper. She had hanged herself. You are entrusted with this information as a member of the *famiglia*. Vincente would be beside himself if it got out. Once again the Scarletti curse

273

held true.' His black gaze moved broodingly over her face. 'That is why you will have guards with you at all times. I will not find your dead body somewhere as nearly every male member of my *famiglia* has.' He spoke the words sternly, a command she dared not contest. 'They will taste your food and drink, and they will watch over you when I cannot. You will not have a separate bedchamber but share my own with me.'

Nicoletta gasped. 'I must have my own bedchamber to retreat to at times.'

'You will not.'

'What of Sophie? I was going to allow her to share my bed.'

His white teeth flashed, and for one moment amusement lit the dark obsidian of his eyes so that they gleamed mischievously like those of a boy. 'You will be much too busy sharing your bed with your husband, not a child.' His voice was low and husky, and his gaze moved hotly over her body.

'You look like a hungry wolf,' she chastised. In truth, his bold gaze sent flames licking along her skin until she burned for him. Nicoletta looked away from him to hide her reaction. 'What about the child? Perhaps Maria Pia could live at the palazzo and stay with Sophie at night.'

'That is what you wish, *cara mia*?'

The sensual note in his voice melted her, and she leaned into him, boneless and pliant. She nodded helplessly, staring up at him with enormous eyes.

His fingers spanned her throat, his palm brushing lower to lightly feather over her breasts through the material of her gown. She felt a jolt deep within her, and hot, molten liquid surged through her body in an unexpected ache. 'You remember what I have said, *piccola*. I will not lose my wife to the Scarletti curse.'

The coach jolted to an abrupt stop, throwing Nicoletta hard against him. 'I will not die by my own hand, if that is what you fear. Do you believe so much misfortune heaped upon one *famiglia* is fate, or do you think mortal hands are involved in such doings?'

The guard opened the door to the coach, letting in light and rain. The don didn't move, his face carved from stone. He looked all at once menacing, invincible, implacable. 'I do not know, Nicoletta, but I swear by all I hold holy, whatever it is, it shall not take you from me.' He stepped out of the carriage with his easy grace and reached for her, not allowing her dress to touch the rain-wet walkway. Uncaring of propriety, he cradled her against his chest as he moved quickly up the steps and entered the great hall to join the revelers.

Nicoletta passed the next few hours in a dreamlike manner. She was aware of the don keeping his word and sending for Maria Pia. He bowed low over Sophie's hand and murmured magnificent compliments to Ketsia. He remained always close to Nicoletta, his hand on her possessively so that it seemed to burn his brand into her skin right through her gown.

At some point she became aware of the byplay between Antonello and her new husband, some political undertone in the room of dancers she did not understand. She knew few of those attending the celebration. Most were members of the other great houses and representatives from court. But something else was brewing, something that Giovanni often conversed mind-to-mind with his middle brother about. She knew they were talking often, the don giving orders to his brother.

Giovanni took her onto the dance floor and whirled her close to him, yet even as their bodies touched, she knew his mind was with Antonello's. Something was amiss. Something they both were wary over. As hard as she tried, she couldn't touch Giovanni's mind and learn the truth.

Vincente danced with her briefly, evidently a poignant moment for him, reminding him of his own wedding to his late, beloved Angelita, as he moved stiffly with her under his brother's watchful gaze. It was the first time since arriving at the palazzo that she seemed to command Giovanni's full attention, and immediately she was uncomfortably aware of Vincente's hands on her body, his hard frame occasionally brushing hers. It made her feel tense and awkward, but when she looked up at him, Vincente was staring over her shoulder, his mind far away, tears visible in his dark, haunted eyes.

Giovanni rescued his youngest brother, gliding to his side and gently removing Nicoletta from his grasp. He put an arm around both of them and walked them back into the shadows, where Vincente could get his emotions under control.

Giovanni bent close to Nicoletta, his mouth pressed close to her ear. 'I think I have managed to do my duty by my guests. I now want only to be alone with my wife. Let us retire to the bedchamber, as they will continue here long into the night, and I have other, much more pleasurable pursuits in mind for us.'

CHAPTER THIRTEEN

Nicoletta stood in the middle of the huge bedchamber not certain exactly what to do. Her attendants had left her to face her bridegroom by herself. Her long hair was unbound and spilling down her back in waves of blue-black silk. Her nightshift was clinging to her every curve. She stood in her bare feet on the cold tile and looked in awe at the enormous room. She had never seen anything so amazing. The don's chamber was far larger than the entire hut she had shared with Maria Pia.

Her belongings, including her new gowns, were in his huge wardrobe, along with several pairs of shoes that could only have been made for her. She noticed a number of heavy doors aside from the one leading to the corridor, but she was too nervous to explore. Nicoletta padded on her bare feet to the windows facing the sea. The room was warm with the flames roaring in the hearth, yet she shivered. Outside, the sun had long since given up its fight to light the sky, succumbing to dark clouds and ferocious rain. The thunder and lightning had passed inland but left behind the steady droplets drumming against the palazzo.

The door behind her closed softly, and Nicoletta whirled around, her hand protectively flying to her throat.

Giovanni stood watching her through half-closed eyes, leaning one hip lazily against the far wall. 'Have you noticed that this room lacks most of the unappealing artwork?' he asked. Straightening slowly, he raked a hand through his wavy black hair, tousling it even more than usual. He pulled off his boots and stockings, then kicked them aside. It seemed more intimate than ever to see him with bare feet in their bedchamber.

He looked almost weary, as though the facade he presented to the rest of the world did not hold up in the privacy of his inner sanctum. His face looked shadowed, lines etched around his mouth. Nicoletta had a sudden, inexplicable desire to smooth those tiny lines away. Instead, she nodded, thankful he was willing to wait a few moments before pouncing on her. 'I did notice that. It's a bit of a relief.' Afraid she may have inadvertently hurt his feelings, she smiled at him to take the sting out of her words. 'But there is some wonderful artwork in the palazzo.' She moved away from the windows and the view of the foaming sea to shrink back into the shadows.

He came farther into the room, gliding in his silent way to the opposite side of the bedstead. Nicoletta relaxed visibly with the enormous width of the canopied bed between them, so big it almost looked like a separate room.

Giovanni slid the jacket from his broad shoulders and slung it carelessly onto a chair. His black gaze slid over her again. She thought she saw raw hunger glittering deep in his eyes before he turned his attention to his shirt. Nicoletta swallowed hard and tried to look away from him, but his movements were mesmerizing. She watched as he shrugged out of his outer shirt to let it fall after his jacket onto the chair.

278

Her fear tasted oddly like anticipation in her mouth. Her heart was beating hard, and butterflies were rampaging in her stomach. 'I must ask you something.' She lifted her chin slightly to give herself the necessary courage. 'Did you know *mia madre*?' She held her breath then, pressing both hands to her somersaulting stomach, afraid of any answer he might utter. Afraid he would refuse to answer. Afraid she had destroyed any chance of acceptance between them.

Giovanni looked across the room at her pale face, his hands stilling on his remaining shirt. 'Who could not remember your *madre*, *piccola*? She was much like you. A ray of sunshine that brightened every room she entered. She had a voice like an angel, and she filled the palazzo with laughter, much as you do. Yes, I knew her.'

'Do you believe she was cleaning the walkway and fell from the ramparts to her death?' The words sounded strangled as they emerged from her throat.

Giovanni edged around the bed, looking like a stalking wolf. His eyes glittered with such menace, she backed away until the wall brought her up abruptly. He planted his solid frame in front of her, cutting off all hope of escape, his fingers shackling her arm. His other hand settled around her soft, vulnerable throat, and his thumb tipped her chin up to force her gaze to meet his. 'You are not thinking of placing yourself in danger by searching for the answer to your *madre's* death, because I absolutely forbid such a folly. Absolutely forbid it.' He repeated the words, enunciating each carefully as if she were a halfwit. 'You will obey your husband in this matter, Nicoletta.'

She could feel a fine tremor running through his hard

body, as if he shook with the force of his own command. 'Then you believe she did not die accidentally.' She tried to be calm in the face of his absolute authority. Don Scarletti was most intimidating, and here, alone in the bedchamber with him, half naked, with unbound hair, Nicoletta felt excruciatingly vulnerable.

'No, Nicoletta, she did not die the way the story was told. She would not have been cleaning the walkway in the rain.' He gestured toward the window with the deluge pouring against it. 'Would anyone do such a thing? No, she was thrown over the ramparts, murdered.' He said the word deliberately, his eyes glittering menace, directed at her. 'That will not happen to you. I will not have it. *Dio!* I still remember her broken body. I will not ever see you that way. You will not ask questions or attempt in any way to find out more about her death. If I could not do so, and those investigating could not do so, then accept that you cannot, either.'

'You really do not know who killed her?' She wanted to believe him, was desperate to believe him. He was her husband, and she was expected to be intimate with him. He seemed so intense and sincere. Her eyes searched his for the truth.

'If I knew who killed her, Nicoletta, they would be dead themselves right now, not lurking in the shadows, a threat to my bride.' His thumb began to feather back and forth across her soft skin as if he could not quite help himself.

'You fear for me,' she stated, when she wanted only to melt under the heat of his hungry gaze. 'There is no need.'

His head was lowering slowly toward hers. 'There is every

need, *piccola*.' He whispered the words like a magic incantation against her lips. 'You are of utmost importance to me. I cannot do without you.'

His mouth settled onto hers. Gently. Coaxing. His hand framed her face, then slid to the nape of her neck, urging her body more fully against his. Nicoletta found herself trembling, a shiver starting in her center to slowly encompass her. The ground seemed to be moving under her feet, and the world spun away to leave her clinging to this man, her husband, so solid and real. His mouth, hot with need, became more urgent, more demanding.

Nicoletta felt the curious melting of her bones that made her fit into his body, warm and pliant, pressing scandalously against him. His body hardened even more, hot and thick, suddenly aggressive. His hands moved over her skin, a gentle exploration that sent a ripple of erotic pleasure pulsing through her. His mouth teased hers into answering, coaxed hers into dueling. She wanted the moist heat and the excitement of his demands. She wanted his hands cupping the weight of her breasts.

As his mouth left hers, she let her head fall back, exposing the line of her throat to him. He blazed a fiery trail of kisses along her soft skin, over the creamy upper swell of her breasts until she ached for more. Needed more. There was only Giovanni in that moment, with his hard body and perfect mouth and the fire he was creating in her.

He murmured something in a husky voice, an aching sound of hunger. Nicoletta cradled his head in her arms as he lowered his mouth to her breast, right through the thin material of her shift. It felt sinful, scandalous, and more erotic than anything she had ever imagined. His mouth was hot and moist, pulling strongly at her creamy flesh, his tongue dancing over the hard peak of her nipple, his teeth scraping gently until she cried out with the sheer pleasure of it.

Giovanni pushed her shift down, exposing the perfection of her full breasts to his hungry gaze. The unexpected coolness of the air after the assault of his hot mouth only added to the erotic sensation. His hand cupped one breast possessively, his thumb teasing her sensitized nipple until her body screamed for more. 'I want to see you,' he whispered softly against her satin skin. 'I need to look at you.' He pushed her shift lower so that it fell in flowing folds to pool around her ankles.

Nicoletta gasped as she stood before him, her body completely exposed to the raging hunger in his black eyes. She had never felt so wanton in all her life. Firelight danced over her skin so that it seemed to take on a golden glow, the shadows lovingly limning secret places, calling attention to her small waist and rounded hips. She ducked her head so that long waves of black tresses brushed over her body like a silken cloak. She stared steadily at the middle of his chest, unable to think or move.

Cara mia. He breathed it into her mind. Intimately. Tenderly. 'You cannot fear this night with me,' he said aloud. *Want me the way I want you.*

She watched his hands remove his inner shirt. Strong hands. Hands that moved over her skin possessively, a seductive caress that melted her insides and started a shiver of need sweeping relentlessly through her body. His chest was broad with heavy muscles and several deep scars, two quite recent. One seemed perilously close to his heart. Nicoletta felt her breath leave her body at the sight of it, at the vivid image of a sword piercing his heart. Involuntarily she found herself reaching for him, her fingertips tracing that thin, raised line.

She felt his powerful body clench and tremble beneath her tentative touch. A rush of heat gave her the courage to look up at him. His eyes were so hungry, blazing with stark, raw need. It mattered not that he was enormously strong and she was his to do with as he wished. In that moment Nicoletta realized he was nearly as vulnerable as she.

Beneath her exploring fingers, his skin felt hot and firm, his muscles defined and sinewy. There was no soft give to his body, only a hard perfection that made her want to press herself against him. Her own body felt different, heavy and aching and wanting . . . something, something she did not yet know . . . almost desperately. She wished she had the courage to circle his neck with her arms and cling tightly, molding their bodies together.

'Are you afraid of me?' he asked softly, his hands shaping her curves almost reverently. The husky note in his voice turned her heart over.

She nodded, her wide eyes betraying her innocence. It only made him want her more, made him want to protect her and possess her, keep her forever in his care. His hands found the indentation of her back and dragged her close to him, so that the heat radiating from his body melted hers. His dark gaze held her mesmerized, so that she couldn't look away from him.

Giovanni bent his head closer. 'Give yourself to me, Nicoletta, and I swear you will never regret it.' His voice whispered over her skin like warm silk, hypnotic, seductive. His lips moved slowly, gently over hers, coaxing her to open her mouth to him. And then he was taking her into his world of moist heat and fire, of pure feeling.

She followed him willingly, more seduced by his stark desire than by the whirling, shifting colors exploding in her head. He was everywhere, everything, his hands moving over her body, his mouth welded to hers, her hair brushing their skin, sensitizing them even more. She couldn't think for wanting him. She had no idea the fire inside her could burn so bright, rage so out of control. He managed to lay her on the bed without her even knowing how she got there, and his mouth left hers to find her aching breast, even as his palm slid over her belly to rest on the tight dark curls where her moist heat beckoned to him.

Nicoletta felt the coolness of the coverlet beneath her hot skin, the weight of his palm as he pushed between her legs.

She gasped in shock as her entire body clenched and throbbed in response to his touch. His teeth scraped against her tender skin, his tongue gently following to ease any ache. His hands found the curve of her hips, holding her still as his mouth burned across her stomach to lap at the inside of her thigh. Her fingers twisted convulsively in his hair. 'What are you doing?' She managed to gasp the words aloud to him, suddenly terrified of the overwhelming need for something beyond her reach.

Trust me, cara mia. *I want you to need me the same way I need you. I burn for you night and day. I cannot sleep or eat or concentrate. I have traced this path so many times in my mind.* His words were heat and fire, the feeling in her mind more his than hers. She was as necessary to him as breathing. And he wanted her to feel the same way about him. Alarm bells were trying to ring in her head, self-preservation rising in the wake of his talented hands stroking her body exactly where she wanted – no, needed – him to touch her. And then there was nothing but a firestorm raging through her as his fingers brushed against her, testing her response.

Her body arched more fully against his hand, and a small moan escaped her. Her fingers tightened in his hair, an anchor as waves of fire washed through her. 'Stop.' She said the word aloud, terrified she might be lost forever. Her blood surged hotly, her breasts ached for him, her body wanted his. She couldn't think for wanting him.

Still, it was not enough for him. He was taking no chances with her innocence. He wanted her slick and hot and beyond thinking. He moved lower to taste her. Hot honey, her scent beckoning. Her body rippled with desire. Giovanni slid the confining cloth from himself even as he moved over her, blanketing her body with his own.

He watched her face, the look of need and confusion in her eyes. There was fear of him, of his strength, his power, his dominion over her. He was aching and full, his own need beyond anything he had ever experienced. He pressed against her, hard and thick, pulsing with an urgent demand. He moved his body gently to ease into her entrance. She was hot and tight, her folds a velvet fire surrounding his tip. She caught at his arms, her eyes wide with shock.

Feel me in you, cara mia. *We are one as we are meant to be.*
He pushed in farther until he encountered the thin barrier
of her chastity. Her fingers were digging into his skin, and
she suddenly stiffened in panic. At once he subsided, holding onto his self-control with supreme effort. 'The pain lasts
but a moment, *piccola*. It is unavoidable.' Lines of strain
etched his sculpted face.

Nicoletta looked up at him, her eyes searching his features for what seemed an eternity. He made no effort to hide
his terrible need from her, the effort he was making to control himself. At last she relaxed trustingly beneath him.

Giovanni bent his head to take possession of her soft,
trembling lips as he surged forward, taking her innocence.
Nicoletta gasped as he filled her. There was unexpected pain
in the midst of such pleasure. *I know*, cara mia. *I know it hurt.*
But give yourself a moment, and it will be much better. There
was such intimacy in the way his voice brushed seductively
at the walls of her mind. His mouth was devouring hers, hot
with excitement, with the answers to the mystery of what
transpired between a husband and wife.

He began to move, slowly at first, with long, sure strokes,
watching her face carefully for signs of discomfort. She
looked bemused, sexy, her innocent gaze on his. She was hot
and slick, a fiery sheath gripping him tightly. He was careful
with her when he needed to bury himself deep and hard,
wanting to crawl inside her and weld them together for all
time.

His hands cradled her rounded buttocks, pulling her into
him as he deepened his strokes. She moved with him, reaching for him now, reaching for more of everything he was

willing to give her. The small pain was forgotten as the pressure built beyond anything she had ever imagined. She clung to him, her eyes open, watching him closely, watching the shadows play on his face, the lines etched so deeply. He was surging into her with harder, deeper strokes. Her body seemed to ripple with a life of its own, even as his hands tightened on her and she felt him swell, hard and full, driving even deeper so that for a moment she felt on the edge of a great precipice, so close to perfect ecstasy. She reached for it, wanted it, even as he called her name softly, his seed pouring hotly into her. Whatever it was eluded her, leaving her frustrated and slightly ashamed.

Giovanni was breathing hard, his arms hard bands around her as he gathered her to him. Nicoletta unexpectedly felt close to tears. Her body was still on fire with need, slightly sore but very aroused. His hands framed her face. 'It is only your first time, *cara mia*. It was my failure – my wanting you too much – not yours. We are far from finished here.'

Her teeth bit nervously at her lower lip. 'I do not know what to do.'

'It will be a pleasure to teach you,' he said softly, bending his head to brush a kiss at the corner of her mouth. Her heart somersaulted at the tenderness in his voice.

'How is it you know so much?' she dared to ask. He had brought her to the brink of losing herself, of becoming a willing slave in his arms. Yet it didn't matter. She couldn't think of anything but Giovanni and his hard body, the way he made her feel.

He turned his face away from her. 'That is not something you would want to know, Nicoletta.' He was still buried deep

287

inside her, strangely intimate, giving her the courage she needed to be insistent.

'I asked you.' She sensed she was on the brink of some truth about him, a piece of himself he did not share with others.

Giovanni sighed softly, reluctantly separating their bodies as he rolled his weight off her, his arms still wrapping her closely to him. 'I am a Scarletti, *piccola*. Much was demanded of us. Many heirs expected of us. Our education in such matters was required at a very early age. *Mio padre* sent women to us to teach us these things. The women reported our progress to him. If we were not as successful as he thought we should have been, we were severely punished.' Bitterness and distaste were like ashes in his mouth.

Nicoletta frowned, turning her head to look at him. 'How terrible. I have never heard of such a thing. Are all the *aristocrazia* treated in such a manner?'

'It was solely the wish of *mio padre*. His demands were always excessive. Later he sent young girls to us, to be certain we would know what to do with an innocent. He insisted his sons had to excel in every area. The things he wanted done to the women and girls often made me sick, and I would refuse. He would beat me, but I refused to give him the satisfaction of concurring with his wishes or of crying out at his blows. Some things done under the guise of lovemaking are abnormal and deviant, *piccola*, and not for your ears.'

Nicoletta heard the distaste in his voice. She had no idea what he was implying, but something in his tone twisted her stomach. She laid a hand on his arm. 'I think it is a strange thing the way we have false ideas of how others live. I am happy I am no *aristocratico*.' His hands were moving over her body, seeking shadows, soft curves, and hidden hollows. She watched the firelight play over his face as he indulged his ability to memorize every inch of her body. He looked relaxed, even happy, and it occurred to her that she had never seen him this way before. He was always so remote or serious.

He bent his head to find her throat, and his hair brushed her sensitive skin like the tickling flames. 'I have a surprise for you,' he murmured, his mouth drifting lower so that the dark shadow on his jaw rubbed along the swell of her breast, sending fire racing through her blood. 'Something to keep you out of the hills.'

'I was born to run in the hills,' she cautioned, her chin lifting in a subtle challenge.

He smiled, his warm breath teasing her nipple erect. 'Ah, but your running days are over, *piccola*.' His mouth closed over her breast, and she cried out with the exquisite pleasure of it, arching into him, seeking relief from the burning in her body. She still throbbed with need. His hand traced the indentation of her waist, then glided down over her belly to find the nest of damp curls. His mouth was hot and demanding even as his fingers moved inside her.

For one moment Nicoletta thought to pull away from him, aware he was an expert at arousing a woman, any woman, but the fire was already burning out of control. She moved against him frantically, the pressure building almost to the point of pain. And then she cried out, clinging to him for support as her entire body seemed to fragment and waves of pleasure washed through her, over her, inside her.

Giovanni found her mouth with his, tasting her passion. *It is not the same with other women. It was never like this.* And he couldn't explain it to her. How could he? The palazzo was his home, and he was the guardian of his people. The duty was his; it rested squarely on his shoulders, and he would never shirk it. But the curse on the *famiglia* Scarletti was very real. The palazzo was aptly named by those who whispered – *Palazzo della Morte.* Palace of Death. It was a dark, monstrous place to live, to grow. A shroud of evil encased it, one he could not hope to lift. There was no laughter or love there, only emptiness and fear and envy. Something evil lurked there, poisoning all that was good.

The women who had come and gone in his life had been mere duty, a thing that shamed him. He was well aware of the curse, well aware of the savage beast that crouched within his body, of the hot blood that ran in his veins. He had seen the results when watching his father. Giovanni kissed Nicoletta again, gently, tenderly. How could he tell her he should never have been so selfish as to force her to accept him? That her life was in constant danger, that death stalked her every moment she was in the palazzo.

He kissed her again because he had to, because he couldn't possibly do anything else in that moment. She lay in his bed, her body soft and inviting, her eyes luminous, enormous, shy, an angel trapped in the devil's realm. 'I wanted to find the perfect wedding gift for you,' he said softly, kissing the corner of her mouth, drifting lower to her chin. 'I was told you have an uncommon interest in cleanliness, in hot water.'

At once her eyes became shadowed, haunted, her young

face mirroring her fear. Giovanni bent once more to kiss her lush mouth. 'You do have strange habits, *piccola*. You cannot deny it.' He sounded amused.

Nicoletta shifted in an attempt to gain freedom. Was this some cruelty? A veiled threat that, should she not please him, he would name her witch? The word had been twice used, a frightening thing should the don wish to rid himself of her. She knew she was different, and she was intelligent enough to know the payment that had been demanded of her *villaggio* for those differences. The Scarletti who had bargained with the ancestors of the village elders had wanted to introduce those rare abilities into his bloodline. He had allowed them to establish their *villaggio* under the don's protection in return for the Bridal Covenant.

Cara mia. His voice was a drawling caress, a gentle chastisement. 'You look at me with such fear in your beautiful eyes.' It was becoming far easier to connect with her; when her emotions were intense, he could reach out to her, his voice strong in her mind. Giovanni moved then, a swift, fluid flowing of his muscles. Her heart nearly stopped as he gathered her up as if she weighed no more than a child. He could be very deceptive in that when he was still, he was completely still, and when he moved it was fast and unexpected. She knew why he was reputed to be a dangerous adversary.

'What do you plan to do with me?' She was completely naked, the evidence of her innocence trickling along her leg. 'This is unseemly, Don Scarletti.' It was humiliating to be so helpless, not to understand the demands of one's own body and to know she was completely at the mercy of her husband.

Giovanni moved straight to one of the closed doors, thrusting it open with one quick motion and took her into a huge, elaborate marble chamber. Nicoletta gasped, clutching his neck with her slender arms. She had never seen anything remotely like it. She had heard of such sinful luxuries, of course; the Roman emperors were reputed to have such things.

Watching her face closely, Giovanni lowered her feet to the marbled tiles. Nicoletta was so awed, she forgot she was naked. The bath was built almost as large as the community baths and sunken deep, with stairs leading down into it. The hot water lapped at the edges, beckoning, steam clouding the room, lending the illusion of clouds. Beneath the deep water mosaic tiles wove colors like a tapestry. Large columns at the perimeter held lifelike sculptures of fearsome lions. The beasts faced outward from the bath, as if standing guard.

'My ancestors believed in their creature comforts.'

Nicoletta abruptly remembered Giovanni was there and immediately hid herself behind one of the lions. 'Do you worship in the Holy Church?' she asked, suspicious. In their small *villaggio*, it was rumored that in the outside world things like kissing and bathing could lead to sinful, wicked things, even between husband and wife, who rightly mate but solely to produce children. Nicoletta was rather afraid that what she and Giovanni had already done came under the heading of sinful and wicked. She had liked his ministrations far too much to consider herself a decent woman. The thought was frightening, yet exciting at the same time.

He arched one black eyebrow at her, standing tall and naked, looking every inch a Greek god. *We have not even begun to be sinful and wicked*. The words brushed at the inside of her mind, spreading heat through her body until the very core of her burned. 'There is so much more to what is between a man and a woman,' he said aloud, watching the breath rush out of her lungs, watching the way her breasts beckoned him, swelling with aching desire.

Nicoletta hurried down the steps of the pool to immerse her body in the water, hoping he could no longer see her. The colored mosaic tiles created a strange, shimmering effect in the water. She felt like a water nymph, her long hair floating like silky blue-black seaweed on the surface.

The hot water lapped at her skin, easing her soreness. She closed her eyes, savoring the feeling, savoring the heat and even the possible indecency of it all. 'You did not answer my question, Don Scarletti,' she said softly, looking up at him, more confident with the water covering her bare skin, the wispy clouds of steam playing over her body, and the dark shadows cast by several candles skimming her flesh.

'I worship in my way. I am the don, responsible for the lives of many. I do not have the luxury of believing blindly. Each decision I make must be a political one. Our country is divided, and as long as it is, we will fall to the larger powers, be it the rule of the Holy Church, France, Spain, or Austria.' He walked down the steps slowly. 'I hold these lands because I am strong. I strike hard and fast, and my reach is long. If there is a whisper of treason, if there is talk of attacking me and taking my lands, conquering my people, I eliminate the threat at the very throat of my enemy, long before it reaches my borders.'

Nicoletta's teeth bit at her lower lip in agitation. 'There

is a rumor that you head a society of assassins.' She was backing away from him, away from the mesmerizing effect he seemed to have on her. She could almost believe he led a society of assassins. She already half believed he was a sorcerer casting a spell over her. But he was so adept at it, she had no real desire to escape.

'I have heard that rumor,' he said with a casual shrug.

Nicoletta was very aware of trickles of sweat running along the defined muscles of his chest and arms. She wanted to touch him, to taste those tiny beads of moisture. The thought was terrifying, a corruption of her ingrained modesty. She wanted him to touch her again, to bring her body to a fiery conflagration. 'Even with all you have just told me, how is it that you have managed to keep your lands when so many others have fallen?' She was struggling to control the terrible hunger raging in her body.

'You are thinking *il diàvolo* has aided me. I do not know if he has, Nicoletta. There is much I must do to protect our lands that a little innocent like you could not conceive of.' He reached for her, his hands finding her rib cage, pulling her toward him through the lapping water. Her breasts pushed against his chest in blatant invitation. At once his hands came up to cup the soft weight in his hands.

'I need you to explain something to me, Don Scarletti,' she said, leaning in close, nearly hypnotized by the small beads of water running down his skin. 'Is this wrong? How you make me feel – is it wrong?'

'Giovanni,' he corrected her. 'And what could be wrong between a husband and his wife? You are my other half, *cara mia*.' He reached for her hand. 'This is what is meant to be.

Feel how much I need you, Nicoletta. How much I want you.' He wrapped her fingers around the thick, hard length of him, then closed his eyes, savoring her touch.

He could feel her trembling despite the warmth of the water. His hand moved in a caress over her hair, a stroke of tenderness even as his other hand shaped her fingers to massage and explore. 'When a man knows a woman wants to touch him like this, when she seeks to please him in the way he has pleased her, he grows all the more hungry for her.' The steamy water was flowing around them, between their bodies, lapping at their skin, like a thousand tongues. 'Look at me, *cara mia*, at how great my need for you has already become.' He whispered the words as he drew her close, as he caught her head in his hands and bent to kiss the nape of her neck. A seduction. A temptation.

She could feel the curious melting inside, the heat in her blood surging through her veins, pooling into a low, constant ache of nearly desperate need. She wanted to lean forward and taste the drops of moisture on his skin. And she was no longer able to stop herself. Nearly in a trance, she leaned into his chest and traced the line of his muscles with her lips. As her mouth drifted over his skin, she felt him tremble, felt him grow harder in her hand, pulsing with urgent need. Daringly, tempted beyond endurance, her tongue flicked out to capture a small bead of moisture on his chest. He tasted of salt, of earth, his masculine scent enfolding her. And she wanted more.

A feeling of power was growing in her, replacing the terrible vulnerability. She could make him want her in the same way he had made her burn for him. Her tongue caught another bead, swirling lazily, a natural, sensual movement that wrenched a gasp from deep in his throat. Her hand moved now on its own, gliding over the hard length of him, stroking and caressing, finding the sensitive tip where he seemed most vulnerable to her attentions. He let her explore, clenching his teeth against the waves of hot desire pouring through him like molten lava he could barely contain.

As he stood slowly her tongue swirled along his chest, then lower, to find the tiny droplets running down the ridges of his stomach muscles. Another sound escaped, a husky growl torn from deep within him. It was erotic, hungry, so sensual that she couldn't find it in her to stop herself from tasting him. He shuddered visibly as her mouth skimmed over his engorged tip, hot and ready with his great need. Her warm breath was making him half mad.

Giovanni had experienced such pleasures many times in his life with practiced women experienced at their craft, yet no one had stirred him as Nicoletta did. She was so naturally sensual, born passionate, her every gesture innocently erotic, even the way she turned her head or moved her lips when she walked. And the way her mouth slid so shyly over him, hot and tight and perfect. His hands caught her head while he reminded himself to be gentle, not to thrust savagely into her as he so desperately needed to do. Very carefully he began to guide her, his head back, his body taut with self-control.

A loud banging on the outer bedchamber door jerked Nicoletta upright. She stared at Giovanni in a kind of horror. She backed away from him, her eyes wide with shock at her own wanton behavior. She pressed a hand to her mouth.

Giovanni reached for her, but the banging became louder, more insistent. No one would dare interrupt his wedding night unless it was of dire consequence. 'Nicoletta, I must answer the summons,' he said softly, holding out a hand to her.

She looked around for something to cover her nakedness, ashamed and humiliated at her performance. Don Scarletti hadn't forced her. He hadn't even asked her. She had behaved in a manner no decent woman would have. Her sins had to be great. And it didn't help her conscience that her body still burned with a fire she couldn't extinguish, that she wanted him buried deep inside her, that he was a hunger in her blood now, impossible to ignore. Nicoletta crossed herself and sent up several quick prayers in hopes the good Madonna was listening this night.

Giovanni moved in haste now. The knocks were drum-like, the summons urgent. He tossed a robe to Nicoletta while he pulled on his breeches. Casting a brief look over his shoulder to ensure she was out of sight, he crossed the bed-chamber and jerked open the door.

'What is it?' His tone was low and furious, a threat to the group of men waiting for him.

Nicoletta peeked around the edge of the alcove where she was hiding and spotted Antonello in the midst of several of Giovanni's elite guards. She could see that they were agi-tated, but their voices remained low, so she had no hope of hearing what they said.

At length, Giovanni turned back to her, closing the door.

He began to dress, his black eyes fixed on her pale face. 'I regret that I must leave you, *piccola*. Go to sleep, and I will return as soon as possible.'

She pulled the robe more tightly around her, her eyes alive with injured pride, her face flushed nearly scarlet. 'You mean to leave me on our wedding night?' After the humiliation of what she had been doing to his body? She couldn't think it.

'I must. Affairs of state call to me. I will return, and we will ease all your fears.'

She lifted her chin. 'I do not think I want my fears eased. You bewitched me to do such things. You go to your work, Don Scarletti. I will return to my own bedchamber.'

She sounded faintly haughty, but he heard the tears choking her throat. His face darkened. 'I have said you will remain in this room. It is your bedchamber now, Nicoletta. I do not have time now to teach you all the things you must know.'

Her eyes smoldered at him. 'I do not *want* your "teachings," signore, if that is what you call them. And I will not remain here like a naughty child sent to her room.'

He muttered something beneath his breath and shook his head. 'I will return later. You will go to bed and sleep in my absence.'

She stood in the center of the room, watching as he deserted her to accompany his guards and his brother. She crossed to the door and watched as he started down the hall. When she would have moved defiantly into the corridor, two soldiers stepped in front of her, their bodies as effective as any prison door. It was a further humiliation. The entire palazzo would be abuzz with the gossip that the don had deserted his bride on their wedding night.

Giovanni looked back once, his black gaze meeting her dark, mortified one. *Cara mia.* The voice was velvet soft, but Nicoletta refused its seduction and comfort, slamming the door and running to the bed. She was exhausted and embarrassed, unable to explain her own indecent behavior. She thumped the coverlet hard, vowing she would never indulge in such carnal behavior again. Confused and utterly weary from the day's events, she fell asleep with tears running down her face. But Nicoletta dreamed, and she dreamed erotically of the don.

He returned to their bedchamber at first light. The room was a smoky gray, still caught between morn and night. He was tired, lines etched deeply into his face. He undressed, his eyes on his bride's sleeping figure, tearstains still on her face. His hard features softened at the sight of her, a tenderness creeping in to thaw the terrible ice in the depths of his soul. There was a scratch on his shoulder that had not been there before, a thin line of barely discernable blood.

Giovanni stretched out beside Nicoletta, his hard body curved almost protectively around hers. His arm circled her, pulling her close to him. At first he lay still, simply listening to her breathe. He inhaled her scent.

Nicoletta slowly became aware of her husband's presence, felt him taking the essence of her deep into his lungs, breathing her into his body. His lips were velvet soft as they skimmed her mouth to drift down along her throat. He nuzzled her until the warmth of his breath heated the nipple peeking out at him from the robe that had fallen open. She felt his tongue first, then the scrape of his teeth. Then he was suckling, his mouth hungry for her. Each pull set moist heat pulsing between her thighs. She moaned softly, an invitation, her legs parting restlessly.

Giovanni seemed heedless of her aching need. He took his time, paying careful attention to each breast, tracing each rib, swirling his tongue in her navel, along her stomach. Finally his hands parted her legs, stroking her thighs until she arched her hips in demand. His palm pressed against her, finding her hot and damp.

'This is wanting me, *bambina*,' he said softly, inserting two fingers into her tight canal. He moved them as his body would move, in and out, until her hips rose willingly to meet him. 'That is what you must do,' he said softly.

His body moved over hers, large and muscular, pinning her beneath him, his knee pushing her thighs apart. He was hard and hot; she could feel him thick and long, pressing for entrance. He caught her buttocks in his hands, lifting her to meet him so that he could surge into her deeply.

The movement drove the very breath out of her. He was large, and he filled her, stretching her until she gasped with the exquisite pain of it. He bent his head to capture her mouth, and his tongue began to match the movement of his hips, hard and fast, so that her sheath grew hotter and tighter. The friction went beyond her dreams, spilling into reality, so that she was gripping him, thrusting upward to meet him, the pressure building until she wanted to scream. Her body rippled with life, gripping his, dragging him deeper into her, milking him dry as she fragmented into a million sparkling pieces before settling slowly to earth.

'That is only the beginning,' he whispered softly to her as he reluctantly eased his weight off her. One leg was thrown carelessly over her thighs to lock her to him. One arm curved possessively around her waist. His head was beside the warmth of her breasts. 'Go back to sleep, *angelo mio*,' he whispered softly against her creamy skin. Her body was sated but sensitive, and she drifted off with his mouth, moist and hot, nuzzling at her breast.

CHAPTER FOURTEEN

'I do not understand why there is still no word on Cristano,' Maria Pia greeted Nicoletta as she entered the kitchen. The older woman faltered when she saw that Giovanni had entered behind Nicoletta, his hand resting possessively on her back. Then Maria Pia lifted her chin belligerently, addressing the don directly. 'I understand you have called off the search for young Cristano.' It was said as a challenge, yet she couldn't quite bring herself to meet the don's steady black gaze.

'Is that true?' Nicoletta asked, swinging around to face her husband. In the morning light he was incredibly powerful looking, no hint of tenderness on his chiseled features. He looked aloof, remote; he looked the man who had left his bride on their wedding night for some secretive, clandestine errand he refused to discuss.

'Yes, *cara mia*,' he said with a hint of exasperated amusement in his drawling tone. *Always ready to think the worst of me*. The words were very clear in her mind, and a faint blush stole into her cheeks. She would have preferred to believe she was dreaming still when he returned to their bedchamber, but they had tangled together far too intimately for her to mistake that she was awake, gazing up, at his gleaming black eyes.

Her glance jumped to meet his at this casual display of his speaking in her mind in the midst of so many others. He bent to brush her temple with his mouth. 'I received word that your Cristano is alive and safe, hiding in the *villaggio* a day's ride from yours. I needed my soldiers and thought it an indignity to the young man's ego to force him to return home.' He bowed toward Maria Pia. 'Signorina Sigmora, I trust you slept well.' His white teeth flashed the smile of a wolf, before he turned and took his leave of them.

Maria Pia crossed herself, alarmed by the don's look. 'I think he threatened me,' she whispered softly to Nicoletta, acutely conscious of the guards nearby. 'And why does he still have those men following you? I thought they were only to keep you from running away before the wedding. He is your husband now.'

The subject was a sore one, so Nicoletta chose not to answer. 'Where is Sophie?' she asked instead. 'I expected to see her here.' She couldn't look at Maria Pia, couldn't meet her steady gaze, terrified that her mentor would know all the wanton things she had been doing. For one awful moment tears burned in her eyes, threatening to give her away.

'The little imp is no doubt up to no good. I fear she needs taking in hand.' Maria Pia's voice was scolding but already held genuine affection. 'I should track her down and insist she learn manners. I think that, like another little girl I once knew, she runs free, with no one to see to her education or refinement.'

'My thoughts exactly,' Nicoletta agreed. She smiled at Bernado and accepted the bread fresh from the oven, trying to act as natural as possible, her gaze avoiding contact with his. The bread was warm and delicious. She ignored the fact that one of her guards had eaten a chunk of it before a share was given to her. She was uneasy, her body slightly but deliciously sore, her mind nervously skittering away from and back to the things she had done in the privacy of the bedchamber with the don. There was no sense in asking Maria Pia about the things that properly went on between a husband and wife; doubtless she would make Nicoletta go to confession and light a dozen candles.

Long after her morning meal, Nicoletta could still feel the shadows in her mind, a growing uneasiness that chipped away at her natural happiness. She went through the motions of meeting some of the workers in the palazzo, managed to laugh and jest with them even though Gostanz obviously didn't approve of such intimacies with his staff. She tried not to think about the gossip and speculation. That the don's new bride was an innocent and didn't know how to please such a man. That that was why he had left her their very first night together. Or worse, that they all knew she had wanted to do the forbidden, sinful things she had done. By late afternoon the shadows within her began to lengthen and grow so much that she sought refuge in the alcove with the shrine to the Madonna.

The small alcove was dimly lit, and Nicoletta waved the guards away to give herself some much-needed privacy. Kneeling, she lit several candles, praying silently to the Madonna and her own *madre* for guidance with her new husband. His personality so overwhelmed hers. He could make her want him so easily, removing her inhibitions and all sane thoughts until she could only feel, think only of him, of pleasing him. He made her feel things she had never dreamed of, never imagined, made her want to do things she had never once considered. Nicoletta longed for her mother's counsel and comfort.

Somewhere behind her she heard Portia's voice raised in anger. A softer voice answered in an indistinct murmur but with enough of a jarring note that Nicoletta was pulled out of her reverie. She turned her head and saw that a door only a short distance from her was ajar. The two women arguing must have sought refuge from prying eyes behind it. Nicoletta knelt uncertainly in the alcove with her head bowed reverently. The candles she had lit in memory of her mother were flickering, throwing dancing light onto the walls. She had no thought of eavesdropping, but she felt cornered, afraid that if she walked away now her presence might prove humiliating to the two women.

She could hear Portia's voice, shrill and angry, much more distinctly now. 'I do not care what you think. You are a callow, selfish girl and far too young and silly to hold the attention of a man like him! What were you thinking of, Margerita? I raised you to marry well, not ruin yourself trying to entrap a man like him.' Scorn and contempt laced Portia's voice, so much so that Nicoletta found herself wincing under its cutting whip. 'He beds silly cows like you, little innocents who have no hope of keeping him happy, but you are mere sport for him. Do you not realize he would laugh at one such as you with the figure of a man and the face of a dull ewe? You have nothing to offer *but* your innocence. Have you no sense? How do you expect to marry well if you are so stupid

305

as to sully yourself with him?' There was a loud *crack* as Portia obviously slapped her daughter hard.

Nicoletta hunched over, attempting to make herself smaller. Fortunately, she had never known harsh words and physical punishment. Her mother and Maria Pia had always been gentle and kind and understanding. Her father, known also as a good man, was dead and gone before she was even of an age to remember him. Maria Pia had slapped her hand now and again, but always in gentle reprimand, a threat, not a real blow. Nicoletta's heart went out to Margerita.

'He loves me!' Margerita cried out, her young voice filled with pain. 'You do not know. Ask him. Ask him. He wants to be with me. He will marry me.'

'He will never marry you.' Portia spat the words at her daughter, filled with a venomous fury. There was the sound of another blow. 'Have you lain with him?' The voice rose higher, poisonous and angry. 'Tell me, you ungrateful little whore!' Portia was obviously shaking her daughter in her fury. 'I should throw you out, tell the world what you are. You have been with him – I see it in your face.' Her voice rose into a strangled scream.

'He wanted me!' Margerita shouted back, a defensive child trying to convince an adult of something she didn't believe herself. 'He will marry me! He will!'

'Stupid, stupid girl.' Portia sounded as if she was grieving now, her voice cracked and broken, a bitter, sad tone that soon turned to weeping. 'Go away from me. Get out where I can no longer see you. Get out!'

'*Madre*,' Margerita tried again, 'he will offer for me, and

Zio Giovanni will give me a generous dowry and allow the match. It will come right.'

'Get out!' Portia snapped.

Nicoletta remained quite still as she heard heavy footsteps hurry toward the room where the two women argued.

'What is going on in here?' It was Vincente's voice this time.

There was a rustle of material as Margerita evidently rushed at him, bursting into tears. 'Go now, Margerita,' he instructed softly. 'I will talk with Portia.'

The girl fled the room, running past Nicoletta, her sobs of shame filling the corridor. Portia howled in anguish, her fury and sorrow so great she couldn't speak. Vincente caught her flying figure as she lashed out at him, unable to contain her anger. She was weeping hard.

Nicoletta rose in silence, turning to make her way quietly out of the alcove. She saw Vincente and Portia struggling ferociously, and then Vincente wrapped his arms around Portia, locking her to him, his mouth descending on hers almost like an assault.

Shocked and embarrassed, Nicoletta shrank back into the shadows. She should have guessed they had more than a cousinly relationship. Portia always clung to Vincente, and he seemed to rely on her for advice. Portia was only five or six years older than Vincente. It had never occurred to Nicoletta that cold, confident Portia could be so passionate about anyone, yet she seemed to be devouring Vincente. Vincente kicked the door shut with his foot even as his hands were roughly roaming over Portia's body with a brutal, frenzied grasping.

Nicoletta stared at the closed door for a moment, frozen

in place, too shocked to move. The unmistakable sound of cloth ripping galvanized her into action. She retreated quickly down the corridor, rushing silently past the door, wishing she knew why she had such a bad taste in her mouth. Vincente and Portia looked more angry and raw than like two people in love. She was slightly sickened by the display and suddenly terrified at the power Don Scarletti wielded over her own body.

Maria Pia was waiting for her in the large courtyard, ready for their daily walk. 'What is it, *piccola*? You look as if you have seen a ghost.'

Nicoletta glanced at the two soldiers who were her constant shadows. Their faces were carefully blank. For the first time she wondered just how much they knew of the intrigues in the palazzo. They were loyal to the don. Did they tell him of the things they saw, when the *aristocrazia* and even the servants treated them as part of the furnishings? Most likely they did. She felt off-balance and strangely close to tears. Now more than ever she wanted to run away. She was out of her depth in this place.

Maria Pia reached for her hand. 'What is it, *bambina*? It is unlike you to be unhappy. Did the don hurt you? What is the cause of that look? Ah, is it that I did not prepare you adequately for your wedding night?' She spoke quietly, deliberately turning away from the guards so that she and Nicoletta faced the abundance of shrubbery.

'I do not belong in this place,' Nicoletta whispered. 'I do not understand the people here, and I do not care to understand them. I want to go home, back to the hills, where I know what to expect and on whom I can rely.'

Maria Pia was silent a moment. Then she put her arms around Nicoletta and hugged her as if she were still a child. 'They are still people,' she reminded her gently. 'Just people.'

Nicoletta shook her head. 'They are different. They do not value one another as we do. Portia struck her own daughter, Margerita. It was a horrible thing.'

'I often wish to strike that young woman,' Maria Pia admitted. 'If you had the chance, Nicoletta, you might give her a good clout yourself. She is a vain, wicked girl who thinks of no one but herself. Surely you are not upset that a long-needed slap was delivered to that girl. Look at the things she says to poor Sophie.' Already Maria Pia's loyalty had swung solidly to the lonely little girl.

Sudden tears swam in Nicoletta's eyes. 'Portia said terrible things to Margerita. It is no wonder Margerita passes the vileness along to Sophie. Her *madre* called her names and condemned her when Margerita professed to love someone.' Nicoletta looked helplessly at Maria Pia. 'In truth, she is simply young, immature, a year younger even than I.'

'Portia Scarletti lives at the generosity of her cousin, the don. Unless Margerita marries well, they could end up with nothing. Portia Scarletti must be counting on a good marriage for her daughter,' Maria Pia explained tactfully. 'If this young man is a soldier or commoner, naturally Donna Scarletti would object to the match.'

'And then Vincente heard them fighting and came to help,' Nicoletta said in a low voice, averting her face. 'Margerita ran away, but he and Portia . . .'

There was a small silence. 'I see,' Maria Pia said softly. 'I suspected there was something between those two, although

309

they keep it well hidden. She looks upon him with a kind of greedy possession.'

'It felt wrong to me,' Nicoletta admitted reluctantly. 'I did not feel happy for them, as if they were in love. Rather it felt like . . .' She trailed off. 'Desperation? Lust? A battle, even. I cannot say for certain. But it was distasteful.' It was more than distasteful; they had looked to be at war, grasping and clawing at each other's bodies. Was that how she looked with Giovanni? A faint scarlet crept up her neck and into her face.

Maria Pia squeezed her hand gently. 'When your husband looks at you, it is with tenderness in his gaze. It is the only reason I can bear your union with such a man. I still believe he is a heathen, and this castle has earned the name *Palazzo della Morte*. But, Nicoletta, the don's need of you is not mere lust.'

Nicoletta leaned over to kiss Maria Pia's cheek. '*Grazie*. I know that was not easy for you to say. I do not know exactly how I feel about Giovanni. When I am with him it is one way, and then, when we are separated, I am not so sure of anything. I look to the hills, and they beckon me, but if I attempted to follow my heart, in truth, I would not know which way to go.' Ashamed, she studiously surveyed the courtyard, not wanting to look directly at the woman who knew her so well.

'He could have refused to allow me to return to the palazzo and kept us separated, but he did not,' Maria Pia conceded. 'He knows I do not trust him, yet he cares that you are happy, *piccola*.'

'Yet he is secretive.' Nicoletta voiced her concerns, feeling a traitor.

Shivering, Maria Pia glanced at the long row of windows that covered the side of the palazzo. They seemed to be great, wide, empty, malevolent eyes staring at them with glassy hatred. 'Do you feel it, Nicoletta, the way they are always staring at us? Watching us all the time? The palazzo has secrets, evil secrets, and it doesn't want us to find them out.'

Maria Pia didn't have a sixth sense, she wasn't 'different' in any way, yet the sensation of being watched was so strong, she felt it, too. Nicoletta didn't need any other warning to realize the danger was very real. She felt compelled to look up at those windows, too. She could make out the figure of the don pacing back and forth in his study. She could see the shadowy figures grouped around his desk, looking down at something, studying it. What was he so involved in that he would leave his marriage bed in the middle of the night?

'I think they are all mad,' Maria Pia ventured. 'Antonello slinks around in silence, secretive and strange, his clothes often torn and dirty. Vincente pays no attention to his own child, and Giovanni could be *Il –*'

'Do not call him that!' Nicoletta said sharply. She then swung around and marched back toward the palazzo. 'I must begin to learn the workings of this house, or I will be of no use to my husband. I think it is time for young Sophie, too, to begin her education. She has no knowledge of art or reading or anything she will need later in her life. No one pays her any attention, Maria Pia, and she is sorely lacking.'

'You do not wish to walk with me?' Maria Pia raised her eyebrows in speculation.

'I have no time this day. Perhaps tomorrow.' Nicoletta

hurried back into the palazzo. She felt guilty for leaving Maria Pia so abruptly, but, in truth, she already had doubts about her husband, and she didn't want the older woman to witness or add to them. She moved through the great halls slowly, taking her time to examine the exquisite artwork, furnishings, tapestries, and strange carvings. Behind her, in silence, the two guards shadowed her every move.

It was Francesco who alerted her to the presence of the old man. The eldest Scarletti watched from the doorway of a small room as she approached. He glared at her guards. 'Tell Giovanni your guards are useless. Thievery is rampant in the palazzo. Someone has rifled my maps again. They cannot even guard a little room.'

Nicoletta offered him a tentative smile as she neared him. 'Has something upset you, Nonno? I shall speak to Don Giovanni at once.'

He waved her concern aside. 'Pay no attention. I shall tell him myself. We should talk about you. I think you are not the happy bride,' he observed. The voice was low, almost rusty, as if, without yelling, he was unsure how to speak.

She stopped walking and glanced back at her guards. They were clearly uneasy with her proximity to the old man. 'There is much here I do not understand, signore, much that frightens me. I look to the hills for solace. Do you ever walk the hills?' Nicoletta stepped away from the door to gesture toward the windows.

'Not since I was a young man.' His faded eyes took on a far-off look. 'I do not venture far from Giovanni's protection. There is much hatred toward me.' His world-weary gaze fixed on her face. 'Tell me, why are you not afraid of me? Do you not think I will wrap my hands around your throat and strangle you as I strangled my wife?' He was ramrod stiff, a fierce pride in his carriage.

'I think, signore, it is much more likely that Maria Pia Sigmora will do such a thing, or perhaps the don, if I do not soon remember to wear the shoes he thinks so important.' Nicoletta laughed softly and lifted the hem of her skirt to show him her offending bare toes. She then took the old man's arm. 'If you wish to walk in the hills, Nonno, I will be glad of the company. I have planted many wonderful healing herbs that need tending. I must see to them very soon.' She yearned for the hills and their solace with every fiber of her being.

The old man patted her hand gently. 'Stay close to your guards, Nicoletta – if I have your permission to address you as such.'

She smiled up at him. 'I did not ask your permission to call you Nonno. I hope that we become good friends. You are my *famiglia* now.'

'Giovanni may wish it otherwise,' the don's grandfather said tightly.

'Tell me your story, Nonno. I do not wish to hear gossip from those who can only make up tales,' she encouraged. 'I am not afraid of the truth.'

He looked back toward the guards, then down at her upturned face. 'You are either a very brave girl or a very foolish one. I do not know the truth.' Ashamed, he dropped her arm and turned away from her. 'They think I killed her. My beloved Tessa. That I could do such an evil thing. I think of her every moment, a torment I can never be free of. I cannot speak of such a vile thing.' He shook his head again, walking heavily back into the room, his shoulders rounded with a terrible weight.

Nicoletta followed him into what looked like a small study. The furnishings were heavy, the colors dark, but windows lightened the room so that it seemed airy. There were no carvings, no monstrous sculptures here. Parchments and several well-worn maps lay on the desk. She glanced at them as she followed the old man to the wide row of windows. It looked as though Signore Scarletti was drawing new maps of the don's lands and the surrounding areas. The lines were neat and precise. She could see that some of the older maps were thin and worn from use.

'Perhaps you *should* speak of it,' Nicoletta said bravely. She was very aware of the open door, the two guards positioned uneasily just outside, ready to rush in should there be need.

'I cannot.' Tears ran down his worn face. 'Leave me now.' It was a fierce whisper, a plea of sheer torment.

Nicoletta went to him, putting her arms around him in an attempt to comfort. 'I cannot leave you like this. It is madness to hold such a terrible thing inside. Do you think me so weak that I would condemn you? Run from you?'

He put her from him, his body shaking with some terrible truth. His fists knotted at his sides. 'She was like you. Sunshine followed her wherever she went. Her laughter filled my heart. She was so beautiful. Like a rare gem.' He looked at her. 'Like you. She was very like you. Giovanni was insane to bring you to this place.' His voice abruptly swung out of control, ranting in Latin, condemning his grandson to the fires of hell.

Nicoletta crossed herself even as she shook her head at the clearly agitated guards. They consulted together briefly, and one quickly moved away. She hastily lay a calming hand on the eldest Scarletti's arm. 'Do you believe in the Scarletti curse? Is that why you think I am in danger? I am very strong, Nonno, and I am not afraid to face danger.' Deliberately she named him grandfather to aid his attempt to regain control.

He looked down at her with sorrow-filled eyes. 'My Tessa was not afraid either. Giovanni is much like I was. I see the way he looks upon you. With his heart. His soul. Yet he sees much. Sunshine follows you, and so do other men's eyes.' He swallowed the lump in his throat. 'Do you understand what it is like to be consumed by another being? To live for only that purpose, that smile, those eyes, to need so much that you cannot breathe if she is not with you? It is a fire in the blood that cannot be quenched. You watch her every movement, the slightest gesture.' He closed his eyes tightly against the memories haunting him.

Nicoletta went very still, yet she held onto his arm even as he was confirming her worst fears of the Scarletti curse. Black-hearted jealousy. It ran deep in their veins. It created monsters where gentlemen had once stood.

The eldest Scarletti touched her silken hair. 'Giovanni is like that with you. He cannot take his eyes off you. He has seen the others watching you. *Il Demonio* is in Giovanni, just as it dwelled in my own boy. Just as it dwells in me. There were many men who desired Tessa; they could not hide it. I could not blame them for what I, myself, could not control. But there was one, a visitor who came often over the years.

315

She smiled upon him. I was mad with hatred, felt the hot rage and evil in me. It spread until I could not see other than her smiling at him. I dragged her to our bedchamber. I was rough with her. I saw that I hurt her, but I could not stop myself. I had drunk spirits, much of the spirits, more than ever before, trying to drown *Il Demonio*.'

The old man sank into a chair and buried his face in his trembling hands. 'I could not drown it. I struck her as she pleaded with me to believe her innocent. I knew she was innocent. I *knew* it. I had wronged her, yet I was angry that I needed her so much, that one of her smiles to another man could bring forth such evil.' He looked at Nicoletta. 'I am a monster. I pushed her away from me. I remember how her delicate body fell against the wall, hard. I left her on the floor while I went to order the visitor from the palazzo.' A sob shook his voice. 'I woke in my bed the next morn. My head pounded as if it would come apart. Tessa lay beside me, very still. I was so ashamed, I did not want to face her, but I turned my head to look upon her. I knew she would not condemn me; it was not her way. But her eyes were open, staring in horror. There were finger marks, great black bruises on her neck. She lay dead beside me, strangled by the monster that lives in me.' He broke off as sobs tore at his throat.

Nicoletta stroked back his wild, silvery hair, murmuring soothing words to him. Whatever crime he had committed against his wife, he paid for every moment of his existence. 'You cannot remember? You truly do not remember?'

He shook his head. 'I try. Each night I go over and over the argument in my mind, but there is a blank. I do not remember chasing off the visitor. I do not remember anything after I left the bedchamber.'

'Did anyone see you?'

'My son told me I roared into his study and berated our visitor, but he escorted me back to our room and put me to bed. He did not see his *madre*. She must have gone up to the ramparts. She liked to walk up there when she was troubled, to be outdoors, where she could think.'

Nicoletta stiffened. The ramparts. Her mother had met her death there, too, that very night. Someone had used her brutally and thrown her body off the height. It could not be a coincidence. It could not be. Two women dead. Murdered. Both had been at the ramparts. She stared at the old man. Had he gone to find his wife and, in his rage, raped and killed Nicoletta's mother? She pressed a hand hard against her mouth to keep any sound from escaping.

The old man suddenly rose and stepped toward her aggressively. 'I could not have done such a thing! I would remember if I had killed my beloved wife! I cannot be that much a monster. Do you see, Nicoletta? Do you see the danger to you? Heed me in this. You must leave this place. You must go while you still can!' He sounded wild, once more spinning out of control.

'Nicoletta!' Giovanni burst into the room, his features a hard mask, his dark eyes gleaming. He caught her to him protectively, drawing her away from his grandfather's bony fingers and sheltering her small body with his larger frame. 'What is going on in here?' A wealth of menace was in the low tone, his black gaze on his grandfather's face in a kind of condemnation.

317

'We were discussing the idea of walking in the hills,' Nicoletta said, patting the elder Scarletti's arm. 'Well, among other things. I think a walk would be wonderful.' She struggled to keep her face stiff, afraid she would betray the old man when he had forced himself to tell his tale of horror, to condemn himself in her eyes in order to warn her. It was a noble gesture.

Giovanni could feel her trembling. Her face was turned up to his, but her dark, eloquent eyes refused to meet his probing gaze. He faced his grandfather with controlled fury, but the older man looked fragile and seemed to sway with weariness. Giovanni had never seen him in such a state. He forced a calming breath back into his body, although his heart still raced at the warning the guard had delivered to him, fearful for Nicoletta's safety. She was so young, so innocent; he had to continually remind himself of that. She knew nothing of the curse, the reality of monsters in men.

'Are you ill, Nonno?' He made the inquiry gently, when all he wanted to do was sweep Nicoletta into his arms and carry her away from any possible danger.

His grandfather held up a hand and shook his averted head. Giovanni tightened his hold on his wife when she would have gone to comfort the older man. 'We must leave and let him rest, Nicoletta,' he commanded softly. He was urging her out of the room, his body pressing close so that she was forced to move into the hall.

'Traitors,' she whispered to the guards as she was whisked past them. Both grinned sheepishly though unrepentantly at her.

'I know now why my ancestor built that tower,' Giovanni

318

informed her. 'I think it would be in my best interest to lock you in it as soon as you rise. My heart cannot stand the strain you continually put on it.'

She looked up at him, her dark eyes meeting his gaze. It was a mistake. She knew it was a mistake before she did it, but she couldn't help herself. His eyes ensnared her in a dark world of erotic need, temptation, excitement. Nicoletta didn't want to feel any of those things, not after her recent vows of good behavior. Not with his grandfather's warning echoing in her mind.

Jealousy. A madness that destroyed good men. She had already observed signs of it in Giovanni, yet the threat wasn't enough to keep the embers smoldering deep within her from leaping into flames at one look from his hungry eyes. He made her weak with need, her body coming alive when he wasn't even touching her.

He led her along the hall, his large frame urging her in the direction he wanted her to go, his body hard and hot, a temptation she wanted desperately to resist, a pleasure she wanted to taste again and again. 'Giovanni.' She whispered his name, a plea to let her go.

He knew it, the confusion of her thoughts; he was somehow sharing her mind. *Never*, cara mia. *I will never release you.* She could feel his fierce determination, his vow. He dragged her into a room she had never been in, firmly closing the door and turning the lock. It was smaller than many in the palazzo, with stained-glass windows and dark reliefs covering the walls. His mouth found hers, taking her response, hard and dominating, his terror of losing her evident in the firestorm of hunger rushing through his veins.

It was only when he felt the tears trickling down her face that he lifted his head, his hands framing her face so that he could kiss her eyes, the corners of her trembling mouth, taste her tears. 'What is it, *piccola*? Am I such a monster that you cannot bear to live in this dark palazzo with such a brute?' He could never let her go; she was as essential to him as the air he drew into his lungs. He had no hope of explaining, no hope that she didn't recognize the danger to her life and how utterly selfish he was.

His voice was so tender, it turned her heart over. He sounded so alone, aching with his need of her. Nicoletta looked up at him with her innocent honesty. 'I do not understand this place or the people in it. I do not know right from wrong here. You are very powerful, and you sweep me away so I do not recognize myself when I am in your arms. I do not even know you, yet I . . .' She trailed off, her face flushing scarlet, but she bravely met his gaze.

'Nicoletta.' He seemed to breathe her name, almost in relief. 'What a husband and a wife do to express feelings for one another is never wrong. How can such a thing be wrong?' His hands shaped her body, brushed her breasts, free beneath the thin material of her blouse. 'Can this be wrong, that a husband would want to touch his wife, show her the strength of his feelings? Would you wish to live years without wanting what is natural between a man and woman?' His hands tugged at her blouse so that he could bend his head to the offering of her breasts.

Nicoletta closed her eyes as jagged streaks of lightning seemed to dance through her body. Her slender arms cradled his head to her. She couldn't resist him, his dark hunger and intense need. She couldn't resist the way her body craved his. 'No,' she whispered in defeat. And it was true. Better to live like this, wanted and fiercely alive, than unwanted, performing only for the sake of heirs and detesting the act as some other women did.

He drew up her long skirt, his hand moving up the bare flesh of her thigh until he found the hot, moist treasure he was seeking. 'You take the darkness from my soul, Nicoletta,' he said softly, his voice husky and aching as he pushed aside her underclothes and inserted two fingers to find her hot and tight, waiting for him. 'Do you fear me so much? What do you think I will do? Teach you to please me and then name you witch to the world? You already please me.' Giovanni closed his eyes, savoring the hot silk of her channel, the way her body bathed his exploring fingers with liquid fire. 'I could never condemn you without condemning myself. You are my heart and soul.'

She feared his possession of her more, that he could make her his slave, that she would cease to be Nicoletta and be only what he made of her. Her body was moving against his hand, wanting him, craving him. He freed himself from his confining clothing and lifted her into his arms. 'Put your arms around my neck, *piccola*, and wrap your legs around my waist.' He would never let her go, never. He wanted her needing him, wanting him, loving him so much she would never think of attempting to escape him. He would tie her to him in any way he could.

'It is you I want, no other woman.' He clenched his teeth as he positioned her beckoning feminine sheath directly over the thick, bulging evidence of his need.

Nicoletta could feel him pushing against her, hot and needy. His body was trembling, rock-hard, every muscle defined. Deliberately she moved her hips, a small circling motion, enticing, wanting him with every fiber of her being. Inch by slow inch she took him into the heat of her body.

She was tight and moist and unbelievably exciting. 'It is true I have had other women. I could still have them if I wanted such a thing. But for me there is only you,' he whispered, his hands on her waist.

Her breath escaped in a little rush as he filled her, the position allowing him to stretch her tightly. He stopped several times to allow her body to adjust and accommodate the invasion of his. He began to move, slow and easy, careful of her youth and inexperience. The savage fury in him he kept tightly under control. He buried himself deeper, a little harder, reaching to drown himself forever in her fire. She burned away the inner darkness that crept like a monster, shadowing his life. Her flame was bright and pure, a molten, white-hot light that kept him sane.

He lost a little more control as her fingers clutched at him, as her breasts pushed against his chest and her hair spilled around her face in a blue-black curtain. She moaned softly as he pressed her back against the wall to drive ever deeper into her. His hips thrust again and again, burying himself deeper in her fiery sheath. He took her with him, his hands helping her to ride him, teaching her the way to move so that his teeth clenched with the need for self-control and he could feel her small muscles tightening around him in preparation for her own release. He felt her body began to spiral, rippling and bucking, triggering his own response, a violent explosion of ecstasy, and for a moment he thought she really had ignited his body and flames were dancing around him, around her, in her, through both of them.

He drew her into his arms, struggling to regain his breath, holding her close with her head nestled on his shoulder while their hearts pounded out a frantic rhythm. Both of them were damp from their fiery dances. 'I did not mean to be so wild, *piccola*. I apologize for my lack of control. You drive out all sane thoughts. I fear all my training was for naught.'

Nicoletta rested against him, unable to believe there could be such pleasure in life as that she found in this man's arms. He was powerful, an *aristocratico*, really no more than a stranger and one she feared, yet she found much to attract her. 'Is this the way it always is between a man and a woman?' How could so many women say they lay as stone under their husbands as they 'rutted'?

Giovanni stiffened, a surge of hot blood rushing through him. He tightened his arms around her to the point of pain. 'It is unseemly for you to think of other men, Nicoletta,' he reprimanded. 'Do not ever be so foolish as to seek the answer to that question.' There was a wealth of menace in his voice. He allowed her legs to drop to the floor so that her skirt fell in soft folds around her bare ankles.

Nicoletta was acutely conscious of her blouse exposing her bare breasts to his gaze, of his seed trickling down her leg. Shamed, she pulled the fabric back into place, her teeth digging into her lower lip as she stared at the floor.

Giovanni caught her chin in his hand and forced her

head up. 'Nicoletta,' he said softly with a little sigh of resignation. 'You must learn that you are a married woman now and subject to your husband only.'

'I asked a question to learn the answer,' she said in a low tone. 'I thought one could ask such things of her husband. Maria Pia told me that only you should answer my questions. Are we to simply have this . . . relationship . . . and no other?' Nicoletta sounded forlorn. 'I had thought we would be friends, too, that I could ask you anything I did not know. That is not what will be between us?'

The fury died down, leaving him feeling sheepish and guilty. 'In truth, *bambina*, I misunderstood. Signorina Sigmora is correct. Your husband should instruct you in these matters. I do not know why I spoke harshly to you. It was wrong of me.' He bent to brush his mouth gently over her lips still swollen with passion. 'I know we will be friends. And you can ask me anything. No, it is not always so between a man and woman. Nicoletta . . .' He hesitated, as if searching for the right words. 'Do not be alone in the presence of other men. It is not safe for you.'

'Do you mean your *nonno*? He has no reason to hurt me.'

'Heed my words, *cara mia*.' He reiterated, 'It is not safe.'

CHAPTER FIFTEEN

'Ketsia is already here, Nicoletta,' Sophie said petulantly. 'Hurry up. We want you to come with us.'

Nicoletta smiled up at Bernado and Maria Pia as she took another sip of the hot tea that had been awaiting her. 'I seem to always miss breakfast, Bernado. *Grazie* for all the extra trouble you must go to for me. It is much appreciated.' She smiled at Sophie, who was tugging at her skirt. 'As for you, little imp, you must learn patience. If I do not eat what Bernado has so skillfully prepared for me, he will not do so again.'

Sophie laughed. 'Of course he will. He always does.'

'Then you should hold him in high esteem and treat him with great respect. Always remember that, *bambina*. Those who care for you and work hard for you should always be accorded proper respect. They are more than servants, they should be as *famiglia*. Do you understand?' Nicoletta imparted the advice gently, tipping up the child's face so she could brush a quick kiss on her cheek. 'Did you take care of Maria Pia for me? I worried about her until I remembered she was with you. I knew you would be good to her.'

Sophie beamed, radiant under the praise. 'She promised to tell me stories of you as a *bambina*.'

Nicoletta laughed softly. 'Those stories might not be appropriate for your ears. I was always in trouble. Come kiss me good morn and take Ketsia off to the courtyard for your morning romp. The rain has brought us a fresh clean day.'

She waited until the two little girls had kissed and hugged her and skipped off to play before turning her attention to Maria Pia. 'Why are you staring at me as if I have grown two heads?'

Maria Pia lightly slapped Nicoletta's hand. 'There is no need for that sharp tongue, *piccola*. I am not looking at you in any such way. Perhaps you are feeling guilty for sleeping most of the day away.'

Nicoletta found herself blushing. Her sleep had been interrupted pleasurably by her very passionate husband. Nicoletta was unsure of herself, uncertain whether the things going on in her bedchamber were as right as her husband assured her they were. 'I intend to go walking this morn,' she answered calmly. 'How is everything with you at night, Maria Pia? Nothing is amiss in that room, is it? Young Sophie has not been attempting to go into the passageway again, has she?'

'Don Scarletti ensured she did not. He took her into the passage and showed her that there were hidden traps.' Maria Pia frowned. 'I went with them to be certain she would not think it a punishment.' She had gone to keep Sophie from danger. She didn't trust the don with either of her charges. 'You might remember, Nicoletta, that it was an ancestor of the don who devised such a wicked thing. Even so long ago there was murder and madness in the *famiglia*. What normal man would think of such evil things?' Her voice was gloomy.

Nicoletta laughed softly. 'Have you seen the dungeon? When he threatens to make that my home, I promise to tell you.'

'Do not make light of it, Nicoletta,' Maria Pia reprimanded.

Nicoletta leaned over to kiss her on the cheek. 'I am sorry. I wanted only to see you smile. It is beautiful today. I promise to meet you in the courtyard and take those little imps off your hands as soon as I am able.'

Maria Pia smiled in spite of herself. 'You always find a way to get around me.' She leaned close, glancing back toward the guards to make certain they weren't paying close attention. 'I am sorry, *piccola*, but I must confess, something is not quite right. I pulled a chair in front of the passageway last night as you instructed, to make certain no one could enter the room while we slept. I also locked the outer door and removed the key. I did fall asleep, but then I awoke to a noise at the door.' She lowered her voice even more. 'I think someone was trying to get into the room.'

The smile faded from Nicoletta's face. Her heart seemed to stop. Color drained from her face. 'You should have told me at once. I knew I should never have asked you to stay here. I knew it.' She suddenly looked fierce. 'No one is going to hurt you or Sophie. I will ask Giovanni to place guards at your door at night.'

Maria Pia regarded her with serious eyes. 'It could be the don who seeks to harm us. We do not know, *bambina*.' She tried to soften the suspicion with the endearment.

'It is not Giovanni,' Nicoletta denied. 'I know it is not.' Even to her own ears she sounded defiant rather than

327

certain. She was lost in the erotic web he had woven around her, a spell of enchantment so strong she could not break free of him.

'I hope you are right,' Maria Pia said softly as she rose.

Nicoletta didn't look at her, tapping her fingers on the tabletop as she considered her relationship with Giovanni. He was very gentle and tender with her, yet she could feel the fire raging in his blood, making him a darkly passionate man. He was secretive, meeting at all hours of the day and night with visitors whisked in and out of the palazzo before any other could see them. He protected these guests from prying eyes. Twice Nicoletta had observed Antonello hovering close but out of sight, as if he were hiding from his brother as well as the constant stream of visitors.

Were they paid assassins? Giovanni had all but admitted to her that he eliminated threats to his people and lands as soon as he heard of them. Suddenly aware of the silence in the kitchen, Nicoletta stood up, smiling at Bernado. 'An excellent meal, as always. I do not know what Don Scarletti would do without you, signore. Is there anything you need? I will see that you get it.' She made the offer in the hope it was true. Giovanni did seem to cater to her whims. He often smiled at her with great amusement, but he indulged her.

Bernado bowed low. 'Don Giovanni has already spoken to me this morn, Donna Nicoletta. *Grazie! Grazie!* I gave him a list, and he has said it will be done. You are truly an angel.'

Nicoletta laughed softly and shook her head. 'You have not asked the opinion of my guards, Bernado. I fear they would not agree with you.'

The two men shook their heads at her nonsense and

followed her out of the room, as silent as ever. Her shadows. Nicoletta sighed as she walked along the corridor toward Maria Pia's bedchamber. She wanted to examine it and then the room where Sophie had been so ill. What was it about the two rooms that nagged at her? She was used to wide-open spaces, used to freedom, not being watched every minute of the day and night. Something deep inside her was rising up in rebellion, and the strength of ist was frightening.

A dark shadow passed through her as she neared a room on the lower floor, one she had never explored. She slowed, her feet turning almost automatically, and the shadow lengthened and grew inside her. The door was ajar, and she peeked in. The room was a study of some kind, with books and paintings from floor to ceiling. She had never seen such riches. Nicoletta opened the door farther to see the woman who had drawn her there.

The same maid she had borrowed the broom from was attempting to dust, but she couldn't reach the spot she was trying to clean. Nicoletta could hear her muffled moans of pain as she worked to raise her arm. Very softly, Nicoletta closed the door on the two guards and went to the woman.

'You are hurt,' she said. 'I am a healer. Perhaps I may help.'

The woman whirled around, her face tear-streaked, her eyes bright red. When she saw Nicoletta, she looked terrified, the color draining from her face. 'I . . . I am not hurt, Donna Scarletti. You are mistaken. I am doing my job.' Her eyes were darting from side to side, looking around the room and then at the door fearfully, reminding Nicoletta of a wild animal trapped in a corner.

The shadow in her grew stronger. She looked out the wide window. From the walkway, a large, grotesque gargoyle watched her with silent, staring eyes. 'Tell me your name.' It was her first order as the new mistress of the palazzo.

The woman paled even more. 'Please, Donna Scarletti, I need the work here. I have three *bambini*. I cannot feed them without working.' When Nicoletta continued to look at her, the woman stared at the tiled floor. 'I am called Beatrice. My husband was the captain of Don Scarletti's personal guards.' She said the latter with pride. 'He was killed in the last battle. The don has been kind enough to allow me to work here since.'

Something twisted tight in Nicoletta's stomach. There were faint bruises on Beatrice's neck and shoulder. When she saw Nicoletta inspecting her, the maid tugged her sleeves lower over her wrists, but not before Nicoletta could see the strange black-and-blue circle around her skin like a bracelet.

'I wish to see,' Nicoletta said. She used the hypnotic voice of the healer.

'Please, no,' Beatrice said softly even as she slowly tugged at the drawstring of her blouse. The material fell open to reveal her skin, mottled with bruises and several strange burn marks. Nicoletta moved closer, trying not to look as shocked as she felt. Beatrice appeared to have been tortured.

Nicoletta reached out with gentle fingers and touched the worst bruise along the woman's ribs. There was also a distinct bite mark on her skin. The moment she touched the woman, she felt the aftermath of violence. Someone had attacked Beatrice, used her badly, deliberately hurting her. The maid refused to look at her, shaking with fear of discovery.

'Who did such a thing to you?' Nicoletta asked, so outraged she could barely catch her breath. 'You should not be working in this condition. You need to rest to recover.'

The woman backed away from her, a fresh flood of tears running down her face. 'Please, I beg of you, Donna Scarletti, please do not tell anyone. Please do not let anyone know what you have seen.'

Nicoletta pushed up the maid's sleeve. 'He tied you up.' It made her feel sick inside. Who was so evil and depraved as to do such a thing to a woman?

The woman began to pray loudly to the Madonna, her sobs louder than ever. 'It is my life if he finds out that you know, that you have seen me. My *life!* I can work. I will work. Please signora, I am no whore. But I do what I must to survive and care for my *bambini.*'

'Tell me who did this. We must go to my husband,' Nicoletta said.

Beatrice threw herself onto her knees, wrapping her arms around Nicoletta's legs, wildly weeping. 'You cannot! For the love of God, you cannot! It is my very life. I have the *bambini*. You cannot tell him.'

Nicoletta pressed a hand to her suddenly churning stomach. What did Beatrice mean? Surely Beatrice wasn't afraid Giovanni would punish her for what some coarse soldier had done to her. She looked down at the maid's bent head, at her bruised body, and suddenly she went very still inside. Her heart began to pound in alarm. Not some soldier. Surely not. As widow of the captain of the guard, surely Beatrice would go to the don and ask that the soldier be punished. Whoever had used Beatrice in such a depraved manner had been a member of the *aristocrazia*. Who else could so ill use another human, thinking it his right? Yet Beatrice was terrified to go to Giovanni. What did that mean? Unbidden, the memory of Nicoletta's wedding night returned to haunt her. The don had left her, and when he returned, there had been a fresh scratch across his chest.

The memory was vivid in her mind. She was untutored, an innocent; she had not known how to please him. Yet surely he wasn't capable of such an act. Nicoletta looked again at the bruises. Giovanni's father had sent women to his sons to be used, uncaring of the feelings or wishes of the women. No! Nicoletta wouldn't believe such a thing of Giovanni. He was not a man to torture a woman for pleasure. He might be fierce in his lovemaking, he might be passionate and demanding, but he would never harm a woman.

'Hush, Beatrice,' Nicoletta cautioned gently, 'the guards are outside. I know I can help you. Tell me who did this to you that he might be punished.'

'Never.' Beatrice drew away from her. 'Mistress, on my life, if you say anything, he will kill me. He will kill my *bambini*. He held a knife to my son's throat as the child slept and told me what he would do should you or any other find out.'

Nicoletta's eyebrows shot up. 'Me? He specifically said me?' The maid was turning away from her, obviously too frightened to go to the don or his wife for aid. Nicoletta caught her arm. 'He said if *I* found out?'

Beatrice looked at her with terrified eyes. Slowly she nodded.

Nicoletta's heart was close to shattering. 'I will say

nothing, Beatrice, but I think I can find a way to safeguard you. And you must allow me to try to heal you.'

Beatrice ducked her head, ashamed. 'Why are you helping me?'

Nicoletta smiled gently. 'We are both women, Beatrice, both villagers. Our only hope is to stick together. I will find a way to safeguard you. When you feel you can trust me, I would appreciate your telling me who did this to you. If he can so ill use you, he will do the same to others.'

They fell into silence as Nicoletta laid her hands on Beatrice's bruised ribs. She could feel the healing heat rising from deep within her, moving out of her body and into Beatrice's. The maid gasped and stared at her, almost afraid of the power flowing from Nicoletta into her. Nicoletta normally used elaborate means to cover her special ability, yet she felt that making herself vulnerable thusly was necessary to gain the woman's confidence. Beatrice could name her witch, raise a cry even Don Scarletti might not be able to save her from.

The two women stared at one another for a long time, the maid obviously struggling to make up her mind. Nicoletta sighed softly when Beatrice looked away. 'I cannot say, Donna Scarletti. It is my life, and I have my *bambini* to protect. I am in your debt, and I know it. If you have need of me, I will do what I can to protect and serve you always.'

Protect and serve. A strange way of putting it. What did Beatrice know that Nicoletta did not? There was danger here; Nicoletta could see the warning in the maid's eyes. 'I will see what I can do to safeguard *you*, Beatrice,' Nicoletta assured her softly as she slipped out the door, making certain

333

the guards did not catch a glimpse of the room's occupant. She knew they reported her daily actions to the don. More and more she was chafing under the restraints, under the watchful eyes.

When Nicoletta entered the room Sophie had occupied when she was so ill, she purposely left the door open so the guards could remain very close. She smiled to herself, thinking the soldiers were a two-edged sword. She needed them at times and resented them at others. Something about this room made her distinctly uneasy. It was as if evil had been locked within the very walls. It still lurked there, hideous and relentless in its hunger, oozing out unexpectedly to catch the unwary. The stained-glass windows prevented the sunlight from entering fully, so the room seemed dark and shadowy, the carvings crawling across the walls and up onto the ceiling, spreading like an insidious plague. The scene depicted *aristocrazia* in all their finery being dragged into the sea. Jagged rocks split apart boats, and legions of soldiers fell into the foaming, raging waves.

The chandelier had been repaired now, once again hanging from the ceiling with fresh tapers in it. If the earth had shaken as it had when she was exchanging her vows, that would explain part of the strange phenomenon that had occurred that night, the strange shadows playing across the room a result of the way the flames had flickered and danced over the carvings as the walls trembled. She saw a niche in the far wall identical to the one in the upstairs room. An identical golden boat, ornate and beautiful, sat in the alcove. She stared at it in wonder.

Nicoletta stepped closer to the wall to study the carvings.

Most of them were serpents of some kind with wicked fangs and claws. She frowned as she ran a finger inside the deeply etched relief. There was something right in front of her, something eluding her. She was so close, it was hovering in her brain but refusing to come forward.

The guards were shaking their heads when she went upstairs, straight to the bedchamber shared by Maria Pia and Sophie. Again she had the same strange shadowed feeling of evil. She stared at the wall relief. They were very similar to ones in the downstairs room. 'Look at this,' she said to the nearest guard. 'Obviously the artist was a very violent man.' She touched the tip of what looked like a razor-sharp talon.

Nicoletta sat on the bed and stared at the mural, wishing she could see the artwork in the two rooms side by side. Something moved under the coverlet, brushing her fingers. She jumped off the bed, so surprised she let out a small cry of shock. Immediately the guard closest to her jerked her behind him. 'What is it, Donna Scarletti?'

The second guard, Francesco, thrust her farther behind him, almost shoving her out of the room. Nicoletta tried to peer around him as the first guard caught the edge of the coverlet and pulled it from the bed. At once a ball of scorpions fell to the floor, a wriggling, boiling black-and-brown mass immediately scattering into different directions across the tiled floor.

Nicoletta stared in horror at the hideous creatures as the guards gave chase. The poisonous insects were fast. It was a frightening thought that someone had dumped such a swarm of them in the bed in which Maria Pia and Sophie slept. 'Why?' She asked the question aloud.

'Look out!' Francesco yelled, shoving her none too gently into the corridor, slamming his boot heel down hard on a scorpion that had crawled far too close to Nicoletta's bare foot.

Nicoletta stumbled backward, trying desperately to regain her balance. The guard leapt to steady her. Another hand snaked out to drag her to safety. She was pulled up against her husband's hard body.

'The tower is looking better and better,' he murmured, his dark eyes slashing at the guard and the poisonous creatures spreading out across the marble floor. Don Scarletti swung her up into his arms, holding her far above the danger as he aided her guards in dispensing with the scorpions.

Both of his brothers were soon there, too, stamping on the creatures, Vincente going through every inch of the room. 'Sophie cannot stay in here,' he announced, his body trembling. 'Something must be done, Giovanni! This cannot continue.' His tone was accusing, his expression dark and dangerous.

Nicoletta's heart went out to him, knowing he must be afraid for his daughter and angry that someone had done such a thing. She couldn't blame him for his anger. His child had been placed in danger on more than one occasion. 'Why would anyone want to hurt Sophie? She is just a child.' She voiced what the others would not.

'The curse,' Antonello said softly. 'We are cursed to lose all our women.' It was an ominous warning, and his eyes were on Nicoletta when he uttered them. Giovanni's arms tightened around her like twin bands, threatening to cut off her air. 'The curse is ours, Antonello, not that of our women,

and I refuse to allow it to rule my life. This was no "curse."'
He gestured toward the dead and dying scorpions. 'A human
gathered and brought these things to this room.' She could
feel the fury running through his body, a rage that refused to
give in to the superstition that dominated their lives. 'I want
every servant questioned. Every single one. Get to the
bottom of this.' His black eyes pinned Antonello.

Antonello nodded silently.

'They were beneath the coverlet, Don Scarletti,'
Francesco announced. 'Donna Nicoletta nearly placed her
hand on them.'

Giovanni gave her a little shake, as if she were responsible
for the near tragedy. *I am seriously considering chaining you to my
bed.* 'We cannot risk that even one escaped, Vincente. We
must move Signorina Signora and Sophie to another room
immediately. The poor child will soon feel she has no home.'

'Better to be safe,' Vincente said. 'I will search the chamber myself. I do not want any of her things taken to a new
room when one of those poisonous creatures may be carried
along.'

Giovanni nodded and turned with Nicoletta in his arms
to carry her down the hall to their bedchamber. A rush of
excitement heated her blood, and she relaxed in his arms. 'I
did not find the scorpions on purpose to provoke you,' she
informed him.

'How do you manage to get yourself into these incidents?'
he asked, thrusting her into their bedchamber so that the
door banged closed behind them.

'Maria Pia says I have a knack,' Nicoletta admitted, unrepentant. She wiggled to remind him to put her down but

337

found as her breasts moved against his chest through the material of her blouse that his skin was suddenly hot and his body aggressive.

'Where are all the new gowns the seamstresses made for you?' Giovanni demanded, allowing her bare feet to touch the tiles.

Nicoletta's eyes darkened, the smile fading from her mouth. 'What is so wrong with my own clothes?' She sounded hurt.

Giovanni's heart turned over at the forlorn note. 'You cannot think I am ashamed of you, *piccola*,' he said softly, his voice lowering an octave until it purred along her skin like the touch of his fingers. 'I would not marry a woman of whom I was ashamed.'

'I like my own clothes. I am comfortable in them.' She stepped back defensively. 'I planned on wearing the new gowns when we must entertain.' Even to her own ears she sounded young and uncertain. She took another step away from him. 'I do not belong in this place, Don Scarletti. I cannot breathe here. I do not understand what goes on here. I cannot be a proper wife to one such as you.'

'What has brought this on, Nicoletta?' he asked softly, stalking her right across the room. 'You *are* my wife. I will have no other. You are doing the things necessary to become the mistress of the palazzo. The guards, the servants – all of them accept you readily. Portia and Margerita know they must, too. They live in your home by your allowance.'

'I do not want that kind of power. I am from the *villaggio*. I know it entails much work to run a house of this size, but I do not like the way servants are treated here, and I cannot be a part of it.' She tilted her chin at him even as he cut off her escape by planting his body firmly in front of hers.

Giovanni reached out and gently tucked her hair behind her ear. The gesture was tender, and his palm brushing across her skin caused her to shiver with heat. 'I am aware I did not realize Gostanz had so much work. I have provided him with more help and made the changes he suggested. Bernado also informed me of certain needs at your suggestion. I thank you for bringing these matters to my attention. It was wrong of me to count on others to run my home without soliciting their advice.'

Nicoletta sighed, looking as confused as she felt. She had made promises to Beatrice that she would not reveal her secret, and she wouldn't go back on her word, but it was far more than Gostanz she was talking about. 'Can you not see, you cannot take a plant from where it belongs and expect it to thrive. It will wither and die.'

'You have moved plants, *cara mia*,' he pointed out gently. 'I have been to your garden in the hills. You have managed to rearrange many plants, and they thrive and grow and seem healthy.'

Nicoletta swallowed hard, her eyes large and dark. 'How long have you been watching me?' She was trembling, pressing one hand to her suddenly churning stomach.

His black gaze didn't waver as he looked at her. He was tall, arrogant, unrepentant. 'What does it matter?'

'It matters to me,' she answered, her heart pounding loudly. She had thought she had freedom; she had thought the *villaggio* protected her. All along he had known of her. All along he had planned to take her from her home.

'That is not true,' he denied, even though she hadn't spoken her thoughts aloud, proof their tie was growing ever stronger. 'I had no intention of claiming you for my own, only of protecting you. I did not want the Scarletti curse to claim you as it has all the others. I live every day with the knowledge that murder is in the hearts of men and that I brought you into this danger.'

'Why did you?'

There was an insistent knock on the door. Giovanni closed his eyes and shook his head as if attempting to resist the interruption.

'Why did you?' Nicoletta insisted. 'This is important to me.'

'I know it is, *piccola*, but things are happening that I must take care of. Have patience, and do not condemn me for what I must do to safeguard our people.' He raked a hand through his hair, looking suddenly world-weary.

At once Nicoletta's heart turned over, and she found herself wanting to hold him. She even took a step toward him. Giovanni met her halfway, gathering her close, his lips in her hair. 'I love the way you dress, *piccola*, but I find you far too appealing to the eye. Men look at you, and they see something that you, in your innocence, cannot conceive of. I know you wear little beneath your garments, and the gowns I have provided will cover you more adequately.'

She raised an eyebrow. 'You have not seen them. And when I roam the hills, I must wear what is functional.'

Giovanni groaned as the thumping at the door became more persistent. His arms tightened for a moment, then he lifted her chin so that his black gaze seemed to capture hers.

'I know you need reassurance from your husband, and there is much you do not understand, but trust in me, Nicoletta, for a while longer. Have faith in me.' And he was gone as abruptly as he had left her on their wedding night, off to another of his secret meetings.

Nicoletta stood in the middle of the bedchamber feeling bereft. She did need reassurance, badly. Her head ached from trying to put all the pieces of the puzzle together. The answers were there, just out of reach.

The guards were waiting outside the bedchamber as she emerged. Giovanni was already out of sight. She didn't want to think about the curse anymore. She wanted to go out into the cool, crisp air and breathe in the sea. She wanted to look at her hills and be with the children.

Nicoletta hurried along the corridor, self-conscious for the first time in her life. Things were not the way Giovanni had described. Her clothes were serviceable, simple, not made to draw the eyes of men.

Sophie and Ketsia rushed at her as she entered the courtyard. Their faces were flushed from running, their eyes shining with childish joy. 'We were coming to get you!' Sophie greeted cheerfully. 'You took so long.'

Nicoletta was pleased to see they were hand in hand, already firm friends. She kissed them both, laughing as they danced around her in their exuberance. The breeze was fresh on Nicoletta's face, bringing the sea with it. She looked from the laughing children to the garden of flowers, shrubs, and trees and felt alive again.

Maria Pia smiled gently at her. 'You have shadows in your eyes.'

341

Nicoletta glanced up at the row of windows. They looked baleful, staring grimly at her. 'I went to look at the artwork in your bedchamber and almost stuck my hand into a nest of scorpions someone had placed beneath the coverlet on your bed.' She said it softly, making certain the yelling children would not hear her.

Maria Pia gasped, visibly paling. 'Scorpions? Who would have done such a thing?'

'I am very afraid for Sophie, not to mention you, Maria Pia. I think the soup Sophie ate the night she became sick was tainted on purpose. The voices she hears are very real. I do not know why her life would be in danger, but I think it is. You must watch her at all times. I have already asked the don to place guards at your door at night. He is moving you and the *bambina* to another room.'

'Nicoletta!' Ketsia yelled. 'Come on! Find us.'

Nicoletta watched the girls disappear into the maze. 'I had better chase after them. If I do not wear them out before nightfall, they will keep us both up too late.'

'Ketsia asks more questions than any ten children,' Maria Pia said with a smile, 'and Sophie is beginning to follow her example. She is becoming more and more like a normal child. Ketsia is a good influence on her. I will watch over her all the time, Nicoletta.'

'Well, I will go chase the little imps down and let you have a much-earned rest.' Nicoletta glanced back at the unsuspecting guards and took off running, a flash of bare legs and long hair flying, her laughter taunting the soldiers as the labyrinth swallowed her up.

Maria Pia leapt out of the way as the two guards scrambled

after their charge. Nicoletta was already well out of sight, running along the twists and turns, following the sound of the children's laughter. Small flowers were scattered along the paths, and beneath her bare feet the lush carpet of grasses felt soft and natural. She ran fast, lifting her face to the wind, feeling free.

When Nicoletta knew she was some distance from the center of the courtyard, she slowed so she could enjoy the beauty of the maze. The shrubs were tall, well over her head, and very thick, forming a solid wall she couldn't see through. 'Nicoletta!' Ketsia was giggling, her young voice carefree and happy. 'Where are you?'

'Where are you?' Sophie echoed. 'You cannot find us.' There was more giggling just ahead, so Nicoletta slowed her walking further so she wouldn't catch up too quickly.

'I am right behind you,' she called, attempting to block out everything sinister and frightening about the palazzo to enjoy this moment with the children.

The two girls shrieked with delight. She could hear their shoes pattering along the ground as they ran farther through the twisting labyrinth. 'Stay together,' she cautioned, unable to prevent the admonishment from escaping.

Often the passage through the labyrinth was narrow and led to a dead end or backtracked in long, looping circles. Nicoletta was now deep within the maze, following the children solely by the sounds of their voices. At times she could hear them quite close by, as though she would be able to touch them if she reached through the thick hedges. At other times they seemed some distance away. The soldiers' boots thunked hard on the path as they ran to catch up with her.

Startled by all the unfamiliar activity, birds rose into the air, flapping their wings and shrieking protests, their beaks gaping open. At first Nicoletta laughed at them, but then she began to find the darting creatures frightening. She glanced up at the sky. A shadow was passing over the labyrinth. A draft rose up from the ground to envelop her. At once she felt the cold.

Nicoletta stopped moving abruptly and went very still. Wings fluttered overhead. Taking a deep breath, unwillingly she glanced up. The black raven was perched in the branches of a thick shrub at the end of the passageway where a sharp bend hid the rest of the path. It seemed to be growing darker in the maze. She swallowed the sudden knot of fear blocking her throat. 'Not you again. Where are the girls?' She raised her voice, very frightened. 'Ketsia! Sophie!' Her voice sounded shaky. 'You have to find me now. Come to me!'

The fear in her voice alarmed the guards. 'Donna Nicoletta, stay where you are. We will come to you,' Francesco offered. 'Are you in trouble?'

Yes, she was in trouble. The bird told her there was trouble. Yet she felt no injury, no sickness. The wind carried no tales of accidents. The children were still laughing joyously. So why was the raven there, warning her of misfortune somewhere close by? Nicoletta couldn't very well tell the guards that. She reluctantly began to walk toward the bird. It watched her approach intently with its round, beady eyes. Nicoletta expected it to fly off in one direction or the other, but instead, as she moved closer, it spiraled to the ground, folding its wings and hopping to the edge of the bush that formed the bend in the maze.

Nicoletta could feel her heart pounding hard, and her mouth went dry in fearful anticipation. Shadows were creeping from the palazzo into the labyrinth. Grotesque demons reached out, the guardians of the cursed palazzo seeking to keep its secrets safe. She watched the bird as it hopped purposefully along the ground.

Reluctantly she followed it around the bend. The maze gave a choice of right or left, both abrupt turns, one slightly narrower than the other. The bird chose the narrow, more overgrown path. The bushes here weren't as well kept, and small branches poked at her skin as she slowly walked along. She heard the giggles of the children as if from a very great distance. The noise should have been reassuring, but it sounded mocking, as if the labyrinth had taken the joyful notes and twisted them into evil laughter.

The soldiers called to her, both of them. They were running, and she could tell they had split up as they searched for her. She wanted to answer them, but the fear choking her prevented her. She was cold, even shivering, yet her skin was damp with perspiration. The bird swung its head back toward her, staring with a touch of the malevolence she associated with the windows and gargoyles of the palazzo.

'Just show me,' she snapped, her fists clenching in the pockets of her skirt. She didn't want to know more trouble; she was struggling to find a place in her new home with a man she barely knew. A man who mesmerized her. Tempted her. She shoved a trembling hand through her hair in agitation, tears filling her eyes. She didn't want to know trouble. She didn't want to be afraid anymore.

The bird croaked at her, an ugly, accusing tone. She

dashed the tears away, her chin rising in challenge. Almost at her feet, the bird was leaning into the bushes and tugging at something light-colored. She knelt down to reach past the creature, to grasp the piece of cloth and pull. It was stuck deep in the prickly branches. Her heart began to pound. She recognized the fabric. She had seen it dozens of times. It was usually a clean if faded blue, but now it looked dirty and weathered, crusted with a wealth of brownish stains.

Nicoletta sank to the ground, clutching Cristano's shirt to her. She felt it then, the terrible haunting vibration, the aftermath of violence. Cristano was dead, murdered here in the maze, dead all this time. While she married and made love with the don and laughed with the children, he was dead, his life taken from him for all time, his only crime that he had wanted to marry Nicoletta.

Her husband had taken him into the maze. Her husband had walked out of the maze alone, with his knuckles scraped and blood on his immaculate shirt. Her husband had said Cristano had been spotted in a *villaggio*, and he had called off the search.

Pressing the shirt to her, she sat there on the ground, rocking back and forth, tears falling to soak into the grass, while overhead the branches of the bushes began to sway from the wind coming in off the sea. Bands of fog drifted in as well; and the bird circled lazily in the sky, its sharp eyes surveying the scene below and the forlorn woman weeping.

CHAPTER SIXTEEN

What is it? I can feel your pain and sorrow, but you are attempting to close your mind to me. The words shimmered in her thoughts like gossamer wings, the voice beautiful, comforting, but deadly all the same. Nicoletta knew the don was already moving toward her. The connection between them seemed to be growing stronger and stronger. If a wife had feelings for another, and her husband had the don's tremendous gift *and* his dark jealousy, wouldn't that be cause enough for murder?

'What is it?' It was Francesco who found her, reaching to pull her from the ground, bloodstained cloth and all. 'Donna Nicoletta, have you suffered an injury?'

She couldn't look at him with the tears running down her face and the evidence of her husband's guilt in her hands. 'Where are the little ones?' she choked out, not wanting the children to see her so distraught.

The guard called to his partner, Dominic, to collect the two girls. 'You must return to the palazzo, Donna Nicoletta,' he said softly, his eyes on the material she held in her hands.

She nodded and went with him. What was the point in trying to explain? Francesco was utterly loyal to the don. Like everyone else, the guard would not worry over the death of a peasant, especially one who had been silly enough to challenge his don.

Giovanni was pacing across the entrance to the maze, Vincente and Antonello with him, suggesting they had been in a meeting together when the don had become aware something was amiss with his bride. He rushed to her side, sweeping her stiff body into his arms, bending his head to press a brief kiss to her temple.

Nicoletta struggled to remain still, not wanting to make a scene and push him away from her. It shamed her that she wanted his comfort even as she condemned him. She felt the way his body went rigid, further evidence he was reading her thoughts. 'What have you found that has upset you, *piccola*?' he asked gently.

She raised her head to look at him, her dark eyes eloquent with accusation. 'Cristano's shirt. I have seen this many times. It was his, and it is covered in blood.' Her eyes remained locked to his. 'I know he is dead. When I hold this cloth, I know.' She admitted it quietly, seriously, daring him to call her a liar, to try to argue with her, or to condemn her by naming her witch. Let him name her as such. Better to die an honest death than to sleep with a man, enduring such intimacy for all the years of her life, when he was a murderer.

Is that what you think? Is that truly what you think? Can you touch me and not feel the truth in your heart? There was deep pain in his tone, in the words brushing in her mind, an accusation. Giovanni turned to look at Antonello over her head. 'Did you not tell me Cristano was in the *villaggio* you had passed through on your way back home?'

Antonello shrugged, his face expressionless. 'I have seen

the man only once, Gino. I may have made a mistake. I did not speak with him, simply observed him drinking in a tavern. Another man called him Cristano.' Antonello turned his attention toward Nicoletta. He bowed slightly in the same courtly manner Giovanni often displayed. 'I am sorry, sister. It seems I am responsible for this misunderstanding. I reported the sighting immediately, as we needed the soldiers to hunt for our missing cousin, Damian, and to guard our borders from the King of Spain, who often looks to gobble up our lands.'

There seemed to be a simple sincerity in his voice and manner, but Nicoletta didn't trust any of them anymore. She didn't believe a word Antonello was saying. She held Cristano's shirt to her, the evidence of his demise. When, exactly, had he died? She was connected with Cristano, yet the bird hadn't come to her as he lay dying. She should have felt the vibrations of violence the moment the murder had occurred. It made no sense. Why hadn't she felt the disturbance if her husband had slain Cristano in the maze? She had been close to the two men, separated only by the walls of hedges. Was the don capable of blocking out her strange ability to feel the ominous portent of mortal injury or death?

Don Scarletti gave orders to his men to search the labyrinth inch by inch for further evidence. Vincente seemed furious. 'Gino, is there something going on we should all know about?' he demanded angrily. 'If Damian were alive, he would have found a way to contact us. What are all these secret meetings you and Antonello have been conducting lately, and your visitors we others are never allowed to see? People do not just disappear or get murdered in our own courtyard!'

'This is not the time or the place to discuss such things, Vincente.' Giovanni's voice was like a whip. 'We must find out what happened to this boy.'

'Man,' Vincente corrected. 'He was a man who had eyes for your woman. If you disposed of him for some act of betrayal, you need only say so. He had no right to come here and attempt to steal your bride.'

Nicoletta gasped, both hands shoving hard at the wall of Giovanni's chest.

He tightened his hold around her, refusing to allow her to escape. 'Use your brain, Vincente.' His voice was pure menace, low and arrogant and filled with contempt, a whiplash that caused his youngest brother to wince. 'The boy could not have been killed in the maze and left there, or the vultures would have been overhead. And what of the soldiers who searched the labyrinth that day? When did I have time to dispose of a body? One soldier might be so loyal as to aid me, but an entire regiment? I doubt I wield the kind of power for that large a conspiracy. There has been no whisper of a body found. The boy was alive when I left him.'

'I wish to help in the search,' Nicoletta said. To her own ears she sounded defiant. If there were any further clues, perhaps the bird would reveal them to her. And she would be able to think more clearly without the don in such proximity to her.

A small silence followed her words. Reluctantly Giovanni dropped his arms and allowed her to escape. 'If that is what you think best, *cara*, then you must.' He spoke quietly, his gaze on her fingers as they smoothed the bloodstained cloth.

Nicoletta whirled around and immediately reentered the

350

maze. She didn't want to give him a chance to change his mind. Her teeth bit nervously at her lower lip as she attempted to reason things out. What Giovanni had said to his brother made sense to her. He hadn't had time to murder Cristano and dispose of the body. And he had returned to the palazzo almost at once.

When had Cristano died? Why hadn't she 'felt' his death? The question beat at her like the rhythm of a drum, like her own heartbeat. She moved through the labyrinth slowly, keeping her gaze fixed on the ground, searching the bushes for telltale signs of violence. Several times she came across soldiers as they walked the pathways carefully on the orders of their don. Why hadn't she felt Cristano's death? Though she had been but a small child, she had even known when her mother died.

Giovanni's words not only made sense, but he sounded sincere. Nicoletta sighed and shoved a hand through her long hair, sweeping it back to secure it in a haphazard knot to keep it away from her face. She wanted to believe Giovanni. The answer was there, so close, niggling away at the back of her mind, if only she could reach it.

Nicoletta rounded another bend and nearly ran right into the arms of a soldier. From far away she heard the sound of the raven, a loud squawk of warning. Deep within her, the shadow lengthened and grew. The soldier caught her shoulders to steady her, his grip so hard she looked up quickly. For a moment time seemed frozen. A single heartbeat. One terrible moment of recognition. The steadying hands instantly wrapped around her throat and squeezed hard, nearly lifting her off her feet, cutting off her breath and all ability to

351

scream for help. Aljandro, dressed as a soldier, waiting for his moment of revenge. Almost at once panic welled up, and everything went black, with tiny white stars shooting at her.

Nicoletta! The voice was a cry in her head, anguished, terrified, furious. Giovanni demanding that she fight her assailant, demanding she not leave him.

It gave her strength. Reaching up blindly, she tried to jab her fingernails into Aljandro's eyes. She kicked at him and attempted to drive a knee between his legs. Dimly she heard shouts close by. Giovanni's raised voice giving orders to find her, that she was in trouble. The guards were rushing to do the don's bidding. Giovanni was racing to find her. Although reality was fading in and out, Nicoletta could hear the pounding footsteps and loud voices like thunder in her ears.

Aljandro panicked and dropped her. He stood over her a moment while she gagged and choked. 'I am not the only one who wants you dead.' He spat at her, then turned and fled into the high walls of the labyrinth.

Giovanni and Francesco reached her at the same time. The don was like a man possessed. He shoved the guard away from her, reaching to gather her into his arms, his face a mask of fury as he took in the dark finger marks around her neck and throat. 'Where were you?' He turned on the guard, the other soldiers running up. 'I gave you one job – to keep her safe. One job! You find the man who did this to her. Find him and bring him to me! None of you dare return without him!'

Vincente and Antonello had followed their brother when he had set off at a dead run, unerringly following Nicoletta's path through the maze. 'Who did this?' Antonello asked her gently.

It took several tries to make her voice work, swollen as her throat was. 'Aljandro. Dressed like a soldier.' She croaked the words, and each one hurt. Nicoletta clung to Giovanni, her body trembling in reaction, as much from being the target of such hatred as from Aljandro's nearly mortal assault.

'You find him!' Giovanni repeated, sounding every inch the don. 'Do not return to me without him.' The tone of his voice conveyed a very real threat. 'I want every man searching for him. Antonello, you know what to do. Do not let me down. I fear I will not forgive any of you easily for the success of this attack on my wife.'

He swung around and carried her through the narrow pathways, the twists and turns of the maze. Every step he took seemed to build his anger. 'This will not happen again, Nicoletta. Never again!' he hissed under his breath, more to himself than to her. As he strode across the courtyard, he raised his voice and called for Gostanz and Maria Pia. There was rage in his voice, in his walk, in every gesture he made. A fury riding him so hard, Nicoletta was almost afraid to move.

She coughed several times in an attempt to retrieve her voice. Her heartbeat was returning to normal. She was very aware of Don Scarletti's growing agitation. He could not feign the trembling in his body, the rage running through him as hot and dangerous as any volcano. She nestled closer into his body, her arms circling his neck so that the blood-stained shirt fluttered for a moment against him. 'I'm sorry I doubted you,' she croaked hoarsely.

'Do not talk,' he ordered, his black gaze brooding. 'What good are guards and soldiers if they cannot protect one small woman? I did not ask much of those in my service, those I have given to generously all my life. I ride with those men, teach them, protect them, feed and house them. How could such a thing happen? If your late friend's husband infiltrated the ranks of my men, he must have someone aiding him, someone of rank.'

Nicoletta stayed silent, aware her husband was far too explosive to soothe, and because her throat was very sore. She lay her head against his shoulder and was grateful for his hard strength. Maria Pia and Gostanz followed them, nearly running to keep up with Giovanni's long strides. Gently Nicoletta placed her hand against the don's blue-shadowed jaw. It took him a few moments as he rushed her through the palazzo to notice the tender gesture.

Almost at once he could breathe more easily. She felt it. He felt it. By the time they had reached the bedchamber, he was back under some semblance of control.

'Signorina Sigmora, I did not keep her as safe as I had hoped,' Don Scarletti bit out between his teeth, each word clipped and precise. His eyes were very black, icy cold, his expression conjuring up the feel of a graveyard. 'I wish you to see to her injuries while I join those hunting this snake. Gostanz will bring you whatever you need.' He placed Nicoletta in the middle of the bed and bent to brush a kiss against her temple. 'I fear you will have to be placed in that tower, or I will have no peace of mind.' For a moment his hand touched the terrible marks on her throat and lingered there, his pain reflected in the depths of his dark eyes.

Maria Pia watched him leave before she touched the swollen, bruised skin on Nicoletta's throat. 'I do not think he was jesting, *bambina*.' Tears filled the older woman's eyes. 'I came very close to losing you.'

'It was Aljandro. I did not feel the warning until it was too late, until he had his hands on me,' Nicoletta whispered hoarsely. 'I did not feel Cristano's death. How could such things be, Maria Pia? What is happening that I can no longer rely on what has always been a part of me?'

Maria Pia patted her hand consolingly. 'Hush now, *bambina*.' Someone had to keep a clear head. 'I will need fresh water, Gostanz.' She wanted the man gone, out of hearing. She waited until he had disappeared before she sank onto the bed beside Nicoletta. 'I do not know why your gift is failing you, Nicoletta, but it must be a frightening thing to lose it when you need it the most.'

Nicoletta looked at her with wide eyes, a thought suddenly occurring to her. 'Suppose I haven't lost it, Maria Pia. It is possible Aljandro had no idea I was in the maze. I think he was as surprised as I was that he was about to walk right into me.' She touched her throat and moistened her lips with her tongue. 'The bird and the shadowing came just before he grabbed me.' She sat way up and pushed at stray tendrils of hair that had escaped the knot she had tied. 'It is possible that Aljandro did not come here to kill *me*, but that the don is his real target. I had no prior shadowing or warning because Aljandro was not prepared to strike yet.'

'You do not know that, Nicoletta,' Maria Pia cautioned her. 'And what of Cristano? How do you explain away his disappearance? Surely you do not believe he is alive.' She took the bloodstained shirt from the bed where Nicoletta had dropped it.

'In truth, Maria Pia, I do not know what happened to Cristano. No, he is not alive. I feel his death in that bit of cloth.' Her voice was filled with sorrow. 'But something else is wrong. Something is just beyond my reach, but I am missing it. Will you call Sophie for me?'

'You cannot mean to expose the child to this vile conspiracy.' As she had done all her life, Maria Pia was still protecting her young charges.

'She is a part of this. I do not know why, but she has already been exposed to danger. If I am going to solve this riddle, I must have more pieces. I think Sophie can provide me with them. I will wrap a scarf around my neck to hide the marks. My voice is nearly normal again.' Nicoletta's throat hurt abominably, and her voice was husky, but she was afraid to wait any longer. Something was very wrong in the palazzo, and she feared if she didn't find the answer soon, there would be more deaths.

While Maria Pia went in search of the child, Nicoletta applied soothing herbs to the bruises on her throat and neck. Gostanz returned with the water, obviously upset by the event, his eyes anxious and grave. It occurred to Nicoletta that she had made a few friends in the palazzo after all. She was arranging a scarf around her throat when Sophie arrived, her bright eyes red from crying.

Immediately Nicoletta held out her arms. 'What is wrong, Sophie? And is Ketsia upset as well? We cannot have that. Maria Pia, will you see to Ketsia? Tell her I will join her in the kitchen in a few minutes.'

The older woman frowned. 'I do not think the don wished you to leave the bedchamber, Nicoletta. There is talk that no one has ever seen him so angry. They are afraid in the palazzo. It is very quiet. Hundreds of soldiers are combing the courtyard and labyrinth. I think it best if you do not test his patience further.'

Nicoletta thought Maria Pia was right about the don, but she intended to alleviate Ketsia's worry at the first opportunity. She waited until everyone had gone, leaving her alone with the Sophie. 'You see, *bambina*? I am fine. A small *incidente*. All the other talk is silly. I need your help, though, *piccola*. For something more important.'

Sophie's eyes were enormous with pride at the opportunity to help Nicoletta. 'What can I do?'

'Do you remember when you were so sick and I first came to the palazzo to give you aid?' Nicoletta ruffled the child's hair tenderly. 'Sometimes things we think are very bad can be good, no? This is how I met you.'

Sophie climbed up onto the bed and wriggled into Nicoletta's lap. 'I am glad I was sick, then,' she said solemnly.

Nicoletta kissed the top of the child's head. 'I want you to tell me how you came to eat the soup that made you ill. No one can hear you but me, so you know you will not get into trouble.' She did her best to sound reassuring.

Sophie looked away, clearly not wanting to answer her. 'Papa was very angry with me,' she admitted reluctantly. 'I asked Bernado to make me a special dinner, but I did not like it after all, and I refused to eat it.' She wrinkled her nose. 'Papa said not to be like that, that the cook had gone to much trouble for me.' She looked down at her hands. 'I

357

threw the plate on the floor and was very bad.' The admission came in a small voice.

'Why did you do that, *piccola*? It is not like you to hurt Bernado's feelings.'

Sophie hung her head. 'Papa always listens to Zia Portia. She said if I asked for it, I had to eat it, and Margerita laughed at me. But they did not eat it. They said mean things and made faces, and Papa listened to them. I thought if I acted like them, he would listen to me, too. I just wanted him to listen to me.'

Nicoletta hugged the child closer. 'I understand, *bambina*. But you know now that is not a good way to get your Papa's attention. Poor Bernado was very hurt, no? Tell me about the soup,' she encouraged.

Sophie nestled closer into Nicoletta, taking her hand trustingly. 'Papa sent me to bed and said I could not eat until morning, but I waited until it was very late, and I went to the kitchen and found the soup. Bernado made it for Zio Gino. It is his favorite, but often he cannot stop working to eat with us. Bernado always leaves the soup pot hanging in the kitchen hearth. I took Zio Gino's soup.'

'Because you were very hungry,' Nicoletta said sympathetically.

Sophie nodded, pressing her hands to her stomach as if remembering its emptiness. 'Zio Gino came in and saw me. But he did not yell. He laughed and began to eat it with me out of the same bowl. Papa came in, and he was angry with me.'

'Because you had disobeyed him and gotten out of bed when he was punishing you,' Nicoletta reminded her.

Sophie's voice was indignant. 'He said I was very bad to eat my *zio*'s food when he worked hard and was surely hungry.' Large tears swam in the child's eyes. 'Zio Gino said it was fine because there was plenty of soup to share, but Papa was still angry and said Zio Gino spoiled me so I rotted.'

Nicoletta hugged her in reassurance. 'You are not rotten, my sweet *bambina*, not at all. Your *zio* was right to share his soup, but you must not disobey like that again.' She kissed her. 'Thank you for telling me. Now we should go find Ketsia, or she will cry until Maria Pia becomes upset with us.'

So the soup had been poisoned to kill Giovanni, not Sophie, just as Nicoletta suspected. Aljandro had probably come to kill the don, not Nicoletta. Somewhere in the palazzo, a murderer lay in wait, biding his time. Nicoletta didn't know if it was for political or personal reasons, but she knew, without a doubt, that Don Giovanni Scarletti was in terrible danger.

As Nicoletta walked with Sophie along the upstairs hallway with its vast spaces and vaulted ceilings, she heard the low murmur of feminine voices hissing softly back and forth. Portia and Margerita were arguing again, the sounds bitter and angry. Nicoletta touched her swollen throat through the thin scarf, wondering, not for the first time, if evil was so locked into the walls of the palazzo that it would never be exorcised. She followed Sophie down the long corridor to the kitchen, grateful that in his haste to hunt down her attacker, Don Scarletti had failed to assign her guards.

Ketsia threw herself into Nicoletta's arms, bursting into sobs, her little face already streaked with tear-stains. 'I thought you were dead! I heard one of the maids say your new husband choked you to death because he found you with another man.'

Nicoletta's face drained of color. Her chin went up, dark eyes flashing with temper. 'Bernado, is that what is being said by the staff? They are accusing Don Scarletti of strangling me?'

He ducked his head, embarrassed. Nicoletta whirled around as a shadow crossed the doorway. Giovanni's grandfather hovered there uncertainly. His face was lined with worry, his eyes red and blurry. She could see he was much agitated. Still holding Ketsia to her, she immediately went to the older man to reassure him. 'I am fine – a scuffle, no more, with a man who was angry because he lost his farm when he allowed his wife to die unaided. It was nothing, Nonno. I turned the man down once when he asked me to marry him, and he has nursed a grudge ever since. Giovanni is out looking for him now. I will not have anyone in our home whispering rumors behind Giovanni's back.' She spun around, managing to look regal even in her peasant clothes. 'Where is Gostanz? I want all of those serving in the palazzo to gather in the front hall immediately.' Nicoletta used her sternest voice, determined to be taken seriously.

The elderly Scarletti hugged Nicoletta clumsily, Ketsia and all. Sophie stared at him with big around eyes and tried a tentative smile when he glanced at her. The old man found himself smiling back at her before he hurried away, not wanting to be observed by so many condemning eyes.

Gostanz assembled the servants in short order. Nicoletta was rather shocked that so few people tended an estate so vast. Most seemed to be outdoor workers. Reaching for courage, Nicoletta stepped in front of them, Ketsia still clinging to her. The child gave her the bravery to face the servants. 'I am Donna Scarletti, for those of you who do not know me. Gostanz will bring to me any complaints or suggestions you may have to make the running of the palazzo smoother and easier for all of you. I do, however, want to address one issue immediately. There has been talk of the recent attack on me. It is whispered that my husband attempted to strangle me.'

At once the room fell eerily silent, absent even the shuffling of feet. Nicoletta was immediately aware of every eye in the room fixed on her. Slowly she unraveled the scarf so they could see the marks on her neck. A collective gasp went up. 'I was attacked, but certainly not by my husband. I believe my attacker was here to harm Don Scarletti, not me. I was merely in this man's way. I want it known that I will not tolerate disloyalty to the don among those of you who work in our home. I do not wish to hear further rumors about him or us. If you have concerns, I will be happy to address them, but it will serve no purpose to try to divide our home.'

Nicoletta grasped Ketsia's hand firmly in hers and reached out to Sophie, who was standing wide-eyed, fearfully staring at Nicoletta's throat. Maria Pia had her arms around the child. They immediately moved off as a family unit, presenting their loyalty toward one another before the servants. Maria Pia was beaming at Nicoletta with pride.

In the next few minutes Nicoletta went through all the appropriate motions, attempting to carry on a conversation with the chattering girls, constantly reassuring them that she was, indeed, going to live. But her mind was busy elsewhere, occupied with the raven. If she was correct in her assumption that Aljandro had not intended to harm her, or even Giovanni at that precise moment, but had simply taken advantage when he came upon her, then it meant her strange ability was not necessarily gone. It merely meant the bird had had no time to warn her. Still, why hadn't she been warned of Cristano's death? If Giovanni had slain Cristano in the maze, so close to her, she would have felt it. And the bird would have come to her.

'Nicoletta!' Ketsia stamped her small foot. 'I have said the same thing to you three times, and you have not answered me. You are staring out the window. All the soldiers are everywhere outside, yet Maria Pia says it is not safe and we must stay indoors. I do not want to stay indoors, and neither does Sophie.'

Nicoletta looked at the courtyard below her. She could see the soldiers swarming over the grounds like ants, searching every possible escape route. But Aljandro was already gone. He had slipped away. She knew it in her heart, a dark dread that remained a shadow in her soul. He was watching from the safety of his hideout, where someone Don Scarletti trusted had aided in secreting him.

'I am sorry, Ketsia, but in truth, Maria Pia is right. It is not safe to go out yet. The man who attempted to harm me is not yet captured. And he is a man known to you, Ketsia. It is Aljandro, dressed as a soldier, and he would not want you to identify him should you see his face. When you return to the *villaggio*, I will have several of the don's guards go with you.'

Why hadn't the bird come to her? Why hadn't she felt

362

Cristano's death? It didn't make sense. How could he have died and she remain so unaware of it?

'We want to go outside,' Sophie persisted, tugging at Nicoletta's skirt.

Nicoletta bent down to drop a kiss on the child's head. 'I am sorry, *piccola*, but you cannot. If you look out the window, you will see that a thick fog is moving inland from the sea. It is dangerous when it comes in like this. Maria Pia will devise a game for you to play here in the palazzo. The fog may be such that Ketsia will have to spend the night. Wouldn't that be a grand adventure?' She patted both girls absently, turning to go. 'I have matters I must attend to now.'

'Nicoletta!' Maria Pia hissed her name, crossing herself as she did so. 'You forget yourself. You have no protection while your guards are outside. Do not go wandering around the palazzo by yourself.'

Nicoletta lifted her chin. 'This is my home, and I will move about freely within it, or I will have no life at all.' She hurried back up the stairs, determined to take a look once more into the room where Maria Pia and Sophie had been sleeping. Why were the scorpions placed in that room? If the soup had been meant for the don, was there another reason for the scorpions, other than a threat to young Sophie? Did someone want Sophie out of the room for a different purpose? There was an entrance to the secret passageway in the nursery and in that particular room. Sophie had now been driven from both rooms. As she had been driven from the other room downstairs, the room where she had been so ill. Was there also an entrance to the passageway from that room? Nicoletta wanted to know.

As she passed Margerita's room, she heard the young woman's voice raised in a shrill, nasty tone. 'I will have you flogged for this. I know you took my jewelry! You are a thief and a soldier's whore. You deliberately tore my gown!'

To Nicoletta's shock, she recognized the other voice. 'I tell you, I took nothing from this room. I did not touch the gown.' It was the maid, Beatrice, her voice low and quaking with fear. 'I would never steal from you or destroy your clothes.'

The door was ajar, and Nicoletta pushed it open farther. 'What is going on, Margerita?' She took in the scene: the maid cowering against the wall, Margerita shaking with anger. Items were strewn around the room as if they had been flung in all directions. Nicoletta could well imagine Margerita throwing things in a rage.

'It is none of your business,' Portia's daughter snapped. 'She is my maid, and I will deal with the likes of her. Get out of my private bedchamber.'

'She is a worker in my household,' Nicoletta corrected firmly. 'If there is a problem, I should have been informed at once.' She moved into the room to stand beside the maid. 'You say she has stolen from you?' As hard as she tried, Nicoletta could not keep the disbelief from her voice.

Nicoletta's tone only inflamed Margerita more. 'Get out!' she growled. 'You are nothing but a peasant yourself. What understanding could you possibly have? How could you know what we have to put up with from these ignorant people? They know nothing of being servants. Look at my gown! She tore my gown!'

Beatrice shook her head. 'I did not, Donna Scarletti, and

I did not steal from her. I came in to help her dress, and she threw things at me because she could not find a piece of jewelry. I did not take it. The gown ripped when she stepped on the hem.'

Margerita shrieked and rushed at the woman, her face a mask of fury. She raised an arm, swinging wildly. Nicoletta stepped in front of the cowering maid, taking the blow, a hard slap that filled the air with a grotesque sound, full on her face. It seemed for a moment to Nicoletta as if it had all happened in slow motion, Margerita rushing forward, hand upraised, faint marks on her wrist, reminiscent of something, triggering a fleeting memory.

A terrible roar spun the three women around to face the doorway. They all froze as they faced Giovanni Scarletti. His black eyes glittered with menace, his handsome face marked with dark cruelty. Behind him, Vincente and Antonello gaped at Margerita as if she had lost her mind. Giovanni was in such a rage, the room fairly crackled with it. He covered the short distance to Margerita in two gliding steps, like a stalking mountain lion.

He caught her arm and flung her away from Nicoletta. 'You will leave this house at once.' He bit the words out between clenched teeth. 'I do not care where you go or what you do, but you will never enter this house again.'

Margerita went so white, she looked a ghost. For the first time she looked young and vulnerable, a child who had overplayed her hand and now was at a loss as to how to remedy the situation.

Nicoletta touched Giovanni's arm with gentle fingers. 'We are all much too upset to make rash decisions. You, more than anyone, should know that. Margerita did not mean to strike me. She is little more than a child, Giovanni.'

When the don continued to glare at Margerita with slashing eyes, Nicoletta's hand slid up to his jaw, a soft, tender caress, turning him to face her. 'Please, Giovanni, you cannot send her away. She and I have not had a chance to become friends. It would be such a terrible start to our marriage.' She whispered the words to him softly, her dark eyes eloquent, pleading.

Don Scarletti stood quite still, his body rigid. Neither of the other brothers spoke. No one dared to breathe. At last he nodded abruptly.

Nicoletta relaxed slightly, careful not to touch her stinging cheek. 'Thank you, Margerita, for enlightening me to the fact that you would prefer not to have a personal maid. As we are short of staff at the moment, that will free Beatrice to help Maria Pia and Sophie. Beatrice, please tell Gostanz that it is my wish that you take a few days off – with pay, of course – and when you return, you will attend Maria Pia and young Sophie personally.'

Beatrice curtsied several times, carefully skirting around the don, slinking past his two brothers without looking at either of them, and rushing away.

Giovanni took Nicoletta's hand in his, his black eyes as cold as ice as he stared at Margerita. 'Had you been a man, you would be dead right now.' He tugged Nicoletta beneath the protection of his shoulder and pushed past his brothers.

'It does not hurt,' Nicoletta offered softly as she walked with him down the hall.

'I should not say that I wanted to strangle her with my

bare hands, as that seems to be the Scarletti way, but I did,' he admitted. 'I wanted to choke the life out of her for striking you. *Dio*, Nicoletta, why can't you stay out of trouble?'

Nicoletta flashed him a quick smile. 'I told you it is a knack I have. Did you find Aljandro? Because I am certain he came here to kill you, not me.'

One dark eyebrow shot up. 'How did you come to that conclusion? Did he speak to you?' His body was brushing against hers, warm and hard and solid. A comfort to her.

Nicoletta winced at the question. She should have known he was going to ask. She sighed when he continued to look down at her, silently demanding an answer. 'He said he was not the only one who wanted me dead.'

A muscle jerked along Giovanni's jaw; his eyes blazed with menace. Nicoletta hastily tightened her hold on his hand. 'But that is not the point. I know things – you know I do. I think someone is trying to kill *you*. I think that whoever it is helped Aljandro to escape all those men searching for him. Someone poisoned the soup meant for you the night little Sophie ate it. And you and I both know that your cousin, Damian, was involved in a conspiracy against you. And now Aljandro.'

'It is not safe to pursue this, Nicoletta,' he said sternly. 'Forget that you ever saw Damian. Do not ask anymore questions. I know others are conspiring against me, but I do not know who. Already you are in danger.'

'I want to go up to the ramparts. Do you remember when Margerita was running toward us in the corridor the day little Ricardo summoned me to Lissandra's deathbed?' Margerita rushing toward the maid had triggered the memory in

367

Nicoletta's mind. More than that, there had been something else, something about Margerita that eluded Nicoletta, but she knew it was important.

Deep inside her, the shadow was creeping into her heart, her soul. Something was wrong, and her dread was growing. She glanced out the window and saw the raven circling in the long trails of white fog. It looked deceptively lazy, even serene, as it soared just outside the window. But Nicoletta saw it, and she knew. There was trouble somewhere. Instinctively she inhaled deeply in an attempt to draw cooling air into her lungs and read the signs.

'You are not going near that upper walkway. I forbid it,' Giovanni said sternly. 'The guards have been given their orders, and they will follow them to the letter.'

'You can go up with me,' Nicoletta pointed out, distracted from his absolute authority by the deepening shadow within her. 'It is important. I want to see what the maze looks like from above, how much a person can see when they look down into it.'

'A good portion is covered over by bushes trained to form a canopy,' Giovanni said tersely. 'You will not go up there for any reason, with me or without me. Knowing you, you would slip and fall, and I would find you hanging by a fingernail. You will obey me in this, Nicoletta.' He stopped walking to catch her arms, halting her so that he could examine her face for bruises.

For no reason at all, other than the hot look in his eyes, Nicoletta found herself blushing. 'Stop staring at me. I told you, she did not hurt me. And I really do need to go up to that walkway.' There she would be able to sense the trouble.

'Well, you are not going,' he said. 'You are not going anywhere for the next twenty years. I am in the middle of something I cannot share with you. I dare not. You will have to trust me and do as I say.'

Gostanz appeared behind them, clearing his throat to draw attention to himself.

Giovanni spun around, his black eyes gleaming with displeasure. 'What is it?' he snapped impatiently.

'*Scusa*, signore, the healer is needed.'

CHAPTER SEVENTEEN

Don Scarletti made a sound deep within his throat much like that of a drowning man. 'No, Nicoletta.' He shook his head somewhere between bitter laughter and total frustration. 'I seem to have lost any semblance of control in my own home.'

'Tell them I will come at once, Gostanz, *grazie*,' Nicoletta said firmly.

'No.' The Don shook his head again. 'You have been through quite enough today, and there is still the danger of this madman loose. I will not have it, Nicoletta.'

'These are our people. I cannot imagine you shirking your duties and hiding in your bedchamber because there was danger. I am a healer, and if our people need me, then there is no other choice but to go.' She rose up onto her toes and placed her lips against his ear. 'You know it is inevitable that I go, Giovanni, so do not waste time arguing that could better be used finding a way to keep me safe.'

Giovanni heaved an exasperated sigh and glanced up at his waiting manservant. 'Gostanz, you are unmarried, no?'

A hint of a smile crept into Gostanz's eyes. 'That is so, Don Scarletti. And for good reason. I will tell those waiting that the healer will be with them immediately.'

'Tell the stableman to prepare my horse. I will take Donna Nicoletta myself.' Giovanni's hand tugged at her knotted hair. 'We should gather whatever you will need.'

'*Grazie*, Giovanni,' Nicoletta said softly, her heart in her eyes, unknowingly giving him more of a reward than she could have imagined.

Nicoletta gathered her satchel and cloak hastily, taking time only to make certain she had all her herbs with her. 'I know you are busy, Giovanni. You really needn't come with me,' she ventured cautiously as they hurried through the palazzo toward the entrance closest to the stables. 'Truly, Francesco and Dominic guard me closely. I know you were frightened earlier when you snapped at them, but you did not mean it.'

'I am not about to allow you out of my sight. And do not talk to me about Francesco or Dominic right now. They were supposed to stay with you at all times, not allow you to flit away from them at any opportunity.' Giovanni politely held the door open for her. 'They cannot protect you if they do not know where you are.'

It was a small thing, Giovanni's opening the door for her, but that courtly gesture made Nicoletta feel cared for. No one had performed the little niceties for her before, and Giovanni did it as if she had every right to such respect. She smiled at him, refraining from arguing further. It was enough that he was letting her go against his better judgment.

Once outside she inhaled deeply to allow the wind and sea spray to carry their tales to her. Overhead the raven circled once, twice, while Nicoletta settled in front of the don on his horse. Then the bird turned inland, away from the sea, flying as straight as an arrow.

'Hurry, Giovanni. The injuries are severe, but it is not too late,' she said. It was the first time she had uttered such words to him without fear. The don might carry madness in his blood, but he watched over his wife with a fierce desire to protect her.

His arms were tight around her as he held the reins, the wall of his chest a support for her back so that her head could rest on his shoulder. 'I have complete faith in you, *cara mia.*' His words were soft in her ear, in her mind, settling in her heart.

Nicoletta smiled as the horse swallowed up the miles with its long strides. Giovanni had gotten the directions from the waiting runner, and as night began to fall, he pressed the animal to greater speeds. The encampment was small, up amidst the boulders jutting above the tree line, an area Nicoletta had never seen. She was certain they were on the border of Giovanni's lands, and as he reined in the horse and called out to someone unseen, she was more certain than ever.

'Are we at war?' she asked in a low tone, looking around her at the hastily erected camp. There was a secrecy about the encampment she couldn't otherwise explain away.

When Giovanni announced their presence, several men slowly emerged from the shadows into plain view. Many had various wounds, and all looked exhausted. Nicoletta slid from the horse onto the ground, swaying slightly as she tried to find her legs after the long ride. She forgot her question as she looked around her at the men's bloodstained clothing. Giovanni tossed the reins to one of the soldiers, yanked her satchel free, and took her arm to help her over the uneven ground. His fingers tightened like a band around her upper arm, and he leaned into her. '*Dio!* Nicoletta, you have forgotten your shoes again.'

Nicoletta barely noticed. She had run barefoot for so many years, it seemed natural to her, but her husband sounded so exasperated, she flashed him a quick grin. For one timeless moment his eyes met hers. There was pride there, respect, and something far deeper and richer that turned her heart over. They had time for one shared smile, one moment of complete understanding, and then she was led to the most injured patient.

Giovanni watched her perform her tasks, never taking his eyes from her small, slender figure as she worked quickly and efficiently with far more experience than one of her age should have. She was totally focused on her patient, a young soldier with several stab wounds in his shoulder, chest, and leg. The don was amazed at her power. Her presence alone commanded respect. Others leapt to obey her quietly spoken orders, not looking to him to verify them at all. He, too, found himself leaping to get the things she needed, amazed at the amount of hot water she insisted upon. But he soon became a complete believer. Giovanni would have sworn no one could save the young man, but she inspired such confidence, commanded such obedience, no one in the camp thought she would fail. He was beginning to think Nicoletta *willed* the wounds to heal.

She worked until the darkness descended and the wind howled through the camp, causing the men to shiver. Tucking blankets around the wounded man, Nicoletta straightened up, looking around her at the faces of the others. 'Who else is injured here? This man will live with good care. You must see to it he is taken to shelter as soon as possible and given plenty of liquids. Perhaps he can be brought to the palazzo, where I will be able to attend to him daily.' She glanced at Giovanni, who nodded in approval. She was swaying with weariness.

Giovanni swept an arm around her, gathering her close. His mind sought hers. Her incredible gift of healing took a tremendous amount of energy, draining her strength. He felt it in her, yet she was still looking over the soldiers, determined to give aid to any other in need. 'Rest for a time,' he suggested softly.

She smiled up at him. 'These men have suffered much in their battle. I will do what I can to make them more comfortable.' They had seen combat, but not in the type of battle she had first imagined. The injuries they had sustained were from knives, not from swords or arrows. These men had been very close to their assailants.

Giovanni moved a distance away, still keeping his eye on her while he consulted with the captain in low tones. She moved among the men, attending wounds, smiling, even laughing softly with them, very much at ease, yet she managed to look regal in her bare feet and peasant clothing, managed to look beautiful and every inch a lady. Giovanni tried not to notice the way his men looked at her, the way their eyes followed her. He tried to ignore the tightness in his chest and the surge of hot blood swirling beneath the thin surface of his civilized veneer.

Nicoletta knew she wasn't supposed to see too much. These men were members of the don's elite guard. Trusted soldiers, every one of them. Men who had proven their loyalty to the don many times over. Don Scarletti seemed to know each one personally. The captain and the don spoke in hushed tones, going over a map much like the ones she had seen in the elderly Scarletti's private study. For one brief moment it occurred to Nicoletta that Giovanni had rifled through his *nonno*'s maps and stolen those he needed. But that made no sense. Giovanni was the don, and owned everything in the palazzo and in the surrounding lands. More likely his *nonno* quietly made his grandson fresh maps to aid him.

When Nicoletta was finished attending her last patient, Giovanni gathered the soldiers together. 'There is a continued need for secrecy. You unmarried men volunteered, and none of you have families that might insist on knowing where you are. You must continue to be silent, rest, and be ready for the next call. Transport young Goeboli to the palazzo.'

Nicoletta's head went up, and she immediately turned to stare at the young soldier whose injuries were so severe. She knew the name well, the history of the house of Goeboli. The elder Signore Goeboli had owned the vast lands to the north of the Scarlettis. He had the reputation of being a good don. Long before Nicoletta's birth, when the King of Spain had looked greedily upon the land, his family had taken in highranking members of the Holy Church and hidden them. At the same time he had tried to make a peace treaty with Spain. But he had been slain, his lands gobbled up, his people scattered, and it was rumored that his sons were long dead along with their father. This young man had to be a grandson. All had not been lost.

'What is going on here?' she asked Giovanni as he swung up onto his horse and pulled her up in front of him with his casual strength.

Giovanni was silent until they had ridden some distance from the camp. 'You asked if we were at war. We have no choice but to be at war. Large wolves surround us, powerful and greedy. They look to our lands and our riches. That is why I have long kept the treasures and wealth of the *famiglia* Scarletti deep within the passageways, protected by our ancestors' traps. Our country's wealth has been plundered time and time again. A good leader senses when a change is in the wind, and he must act immediately. Wars are not necessarily fought on a battlefield, yet they can be just as deadly and just as fierce. Austria looks to control our lands, and soon, if I am right, she will be in power. I think the time is right to align with her. She will allow the more powerful *famiglie* to continue ruling here while she looks to her own borders. We will have a chance to grow stronger and thrive. To arrange this, when some are evidently not in favor of my decision, we meet in secret, in small groups, so only a few may identify others. Since there is a traitor in the palazzo, the young Goeboli must be kept hidden. The men will bring him to the cove, and I will bring him into the palazzo through the passageway. My own guards will see to his safety, and only you will enter his room to attend him.'

'How did you get the scratch on your chest last night?' she asked abruptly, trying to keep her voice even and her mind blank, as if his answer was not of great importance to her. But he urged his mount into a thick stand of trees, brought it to a halt, and dismounted with her.

They were back within familiar territory, not far from Nicoletta's herb garden. She stretched, raising her arms above her head to the night sky. The sea breeze was cool and crisp, swirling wisps of white fog around her skirt so that she seemed to rise up like a siren from the clouds.

Giovanni sighed softly. 'You told me you believed my own cousin had entered into a conspiracy against me. I know my life is in danger. Four times recently there have been attempts against me. Damian on the beach, the poisoned soup, once when I was out hunting with Antonello, and our wedding night.'

Nicoletta stared at him, her eyes enormous in the silvery moonlight. 'How long ago was your hunting trip with Antonello?' She could read the sincerity in his voice, his eyes. He hadn't gone to another woman on their wedding night, abused and mistreated her. Nicoletta had been certain he hadn't, but it was still comforting to hear him confirm he had not been the one to harm Beatrice. The memory of Beatrice's wrist, the terrible bruising and burns, was suddenly vivid in her mind. And Margerita had the exact same circlet of bruises on her wrist. Nicoletta's breath caught in her throat. Both women had been with the same man. She bit down hard on her lip, trying to concentrate on what her husband was saying, holding the revelation to herself tightly.

Giovanni shrugged. 'Some months ago. The sudden assault was enough of a warning. I knew someone must have gotten wind of our plans. I immediately moved to protect our treasures and my *famiglia*.'

Nicoletta turned away from Giovanni, unwilling for him to read her oft-transparent expression. Antonello had been hunting with Giovanni. Yes, Antonello had been wounded, but that could have been an accident. Damian had been Antonello's best friend as well as cousin. Anyone in the palazzo, including Antonello, would know that Bernado always left soup warming for Giovanni. Antonello had been with the guards the previous night. And Antonello had come out of the maze the day Cristano vanished within it, his clothing bloodstained. He moved freely throughout the countryside, unlike Vincente, who would never willingly venture among the peasants in the *villaggi*.

'What happened on our wedding night?' Nicoletta asked softly. Antonello had been in the hallway, calling her husband away from her.

'It is necessary to silence those who choose to oppose us, those who would betray us and endanger our *famiglie*. I was asked to speak to two emissaries sent by an ally who was in need of aid. But the "visitors" were actually assassins sent to kill me. They did not succeed.' He spoke softly, matter-of-factly.

Then he moved up behind her, sheltering her from the wind with his body. 'We need unity, and Austria has no real desire to rule this country; she has far too many other troubles. I believe we can strengthen our position and move our people into place to be ready to take advantage when the offer to align comes to pass. It is my belief that Austria will leave the ruling to the stronger *famiglie*. I see no way other than unification with her to protect my people.'

Very gently he circled her slender body with his arms and drew her back against his chest. 'Have I told you how proud you make me? I know it was wrong of me to bring you into a dangerous world of intrigue, but I could not help myself. I did my best to stay away from you, but there you were, right in front of me, no longer haunting my dreams, no longer whispered reports from my men, but real flesh and blood and so beautiful I could not breathe when I looked at you.'

She tipped her head back, resting it against his broad shoulder, her dark eyes laughing up at him. 'You were breathing. I recall my first meeting with you, signore, quite vividly. You were definitely breathing. As sick as you were, you were still the most powerful man I had ever met. And you looked at me . . .'

'I had to look at you. I could not take my eyes off you,' he admitted softly.

She smiled as she stared out into the gathering darkness at the swaying trees with their silvery leaves. 'In truth, I cannot say I am sorry that you chose me to be your bride. I dream of a time when our people are happy and unafraid in the palazzo, a time we can get to know one another without interference from the outside world.'

His mouth drifted lazily over her silky hair, found her ear, and tasted her skin for a moment while his hands moved up her narrow ribs to settle just below the soft weight of her breasts. 'The outside world is conspiring to keep me away from you,' he whispered softly, his breath a warm temptation. 'But you know, *piccola*, there is no one out here to interfere with us now.'

She could feel the heat of his body, the way he thickened and hardened, pressing tightly against her. Nicoletta smiled at his reaction and pressed even closer to him. She tilted her head back and moved restlessly, an invitation to his wandering hands. It was like that with him. He touched her, and her body seemed to go up in flames. It wasn't simply a matter of wanting him to touch her; she *needed* him to touch her. She seemed to catch fire, to melt each time he looked at her with his desire flaring in his black eyes.

Daringly, she reached behind her to circle his neck with one arm, bringing his head down to her. His mouth found the pulse beating frantically in her neck. He found each of the bruises on her throat, his mouth warm and soothing, hot and exciting. Giovanni inhaled the clean scent of her. She seemed untamed and free, elusive, a part of the mystery of the night, yet she burned for him when his teeth scraped her soft skin and his hands cupped her breasts, his thumbs caressing her nipples into hard peaks through the thin cloth of her blouse.

The air was crisp, the wisps of fog weaving a shimmering screen of white lace around them. The shadows in the trees lengthened and grew until it was nearly impossible to see into the forest interior. They could hear the distant crash of the waves against the cliffs. Night creatures were stirring, insects singing. In the distance a wolf howled, a lonely, eerie sound. Another wolf answered it, strangely intimate in the gathering darkness. A wildness. It spread from the forest to catch them in its thrall.

Giovanni whispered something she couldn't understand, his hands finding her blouse and pulling it from her body, allowing the material to flutter to the bushes. His hands cupped lush flesh as he bent his head to the hollow of her shoulder. There was something very erotic about standing nearly naked in the night, her body leaning into his, her breasts held possessively right out under the gathering stars.

Nicoletta's breath caught in her throat. It was shocking how erotic she felt, how sinfully excited. She was fairly certain this was one of those things good girls didn't do.

But it didn't matter. Nothing mattered except the way her breasts swelled into aching flesh at his touch. She wanted more. She wanted to know all the ways to please him, to make him need her the way she needed him. The ache started deep inside, spreading, blossoming into a firestorm as it raced through her bloodstream. His mouth was hot, dancing tongues of flame moving over her bare skin.

Nicoletta held him to her, closing her eyes to give herself up to the pure pleasure his hands and mouth created. His teeth tugged gently at her ear. 'I want you to take off your skirt, *cara*,' he whispered. His hands dropped from her breasts so that he could turn her around to face him and drink in her beauty.

His gaze was hot as it traveled over her. Nicoletta stood staring up at him, her dark eyes enormous in the moonlight. He could read both the shyness and the wanting. 'I want to see how beautiful you are,' he encouraged.

She reached up slowly and loosened the knot in her long hair, allowing the silken skeins to cascade in waves to her waist. The action lifted her breasts, and the silvery moonlight cast loving shadows on her body, so that he could barely breathe at the sight of her. She smiled then, watching his reaction.

Nicoletta moved a few steps from him, just out of arm's reach, and, still watching him, she slipped off her skirt. She heard his gasp, an explosion of breath as it left her lungs. She lifted her arms toward the moon in a kind of homage, so that her skin gleamed invitingly in the muted light, and her hair caressed her body like fingers. 'Is this what you want, husband? I wish to learn to please you.'

The silence stretched taut as he watched her, his gaze hot. Giovanni removed his boots slowly as she stood naked, waiting before him. 'Come here to me,' he ordered, his voice husky. 'I want you to remove my clothing. That would please me, Nicoletta. I want to watch you, see you tremble, know you want me the way I want you.'

She *was* trembling, shocked at her own daring, shocked at the dark intensity in his eyes. He stared at her with a fierce possessiveness she had never seen. It was frightening yet exhilarating. Obediently she stepped forward, the breeze tugging at her hair so that one moment it covered her breasts, leaving only her nipples peeking through, the next revealing her body to his inspection.

Her fingers shook as she removed his shirt. He didn't help her, his hot gaze never leaving her body. She felt him tremble when she began to unfasten his breeches, her fingers brushing his swollen flesh. Nicoletta found courage in his reaction. He was thick and hard, so utterly different from a woman. She looked up at him, not knowing what to do next.

'Touch me, Nicoletta. Show me you want me, too.' His voice was more hoarse than she had ever heard it, his body so hot she could feel the heat right through her. 'You need to know my body the way I know yours.'

She slid her hand down his chest with deliberate slowness, enjoying the feel of his hard muscles. Bending forward, she kissed those muscles, her hair spilling around him, brushing his skin so that he gasped again. His hands caught her upper arms. Nicoletta smiled at the strength in his grip, at the knowledge that she could bring such a strong, powerful man to the same trembling need she felt. Her body was on fire, moist and hot and aching. She wanted his hands exploring her, his mouth moving over her.

Exactly what he wanted. She caressed the length of him, exploring, shaping, using her hand like a sheath and watching his reaction. He hardened more, thickened, his hips thrusting into her palm. Her fingers danced and teased, and she watched him closely while her own body grew hotter and tighter. 'Tell me,' she whispered softly, a siren of temptation, 'is this what you like?'

She looked wild in the darkness, and he felt the same wildness growing in him. 'Use your mouth. I want to feel your mouth on me again, hot and moist like the inside of your body,' he instructed softly.

Her hands moved over his hips, and she bent her head to kiss his flat belly, to find the ridge of his hipbone and to place a kiss there. At once she felt the difference in him, as he stiffened in anticipation. Her tongue tasted him tentatively. She heard the breath leave his body, felt him shiver. His reaction made her bolder. It took a few moments to get it right, but Giovanni allowed her to experiment on her own. She knew she was there when a growl escaped from deep within his throat, when his hands tightened into bands, when his hips thrust forward. His fingers left her arms and bunched in her hair.

'Nicoletta!' He called her name between his teeth, a groan of pleasure, of stark desire. His hands caught her, nearly yanking her up to him, then urging her to lift her head so he could find her mouth blindly, instinctively with his. He welded them together, his hands dragging her so close that she could feel the imprint of his every muscle in her soft skin.

Nicoletta gave herself up to his hot, seeking mouth. His hands were possessive as they moved over her body, everywhere, finding her curves, the hollows, the secret shadows. She immersed herself in him willingly, tasting his need like a living thing, He craved her, *craved* her, and Nicoletta lost herself in his strong body.

Flames were licking at her. Deep within her was a volcano of hot, molten lava spreading out of control. She whispered to him, wanting his body buried deep within hers. 'Giovanni.' A soft whisper of temptation. A plea. An ache.

He caught her hands and placed them on a fallen log, bending her body so that she was stretched out before him, her skin gleaming in the silvery moonlight, her rounded bottom a blatant invitation. He pressed against her, his hands biting into her hips. Nicoletta gasped at how thick and large he felt. Giovanni whispered to her, his hands caressing her hips, her derrière. He pressed his palm between her thighs to feel her hot and moist and ready. He inserted a finger into her, testing her reaction, and felt her muscles clench around him.

'You are ready for me, *cara*,' he said softly, pressing into her feminine entrance.

Nicoletta cried out at his invasion. He moved slowly, inch by inch, savoring the feeling of her tight muscles, velvet-soft, fiery hot, tightening around him. He watched the beauty of their bodies coming together. His hands once more found her hips so he could pull her tightly into him as he surged forward, burying himself deep, gliding in and out with the wind blowing her hair back against him like so much silk.

'*Dio*, Nicoletta, you are hot and perfect,' he gasped, riding her hard, pushing strongly into her so that she had to push back just as hard to keep from being swept away.

As the firestorm swept through their bodies, the wind touched their skin with cooling fingers, teasing and inciting, so that Nicoletta never wanted the moment to end. He was taking her soaring through the sky, locking them together with such passion, such force, she felt tears of joy in her eyes. She felt her body tightening, like a spiral winding ever tighter, the friction causing flames to dance in her blood-stream. He was thick with need, savage in his possession, tender in his touch. Her body was welded to his by the fire, belonging, aching.

She closed her eyes, gave herself up completely, and exploded, hearing him roar with his own release, so that they were shattering together, flying high. Her body continued to grip and tease his, and he shuddered with passion, holding her tightly against him for a long time while their hearts pounded frantically and their legs turned to gelatin. His arms slowly slipped around her waist to hold her up, his body slowly, reluctantly sliding away from hers.

Giovanni turned her around to hold her to his chest, his body now a haven for her. Nicoletta wrapped her arms around his neck, clinging to him, unable to comprehend the magnificence of the way they had joined together. His hands shaped her back, moving slowly over the long curve to her spine. He buried his face in her wealth of long hair. 'I love the way you respond to me,' he said. 'The way your body grows hot, letting me know you need me every bit as much as I need you.' He kissed the top of her head. 'I love the way that you trust me when I have not earned it. When I have placed you directly in the path of danger. When I gave you no choice, you still are willing to give yourself to me. Thank you, Nicoletta, for being willing to take a chance with me.' He sounded very humble.

She could feel that curious melting sensation in the region of her heart. Her hair fluttered around them like a silken cape, enveloping them both.

'Did you know, Nicoletta,' he murmured softly, 'that I often dreamed of you even before I met you? I lay night after night in a sweat-soaked bed, needing to bury my body in the softness of yours. Needing to see your smile and hear the sound of your voice. I dreamed of you every night and never once conceived that you could be real.' He caught her chin in his hands, tipping her face up toward his, his hands gentle. '*Angelo mio, amore mio.*'

The moon tried valiantly to shine through the layers of mist, casting an eerie glow in the swaying trees. Nicoletta smiled up at him, at the dark intensity of his gaze as he studied her. 'You have a bruise on your face,' he observed tenderly, 'and more on your neck.' He leaned forward to brush her soft skin with his teasing, moist tongue to ease the discomfort of her bruises. 'It pains me to see you injured.'

Her heart jumped, and heat pooled inside her, just that fast. 'Do I feel real to you when you touch me?' Nicoletta asked softly, tipping her head back farther to allow him to reach the worst marks on her throat. 'Because sometimes when you touch me, I feel lost in a dream of pleasure and passion, and I am not certain you are real.'

'I am very real, *piccola*, and I am falling in love with you. You cast a spell over me, a wonderful enchantment, so the sun shines for me only when you are near.' He kissed her throat, the dark smudges, the evidence of danger. His mouth wandered lower, drifting over her satin skin as if he could never get enough of her. He found her breast, teased her nipple, his teeth gentle, his tongue swirling lazily.

Nicoletta cradled his head to her, allowing the delicious heat to spread slowly through her body, savoring the way she coiled tighter and tighter. 'Tell me of your *famiglia*, Giovanni, your parents, your grandparents, you all live in the shadow of a such a foul curse.'

Giovanni sighed, reluctantly lifting his head away from the temptation of her body. His voice was a soft mixture of regret and sorrow. 'What can I tell you of my *famiglia*? My *nonno* loved his wife as no other. They were always together, always smiling at one another from across the room. She was a gentle and caring woman. Everyone loved her – how could we not? She raised Antonello and me. She tried to raise Vincente, although *mio padre* kept Vincente close to him.'

'You never mention your *madre*, Giovanni. Why is that?' A sudden draft caused her to shiver. A shadow passed across the moon.

At once Giovanni dragged her closer, enclosing her in his arms, his body sheltering hers from the wind. 'Most of my memories of her are of her moving through the palazzo, smiling. She would nod to us occasionally, but she never talked to us. I do not remember her holding any of us, not even Vincente. *Mio padre* was always with her. He never took his eyes off her. He was so jealous of anyone who was near her, even us.' He buried his face in her silky hair as if the memories he was conjuring up were too painful to bear.

There was such despair in his voice, Nicoletta circled his neck with her arm, pressing her breasts against his chest, wanting to comfort him. 'What happened to her?' She wasn't certain she really wanted to know. There was a stillness, a quiet shadow in her that heralded trouble.

'She . . . disappeared. We were mere boys. I will never forget that day, not as long as I live.' Giovanni stepped away from her, his arms dropping to his sides. Nicoletta's heart went out to him. He looked all at once vulnerable.

He walked away from her, staring at the swirling mists, uncaring of his nakedness. Nicoletta realized that no one ever talked about Giovanni's parents. His father had been the *don* for only three short years, and no one spoke of him. Not even Maria Pia ever talked of the man. Nicoletta didn't even know how he had died, leaving the Scarletti legacy to his eldest son, Giovanni.

'I saw her with one of the soldiers. It was not the first time. They would go up to the tower. Only this time *mio padre* followed her. I was on the ramparts. I saw Father going up the stairs to the tower. I called out to him, trying to warn my mother of his presence, but the wind was strong and carried my voice away from the palazzo. It was the first time in my life I was truly afraid. There was something in the way Padre was climbing those stairs. I cannot explain it, but he did not look right. I remember I reached out in our special way to Antonello, thinking childishly that the two of us might be able to prevent the inevitable.'

A terrible sadness pressed on him, and Nicoletta felt the weight of the child's burden, a boy unable to save his mother from the wrath of his father. At once she went to him, putting her arms around him, pressing her face against his broad back.

Giovanni immediately responded, holding her hands against his flat belly. '*Mio padre* had many other women. We all knew. *She* knew. But it did not stop him from his rage. The wind could not carry her screams away fast enough. I saw the body of the soldier afterward, and I never understood how one man could hate another so much as to do the things to him that had been done.' He inhaled sharply and spun around to face her, his eyes so black with intensity, she felt terror lodging deep within her heart. 'He did these things in front of her. Made her watch. I do not know what he did to *her*, but he kept her alive for a long time, many months. Yet we never saw her again, and one day he simply announced she was dead.

'Do you understand now the terrible legacy of violence and jealousy that has passed to the three of us? Antonello and I each swore we would never take a bride.' His fingers dug into her arms. 'I know I had no right to take such a chance with your life, tangling you in the web of violence and death that is my legacy. I want you to know I did try to fight it, but once you touched me and I felt your healing warmth, it was the first time in my life I felt I was home. I belonged.' His hands framed her face. 'I did not have the strength to give you up. When a man wants something, *needs*

389

something, he can rationalize anything.' He looked dark and intense there in the night. 'And I wanted you, very badly. I looked at you and knew I would have peace with you. You would give me peace.'

The night wind whispered around them. The fog muffled the other night sounds, its veils of white weaving in and out of the trees. Nicoletta's dark eyes searched his face carefully. 'Have I done that for you? Have I given you peace, Giovanni?'

He trailed his fingers down her soft skin, over the creamy swell of her breasts. 'More than enough to last a lifetime. I thought your body would give me solace – a selfish thought, really – but you also light up my home, so my people smile now. I have heard singing and laughter where there was once only silence.' He bent to kiss her lips, gently, tenderly. 'You have changed my life, *piccola*, and I long to feel *mio bambino* growing in your belly.' His fingers spread wide as if already holding the child beneath his palm. 'The day cannot pass fast enough so that I can get to our bedchamber where you are waiting for me.' His hand slipped lower to the tangle of dark, moist curls, pressing to feel the hot dampness.

Giovanni's breath escaped in a long sigh of contentment. 'I look into the coming years and know it will always be this way. The instant I see you, feel your body, touch you, I will want you again and again. It will never matter that we have just made love. I will grow hard and thick and heavy with my need.'

He slid two fingers into her tight channel and felt the instant rush of damp heat that welcomed him. He bent his head to the waiting tip of her breast, his mouth suckling, his fingers gliding in and out of her until her muscles clenched with fiery need. Catching up his shirt, he placed it on the fallen log and then lifted her easily, backing her up until her bottom rested on the shirt. He took her feet, carefully placing them near the log so she was open and vulnerable to his invasion.

'Again?' Nicoletta's breath was coming in gasps. 'You want me again?' She had to brace herself with her arms.

'So much that I am going up in flames, *cara*.' He caught her to him, pinning her hips so he could thrust forward, bury himself deep.

This time she could see his face, the lines etched deep, the hot intensity in his eyes, their bodies coming together in a dance of passion and heat. She moved with him, finding his rhythm, urging him to longer, deeper strokes, wanting to take him so deep he would find shelter in her soul. She wrapped her legs around his waist, pressing tightly against him, so he was rocking into her, so they were one.

Nicoletta watched his face, his every expression, the shadows, the joy, each nuance. She wanted his pleasure to be every bit as intense as her own. He was very giving, ensuring her fulfillment before his own, taking care, no matter how strongly he surged into her, no matter how violent his passion, that his hands were gentle and she suffered no discomfort other than the torment of the building fire within. Of the coiling heat winding tighter and tighter until she exploded with it, taking him with her.

Nicoletta stared up at him, astonished by the magnitude of their joining. He was a man of great power, of enormous strength, and yet he was always so tender with her. His expertise never made her feel inadequate. She found herself smiling up at him. 'I think I need to sleep, Giovanni. Right here, right now. You've worn me out.'

He gathered her to him, and her feet touched the ground, something real and solid. His strong body was still trembling, his heart beating loud and strong beneath her ear. 'You want to sleep out here? Under the stars? I would not want you to take ill.' The fog brought with it the salt mist from the ocean.

She nestled against him. 'I am with you. Nothing can harm me.'

CHAPTER EIGHTEEN

Nicoletta looked around her, searching for her clothes. The fine sea spray was clinging to her hair, curling it into long spirals around her shoulders. 'Do you ever get tired of being the don?' she asked. 'So many petitioners coming to you with their problems, expecting you to solve everything to their satisfaction?' She tilted her head to one side, her hair sliding over her breasts. 'And how is it you became the don at so young an age? What happened to your *padre*?' She preferred he tell her everything here in the open, with the sound of the waves crashing to shore and the wind carrying his words out to sea.

Giovanni raked a hand through his black hair, his gaze all at once wary. 'Nonno became quite ill, a terrible fever. We did not expect him to recover. The mantle of leadership fell to *mio padre*. Even though Nonno was ill and near death, there were things he refused to tell *mio padre* about the running of our lands. I think he knew Padre was ...' He searched for the right words. 'Not up to the demands of such a position. Nonno had a difficult and long recovery, and he remained quite weak. But it soon became clear that my father could not continue leading our people. There were ... incidents. He made enemies and neglected his duties in his constant pursuit of women. Our people and estates, the lands, were being ruined at a shameful rate. It could not continue. There was also talk that he was selling out our allies.' He glanced down at his hands. '*Mio padre* was assassinated. I never found out who ordered it, though I tried. I know other dons were concerned that my father was aiding our enemies, and I know Nonno feared such a thing would happen. *Mio padre* was buried quietly, and as Nonno had never sufficiently recovered, I assumed leadership.' He left it unspoken that most of their people believed his grandfather had murdered his own wife.

Nicoletta found her blouse and held it to her for a moment, thankful she had grown up in the *villaggio*, free from so much deadly intrigue. 'I am most happy that you chose me to be your bride, Giovanni. I hope I always take the shadows from your eyes.'

He went to her immediately, his arms dragging her close, his mouth finding hers. His hands moved over her bare back, shaping her narrow ribcage, then gliding upward to cup her breasts, his thumbs teasing her nipples, already hard peaks in the cold night air. 'I am most happy I looked upon you and recognized you immediately. You were meant for me. I knew you were. I feel it in my heart.'

Nicoletta nearly dropped her blouse, holding him to her, cradling his head to her, her fingers in his hair. 'I feel it, too.' She held him close, offering comfort until he reached to kiss her gently before reluctantly letting her go.

She pulled her blouse over her head, sliding her arms into the sleeves, determined to bring a smile back to his face. 'Look at how perfect it is out here, quiet, lots of space to run free.' She stepped into her skirt, tilting her head back, looking like a wild siren. 'I love it up here.'

Giovanni dressed slowly, watching her as she danced around the trees, her soft laughter a whisper of invitation.

Nicoletta looked at him over her shoulder, provocative, sexy. She saw he was smiling. He looked younger, more carefree than she had ever seen him.

'My barefoot wife,' he said softly, and he went to his horse to pull a ground sheet from his pack. 'If you want to spend a little more time alone here with me, who am I to say no to you? We can rest for a short time. We are not far from the palazzo.'

'Not here, Giovanni,' Nicoletta said. 'Up on the cliffs above the sea. It is so beautiful there at night. We can watch the waves and look for the sea lights that sometimes shine deep under the water. They look like silver nets below the surface. Have you ever seen them?'

Don Scarletti nodded as he followed her up the narrow path toward the cliffs overlooking the sandy cove where his cousin and associate had attacked him. It had been a long while since he had shirked his duties and taken a few hours for himself. He had a new bride; it seemed little enough to ask to sit with her, just the two of them, watching the sea. He spread the cover on the ground and took her hand, helping her to settle. He sat close to her, pulling her into his arms.

Nicoletta snuggled against him, resting her head on his chest. She was drowsy, her body sated and deliciously sore. She curled her fingers in his. 'I had a happy childhood, Giovanni. I lost *mio padre* before I knew him, so I was not sad. The time I had with *mia madre* was wonderful. She made life an adventure. She was always laughing and singing, and other children flocked to her. I was devastated when she and my *zia*, her sister, died, but Maria Pia was there, and she allowed me my freedom, and she loved me with all her heart. She never made me feel different. She made me feel special. She said I had gifts from God.'

His hand found her hair and tangled there. 'Now you make young Sophie and Ketsia feel special, as you will make our children feel special.' His arm tightened possessively around her. 'Why do you fear me so much, Nicoletta?' The words slipped out of him before he could stop them.

Nicoletta felt the way his heart jumped. She was silent a moment. It was not in her nature to tell an untruth. She turned her gaze so she could meet the dark intensity of his. 'Because you fear yourself. It is in everything you say and do. This dark curse you and your brothers live under. You believe in it, and that gives it life.'

'You do not believe in it?' he asked quietly, the words barely audible. He turned away from her to stare out at the foaming sea. 'You cannot see it?'

'I see that you give it power. As long as you believe in it, you breathe life into it, Giovanni. You give it power. It lies in wait, watching you for a moment of weakness. And we all have them, you know. Each of us. If you believe you are cursed with murderous, uncontrollable jealousy, there will come a time when I will smile in the direction of some young, handsome soldier, and you will see me. The curse will be there, crouching like a wild beast, lying in wait to take a hold of you. *I* will not give it life; you will have already done so.' She sounded sad.

Giovanni bent his head to hers at once, kissing her eyes, the corner of her mouth. 'Tell me how to break the curse, *angelo mio*. Tell me what to do. I feel it clawing at me when I look out the window and see you laughing in the courtyard with Francesco or Dominic or even *mio fratello*. You are so beautiful, you take my breath away. I know without you there would be emptiness. I have endured emptiness, and I do not want to go back. I would rather die now, happy for once in my existence, than ever risk harming you in some way as *mio nonno* did his wife. He adored *mia nonna*, yet she is dead, and he is hollow. Better that I never took you as my wife than have the fate of the *famiglia* catch up with us.'

'Then you must believe in me, Giovanni,' Nicoletta whispered softly. She framed his face in her hands. 'Believe in what you see in my eyes when I look upon you. Believe in my body when you touch me. Believe in yourself, in your strength and power, but most of all, believe in us. If you can do that, the curse will be broken, useless. I could smile at a hundred young, handsome men, and you would always know I see only your face, want only your body. It is up to you.' She allowed her hands to slip away from him, but her eyes were steady on his.

'You think the Scarletti men have fashioned their own curse?' He shoved a hand through his dark hair, tousling it even more than did the wind. 'Do you think our women have been driven insane or murdered for a powerless curse?' His fingers tangled in her hair, the long, silken strands sliding around his palm.

Dark color swept into her face. His voice was mild, yet he made her feel young and foolish. Her gaze fell away from his.

Who was she to try to explain away something that his family had lived with for generations? Giovanni caught her chin in his palm, forcing her to look at him. 'Do you believe what you are saying, Nicoletta?' he persisted. 'Really believe it?'

She took a deep breath, her heart pounding. She did believe what she was saying, but did she trust him enough to admit it? She was so much younger and inexperienced than he, a woman and of much lower status.

'Nicoletta.' He breathed her name out into the wind. His talisman. His world. His arms enfolded her again, holding her tightly against his body.

She decided to speak and risk his derision. 'Everyone has weaknesses, Giovanni. Even the Scarlettis. Jealousy is just as wrong as telling an untruth. It eats one from the inside out, destroys men and women. It is a weakness, not a curse. You can stop it just as your *nonno* could have stopped it. You should not give it merit, should not nurture it or feed it or allow it any power over you at all. It is not really a curse, Giovanni. No legacy of love gone wrong. In truth, it is something you must fight, like an enemy or an illness. Be vigilant at all times, never lower your guard, and you will conquer the "curse."'

'You believe it is that easy?' There was a grimness to his voice.

Nicoletta shook her head. 'Not easy, and yet not so difficult. It is a matter of trusting yourself and the one you love. You cannot simply *own* someone and expect her to love you in return,' she pointed out bravely.

He stared down into the pounding, foaming water, the

waves rushing at the shore and crashing against the rocks. His fingers found the nape of her neck, massaging gently to ease her fears. 'Is that what Scarletti men do? Own their women?'

'You tell me. You are the one afraid of the curse, Giovanni. I do not fear the curse anymore, only one who believes so strongly in its power to destroy us.'

He was silent for a long time, giving her words the respect of thought. 'How did you get to be so wise at such a young age?'

'Each of us has our strengths to balance our weaknesses. I have many weaknesses, Giovanni. Men are not one of them. I am loyal and truthful, and I will be your faithful helpmate if you allow it.' She ducked her head. 'Among my weaknesses are that I do things without thinking, and I need the freedom of the hills.' Her voice was becoming drowsy.

He laughed softly. 'I never would have guessed such a thing, *piccola*. But you are weary, falling asleep. We must go home this night. You will have a patient waiting. I would like to get there soon to ensure his identity is not discovered.'

Nicoletta groaned softly in protest but obediently stood and stretched to ease the stiffness in her body. She rubbed her cheek along his broad shoulder. 'I do not care where we sleep, as long as we do it soon.'

Giovanni swept her into his arms, cradling her against his chest. 'You look like a *bambina* with your big eyes drooping, ready for sleep.' He bent his head to hers, his mouth drifting lazily over her face. 'Thank you for being my wife.'

She smiled up at him, her long lashes sweeping down. 'You are very welcome.' She was floating, half awake, half asleep, as he carried her back to where he had left the horse. She welcomed sleep, but most of all she welcomed the comfort of his arms. She had dared to tell him her thoughts, and he wasn't angry with her, nor had he dismissed her ideas as silly and childish. He had treated her as an equal. That meant more than any gift he could have given her.

Far off, somewhere on the edge of a dream, she heard the cry of an owl. It seemed to echo through the fog, a strange, distorted note that brought a shadow to her dream. Nicoletta frowned and turned her face into the shelter of Giovanni's chest, pressing close to the steady beat of his heart. The owl was answered by another, this one much closer and louder. The inner shadow lengthened and grew.

'Nicoletta.' There was a clear warning in Giovanni's whisper. He put her feet on the ground, his mouth against her ear. 'There is trouble, someone stalking us. The horse is gone.' His arm swept her protectively behind his solid frame.

'I am sorry, I was so sleepy,' she murmured softly. It was a poor excuse; she should have realized the danger immediately. The owl had warned her twice, the shadow had grown deep within her, but she had been tired, drifting in and out of sleep. Now they were in peril.

They heard a faint sound to their left, something moving stealthily through the brush. Far off the owl hooted again. Some distance away, they could hear the sound of hooves thudding on the ground. The fog was very thick, weaving in and out of the trees, swirling madly. Giovanni reached behind him to take her hand as they moved together along the narrow path in the general direction of the palazzo.

Nicoletta knew the hills, even at night, but Giovanni would not allow her to take the lead. He moved silently, so much so that she clutched at his hand to ensure that he was still there. The white mist spread like a blanket, moving through the trees and brush. Visibility was poor, but the shadow within her grew until her heart was pounding and her mouth was dry. Something was after them, man or beast, stalking them in the darkness.

Men, Giovanni whispered in her mind, obviously reading her intense emotions. He squeezed her hand in reassurance. They made their way in silence, with only their breathing and the loud beating of their hearts to betray their presence. The path winding through the hills began its steep descent. They would be entering the narrow mountain pass soon. The cliffs rose sharply on both sides, and the trail was rocky.

Giovanni stopped so abruptly that she ran into him before she could halt. 'This is a perfect place for an ambush,' he whispered.

The wind here tore at their clothing, biting cold, so ferocious that it whistled through the mountain pass like the wailing of ghosts gathering for a wake. Nicoletta clutched at Giovanni's arm. 'We must go the long way,' she cautioned, tugging at his wrist. 'This feels wrong. I know you feel it, too. We are not supposed to enter this pass.'

He swept her close to him, putting his lips to her ear so she could hear him. 'You are such a child of nature, *piccola*. The winds always whip through here from the sea. It is no warning for us.'

But she knew it was. She always knew. Yet Giovanni was already in motion, daring the angry sea gods, a mortal unimpressed by their frightening display of power. A Scarletti who boldly claimed his bride though he lived under a curse that could soon see her killed. A don who dared to live a life of deadly intrigue and political unrest while holding his people together. Nicoletta tightened her grip on his hand, wanting to pull him to her, to keep him safe, but she knew he would press onward. It was his nature to meet danger and conquer it. And she loved him. The realization came at that awful moment, with her hair whipping around in a frenzy and her body shivering with cold. With the wind shrieking angrily at their defiance and with robbers or worse stalking them. She loved Don Giovanni Scarletti, curse or no curse. And she would follow where he led.

The trail was strewn with rocks, and Nicoletta's feet hurt as she dashed blindly over them. She heard a rumbling sound, low at first, then louder, coming from above them. Giovanni yelled something to her, but the wind whipped it away. He thrust her in front of him, shoving her hard. Then she felt it, the pelting stones coming from the cliffs looming over them. A rockslide. Her heart in her throat, she began to run, her hand slipping out of Giovanni's. A figure loomed up in front of her even as the shower of pebbles and rocks thundered around her.

Nicoletta heard her own involuntary scream faintly as the wind whipped it back into her face. She dodged the lunging figure and was nearly thrown against the cliff face as Giovanni literally shoved her aside. She saw the two men come together amid the raining rocks and the swirling fog.

Off balance, she fell against the cliff, scraping her arm but fortunately missing being crushed by a boulder that fell mere inches to her left. She heard Giovanni moan in pain and saw his attacker's arm rise to stab him again. The man shouted his triumph.

Nicoletta recognized the voice. Aljandro. He had come out of the night to exact his revenge, waiting, stiletto in hand, someone starting the rockslide from above to aid him. She flung herself at him from the side, leaping with enough force that she knocked into him and spoiled his aim. The sharp stiletto had found Giovanni once but not the second time.

Aljandro threw her away from him, and she landed heavily on the rocks, the wind knocked from her lungs. For a moment she couldn't move, couldn't breathe. Giovanni was on him again, two combatants fighting fiercely to the death. She could hear their blows, but their figures were obscured by the swirling mist and a fresh shower of stones. The missiles fell from above, bouncing off the cliffs to hit the trail and roll in all directions. One of the men was hit; she heard his grunt of pain. And then another sound echoed, rivaling the howling wind. A rolling thunder, deep and cavernous, a terrible grinding noise that heralded unprecedented danger.

Run! Giovanni's command was in her mind, sharp and vehement. 'Run!' he shouted aloud, the wind carrying his voice away from her.

Huge boulders were crashing to earth, so many of them, they were burying the narrow pass. Aljandro and Giovanni still struggled. *Run!* he commanded again. Finally, she turned and ran toward the palazzo, and help, with the sound of the world coming to an end in her ears. The pass was now blocked off behind her by the tumbled boulders, and Giovanni, on the other side of the barricade, was in grave danger. He faced Aljandro and another killer, above, who had sprung the trap.

The rockslide stopped as abruptly as it had started, plunging the night into eerie silence. Fine grains of dust mixed with the swirling mist, turning the white fog a dull gray. Nicoletta stopped and turned back, now in the open, staring at the great pile of boulders blocking the narrow pass. She could not get back to Giovanni from this side. She pressed a hand to her mouth to keep from weeping uselessly. She had to get help, summon soldiers to go to the aid of their don. She did not believe he was dead. She would not believe it. There was a shadow darkening her soul, but she would not believe he was gone from her.

Nicoletta turned and ran. She knew the path, had used it hundreds of times, roaming the hills day and night in her childhood. She had often gazed at the palazzo, awed by the great statues and gargoyles that guarded its eaves and turrets, the long ramparts where legends and rumors were born. She ran until her lungs were burning and she was gasping for breath. She ran until she could no longer feel the pain in her bare feet.

The wind coming off the sea became more ferocious than ever. It nearly knocked her over, pushing her along the cliffs to the shortcut leading down to the palazzo grounds. She lifted her hands to the flying, blinding mass of her hair, twisting it as she hurried down the steep, slippery slope. It took two attempts to knot her hair in place. She was exhausted, frightened, nearly spent from her race along the cliffs. Her heart and lungs felt as though they might burst, and her face was wet with tears. She stumbled several times as she ran, limping now, to the immaculate grounds of the palazzo, calling out to the guards.

From out of the shrubbery forming the maze an owl swooped low, rushing right at her face. Nicoletta screamed, throwing up her hands to protect her eyes. She felt the powerful draft from the wings as the bird of prey veered off, the tip of a wing feather brushing her cheek. The terrible knot in her stomach grew, and she stopped moving and held herself very still, taking in a deep breath of clear, cool air in an attempt to calm herself and read all necessary signs.

'Nicoletta! Nicoletta!' Portia's voice rose eerily out of the maze, a wail of terror, a plea for help. 'Help! You must help us! Can you hear me? Nicoletta! We need you now. Margerita is dying. I cannot stop the bleeding. *Per l'amore di Dio*, help us before it is too late.'

The dark shadow in her lengthened and grew until Nicoletta was consumed by it. She hesitated, pulled in two directions, the need to get aid for Giovanni paramount, but the terror and desperation in Portia's voice dragging her reluctantly toward the woman. The owl glided in front of her, silent now that it had her attention. She quickened her pace, racing for the maze, calling out to the guards for help, to anyone who might hear her. The wind whipped the sound of her voice back into her face. 'Portia, what is it? Giovanni needs help. Tell me quickly.' She yelled the words at the top of her lungs, hoping anyone might hear.

'Oh, Nicoletta, thank the good Lord, please help my

angel, my daughter. Help her, she is dying.' The voice sounded thin and reedy, filled with tears, with sorrow.

Her heart pounding, Nicoletta followed the bird, felt the premonition of danger, of trouble, growing stronger with every step. When she rounded a corner she found Portia lying in her path, her body covering her daughter's. There was blood on Portia's temple, streaks of it trickling down her face like red tears. Blood on her dress and on her hands where they were pressed to Margerita's body. 'I cannot stop it. He did this to her. He did this to my daughter!' Portia sobbed.

Nicoletta sank onto the ground beside the two women, lifting Portia's hands away to see her daughter's wound. 'Who did such a thing?' she asked, horrified by the sight. Margerita looked little more than a child, pale and helpless, her eyes wide open and staring in terror and pain. Her breath was coming in painful, whimpering gasps. 'Portia, go for help. I will do what I can for her, but I need Maria Pia and my satchel, and you must send the soldiers after Giovanni. He is injured and under attack in the pass.' Nicoletta's orders were crisp and firm.

Portia tried to rise, nodding, then sank back to lie face-down on the path, her eyes staring into her daughter's. Nicoletta looked down to see the stab wounds in Portia's back. 'Portia,' she whispered softly. 'Who did this to you?' Quickly she tried to press her hands to the wounds, to stem the flow of blood.

'Save my daughter. May God forgive me, I let him do this. I let him put his filthy hands on her and use her the way he used me. But she is not like me. Not like him. She believed in his pretty words. Save her for me, Nicoletta. Save my

406

child, as I did not save your *madre*.' Her voice was very thin, a thread of sound only.

Nicoletta stiffened at the mention of her mother, but she obediently went back to tending Margerita. There was nothing she could do for Portia; she had suffered too many wounds, lost too much blood. She had a chance of saving Margerita if the dagger had not penetrated too deep. She summoned every ounce of strength she possessed, looked up to the wildly waving canopy above her head, and yelled at the top of her lungs for Francesco, for Dominic, for any within hearing to come to her aid.

Bending low, she put her mouth to Portia's ear. 'I will not fail you, Portia. Do you hear me? I will save your child.'

Portia's desperate gaze locked onto her face, although she didn't lift her head. Tears welled up and fell to mingle with the blood pooling on the ground. Her lips trembled for a moment as if she might say something. She lay there staring at Nicoletta as death overtook her.

Nicoletta blocked out the sight of Portia lying still in death, the thought of Giovanni desperately needing her aid, and turned her complete attention to stopping the flow of blood from Margerita's wound. She worked steadily, doing her best not to hurt the girl further with her ministrations.

'*Madre* saved my life,' Margerita said softly in wonder. 'She really loved me after all.'

'You need to stay quiet, close your eyes, and do not move at all,' Nicoletta cautioned. 'I have done what I can, but now I need to get aid. I must leave you for a few minutes, but what I have done will hold if you keep very still. I promise I will come back for you.'

She had taken only a few steps when she heard voices. Antonello's. Vincente's. Francesco's. They were calling her name. Someone had heard her cries. At once Margerita appeared agitated, her eyes wide with terror. Nicoletta put a finger to her lips and hurried away from the girl.

'Francesco!' She called for her personal guard, the man Giovanni had trusted with his bride's safety. 'Francesco, someone has murdered Portia here in the maze, and Margerita is severely injured. Giovanni is in the pass, wounded. We were attacked, and he was stabbed. Send soldiers to aid him. Send soldiers for Margerita, too, and trust no one but Giovanni. Do you hear me? *No one* else. Not even his brothers.'

She heard his instant response, the roar of his orders to the soldiers. 'Donna Nicoletta, call out to me. I will follow the sound of your voice.'

'Hurry, Francesco. Margerita needs aid swiftly.' Nicoletta rushed around another bend, afraid to draw the wrong people with the sound of her voice. She trusted none of them. The roughhewn, mysterious Antonello was certainly suspect, and Portia had been in a violently passionate relationship with Vincente.

Nicoletta thought about Margerita slapping her, seeing the strange marks on her wrist, the dark bruises just like the ones Beatrice, the maid, had on her wrist. Nicoletta rounded the next bend, trying to put all the pieces together. Could it be Antonello? But somehow he didn't fit. Margerita's wrists. Beatrice's wrists. *I let him put his filthy hands on her and use her the way he used me.*

Hard, hurting hands caught at the knot of her long hair

and yanked her backward so that her eyes flooded with tears and her feet went out from under her. She fell to the ground, staring up at the dark, handsome face. *Vincente*. It couldn't be. He had a child, a beautiful little girl Nicoletta already loved. He smiled down at her and put a finger to his lips, ordering her to remain silent. *I let him put his filthy hands on her and use her the way he used me*. Of course it was Vincente.

Nicoletta stared at the sharp point of the dagger he clutched tightly in his fist. It was covered in fresh blood. Her heart nearly stopped, then began to beat very fast. He caught at her shoulders, lifting her easily to her feet. 'You are going to tell me how to read the maps,' he said softly, his mouth close to her ear. 'He has taken the treasures and hidden them inside the passageway, but with the key to the maps, I will be able to align with the king of Spain.' Vincente leaned closer so that his lips touched her jaw. 'Your skin is soft but cold. Like ice.' His tongue stroked a monstrous caress along her cheek.

'What maps?' Tears were running down her face, her scalp hurting from the yanking on her hair. 'Vincente, I do not know about any maps other than those in your *nonno*'s study.'

He began dragging her through the maze, finding his way quickly, with deadly efficiency, away from the sounds of the searching soldiers. Away from Antonello and Francesco. Away from Margerita. '*I* know about the maps,' he hissed at her. 'I searched for so long, but I found them at last. They are on the walls of the upstairs room where the boat is, and the one exactly like it downstairs. They are there in the carvings. I know I am right. Too clever to be fooled. The maps are in plain sight, yet no one has ever discerned that until now. Until *I* solved the puzzle.' He was bragging as they ran, uncaring that branches were hitting her in the face as they raced along.

'It was you throwing your voice so that we could hear it. Were you trying to drive poor little Sophie mad?' Nicoletta did her best to hang back, to slow him down. 'What purpose would that serve? Giovanni already was taking the responsibility for her.'

'Giovanni!' He spat the name at her, infuriated at the mere mention of his oldest brother. 'Portia, the imbecile, had her moved downstairs, right into the very room I wanted to search. She was tired of the nightmares. Sophie would wake up screaming, and Portia did not want to attend her, so she sent her where she would not be heard. I could not have her in that room. I knew I was close to finding the maps. I knew the key must be the boats, the golden boats. Giovanni left them out, while the rest of our riches, *my* riches, were hidden.'

They were at the edge of the maze, near the path leading down toward the sea. Vincente hesitated, looking back toward the palazzo that loomed out of the mist like a giant. The dark windows stared at them blankly. 'So you used your voice to frighten her so you could have an excuse to move her? Why didn't you simply insist she stay in the nursery?'

Vincente smiled at her, his teeth white in the darkness. 'I did not want to draw attention to myself. Better the role of the long-suffering *padre* than the ogre. She was moved exactly as I knew she would be. There was an entrance to the passageway in both rooms and also one in the nursery.'

'So you dumped the scorpions to persuade them to move rooms again when you wanted to inspect the walls.' Nicoletta was inching away from him, all too conscious of the dagger he held by his side.

He turned his attention from the palazzo, its lights growing brighter as the searchers lit more torches. The wind blew sparks across the courtyard until it looked as if it were raining fire. Vincente cursed, furious that they could not return unseen to the palazzo. His fingers bit into her arm. 'You know how to read the maps. I know you do. That is why you were always going to those rooms.'

She knew then, knew the answer. She had seen it one sunny morning when the light spilled through the strange stained glass to mark the walls with color. The key to the map was the morning sun. It couldn't be read at night. She shook her head. 'I was looking for clues to the voices, Vincente. I did not know about the maps on the wall.' She changed tactics, smiling up at him. 'This is so wrong. We should go to the palazzo, find Giovanni together, talk to him. You are his *fratello*.'

'You changed everything,' Vincente spat at her, a low, vicious sound filled with hatred. 'The moment he laid eyes on you, everything changed. Giovanni began to care about living; he became more cautious. There was no chance of an . . . accident. And once he wed you, you would soon produce his heirs.'

Nicoletta could feel her heart pounding in alarm, beating out a rhythm of fear. Her mouth was almost too dry to attempt speech. His hold on her arm was so tight, it was beginning to go numb. She was also very aware of the dagger

411

he held in his fist, now close to her throat. Vincente began to drag her toward the cliffs. He was trembling with his rage, toward her, toward Giovanni.

Giovanni. She couldn't think of him, couldn't allow her mind to dwell on the possibility that he was seriously injured or worse. She could only pray that Francesco was not in the payment of Vincente, that he was loyal to his don and would heed her orders.

'Do you know what the Scarletti curse really is? Have you guessed yet what the truth is? It is said none of us can escape it, no matter how hard we try.' Vincente's voice was soft, almost gentle. It made her blood run cold. '*Mio padre* did what he could to protect us, but he soon realized Antonello and Giovanni were not strong enough. Only I was. Night after night he would come to my room and whisper to me that I was the only Scarletti strong enough to conquer the curse.'

He shook her viciously, as if she were a doll, yet rather absently, as if perhaps he had forgotten she was at the other end of his hand. The action pushed her dangerously close to the edge of the crumbling cliffs. 'You see? I know I am the one destined to rule. I am the strongest. The Scarletti men are cursed to love only once, with our hearts and our minds and our souls. That one woman consumes us, becomes our life, until we are no longer real men. But I was the one Padre trained to conquer the curse. I can lure women to me, make them my slaves. They lie for me. They even beg me to hurt them, to do anything to them that gives *me* pleasure. They are willing to sell their souls for me! I am the strong one, and I deserve to rule, not Giovanni. He was never meant to be don.'

412

His words were making her ill. His debauchery had led him to terrible depravities. He was looking at her with his sickness evident in his eyes. 'So many women – they are nothing to me, you know. Nothing at all. The ones who look at me as you do, with that mixture of contempt and pity, those are the ones I like the most. They have spirit; they put up a fight before they crumble like dust in my hands. Your mother was very like you.' His voice turned cunning. 'None of them knew I did it. They thought it was Nonno. Even Nonno thought he might have done it. I did it!' he gloated. 'Just as I strangled *mia nonna*.'

Nicoletta went rigid, her stomach churning and protesting her proximity with a man so sick. 'You killed your own *nonna?*' Her voice was a whisper of sound, a shocked gasp. She could believe his baseness with women, but to murder his own grandmother, and allow his grandfather and everyone else to believe the elder Scarletti guilty, was the worst kind of sin.

CHAPTER NINETEEN

hold on, bambina, *I will get to you. Keep him talking.* Giovanni's voice came to her. Gentle. Reassuring. Very calm.

Nicoletta dared not breathe a sigh of relief. Giovanni! He was alive, then. And he had heard her as he always did when she was agitated, in trouble, when she desperately needed him. Her heart sang and the terrible weight pressing on her chest lifted. 'Why would you do such a thing?' Nicoletta felt the revival of her determination. She held the knowledge to her tightly, protectively, that Giovanni lived.

'*Mia nonna* saw me that evening. Your mother would not come to my bed, and she threatened to go to *mio fratello.* Giovanni would have protected her. *Mio padre* would have given her to me, and I think she knew it, but she would have told Giovanni, not *mio padre.* I lured her out to the ramparts.' He pushed Nicoletta to the crumbling steps that led down to the cove. Without the protection of the mountains or trees, the wind was battering at them, the cold numbing.

'How?' Nicoletta tasted fear and anger in her mouth. 'How did you get her out there on such a terrible day?' Her foot slipped out from under her, and she nearly fell to her death. Like her mother. Vincente yanked her closer to him.

414

'It wasn't really all that difficult. I sent a maid to tell her *mia nonna* needed her in the tower. It always worked for my father when he sent for women. I used to hide and watch him. Sometimes I joined with him, or he with me. Your *madre* was not the first woman I had led to the tower. Up there we could take our time, do what we wished without fear of interference. That day, everyone knew Nonno and Nonna were fighting, and they knew Nonna often walked the ramparts or retreated to the tower when she was distressed. Of course your mother went. Everyone loved *mia nonna*. Your *madre* believed she was summoned, and she would never turn Nonna down. I knew no one would be up there on such a rainy day. The wind was howling, I doubt any could have heard screaming. She fought me. I had no choice really; she would have told Giovanni. I had to kill her. It was only bad luck that Portia and Nonna came out in the rain onto the walkway. They saw me struggling with her. Nonna tried to stop me. You can see I had no choice.'

He sounded as if he expected her approval, as if he were making a matter-of-fact statement without remorse of any kind. 'Portia understood.' He sounded very reasonable.

Nicoletta felt the hair on the back of her neck stand up. Vincente cocked his head to one side, regarding her gravely. 'Portia knew I was destined to rule. She acted at once.' His smile didn't reach his flat, dead eyes. 'It helped that I knew she had killed her husband. She poisoned him, you know. I told her I knew.' The chilling smile was devoid of all emotion. He began to drag her down the old steps, which were slippery with the salt spray and mist from the sea. 'I told her I knew, and it was a good thing, because I wanted her to be mine. I wanted her to prove she was mine. Women are so easy to control. They think they have power, but in truth they have none.'

Far below her she could see the waves crashing along the cliffs. 'She was in love with you,' Nicoletta said softly, feeding his ego, searching for anything to keep him talking. Her breath was coming in ragged gasps. Portia had made a bad bargain, believing she could control Vincente, but he had used her, as he had used so many other women, in ugly ways.

'She would do anything for me.' Vincente tightened his hold, jerking her so close she could smell his perverted excitement. He was sweating, aroused, his face flushed and his eyes large. It took every ounce of self-discipline she had to keep from struggling against him. 'I brought whores to her.' He shrugged casually. 'I would tell her she could join me or I would have my fun with them alone.' There was contempt in his voice. 'She watched me with other women, I made her watch. And she slept with men I told her to sleep with. I slept with her own daughter, and she still kept coming to me, begging me to allow her to please me, as if she ever could.' His laughter was low and nasty. 'Portia had her uses, though. She kept your friend Cristano occupied with her charms while I talked with you and my brothers in the courtyard.'

Nicoletta paled. She stumbled several times as she pretended to try to keep up with him. Her body felt stiff and awkward from the biting cold. The mist swirled around them, the wind tugging at their clothes, so cold and piercing that Nicoletta could feel it all the way to her soul. She used

416

the numbing cold to her advantage, shivering, slipping, dragging at his arm to slow him down.

'Portia helped you with Cristano? Why? Why did you kill him? He would have left, and you never would have seen him again.' Even her voice trembled, though not from the cold. Vincente terrified her with his calm reasoning. He was insane. His father had perverted him, teaching him to utterly loathe women.

'He heard us talking, planning our move on Giovanni. Portia and I were walking together; we didn't know the boy was still in the maze, after Giovanni confronted him. He didn't see us, but if he had gone to Giovanni, my brother would have figured it out. I am not a heartless killer, Nicoletta.' He pressed his cold lips against her skin. 'I only do what is necessary to protect my plans, my heritage. Don't you see that? Portia charmed Cristano, luring him with her considerable assets. I knew she would keep him occupied. I went back later to dispose of him. Believe me, he was so preoccupied with Portia, he never felt a thing.'

Nicoletta couldn't prevent the shudder running through her at the implication. Portia was certainly capable of seducing Cristano. Cristano's manhood had been affronted. He would have leapt at the chance of seducing an *aristocratica*. She now realized she had felt his death; he had been murdered there in the maze, but Nicoletta had attributed the terrible foreboding to little Ricardo's sudden alarum about Lissandra. Lissandra didn't die until after Nicoletta arrived at the farm. From the ramparts Margerita must have seen her mother with Cristano in the labyrinth and hastened downstairs and along the corridor, upset that her mother had been consorting with a peasant. She had run into Nicoletta and Giovanni but had no chance to reveal why she was upset because, at that very moment, Nicoletta was feeling so strongly the violence taking place in the maze without comprehending the true source.

Vincente ran a finger down her cheek, jerking her back to her own peril. 'Your skin is even softer than it looks.' He shrugged. 'I have no idea why the body was not in the labyrinth. I left it there for you to find, so you would believe Gino had killed your friend and so you would not gaze with such heat at *mio fratello*.' His smile was a sickly parody of anticipation. 'You will not miss Giovanni. I will see to that.'

Nicoletta's stomach clenched and rolled. Vincente sounded perfectly rational as he talked. Anyone watching him would think they were having a normal conversation. That frightened Nicoletta more than all his threats ever could. He believed he was entitled to any woman he desired. He believed he was entitled to kill anyone in his path. Giovanni, more than any other, stood in his way.

Her dark gaze jumped away from his. He terrified her with his cold-blooded calculating. She nodded as if she found what he was saying reasonable. 'And Margerita? Why did you hurt her?'

His handsome face twisted into scowling contempt. 'She was like Angelita, my wife. Sniveling and fawning. Just the sound of her voice made me ill! You pointed out to Antonello and me that she might have seen what had happened from above. You were partially correct. I went to her immediately, and, like all women, she wanted to be taken to

418

bed. It was quite easy getting the information out of her. She had seen Portia seducing Cristano, and she saw me entering the maze. She told me everything, and she stayed quiet when I told her to.' Again the contempt he felt was evident in his voice and manner. Young Margerita had been easy prey for a man like Vincente.

They were on the beach now, the ocean lapping at the shoreline, darkening the white sand so it looked almost black and slick with blood. Vincente continued to drag Nicoletta toward the water's edge. Salt spray misted her face and arms; the sand clung to her bare, bloodied feet. The wind tugged at her thick hair, blowing the strands around her face. Nicoletta was feeling desperate. She searched for something to keep him talking. 'What of your wife? Angelita? Why did you marry her, and however did you get Portia to agree to stay silent?'

Vincente's teeth flashed at her. 'I had no money. The lands and title belonged to Giovanni. By agreeing to marry that dull but wealthy cow, I thought I would be rich. Portia wanted the money, too. But it was not to be. I tired of Angelita's whining. She was fun at first, a virginal little thing, but quite tiresome, begging me not to hurt her in our bed. It was amusing to shock her, but she took the fun out of it with her endless sniveling. I could not allow her out of the room after a time.' Again he ran his fingers over her skin, making Nicoletta shiver with revulsion. His hand settled around her throat so she was forced to look into his mad eyes. 'It was difficult to hide the bruises, and I could not allow Giovanni to see them. I helped her end it. I watched her. It took her a long time to die.' His white teeth flashed again. 'If you do not tell me what I want to know, you will take a long time to die, too.'

The water was racing toward them, a solid, foaming wall. She stared at it helplessly. Did he mean to drown them both? It crashed through the rocks and up the shore to explode in the air and fizz along the bank until her ankles and the hem of her skirt were soaked. His hands tightened around her throat, squeezing slowly. 'I suggest you learn that I mean what I say, unlike Giovanni. If you expect him to come charging to your rescue, do not. He is dead. Your good friend Aljandro was easy enough to persuade to join with me, and a few others I bought. They took care of your husband. After all, if I wish to ease the suffering widow's pain for a time before she dies by her own hand, she must first be a widow.' Deliberately his hand slipped from her throat to squeeze her breast forcefully. His sick laughter was in her ear as he twisted the delicate flesh.

The force of the waves nearly knocked her over, wrenching her loose from Vincente's grip. She shoved him hard and that combined with the force of the water toppled him over. He swore furiously. Nicoletta whirled and ran for her life, heading for the dark interior of a large cave. The water was inching its way in, then retreating just as fast, leaving behind a carpet of sea kelp. If only she had Giovanni's gift, to be able to call to him, touch him, get reassurance that he was still alive.

The cave branched out, leading in two different directions. *Take the left.* The voice brushed at the walls of her mind. Calm. Loving.

Nicoletta heard the pounding of Vincente's boots on the

sand, spurring her to action. She rushed into the left tunnel as fast as she could. The farther she went from the sea, the darker the interior became. She was forced to slow down, walking carefully in the wet sand, unable to judge where to put her feet. Her heart was pounding, her lungs exploding. She was exhausted, even with the fresh surge of inspiration from Giovanni.

Behind her, Nicoletta heard Vincente as he came after her. He was no longer running, but taking his time as he stalked her, making certain she could not escape him. She could hear him humming softly to himself, and it made her blood run cold. He was insane. Utterly, totally insane. And she was trapped in a dark, damp cave with no way out, nowhere to go.

She forced herself to press close to the cave wall. It felt damp and slimy to the touch, but it gave her a sense of stability as she pushed forward in the darkness. She nearly panicked when she ran into a dead end. She would have bumped her head if she hadn't blindly, instinctively thrown out her hands in front of her. It seemed solid rock. Her heart stilled. Had it been Giovanni's voice in her head? Or Vincente's? She tried to replay the words, terrified there in the dark with her heart pounding so loudly it sounded like thunder in her ears.

Reach down low, and run your finger along the surface of the rock slowly until you feel a slight depression. It is very low and to your right. The instructions were a whisper this time, the voice husky and strange.

Nicoletta hesitated for a moment, but what could she do? She was trapped, and Vincente was coming up behind her;

she could hear his horrible humming. She didn't ever want to feel his hands on her again. She slid her fingers obediently along the face of the rock, slowly, back and forth, to cover it inch by inch. It seemed forever before she felt the faint depression. Her entire palm fit in the groove, and she pressed it there.

Just as in the palazzo room, a crack began to open in the cave wall, growing wider and wider until there was a gap large enough for her to fit through. The secret passageway did lead to the sea – an escape, just as Giovanni had explained to her. When under attack and needing to retreat, the Scarletti family disappeared inside their palazzo walls with the family fortune. They would go into the passage that led to the cove, where boats were waiting to take them away to safety. Nicoletta understood now the carvings in the two 'map' rooms, the stained-glass windows, and the golden boats. The reliefs and paintings looked as if serpents were carrying the hapless *aristocratici* into the sea, but when the morning light shone on the mural, the winged creatures were carrying them safely *out* to sea and the waiting boats, the soldiers – their attackers – drowning as their ships crashed onto the hidden rocks. It was there for all to see, yet no one but the reigning don would understand the significance of it.

Vincente's father had never given Vincente the 'key' to the 'maps' because Nonno had never revealed the significance of the carvings to his son. Vincente had discovered the 'maps' but not yet the key.

Nicoletta stared into the black, gaping hole that was the passageway. She had been in it once before. It harbored traps, rats, and it was very, very dark. The ceiling was low and the walls so close they were suffocating. Did the passageway harbor the screams of other unwary women? Women who had trusted the Scarletti men?

The terrible humming was coming closer. Which was worse? To die at Vincente's hands, or die with an unseen blade slitting her throat quickly in the passageway? Biting her lip hard, Nicoletta chose the dark, damp passageway. She stepped cautiously inside, and the two halves of the rock began to slowly slide together behind her. The pounding of the sea had been loud, booming through the cave, an assault on her ears, but now the closed door entombed her in sudden silence within the narrow walls.

Nicoletta squeezed her eyes shut tight like a small child. It seemed an easier way to face the blackness of the underground chamber. She could tell the passageway curved upward from the cove toward the palazzo. It was a very long distance, locked beneath the earth, with masses of rock over her head.

Hurry, piccola. The voice was soft, persuasive, as if he knew she was frozen to the spot, unable to force her feet to move. He had called her *little one*. It was reassuring, that small nickname. Vincente would never have thought to call her that. It spurred her to action when nothing else could have. *There is no danger until you feel difference in the texture of the ground. For once I am grateful for your bare feet.*

Her heart soared instantly. It was Giovanni! There was no doubt in her mind. He was still alive, and he was guiding her, bringing her through the complex tunnel. She had a hundred questions but didn't know how to ask them, so she concentrated on the one thing he needed to know. If she didn't make it, if she made a mistake and died in the passageway, she wanted him warned, wanted him to know who his mortal enemy was. His own brother. Vincente. She thought the name over and over in her head, replaying her ugly recent memories of the man, hoping to give Giovanni a clue.

The narrow path was leading steadily upward, a steep slope that was slippery and yet gritty beneath her feet. There was slime on the rock walls as there had been in the cave. It was hard going to make the climb, and she was unable to find purchase on the slick walls to help her move forward. Her legs ached; her whole body hurt. She was becoming aware of her own exhaustion. And always there was the terrible darkness.

She heard the murmuring then. Voices buzzing around her, so real that she stopped abruptly, feeling around her blindly, frantically, with her outstretched hands, so frightened she literally couldn't move. He was in the passageway! Vincente knew the way to open the door, and he had followed her! She knew he was locked in the dark with her, far beneath the earth. Keeping her hand on the slimy wall so she wouldn't get turned around, she glanced behind her, eyes straining to see in the pitch black of the corridor. There was a strange flickering light glowing behind her. She realized Vincente had lit a torch, and he could thus move much faster than she could.

It is all right, cara mia. *Keep moving forward until you feel the difference under your feet. When you feel smooth marble, you must slow down. Take five paces along the left-hand side. Five only. Count them.*

Nicoletta turned resolutely away from the light. Giovanni was somewhere ahead of her, perhaps moving toward her through the passageway. She had to put her faith in him. Trembling so much that she could scarcely move, she forced her feet along the uphill grade. It seemed an eternity before she managed to ascend the steep cliff and reach level ground beneath the palazzo. Her bare foot suddenly found cool, smooth marble.

'Left side,' she reminded herself softly. The terrible whispers were louder now, but she still couldn't distinguish the words. It sounded like the buzzing of a swarm of bees. Cautiously, Nicoletta moved to the left side of the tunnel until her shoulder brushed against the wall. She took five steps, careful to remember that Giovanni was taller than she and his stride longer.

Stop at your fifth step, and take one pace directly to the right side. Make certain you step sideways, piccola. She caught the anxiety in his voice. He was closer now – it wasn't her imagination! Giovanni was in the passageway, too, coming toward her from inside the palazzo. She stopped moving, standing very still, her heart beating in her throat. She wanted to stay right there, waiting for him to reach her, though darkness was pressing down on her.

A noise behind her heralded Vincente's approach.

'I know you are there, Nicoletta,' he called to her softly, amusement in his voice. 'You must know the tunnel holds many traps. And there are rats in here, hungry rats. You cannot possible make it through alone. I have a torch.'

She knew there were rats; she heard them moving, felt them brush against her bare feet. Close to panic, she took the step to her right. Her legs felt weak. *Take three strides forward, and then another directly to your left.* She tasted fear in her mouth. Where before she had been shivering with cold, her hands nearly numb, now beads of sweat were running along her skin. She took the three paces and stepped directly to her left. Nothing happened to her; no blade slid silently out of the wall or ceiling or floor to end her life.

Nicoletta realized that tears were streaming down her face. She jammed her fist over her mouth to keep from sobbing. Hands caught at her in the darkness, dragging her against a strong, warm body. Giovanni! He was there, tall and enormously strong, his body a shelter for hers. His heart was pounding beneath her ear, his arms tight bands around her. She would know him anywhere, even in pitch blackness far beneath the earth. Relief swept through her, nearly overwhelming her, and she sagged against him, held up only by the strength of his arms. Then felt him wince.

Nicoletta felt that wince all the way to her soul. 'You are injured!'

In the darkness his hands framed her face, his mouth unerringly finding hers. He kissed her gently, lovingly, a little desperately in his relief. 'It is nothing. Aljandro's stiletto nicked me. I will walk you through the passageway. You must follow my steps exactly.'

'I cannot see anything.'

'You will.'

And she did. Nicoletta realized just how extraordinary his talent was, his ability to communicate in silence. With her hand firmly in his, she followed his footsteps, directed by the map he projected to her mind. They were silent while he concentrated on the intricate patterns that took them safely through the passageway and out into the bedchamber she shared with her husband. It seemed familiar, comforting, a haven, when once she had thought it so foreign.

Her relief was tremendous. Nicoletta staggered into the light blazing in the room, blinking rapidly while her eyes tried to adjust to the brightness of the many candles lit in anticipation of their return. A fire was blazing in the hearth, and Giovanni hurried her toward its warmth. He was running his hands over her, ensuring she was all right, searching for signs of damage. She burst into tears and threw herself into his arms.

Giovanni held her as if he might never let her go, burying his face in her hair, his strong arms around her, pressing her to him. 'I thought I had lost you, *piccola*. I knew a monster walked among us, knew he preyed on women, but I did not think it was Vincente. He seemed to love his wife, to care for Portia. I thought it was one of the soldiers, not one of my brothers.' There was deep sorrow in his voice, as well as rage.

'Margerita is wounded, Giovanni. We must get to her.'

'She is safe in the palazzo. Maria Pia attends her, and my most trusted guards are stationed outside the room. Sophie is safely in Signorina Sigmora's care, as well. I returned with soldiers from the regiment you had attended at the border. They were bringing young Goeboli to the palazzo as we had instructed. The pass was blocked, but they found me and tended my wounds.' Giovanni was pushing back her hair, touching her face, her neck, wiping at the dirt on her skin. 'Francesco took you at your word. Poor Antonello could not convince Francesco to allow him to hunt for me. He was put under heavy guard. Vincente had already escaped through the maze.'

'I did not know which of them it was until it was too late. There was nothing I could do for Portia,' Nicoletta confessed sadly. 'Her wounds were too severe, and she had lost too much blood by the time I heard her cries for help. She had aided Vincente in his conspiracy, but in the end, she could not allow him to murder her child.'

'I know, *cara mia*. I spoke briefly to Margerita. She told me how she met Vincente in the maze and he attacked her. Portia had followed, and she attacked Vincente, but he easily overpowered her and stabbed her several times.' Giovanni sighed. 'I blame myself now. There have been reports of women in the various *villaggi* being misused and even murdered. I ordered investigations, but often it was Vincente who volunteered to investigate, despite his reputed distaste for the peasantry, when I could not spare my men. And Antonello admitted it was he who moved Cristano's body from the labyrinth because he believed I had killed the boy out of jealousy, and wanted to protect me.'

'Vincente is still in the passageway, Giovanni.' Nicoletta's fingers curled in his shirt. She looked toward the smooth marble wall, half expecting it to slide open and his younger brother burst through.

'I am aware of that,' he said gently. 'But he cannot make it through the tunnel without the map. He will be forced to turn back, and my guards will be waiting for him.'

'He knew about the map, but he didn't know the key.'

'*Mio padre* did not know the key to give it to him,' Giovanni confirmed. 'Nonno suspected something had gone wrong with his son, my father, after our mother's death. Padre only held the title of don for three years, and Nonno never revealed the key to him, so Padre could not give it to Vincente, even though he was his favorite son.'

'Vincente killed your *nonna*. He strangled her.' Nicoletta began to weep again, shaking violently with the aftermath of terror. 'And my mother. And my aunt and all the other women; he hurt them on purpose. It was Vincente. He killed your *nonna*, too.'

Giovanni swept her back into his arms, holding her to him, his mouth fastening on hers in a desperate attempt to comfort her, to comfort them both. 'Come, *piccola*, come into the bath. It will warm you. I will go see to the end of this thing and return to you as soon as I am able.'

She clung to him, afraid to let him out of her sight. 'What of your wounds? Let me at least see to them.'

'There is no need. I must go. Do you wish me to send Maria Pia to you?'

More than anything Nicoletta wanted the comfort of the older woman, but Margerita was severely wounded and had just lost her mother. 'I will go to them after I have bathed,' Nicoletta said.

'Your guards will be at the door. Do not leave without them. I have your word on that?' His black gaze pinned hers.

Nicoletta found a small smile from somewhere deep inside. She had had enough adventures to last a lifetime. 'You have my word, Don Giovanni.'

He bent his head to hers and kissed her thoroughly, completely, his mouth hot and dominant and masterful. Deep within her, the smile blossomed into warmth.

Nicoletta went gratefully into the room with the deep, sunken tub. Steam rose from the surface of the water. She lit as many candles as she could, letting their soothing fragrance fill the room. The water shimmered invitingly, offering a measure of peace when her entire body was suffering from exhaustion and terror. She tossed her clothes aside and padded down the steps, letting the hot water caress her skin, warming her. The moisture lapped at the bruise forming on her breast, taking away the terrible stinging but not the memory of how it was put there. She was still shivering violently, enough that small waves radiated outward from her, reminding her of the violence of the sea, the violence hidden beneath the surface of a man.

She wept then. For her mother, her aunt, for Giovanni's mother and grandmother, for his grandfather, Portia, and Margerita, and even for Angelita and little Sophie, who would someday have to know what a monster her father was. She wept for herself and for Giovanni. His father had been a sick man who had turned his jealousy into a corrupt hatred, and he had fed his youngest son the same diet, creating an abomination. She sat in the bath, the water lapping at her chin, and allowed the tears to fall until she thought she would never cry again.

Finally Nicoletta washed her hair, rinsing out the salt spray, the sea smell, trying to realize she was safe at last. But even the long bath had not taken away the terror in the pit of her stomach, the horrible dread that filled her body, and the taste of fear in her mouth. She needed Maria Pia. And young Sophie. Most of all she needed Giovanni. Sighing, she left the bath and dressed in one of the soft nightshifts

Giovanni had had made for her. She dragged on a robe and went to the bedchamber door.

To her relief, she recognized Dominic, although the other guard was a stranger to her. 'Where is Francesco?'

'He guards Margerita, Donna Nicoletta,' Dominic responded.

'Please take me to them,' she said softly.

'Of course.' He smiled at her, his gaze warm. But suddenly his eyes went wide, staring in a kind of horror. A trickle of blood seeped from his mouth to dribble toward his chin. His knees buckled, and he pitched forward to fall facedown at her feet. The back of his shirt was soaked with blood.

Nicoletta found herself staring at Vincente's smiling face. The sight of his evil smirk made her blood run cold. His fingers settled around her throat, and he backed her into the master bedroom, his body crowding close to hers. 'I have a loyal following, you see. They believe in me; they realize I was meant to rule. I know Giovanni thinks Austria will receive our country graciously in the new agreement with Spain – a marriage of convenience so to speak – and he has been working toward that end. But I disagree with Gino's thinking, and I plan to be in power not just over Scarletti lands but over all of our country.' His fingers tightened on her throat, threatening to cut off her air. 'My guards wait outside for your husband, so we will . . . rest here together.'

Nicoletta's dark eyes moved over his face with contempt. 'You can never take Giovanni's place. Not as a ruler, and certainly not with me.'

431

His eyebrows shot up. 'Really? I know more ways to pleasure a woman – or hurt her – than you have ever dreamed. We will see.' But abruptly he let go of her, dropping his hands from her bruised skin.

She took two steps away from him, backing toward the marble wall, toward the entrance to the passageway. 'You have forgotten the most important thing of all, Vincente. You have forgotten the curse on your *famiglia.*' She smiled at him sweetly, confidently. Deep within her a new confidence surged. This monster no longer frightened her. She was in the palazzo. Her home. And she had finally realized the tremendous gift she shared with her husband. She had only to think of what was wrong, only to shout a warning in her mind, and the strong bond between her and her husband would take care of the rest. Giovanni would always be there, just a thought away, surrounding her with his love and protection.

'What are you talking about?' Vincente's voice was a whip of contempt.

'You were the one who told me of the curse. The downfall of Scarletti men is always a woman. I am Giovanni Scarletti's woman, not yours. If I am a curse to someone, do you wish it to be you? Because I will never be a curse to him.' She stepped aside, well away from the passageway entrance as the crack in the wall widened and her husband launched himself straight at his youngest brother.

Vincente had no time to react. He fell backward from the force of the blow. Giovanni, wounded though he was, subdued the monster as, outside the room, Giovanni's soldiers overcame those in Vincente's pay.

432

Giovanni took his brother out into the corridor, and when his soldiers escorted the prisoner to the tower, Vincente slammed his body into a guard, attempting to push him over the ledge. Instead, the guard stumbled aside, and Vincente Scarletti hurled himself from the very walkway where he had destroyed so many others.

CHAPTER TWENTY

Giovanni stepped into the long, wide corridor. He was utterly weary, tired to the bone. His side ached where Aljandro's stiletto had slid into his muscles, but more than his flesh, his soul ached. Delving deeply into his once-loved brother's affairs had been much like immersing himself in evil. His brother had even kept a journal of his deeds, somehow believing, in his illness, that he was doing his duty for the Scarletti heirs to come. At last the sun had set, and he could make his sorrowful way to his bedchamber. To his wife.

Nicoletta. She was a breath of fresh air in the palazzo, working miracles with her sunny smile, with her personality alone. She laughed with Maria Pia and Beatrice and their little charge, Sophie, offering comfort and love. She drew Nonno into her circle of light until even the servants began smiling at him. She was often in Margerita's room, talking with her, encouraging her, offering solace and friendship. She reached out to Dominic's family, giving aid and comfort as she could. She was the healer, watching over the young injured soldier, Goeboli, hiding in the palazzo, and, of course, her husband. Nicoletta tended his wounds very, very carefully.

Giovanni did not remember what he had ever done without her. She was a calming influence, yet his barefoot bride also brought laughter into the palazzo. He needed her tonight after the ugly discoveries he had made. He needed her love of life, her energy. He needed the solace of her body.

He pushed open the door of their room. It was empty, as he had expected it to be. She was most likely calming Sophie's nightmares or doing a last inspection of the young Goeboli before she came to bed. Sighing softly with regret, Giovanni was halfway to the enormous bedstead, peeling off his shirt, when he noticed the door to the bath partially open. He stood still for a moment, his fingers massaging the nape of his neck in an attempt to ease his tight muscles. Drawing off his boots, he allowed them to drop to the floor before he padded across the room to the bath, his feet bare on the smooth tiles.

Nicoletta was lying on her stomach on the marble beside the pool, trailing her fingers in the water. Candlelight flickered and danced over her bare skin, her long legs drawing attention to the curve of her bottom. Her hair fell in a cascade of blue-black silk over one bare shoulder. She took his breath away with her beauty.

He made a sound in his throat, his black eyes fixed on her like a predator's on prey. She glanced over her shoulder, saw the hunger in his eyes, and smiled an enticement. 'I was hoping you would join me. I have been lying here thinking about you.' She turned slightly, just enough that he caught a glimpse of her full breasts beckoning him.

'What were you thinking?' His body was already reacting

435

to the sight of her gleaming skin, her rounded curves, the inviting dimples at the small of her back. He was hard and thick with need, a painful ache at the sensuous invitation of her naked body. His breeches were all at once extremely confining.

Her gaze moved over his masculine frame to settle thoughtfully on his rigid thickness. 'I was thinking how much I like the way you touch me.' Her hand drifted down her own body, calling attention to the swell of her breasts, her narrow waist, the curve of her hips. 'How good your mouth feels on my skin. How much I like my mouth on your skin.' She turned back to settle down, her fingers playing absently in the water, her eyes closing. 'It is so wonderful here in this room, Giovanni, the two of us locked away from the rest of the world.'

Giovanni murmured his agreement even as he kicked aside his breeches. He walked down the steps into the hot water, which licked at his skin like a thousand tongues, cleansing him, and he stood beside her, his hands finding her ankle, her beautiful calf. She had already bathed, and she smelled clean and fresh. He bent his head to taste the small droplets on the back of her knee. His teeth teased her gently, moving steadily upward to her thighs. His hands stroked caresses over her legs, inch by slow inch.

Nicoletta stirred, sighing contentedly. 'Do you miss me the way I miss you when you are gone?' Her voice was soft, seeping into his pores, soaking into his heart.

His tongue swirled behind her knee. 'I miss you so much, I ache for you.' His breath was warm, teasing her sensitive skin. 'I think of you when I should be working.' His fingers delved into hidden shadows. His teeth nipped gently at her skin. His hands shaped the curve of her hips. He pulled himself out of the water to blanket her body with his, his mouth finding those intriguing little dimples in the small of her back. He pressed against her, taking his time while he explored the firmness of her derrière, trailing kisses, lazily swirling his tongue in each hollow and secret feminine recess.

'Really?' Nicoletta laughed softly, lifting her hips to push back against him, enjoying the feel of him so thick and hard and wanting her. 'What are you thinking about right now?'

He turned her over, his gaze hot and hungry. 'I am thinking that claiming my rights from your *villaggio* was the best decision I ever made.' He bent his head to her breasts, his hands moving possessively over her. His tongue bathed the faint bruise there, gentle and soothing.

'I am thinking you are right, Giovanni.' Nicoletta closed her eyes, arching into the heat of his mouth, burying her fists in his hair to hold him to her. 'I want you. I have waited all day for you.'

He lifted his head to study her face. '*All* day?'

She nodded mutely, watching him. Beneath him, her legs moved restlessly, her hips pushing at him. 'All day I thought only of you.'

'You make me happy as no other could, saying that simple thing to your husband,' he said softly, slipping back into the water and pulling her to the edge of the pool so that he could put her long legs on his shoulders. 'You take away my every burden, Nicoletta.' His hands stroked her thighs and pulled her even closer.

Nicoletta's entire body clenched in anticipation. His breath was warm on her skin. His hair brushed like wet silk on her inner thighs. He kissed her wet, tight curls, his tongue stroking a lingering caress to taste her before he inserted two fingers into her tight core, pushing deeply just for the pleasure of her response.

'Yes, *bambina*, that is what I need. You, hot and ready for me.' He pulled her to his seeking mouth, delivering a wild assault of sheer pleasure.

Nicoletta cried out, throwing her head back, her hips bucking out of control, so ready for him she was nearly in tears. Her fingers clutched his hair, holding him to her even as the intensity mounted to heights she wasn't certain she would survive. She had been afraid she would never be able to bed Giovanni again without the distaste of Vincente's perversions in her mind, but she should have trusted her husband more. He made certain he drove out every demon, every fear, until only he remained, his hands and his mouth and his soft, whispered endearments.

'*Ti amo*,' she said softly, meaning it. The words were embedded in her soul for all time.

He sank beneath the warm waters, then resurfaced, droplets pouring off him, his black hair streaming, the water running from his skin as he levered himself easily from the pool. His eyes were fiercely possessive, hot with desire. He caught her up in his arms and carried her straight to their enormous bed.

'We are very wet,' she reminded him, laughing softly at his newly impulsive, playful ways. 'We will soak the coverlets.'

Giovanni followed her right down to those coverlets. 'We have many beds and many coverlets in the palazzo,' he reminded her, pressing against her aggressively. 'In any case, it will not matter. We will need no blankets, as I intend to keep you busy – perhaps making a *bambino* – all night.' He thrust into her, watching her as he welded them together. '*Quando sei bella. Ti amo.*'

He breathed the words – *How beautiful you are. I love you.* – and he meant them. He loved her with every breath in his body, with his entire heart and soul. She knew the way to break the curse, and he was man enough and loved her enough to follow her advice and trust it would be so. He wanted her soul soaring with his, and he wanted to feel her belly swollen with his child. A child who would know love and laughter, not endless losses; wonderment, not evil whispers. The Scarletti curse, he vowed, would live no more.

Nicoletta watched her husband's face, watched the shadows disappear, watched joy replace fatigue. She moved with him, arching into him, so they came together in fiery friction, so that she could feel him thicken even more deeply within her. She could hear his breath come in gasps before he spilled his seed within her. She loved the way he loved her.

And he was right. She never noticed the water soaking the coverlet, and the don and his bride did, that night, make their first happy, healthy *bambino*.